Ärztin im Kreuzverhör

Henry Denker
Ärztin im Kreuzverhör

Deutsch
von
Hilde Linnert

Weltbild

Für meine Frau Edith

Originaltitel: *Doctor on Trial*

Besuchen Sie uns im Internet:
www.weltbild.de

Genehmigte Lizenzausgabe 2005 für
Verlagsgruppe Weltbild GmbH
Steinerne Furt 67, 86167 Augsburg
Copyright © 1992 by Henry Denker
Alle Rechte an der Übersetzung von Hilde Linnert liegen
beim Wilhelm Heyne Verlag, München,
einem Unternehmen der Verlagsgruppe Random House GmbH.
6. Auflage 2005

Projektleitung: Gerald Fiebig
Umschlag: Hauptmann & Kompanie Werbeagentur GmbH, München
Umschlagabbildung: Getty Images.
(Ghislain & Marie David de Lossy)
Satz: Uhl + Massopust, Aalen
Druck und Bindung: Oldenbourg Taschenbuch GmbH,
Hürderstr. 4, 85551 Kirchheim

Gedruckt auf chlorfrei gebleichtem Papier

ISBN 3-89897-153-8

1

»Holt Frau Dr. Forrester!« rief jemand in der Notaufnahme des City-Krankenhauses verzweifelt. »Wir haben eine Schußverletzung hier! Einen Bluter!«

Zwei Sanitäter, von denen einer wieder »Frau Dr. Forrester« brüllte, liefen mit der Rollbahre zum Akutraum am Ende des Korridors.

In einem der Untersuchungszimmer wandte sich Dr. Kate Forrester von dem Patienten ab, mit dem sie sich befaßte, und sagte zur Schwester: »Übernehmen Sie! Schicken Sie eine Blutprobe ins Labor. Holen Sie mich sofort, wenn die Ergebnisse da sind!«

Damit rannte sie aus dem Raum und den Korridor hinunter. Die losen, zerzausten blonden Haare, das fehlende Make-up, der zerknitterte Arztkittel waren Hinweise darauf, wie viele Stunden sie bereits in der Notaufnahme ununterbrochen im Einsatz war. In dem großen City-Krankenhaus waren die Samstagabende immer hektisch, doch heute war es schlimmer als sonst, weil der Arzt, der gemeinsam mit Kate Dienst machen sollte, mit einer schweren Grippe im Bett lag. Man hatte ihr Hilfe versprochen, aber bis jetzt war noch kein Ersatz eingetroffen. Also tat sie, was junge Assistenzärzte immer tun – unter scheinbar unmöglichen Bedingungen das Bestmögliche.

Als sie am Untersuchungszimmer C vorbeikam, rief Schwester Adelaide Cronin: »Wenn Sie einen Augenblick Zeit haben, Frau Doktor...« Aber Kate lief zum Akutraum weiter, wo ein vierzehnjähriger Junge aus einer Schußwunde am Arm blutete; er war unglücklicherweise in einer West-Side-Straße in der Nähe des City-Krankenhauses in die Schußlinie von zwei rivalisierenden Drogendealern geraten.

Da Schwester Cronin wußte, unter welchem Druck Kate Forrester an diesem Abend stand, wandte sie sich wieder der Patientin in Zimmer C zu und begann mit den Fragen zur Vorgeschichte. Sie war eine fachkundige Kraft mit über sechzehn Jahren Berufserfahrung, und es war ihr lieber, wenn sich keine Außenstehenden in ihre Arbeit einmischten. Die Mutter der

Patientin beharrte jedoch darauf, schützend über ihre Tochter zu wachen.

»Warum sind Sie hergekommen?« wandte sich Schwester Cronin an das dunkelhaarige, etwa neunzehn Jahre alte Mädchen.

Ihre Mutter mischte sich sofort ein. »Ich möchte, daß Sie einen Arzt holen. Meine Tochter ist sehr krank. Sie muß die bestmögliche ärztliche Betreuung bekommen.«

»Ich habe Frau Dr. Forrester bereits verständigt«, erklärte Schwester Cronin.

»Ich möchte den leitenden Arzt dieser Station«, ließ die Frau nicht locker. »Wir können uns den besten Arzt leisten.«

»Der leitende Arzt dieser Station ist an einem Samstagabend um diese Zeit leider nicht erreichbar.« Schwester Cronin wandte sich wieder der Patientin zu. »Warum sind Sie also hergekommen?«

»Ihr war übel, und sie erbrach ...« antwortete ihre Mutter.

Der Schwester war klar, daß sie wie jede Mutter besorgt war, und nahm sich deshalb Zeit für eine Erklärung. »Mrs. ...«

»Stuyvesant«, antwortete die Frau. »Mrs. Claude Stuyvesant.«

Die Schwester erkannte den Namen sofort, änderte aber weder ihre Vorgehensweise noch ihre Haltung.

»Mrs. Stuyvesant, da diese Informationen in die Unterlagen der Patientin eingetragen werden müssen, solange sie die Fragen beantworten kann, ist es am besten, wenn sie ihre Symptome selbst schildert. Dadurch werden unsere Aufzeichnungen genauer, und der Arzt kann seine Diagnose rascher stellen. Also bitte ...«

»Entschuldigen Sie«, sagte die Mutter und trat einen Schritt vom Untersuchungstisch zurück, auf dem ihre Tochter lag. Deren dunkle Haare klebten an der schweißnassen Stirn, sie atmete fast krampfhaft, und ihr gesamter Körper war angespannt; alles Zeichen dafür, daß sie Schmerzen litt. Während die Schwester Puls und Blutdruck maß, wiederholte sie die Frage.

»Sagen Sie mir jetzt, warum Sie hierhergekommen sind.«

Man hörte der Patientin die Schmerzen an, denn sie sprach stockend und leise. »Es begann heute früh gegen sechs Uhr...«

»Was begann?« unterbrach sie Schwester Cronin.

»Die Schmerzen. Im Bauch. Dann... dann wurde mir allmählich übel.« Sie wirkte jetzt beinahe lethargisch.

»Erbrechen?« fragte die Schwester.

»Ja, aber es kam nicht viel. Dann hat... das... das Schwitzen begonnen.«

»Claudia, mein Liebling, vergiß den Durchfall nicht«, warf die Mutter ein.

»Ich wollte gerade dazu kommen, Mutter. Ich habe... ich hatte Durchfall.«

»Schweren?« wollte die Schwester wissen.

Claudia Stuyvesant dachte nach und sagte dann: »Eigentlich nicht.« Dann schloß sie die Augen, als würde sie einschlafen.

Inzwischen hatte Schwester Cronin festgestellt, daß der Puls der Patientin 110 betrug. Herzjagen. Sie schwitzte heftig und der Blutdruck stand auf 100:60. Adelaide Cronin streifte eine frische Plastikhülle über das Thermometer.

»Unter die Zunge, bitte«, sagte sie und griff dann nach dem Schränkchen an der Wand, um alles bereitzulegen, was man für eine intravenöse Infusion braucht. Die Kombination von Durchfall und schnellem Puls wies darauf hin, daß die junge Frau möglicherweise unter Dehydrierung litt.

Die Temperatur von 38,5 bestärkte Schwester Cronin in dieser Annahme. Sobald sie die intravenöse Nadel fixiert hatte, fragte Mrs. Stuyvesant: »Geben Sie ihr denn nichts?«

»Medikamente kann nur der Arzt verordnen«, erklärte die Schwester.

»Wo steckt er denn?« fragte die Frau. »Wir sind seit beinahe einer halben Stunde hier. Zuerst draußen in der Aufnahme, dann haben wir auf Sie gewartet...«

»In der Notaufnahme untersuchen wir jeden Patienten, so schnell es uns möglich ist, Mrs. Stuyvesant. Dr. Forrester wird sehr bald hier sein.« Damit verließ Schwester Cronin den Raum.

»Also so was…« rief die Frau.

Trotz ihrer Schmerzen bat die Tochter: »Bitte, Mutter… keine deiner Szenen, ja?« Sie schloß wieder die Augen.

»Glaub mir, wäre Dr. Eaves in der Stadt gewesen, so wäre er sofort in deine Wohnung gekommen. Aber ausgerechnet Samstag abend krank zu werden…«

»Bitte, Mutter.«

»Ich erinnere dich nur ungern daran, Claudia, aber wer hat vor einem Jahr gesagt: ›Ich bin achtzehn, Mutter, und kann selbst für mich sorgen. Ich mache mich selbständig.‹ Weder ich noch dein Vater waren dieser Ansicht. Achtzehn«, wiederholte sie bedrückt. »Als ich in deinem Alter war, wurde ein Mädchen in die Gesellschaft eingeführt, sobald es achtzehn war. Mit einundzwanzig oder zweiundzwanzig war sie mit einem netten jungen Mann verheiratet. Aber heutzutage… heutzutage…«

Inzwischen hatte Kate Forrester die blutende Arterie des angeschossenen Jungen abgeklemmt, schickte ihn in die chirurgische Abteilung hinauf und begab sich zu Schwester Cronin, die sie vor Zimmer C erwartete und kurz über den Fall berichtete. Sie betraten den Raum.

Kate erfaßte mit einem Blick die Situation. Nervöse Mutter, leidende Tochter. Beruhige zuerst mal beide. Stelle eine persönliche Verbindung her. Sie fragte die Patientin: »Wie heißen Sie, bitte?«

Bevor das Mädchen reagieren konnte, antwortete ihre Mutter: »Eine Schwester hat ihr schon Fragen gestellt. Wir wollen, daß ein Arzt sie untersucht.«

»Ich bin Arzt«, erwiderte Kate.

Die Frau schien das zu bezweifeln, bis ihr Blick auf die Plastik-Ausweiskarte am Aufschlag von Kates weißem Arztkittel fiel: DR. K. FORRESTER.

»Oh«, sagte Mrs. Stuyvesant überrascht und verlegen. »Ich bin… ich bin überzeugt, daß Sie Ihr Bestes tun werden.«

Kate, die die Bemerkung der Frau halb verärgert, halb amüsiert zur Kenntnis nahm, wandte sich jetzt der Patientin zu.

»Sie heißen?«

»Claudia Stuyvesant«, antwortete das Mädchen, das vor Schmerzen leicht keuchte.

Kate merkte, daß die junge Frau zudem lethargisch war und daß es ihr schwerfiel, sich auf etwas zu konzentrieren. Sie griff nach dem Puls der Patientin, nicht nur, um Schwester Cronins Messungen zu bestätigen, sondern vor allem, um die medizinische Situation zu analysieren.

Junge Frau, neunzehn, vielleicht zwanzig. Allgemeine Symptome. Schmerzen, gleichzeitig lethargisch, jedoch unter beträchtlicher emotioneller Spannung. Ist sie wegen der Anwesenheit ihrer besorgten Mutter verkrampft, oder hat sie Angst vor einer ernsten Erkrankung? Die Anwesenheit ihrer Mutter ist sicherlich nicht hilfreich. Wie werden die beiden reagieren, wenn ich das Mädchen aufnehmen und über Nacht hierbehalten muß?

Kate wollte das Mädchen dazu bringen, offen zu sprechen, dann konnte sie es vielleicht mit einigen gezielten Fragen beruhigen und möglicherweise zu einer genaueren Diagnose gelangen.

»Schön, Claudia, sagen Sie mir, warum Sie hier sind.«

»Das sollte wohl offensichtlich sein«, mischte sich die Mutter ein.

»Bitte, Mrs. ...«, begann Kate.

»Mrs. Stuyvesant. *Claude* Stuyvesant«, antwortete die Mutter und erwartete, daß Kate den Namen sofort erkennen und entsprechend reagieren würde.

Doch für Kate war die Bedeutung des Namens weit weniger wichtig als der Zustand der Patientin. Deshalb meinte sie: »Bei der Aufnahme gibt es einen Aufenthaltsraum, Mrs. Stuyvesant. Vielleicht könnten Sie dort warten?« Als die Frau keine Anstalten traf, sich in Bewegung zu setzen, fügte Kate »Bitte?« hinzu.

»Es ... es ist schon in Ordnung, Frau Doktor«, griff die junge Patientin ein.

Um bei der jungen Frau keine Schuldgefühle oder Verlegenheit aufkommen zu lassen, sagte Kate: »Wenn Sie unbedingt hierbleiben müssen, Mrs. Stuyvesant, dann erlauben Sie bitte der Patientin, meine Fragen zu beantworten.« Sie wandte sich wieder dem Mädchen zu. »Also, Claudia, warum sind Sie hier?«

»Bauchschmerzen.«

»Wann begannen sie?«

»Heute früh.«

»Du hast mir gesagt, daß sie erst heute abend begonnen haben«, mischte sich die Mutter ein, aber ein Blick von Kate veranlaßte sie, »Entschuldigung« zu sagen.

»Haben Sie schon früher solche Bauchschmerzen gehabt, Claudia?« fuhr Kate fort.

»Nein, nicht solche. Diesmal ist es anders.«

»Inwiefern anders?«

»Die Schmerzen sind stärker«, war alles, was Claudia dazu einfiel.

Kate überflog das Blatt, auf dem Schwester Cronin ihre Feststellungen notiert hatte.

»Hier steht, daß Sie erbrochen haben. Wie oft? Wann?«

»Seit heute morgen. Mehrmals.«

»Schlimm?«

»Mir wird übel. Ich habe das Gefühl, daß ich erbrechen muß. Aber… aber…«

»Es kommt nichts heraus?« ergänzte Kate.

»Richtig. Nicht viel.«

»Wann haben Sie zum letzten Mal gegessen, Claudia?«

»Gestern abend.« Sie versuchte, sich zu erinnern, und fügte dann hinzu: »Am Nachmittag… gestern nachmittag.«

Die Ärztin begann, die vage geschilderten Symptome und Anzeichen miteinander zu verbinden, um damit zu einer vorläufigen Diagnose zu gelangen.

Die Patientin ist für einen Herzanfall zu jung. Die Anzeichen und Symptome, die sie aufweist – leichtes Fieber, jagender Puls, Übelkeit, Durchfall, Schmerzen im Bauch –, würden auf eine Viruserkrankung des Verdauungstrakts oder eine Lebensmittelvergiftung deuten. Aber es kann sich genausogut um eine Blinddarmentzündung oder ein Dutzend anderer Krankheiten handeln.

»Zeigen Sie auf die Stelle, Claudia, an der genau der Schmerz begonnen hat.«

»Es war irgendwie... als wäre er überall.«

»Zeigen Sie es mir.«

Claudia fuhr sich mit der Hand über den Bauch.

»Nicht in der Mitte des Bauchs?« Das Mädchen schüttelte den Kopf. »Und der Schmerz wanderte nicht hier hinunter?« Kate zeigte auf das rechte untere Viertel des Unterleibs. Claudia schüttelte wieder den Kopf. Sie schloß zwar damit eine Blinddarmentzündung aus, half jedoch der Ärztin nicht, eine Diagnose zu stellen.

Claudias rascher Puls war beunruhigend – und dazu kam das leichte Fieber, das zur Dehydrierung führen konnte. Gemeinsam konnten sie Anzeichen für Sepsis oder Infektionen irgendwo im Körper sein. Doch die Dehydrierung konnte auch eine Folge des Durchfalls plus zu wenig Flüssigkeitsaufnahme darstellen.

Da Kate so wenig Anhaltspunkte hatte, nach denen sie sich richten konnte, wandte sie sich Schwester Cronin zu, um sie um die Geräte für eine Blutprobe zu bitten. Die Schwester war ihr zuvorgekommen. Kate zog den Gummischlauch oberhalb Claudias Ellbogen fester zusammen, so daß eine Vene hervortrat. Sie führte die subkutane Nadel vorsichtig ein und zog den Kolben zurück, bis die durchscheinende Kunststoffröhre mit dunklem Blut gefüllt war. Das Röhrchen gab sie Schwester Cronin mit der Anweisung: »Vollständiges Blutbild plus Elektrolyten. Sagen Sie dem Labor, daß ich es sofort haben will. Und schicken Sie eine Harnprobe mit. Ich lasse die Nadel drinnen, bis die Ergebnisse da sind.«

Sobald Schwester Cronin mit der Blutprobe hinausgelaufen war, sagte Kate: »Während wir warten, Claudia, möchte ich Ihnen einige Fragen stellen und Sie genau untersuchen. Ziehen Sie bitte die Bluse aus und machen Sie Brust und Rücken frei.«

11

Als Claudia begann, die Bluse aufzuknöpfen, rief im Korridor eine Schwester verzweifelt »Frau Dr. Forrester! Frau Dr. Forrester!«

Der Tonfall verriet Kate, daß sie bei einer lebensgefährlichen Situation gebraucht wurde. Mit einem hastigen »Ich bin sofort wieder da« ging sie zur Tür.

Im Türrahmen stand Mrs. Stuyvesant und fragte: »Sie lassen doch meine kranke Tochter nicht allein, Frau Doktor, oder?«

»Man braucht mich«, erwiderte Kate und drängte sich an Mrs. Stuyvesant vorbei.

»Also so etwas… einen kranken Patienten im Stich lassen«, jammerte die Frau.

»Bitte, Mutter«, sagte ihre Tochter schwach.

Kate rannte durch den Korridor zu der Schwester, die in der offenen Tür eines Untersuchungszimmers wartete. Als sie eintrat, stand sie vor einem Mann, der nicht älter als dreiunddreißig oder vierunddreißig war. Die Sensoren für ein Elektrokardiogramm waren bereits mit Klebstreifen an seiner Brust, den Armen und den Beinen befestigt. Die Schwester berichtete kurz: »Starke Schmerzen genau unterhalb des Brustbeins. Heftige Schweißausbrüche.«

Kate hatte bereits das schmerzverzerrte Gesicht des Mannes und den Schweiß auf seiner Stirn bemerkt. Beide konnten Hinweise auf einen Herzanfall sein. Der Ausdruck in seinen Augen verriet noch etwas: Angst. Auch Angst konnte bei einem schweren Herzanfall ein Symptom sein. Patienten spürten es oft irgendwie, daß der Tod nahe war, und dieser Patient hatte entsetzliche Angst.

Kate las den ersten Kardiogrammstreifen, der die Herzfunktion des Mannes betraf. Während der Streifen weiter aus dem Gerät glitt, flehten die Augen des keuchenden Patienten: Sagen Sie mir, Doktor, muß ich sterben?

Kate konnte ihn zu ihrer Erleichterung beruhigen. »Ihr Herz ist vollkommen in Ordnung. Vollkommen. Sie werden nicht sterben.«

»Aber die Schmerzen…« Mehr brachte er zwischen den krampfhaften Atemzügen nicht heraus.

»Der Schmerz wird sehr bald vergehen«, tröstete ihn Kate und befahl dann der Schwester: »Demerol. Einhundert Milligramm. Und ein Bruströntgen.« Sie untersuchte Rücken und Brust des Patienten mit dem Stethoskop, um andere Möglichkeiten auszuschließen. »Bringen Sie eine Blutprobe ins Labor. Sofort. Ich brauche so rasch wie möglich den Bilirubinwert. Wenn ich recht habe, geht gerade ein Gallenstein ab. Vielleicht steckt er im Gallengang. Bringen Sie den Mann inzwischen zum Röntgen. Und holen Sie mich, sobald Sie die Aufnahme haben.«

Sie lächelte den Patienten beruhigend an und verließ den Raum.

Als Kate Raum C erreichte, stand Mrs. Stuyvesant in der Tür, starrte sie an und sagte: »Hoffentlich werden Sie wenigstens jetzt fähig sein, meiner Tochter Ihre ungeteilte Aufmerksamkeit zu schenken.«

Kate würdigte sie keines Blicks, sondern ging direkt zum Untersuchungstisch und zu ihrer jungen Patientin.

»Wo sind wir stehengeblieben, Claudia?«

»Sie hatten sie gerade gebeten, die Bluse auszuziehen«, warf die Mutter ein.

Kate hätte sie am liebsten angefahren, sagte aber nur: »Danke. Und jetzt wollen wir Brust und Rücken gründlich untersuchen, Claudia. Runter mit der Bluse. Setzen Sie sich bitte auf.«

Claudia knöpfte die Bluse ganz auf und enthüllte ihre nackten Brüste.

Bei einer jungen Frau von neunzehn, die so unterschiedliche Symptome aufwies, konnte die Ursache sehr wohl eine Schwangerschaft sein. Während Kate fragte: »Haben Sie in den letzten vierundzwanzig Stunden etwas Ungewohntes gegessen?«, musterte sie die Brüste, um festzustellen, ob sie leicht geschwollen waren, was auf eine Schwangerschaft gedeutet hätte. Doch die Brüste wirkten normal.

»Nein, ich habe nichts Ungewohntes gegessen… mir fällt jedenfalls nichts ein«, erwiderte Claudia.

»Hatten Sie heute früh den Eindruck, daß Sie Fieber haben?«
fragte Kate, während sie begann, Claudias Brust mit dem Stethoskop abzuhorchen.

»Nein.« Claudia verkrampfte sich, als das kalte Stethoskop
sie berührte.

»Hat bei Ihnen zu Hause noch jemand über ähnliche Symptome geklagt?«

»Zu Hause ist niemand. Ich meine, ich… ich lebe allein.«

»Und du siehst, was dabei herauskommt«, warf Mrs. Stuyvesant rasch ein.

»Bitte, Mutter…«

»Haben Sie schon früher einmal Probleme mit dem Verdau-
ungstrakt gehabt?« fragte Kate.

»Nein. Es war nie so schlimm wie heute.«

»Einen Gallenanfall?«

»Nein.«

Kate wußte, daß die Laboruntersuchungen diese Behauptung
bestätigen oder widerlegen würden. Sie versuchte, die nächste,
sehr wichtige Frage beiläufig und routinemäßig zu stellen.

»Nehmen Sie regelmäßig irgendwelche Medikamente? Auf
Rezept, nicht rezeptpflichtige oder andere?«

Claudia zögerte einen Augenblick, bevor sie antwortete:
»Nein. Keinerlei Medikamente.«

Kate mußte die Antwort beurteilen. Leugnet sie, daß sie Medikamente nimmt, weil ihre Mutter sich im Raum befindet?
Oder sagt sie die Wahrheit? Warum hat sie gezögert, falls es
wahr ist? Oder hängt das Zögern mit ihrem lethargischen Zustand zusammen?

Statt näher auf diesen Punkt einzugehen, setzte Kate die
Untersuchung schweigend fort. Sie hörte die Lunge der Patientin ab und horchte nach verräterischen Geräuschen, fand
aber weder einen Hinweis auf Bronchitis, die sich in einem
Schnarchton geäußert hätte, noch auf eine Lungenentzündung, für die ein Rasseln – etwa wie ein aufreißender Klett-
verschluß – typisch gewesen wäre. Anschließend klopfte sie
Claudia Rücken und Brust ab. Das trommelartige Geräusch

verriet ihr, daß sich in der Lunge keine Flüssigkeit angesammelt hatte.

Dann verlagerte Kate die Untersuchung ein Stückchen tiefer und versetzte dort dem Rücken einige Schläge, um zu sehen, ob Claudia vor Schmerz zusammenzuckte. Das war nicht der Fall, also handelte es sich um keine Nierenerkrankung. Im übrigen reagierte die lethargische Patientin auf alle Reize sehr schwach.

Als nächstes befaßte sich Kate mit dem Unterleib des Mädchens. Die Haut war bis auf den Teil, den der Bikini bedeckt hatte, noch immer leicht gebräunt. Der Bauch hob und senkte sich nicht gleichmäßig, sondern leicht ruckartig, ein Hinweis auf mächtige Bauchschmerzen. Auf der rechten Hüfte befand sich ein verblassender blauer Fleck. Doch am wichtigsten war, daß es weder Wunden noch Spuren früherer Operationen gab. Somit konnte Kate die Möglichkeit einer Darmverstopfung durch Adhäsion ausschließen.

Da die Patientin den Kopf ohne weiteres bewegen konnte und auch nicht über Kopfschmerzen geklagt hatte, stand fest, daß es sich auch nicht um eine Störung des Nervensystems handelte.

Kate drückte der Kranken das Stethoskop auf den Unterleib und horchte ihn nach den normalen Geräuschen ab. In Anbetracht der Umstände waren sie nicht allzu reduziert. Sie drückte sanft auf das linke untere Viertel von Claudias Unterleib, das Gebiet des abwärtsführenden Dickdarms, und suchte dort nach einer Entzündung oder einer empfindlichen Stelle. An den Symptomen der Kranken konnte auch eine Dickdarmentzündung schuld sein. Aber bei einer Dickdarmentzündung hielten die Symptome längere Zeit an, während Claudia behauptete, daß sie noch nie solche Schmerzen gehabt hatte. Damit schied auch diese Diagnose aus.

Es mußte jedoch eine Erklärung für den Durchfall geben. Die unterschiedlichsten Ursachen kamen in Frage. Kate hatte junge Frauen erlebt, die zu häufig nicht rezeptpflichtige Medikamente gegen Kopfschmerzen oder Menstruationsbeschwerden verwendet hatten. Das hatte zu Magenentzündungen geführt, worauf sie große Mengen von Antacida schluckten, was Durchfall auslösen konnte.

Angesichts der vagen, unpräzisen Anzeichen und Symptome konnte Kate es sich nicht leisten, eine mögliche Ursache zu übersehen. Sie benützte die nächste Untersuchungsphase als Vorwand, um die nervöse Mutter loszuwerden.

»Ich werde jetzt das Becken untersuchen, Mrs. Stuyvesant, und nehme an, daß die Patientin keine Außenstehenden dabeihaben will.«

»Ich bin keine Außenstehende, sondern ihre Mutter, also störe ich nicht.« Mrs. Stuyvesant rührte sich nicht vom Fleck.

Kate streifte durchscheinende Plastikhandschuhe über und begann mit der beidhändigen Untersuchung des Beckens; gleichzeitig stellte sie eine Frage, die sie bis jetzt wegen der Anwesenheit der Mutter vermieden hatte.

»Sind Sie sexuell aktiv gewesen, Claudia?«

»Nein«, erwiderte das Mädchen und betonte diese Feststellung mit: »Nein, bin ich nicht.«

Kate fuhr mit der Untersuchung fort und fragte dabei: »Ist Ihre letzte Regel pünktlich eingetreten?«

»Ja.«

»Verwenden Sie während der Regel Tampons?« Kate dachte an die Möglichkeit eines toxischen Schocksyndroms.

»Nein. Keine Tampons.«

Kate war mit der Beckenuntersuchung fertig. Offensichtlich litt die Patientin nicht unter Schmerzen im Becken, so daß eine Beckenentzündung ausgeschlossen werden konnte. Claudias Gebärmutter war zwar leicht vergrößert, aber nicht so sehr, daß Verdacht auf eine Schwangerschaft bestand. Außerdem war der Gebärmutterhals nicht verfärbt. An den Eileitern war keine deutliche Schwellung zu ertasten, womit auch diese als Ursprung der Symptome ausschieden.

Mrs. Stuyvesant hatte offenbar das zwanghafte Bedürfnis, die Intimsphäre ihrer Tochter zu schützen, denn sie half ihr, die Jeans hinaufzuziehen.

Eines war für Kate offensichtlich: Bei Claudia Stuyvesant war

16

keine Notoperation erforderlich. Es war sicherlich am besten, wenn sie die Patientin an der Infusion angehängt ließ, bis sie die Laborbefunde bekam; damit bekämpfte sie die Dehydrierung und konnte die weitere Entwicklung abwarten. Während sie ihre Untersuchungsergebnisse und die daraus gezogenen Schlüsse in Claudias Akte festhielt, kam ein lauter Ruf von der Aufnahme: »Frau Dr. Forrester! Frau Dr. Forrester!«

Kate unterbrach ihre Schreibarbeit und ging zur Tür.

»Sie lassen meine Tochter doch nicht schon wieder allein?« erkundigte sich Mrs. Stuyvesant. »Ohne etwas unternommen zu haben?«

»Ich kann erst wieder etwas für Ihre Tochter tun, Mrs. Stuyvesant, wenn ich die Untersuchungsberichte aus dem Labor erhalten habe.«

Nora Stuyvesant folgte ihr in den Korridor. »Sie könnten ihr zumindest ein Antibiotikum geben.«

»Ich anerkenne Ihre mütterliche Sorge, Mrs. Stuyvesant, aber ein Antibiotikum würde gegen ein Magenvirus – an das ich im Augenblick denke – nichts ausrichten. Außerdem könnte es Nebenwirkungen haben.«

Damit drehte sich Kate um und machte sich auf den Weg.

»Frau Doktor! Ich möchte Ihnen sagen, daß mein Mann sehr gute Beziehungen zu bedeutenden Mitgliedern des Kuratoriums dieses Krankenhauses unterhält, und...«

Diese Warnung, die vielleicht eine Drohung war, übte keine Wirkung auf Dr. Kate Forrester aus, die ausschließlich daran dachte, daß der nächste Patient auf sie wartete.

2

Kate rannte zu dem Raum, der an das Empfangspult anschloß und ein EKG-Gerät, Sauerstoffflaschen sowie alles für die Behandlung eines Herzanfalls Erforderliche enthielt. Der Ruf hatte so dringend geklungen, daß man den Patienten sicherlich dorthin gebracht hatte.

Ihre Vermutung erwies sich als richtig. Auf dem Untersuchungstisch lag ein kräftiger Mann Ende fünfzig, dessen schweißbedecktes Gesicht weiß wie ein Laken war und dessen große behaarte Brust sich krampfhaft hob und senkte. Die Schwester hatte bereits die EKG-Sensoren an Brust, Armen und Beinen befestigt. In seine Nasenlöcher führten Sauerstoffschläuche. Jetzt standen die Schwester und ein Helfer am Tisch und warteten auf Kates Diagnose und Anordnungen.

Sie öffnete rasch den Gürtel und die Hose des Patienten und schob sie so weit hinunter, daß der Bauch frei war. Der Mann atmete stoßweise, und seinem Gesicht war deutlich die Todesangst anzusehen. Nachdem Kate sich vergewissert hatte, daß der Bauch weder gedehnt noch hart war, stand fest, daß die Beschwerden nichts mit dem Unterleib zu tun hatten. Nun horchte die Ärztin Brust und Rücken mit dem Stethoskop ab und untersuchte die Lunge auf Flüssigkeit. Auch dafür gab es keine Anzeichen. Alles deutete auf einen Herzinfarkt hin. Der Patient brauchte eine Nitroglyzerininjektion, um den Blutstrom zu seinem Herzen zu verstärken und den Schmerz zu lindern. Doch ein zu niedriger Blutdruck konnte eine Gefahr darstellen. Also maß Kate den Blutdruck und stellte fest, daß er hoch genug war.

»Nitro«, befahl sie der Schwester, die so oft in der Notaufnahme bei Herzanfällen assistiert hatte, daß sie die Dosierung im Schlaf kannte.

Kate studierte die Ergebnisse des EKGs, während das Band aus dem Gerät glitt. Wie das unregelmäßige Muster bestätigte, handelte es sich tatsächlich um einen lebensgefährlichen Herzinfarkt. Sie mußte Streptokinase verabreichen, um die verstopften Arterien im Herzen wieder zu öffnen. Wenn der Patient dieses Medikament innerhalb von sechs Stunden nach Beginn des Anfalls erhielt, konnte es bleibende und möglicherweise tödliche Schäden am Herzen verhindern.

Aber um Strepto einsetzen zu können, brauchte Kate noch bestimmte Informationen, denn sonst richtete das Medikament möglicherweise mehr Schaden an als der Anfall selbst.

Sie beugte sich über den Mann, dessen entsetzte Augen um Trost bettelten.

»Hatten Sie jemals ein Geschwür?« fragte sie. Der Mann verstand sie offenbar nicht. »Ein Geschwür«, wiederholte sie. »Hatten Sie jemals...« Dann begriff sie und rief: »Holt Juan Castillo!«

Im Korridor rief jemand: »Juan!«

Sobald der Ruf sein Ziel erreicht hatte, kam ein schlanker junger dunkelhaariger Mann in den Raum gerannt.

»Ja, Frau Doktor?« fragte er mit leichtem spanischem Akzent.

»Fragen Sie ihn, ob er jemals ein Geschwür gehabt hat.«

Juan übersetzte. Der krampfhaft atmende Mann stieß ein »Nein« hervor.

»Hatte er jemals einen Schlaganfall? Oder vielleicht mehrere leichte Schlaganfälle?« fragte Kate.

Juan übersetzte wieder, und der Mann antwortete wieder mit »Nein«.

Kate überlegte einen Augenblick, dann sagte sie der Schwester: »Verschaffen Sie sich Stuhl von ihm und lassen Sie ihn auf Blut untersuchen. Ich brauche das Ergebnis sofort.«

»Streptokinase?« kam die Schwester der nächsten Anweisung zuvor.

»Ich möchte den Blutdruck noch einmal kontrollieren.« Kate pumpte die Druckmanschette auf, die man dem Mann sofort nach seinem Eintreffen angelegt hatte, drückte ihm das Stethoskop auf den Arm, lauschte und sagte dann: »140:90, nicht hoch genug, um eine Kontraindikation gegen Strepto zu sein. Verständigen Sie mich, sobald das Stuhlergebnis hereinkommt. Und geben Sie ihm inzwischen eine Morphiuminjektion, damit die Schmerzen nachlassen.«

Kate hatte noch nicht ausgesprochen, als von der Aufnahme eine Stimme rief: »Frau Dr. Forrester! Frau Dr. Forrester!«

Sie ging zur Tür, stieß aber dort mit Mrs. Stuyvesant zusammen, die sich auf die Suche nach ihr begeben hatte.

»Meine Tochter wird sehr unruhig, Frau Doktor. Ich bestehe darauf, daß Sie sofort zu ihr kommen und sie sich ansehen.«

»Ohne Laborresultate können wir nichts unternehmen, Mrs. Stuyvesant«, wiederholte die Ärztin.

»Wie lange wird das dauern?« wollte Mrs. Stuyvesant wissen.

»Frau Doktor!« rief wieder jemand bei der Aufnahme.

»Ich muß gehen.« Kate versuchte, an der Frau vorbeizuschlüpfen, die sich ihr jedoch in den Weg stellte.

»Meine Tochter braucht Sie genauso dringend wie jeder andere Patient. Und sie braucht Sie jetzt!« gab die besorgte Mutter nicht nach.

Kate schob sie sanft beiseite, sagte leise »Entschuldigen Sie« und ging weiter.

Mrs. Stuyvesant sah ihr wütend nach und murmelte: »Niemand, nicht einmal eine Ärztin, behandelt eine Stuyvesant so!«

An der Aufnahme stand Kate einem alten Mann gegenüber, der krampfhaft, mit schmerzverzerrtem Gesicht atmete, ähnlich wie der Herzpatient, den sie gerade verlassen hatte. Er war ungefähr Mitte siebzig, und die weißen Stoppeln auf seinen eingesunkenen Wangen verrieten, daß er sich seit mindestens drei Tagen nicht rasiert hatte. Sein Gesicht war gerötet, die blauen Adern traten hervor – Hinweise auf einen längeren Aufenthalt im Freien.

Die wäßrigen blauen Augen des alten Mannes blinzelten heftig. Kate nahm seine feuchte Stirn und die schmalen trockenen Lippen wahr, die an zwei Stellen aufgeplatzt waren. Die Kleidung des Mannes war alt und abgetragen, der Hemdkragen verschlissen und schmutzig. Als Kate seine Hand ergriff, um den Puls zu messen, bemerkte sie, daß die Manschette seiner alten Tweedjacke rettungslos ausgefranst war.

Sein Puls ging langsam, aber regelmäßig; dennoch jammerte er: »Die Schmerzen, Frau Doktor. Die Schmerzen haben mich hergetrieben. Ich brauche etwas gegen die Schmerzen.«

Kate begann, Jackett und Hemd aufzuknöpfen, um Brust und Bauch zu untersuchen und den Schmerz zu lokalisieren. Die Kleidung des Mannes war so verschmutzt, daß sie sich dazu zwingen mußte, sie zu berühren. Vorsichtig schob sie das Jackett beiseite, öffnete die zwei letzten noch vorhandenen

20

Hemdknöpfe und setzte das Stethoskop an. Während sie ihn abhorchte, jammerte er weiter: »Der Schmerz, es ist der Schmerz.«

»Wo?« fragte sie.

»Überall. Und es ist schlimm. Sehr schlimm.«

Im ersten Kurs über grundlegende Diagnostik hatte man ihr eingedrillt, daß ›überall Schmerzen‹ gleichbedeutend mit ›überhaupt keine Schmerzen‹ ist. Das konnte bei diesem alten Mann sehr gut der Fall sein. Aber sie hatte auch gelernt, sich vor raschen, leichtfertigen Diagnosen zu hüten.

Sie horchte Rücken und Brust ab. Keine Anzeichen von Flüssigkeit. Dann konzentrierte sie sich auf das Herz – es schlug regelmäßig, unbeirrt, langsam. Sie drückte ihm die Finger in den Bauch und horchte auf die Geräusche. Abgesehen davon, daß er längere Zeit keine Mahlzeit zu sich genommen hatte, fand sie nichts Beunruhigendes. Sie war gerade mit der Untersuchung fertig, als sie bemerkte, daß Clara Beathard, eine ältere Schwester, in der Nähe des Untersuchungstisches stand. Clara machte eine leichte Kopfbewegung, die zusammen mit ihrem Gesichtsausdruck besagte, daß sie mit der Ärztin sprechen müsse.

Kate ging zu ihr hinüber.

»Sie verschwenden Ihre Zeit, Frau Doktor«, flüsterte die Schwester. »Ich habe ihn mehr als einmal hier gesehen. Immer die gleichen Symptome. Immer in Regennächten.«

»Regen…« begann Kate, bis sie begriff und Schwester Beathard es bestätigte.

»Sie machen schon so lange Dienst, daß Sie es nicht wissen. Es regnet seit heute früh. Immer wenn wir richtigen Dauerregen haben, kommt der alte Gauner mit seinen erfundenen Symptomen zu uns. Schade um die Zeit, Frau Dr. Forrester. Werfen Sie ihn hinaus.«

»Ich hatte ohnehin den Verdacht, daß er simuliert.«

»Sie müssen heute allein Dienst machen und haben alle Hände voll zu tun. Ich werde ihn Ihnen vom Hals schaffen«, bot die Schwester an.

»In Ordnung«, stimmte Kate zu. Doch als sich die Schwester

in Bewegung setzte, hielt Kate sie zurück und flüsterte: »Bevor
Sie ihn hinausschicken, geben Sie ihm heißen Kaffee und ein
Sandwich, falls Sie eines auftreiben können.«

»Damit ermutigen wir ihn nur«, warnte Schwester Beathard.

»Das Risiko nehme ich auf mich. Schließlich regnet es, und es
ist kalt.«

Dann ging sie zu ihrem letzten Patienten zurück.

3

Als Kate in die Herzstation kam, war der Patient bereits wesentlich entspannter. Das Morphium hatte die Schmerzen ge-
lindert und er befürchtete nicht mehr, daß er sterben würde.
Ihm war nicht klar, daß diese Gefahr noch nicht gebannt war.

Kate studierte die letzten EKG-Ergebnisse. Es handelte sich
um keinen Koronarinfarkt.

»Sobald die Laborberichte und das Stuhlergebnis herein-
kommen«, wies sie die Schwester an, »bringen Sie ihn auf die
Intensiv-Herzstation. Wenn die Ergebnisse es zulassen, sollen
sie ihm Streptokinase verabreichen.«

Dann wandte sie sich an den Patienten. »Sie werden wieder
gesund werden. Entspannen Sie sich nur.« Obwohl er sie nicht
verstand, wollte sie ihn durch ihre Haltung beruhigen.

Als sie den Behandlungsraum verließ, vernahm sie den schril-
len Hilferuf einer Frau aus dem Aufnahmeraum.

»Jemand! *Por favor! Mi niña!* Mein Baby!« schrie die Frau.

Während sich Kate auf den Weg zur Aufnahme machte, sah
sie Mrs. Stuyvesant, die in der offenen Tür des Untersuchungs-
raums C stand und in ihre Richtung blickte. Die Frau weigerte
sich offensichtlich, zur Kenntnis zu nehmen, daß eine Behandlung ihrer Tochter ohne die Laborergebnisse nicht nur sinnlos
war, sondern auch gefährlich sein konnte.

Da der Hilferuf wirklich verzweifelt klang, kümmerte sich
Kate nicht um Mrs. Stuyvesant, sondern lief zur Aufnahme.
Dort drückte eine junge Frau, die eindeutig hispanischer Ab-

kunft war, ein drei- oder vierjähriges Kind an die Brust. Die Kleine schlief offensichtlich nicht, doch ihre Augen waren halb geschlossen.

Kate zog die Augenlider des Kindes hoch, um die Reaktion auf das Licht ihrer Taschenlampe zu prüfen. Die Augen reagierten nicht normal.

»Frau Doktor?« bettelte die Mutter, während sie aufgeregt einen Rosenkranz um ihre Finger wand. »*Por favor*, Frau Doktor, was ist?«

Kate begann, der Kleinen die Kleidung auszuziehen, um sie zu untersuchen, und sagte: »Erzählen Sie mir, was geschehen ist.«

»Nichts geschehen…« behauptete die Mutter. »Maria sie schläft und ich sehe sie nicht atmet gut. Ich horchen. Dann denke ich soll lieber zu Arzt. Ich bringe sie her.«

Kate hatte inzwischen die Arme, Beine und den Oberkörper der Kleinen untersucht. Dabei erhielt sie die Bestätigung für ihre Vermutung – mehrere blauschwarze Blutergüsse, zwei verheilte Brandwunden. Kate entdeckte in einem Bein einen verheilten Bruch und im zweiten Bein eine Schwellung.

»Haben Sie Maria jemals geschlagen?« fragte sie.

»*Nada! Nunca!* Nie schlagen«, behauptete die Frau.

»Hat *jemand* sie geschlagen?«

»*No. Nadie.* Niemand«, wiederholte die Frau. »Aber Maria fällt. Sie sich verletzt.«

Kate nahm einige grundlegende neurologische Tests vor, und das Ergebnis beunruhigte sie so sehr, daß sie Röntgenaufnahmen vom gesamten Körper des Kindes für unerläßlich hielt, bevor sie Maria zur weiteren Beurteilung an die Station für neurologische Kinderheilkunde überwies. Falls sich ihr Verdacht bestätigte, sollte der Neurologe auch ein Elektroenzephalogramm machen und eine Computertomographie von Marias Gehirn veranlassen.

»Sie müssen sie über Nacht hierlassen.«

»Nein, nein! Kann nicht hierlassen«, protestierte die Mutter.

»Wenn Sie wollen, daß sie am Leben bleibt, müssen Sie es tun.«

Daraufhin begann die Frau zu weinen. Sie versuchte, das Kind in die Arme zu nehmen, aber Kate verbot es. »Lassen Sie das bitte. Gehen Sie jetzt zum Pult, und geben Sie der Angestellten alle erforderlichen Informationen. Ich kümmere mich inzwischen um Maria.«

»Nein … nein … Ich nicht lassen kann … Nein …«, jammerte die Frau, die jetzt viel heftiger und ängstlicher weinte.

In diesem Augenblick kam vom Eingang die zornige, heisere Stimme eines Mannes. »Felicia! *Dónde estás?* Wo bist du? Ich weiß du hier. Felicia!«

Die Reaktion der Frau auf die Männerstimme, das Zittern, das sie überkam, verriet Kate, daß der zornige Mann entweder der Ehemann oder der Freund war, mit dem sie zusammenlebte.

»Bitte, ich Maria nehmen muß … ich muß. Er sehr schlecht zu mir sein wird …«

Inzwischen hatte der Mann sie entdeckt und kam angriffslustig auf sie zu. Er war klein, aber breit und kräftig. Seine dunklen, durchdringenden Augen waren feindselig und wütend, als hätte man ihn betrogen.

»Felicia!« befahl er. »Heb Maria hoch!«

Die Frau wußte nicht, ob sie ihm oder Kates entschiedenem, ablehnendem Kopfschütteln gehorchen sollte.

»Ich sage, heb sie hoch. Nimm sie. Wir gehen nach Hause!« Die Mutter zögerte. Er brüllte: »*Rápido!*«

Die Frau erstarrte vor Angst. Sein Blick wirkte stärker als seine Worte, denn die Drohung in ihm war eindeutig. Als die Frau nachgeben und das Kind in die Arme nehmen wollte, griff Kate ein und stellte sich zwischen die Mutter und die Rollbahre, auf der die Kleine lag.

Der Mann winkte der Ärztin, vom Kind wegzutreten. »*Quítate!* Doktor! *Quítate!* Verschwinde!«

»Maria bleibt hier. Sie ist sehr krank«, erklärte Kate.

»Ich bin der Vater«, antwortete der Mann. »Ich sage, ob sie krank ist!« Er näherte sich der Rollbahre und erwartete offensichtlich, daß die Ärztin zurückweichen würde. Kate blieb stehen. Da versuchte er, sie wegzuschieben, doch sie gab keinen Zentimeter nach.

»Wenn Sie das Kind mitnehmen, stirbt es vielleicht«, warnte sie ihn.

Der Mann legte ihr die großen, kräftigen Hände auf die Schultern, um sie wegzustoßen.

»Der Vater hat das Recht über sein Kind, immer«, erklärte er der ihn abwehrenden Kate.

»Ihre Rechte interessieren mich nicht. Ich kümmere mich um die Rechte des Kindes!« schrie sie und rief: »Sicherheitsdienst!«

»Halt den Mund! *Silencio!*«

»Sicherheitsdienst!« rief Kate noch lauter.

Der Mann stieß sie in seinem Zorn so heftig weg, daß sie gegen die Wand flog und mit dem Kopf aufprallte. Unter anderen Umständen wäre sie wahrscheinlich bei einem solchen Schlag zusammengesunken, aber sie war entschlossen, dieses Kind vor Händen zu bewahren, die sein Leben sicherlich beenden würden. Sie stürzte sich auf den Mann, so daß er sich vom Kind abwenden mußte, um sie abzuwehren. Es gelang ihm wieder, sie wegzustoßen, und diesmal riß er das Kind von der Rollbahre und drückte es an sich. Doch inzwischen war der uniformierte Sicherheitsmann George Tolson, der den letzten Teil des Angriffs auf Kate mitbekommen hatte, auf den Mann zugestürzt.

»Legen Sie das Kind auf die Bahre!« befahl er.

»Sie gehört mir. Ich habe das Recht«, beharrte der Vater.

»Frau Doktor?« Der Sicherheitsmann wartete auf einen Befehl.

»Dieses Kind ist mißhandelt worden. Sie bleibt heute nacht hier, und dann so lange, wie wir es für notwendig halten. Machen Sie Gebrauch von der Waffe, falls es nicht anders geht«, wies sie ihn an.

»Okay, Mister. Legen Sie sie hin!« befahl Tolson. »Ich habe gesagt, legen… Sie… sie… hin.« Er griff nach seinem Halfter. Es war keine leere Drohung. Das wußte der Vater, denn er legte die Kleine langsam auf die Bahre. »Und jetzt treten Sie zurück!«

Der dunkelhaarige Mann entfernte sich von der Bahre, warf seiner Frau einen wütenden Blick zu und beobachtete dann das Kind.

Kate trat zu der kleinen Maria und führte die Untersuchung zu Ende. Inzwischen murrte der Mann: »Sie ist gefallen. Sie fällt immer. Etwas stimmt mit einem Kind nicht, wenn es immer fällt...«

»Wir lassen sie röntgen, den ganzen Körper, vor allem die langen Knochen. Dort kann man am ehesten Mißhandlungen entdecken. Dann eine Computertomographie des Gehirns«, sagte Kate.

»Was das heißt?« fragte die verängstigte Mutter.

»Da oben könnte es Schwierigkeiten geben.« Kate zeigte auf den Kopf des Kindes.

Die Frau bekreuzigte sich und murmelte: »*Hombre malo... malo...*« Sie wagte, ihren Mann anzusehen.

Er versuchte, sie durch einen drohenden Blick zum Schweigen zu bringen, aber in Anwesenheit der Ärztin und des Sicherheitsmannes fand sie den Mut, der ihr offensichtlich zu Hause fehlte, denn sie weigerte sich, still zu bleiben.

Kate nahm sie beiseite. »Wollen Sie es mir jetzt erzählen?« Als die Frau nicht reagierte, meinte sie: »Sie werden es den Behörden später erzählen müssen.«

Das erneute Weinen der Frau genügte Kate als Antwort, und sie rief: »Schwester Beathard!« Als die Schwester erschien, wies Kate sie an: »Bringen Sie Maria zum Röntgen. Vollständiges Körperröntgen eines Kindes, das etwa vier Jahre alt ist.«

»Sechs«, stellte die Mutter richtig.

Weder Kate noch Schwester Beathard waren überrascht. Mißhandelte Kinder bleiben oft im Wachstum zurück und sehen viel jünger aus, als sie sind. »Ich will auch sofort ein EEG und eine Computertomographie des Gehirns. Bitten Sie Dr. Golding, sich persönlich um diesen Fall zu kümmern. Ich fürchte, daß wir ein sehr krankes, mißhandeltes Kind vor uns haben.«

Schwester Beathard schob die Rollbahre zu der Doppeltür, die zum Haupttrakt des Krankenhauses führte, in dem die Station für Kinderheilkunde untergebracht war.

All das beobachtete der Vater wütend und schweigend. Einzig die Anwesenheit des bewaffneten Sicherheitsmannes hinderte ihn daran einzugreifen. Sobald die Rollbahre durch die Tür verschwunden war, sagte Kate zu der Frau: »Ihr Kind ist in guten Händen. Dr. Golding ist einer unserer besten Ärzte.« Dann wandte sie sich an den Vater. »Sie verlassen jetzt das Krankenhaus. Sie werden von der Behörde hören. Sehr bald.«

Der Mann setzte sich in Bewegung und rief seiner Frau zu: »Felicia! *Ven aquí!*«

Die Frau begann zögernd, ihm zu folgen.

»Sie müssen nicht mitgehen«, sagte Kate. Felicia wandte sich ihr zu, und ihre Augen füllten sich mit Tränen. Um sie zu beruhigen, ergriff Kate ihre Hand. »Wenn Sie bleiben wollen, können wir Ihnen helfen.«

»Felicia«, rief der Mann zornig.

»Helfen?« fragte die Frau. »Er mich nicht mehr schlagen kann?«

»Ich schalte unseren Sozialdienst ein. Man wird Sie an einen Ort bringen, an dem Sie in Sicherheit sein werden. Niemand wird Sie jemals wieder schlagen.«

Die Frau dachte über Kates Angebot nach, während ihr Mann nicht lockerließ: »Felicia, *ven aquí!*«

Die Frau sah Kate flehentlich an.

»Sie werden dort vor ihm sicher sein, das verspreche ich Ihnen«, beruhigte Kate sie.

Endlich entschloß sich die Frau. »Ich… ich bleibe…«

Kate wandte sich an den Sicherheitsmann. »Bringen Sie sie zum Sozialdienst hinauf, George.«

»Ja, Frau Doktor. Sind Sie sicher, daß Sie okay sind?«

»Mir geht es gut«, beharrte Kate.

»Wollen Sie wirklich nicht, daß jemand Sie untersucht?«

»Nein, mir geht es gut«, wiederholte sie, obwohl ihr Kopf hämmerte.

»Nehmen Sie es mir nicht übel, Frau Doktor, aber Sie gehen zu viele Risiken ein. Sie hätten schwer verletzt werden können.«

»Er hätte mich umbringen müssen, wenn er das Kind wiederhaben wollte. Aber danke, daß Sie sich Sorgen um mich machen, George. Bringen Sie die Frau jetzt bitte zum Sozialdienst.«

Damit machte sich Kate auf den Weg zum Untersuchungsraum C, um festzustellen, ob die Laborresultate von Claudia Stuyvesant endlich da waren.

Unterwegs rief eine Schwester: »Frau Dr. Forrester! Telefon! Der Mann sagt, daß es dringend ist.«

»Sagen Sie ihm, er soll 911 anrufen«, erwiderte Kate gereizt.

»Er ist sehr hartnäckig«, meinte die Schwester.

Kate lief zum Schwesternzimmer, um den Anruf entgegenzunehmen. »Hallo, wer spricht?« fragte sie verärgert. »Und was ist so dringend?«

»Ich bin es, Liebling«, sagte eine Männerstimme.

Kate senkte die Stimme zu ungeduldigem, zornigem Flüstern. »Wie kommst du dazu, mich hier anzurufen, Walter? Um diese Zeit? Es ist beinahe ein Uhr nachts.«

»Wo hätte ich dich denn sonst anrufen sollen, wenn du in der Notaufnahme Dienst machst?« fragte Walter Palmer.

»Als wir das letzte Mal miteinander sprachen, machte ich dir klar, daß ich keine Anrufe von dir erwarte…« begann Kate.

»Du kannst das, was zwischen uns ist, nicht beenden. Nicht so. Nicht nach den letzten zwei Jahren.«

»Ich habe jetzt keine Zeit, mit dir zu sprechen, Walt. Aber auch wenn ich es täte, würde sich zwischen uns nichts ändern. Jetzt muß ich…«

»Hör mir zu, Kate! Ich weiß, daß du jetzt erschöpft bist. Und daß du dir mehr aufgebürdet hast, als du bewältigen kannst. Ich bitte dich nur, mit mir darüber zu reden, wenn du ausgeruht und ruhig bist.«

»Ja, ich bin erschöpft. Ich hoffe nur, daß ich bis sechs Uhr früh durchhalte, ohne zusammenzubrechen. Aber das ändert meine Gefühle für dich nicht. Jetzt muß ich weitermachen. Rufe mich nie wieder hier an!«

Sie legte wütend auf, drehte sich um und stand Mrs. Stuyvesant gegenüber.

»Ich muß darauf bestehen, Frau Doktor, daß Sie sich Claudia sofort ansehen. Sie ist so unruhig geworden, daß sie sich die Infusionsnadel herausgerissen hat.«

Kate machte sich wortlos auf den Weg zum Untersuchungszimmer C; diesmal war sie wirklich besorgt. Wenn eine Patientin zuerst lethargisch war und dann hyperaktiv wurde, war dies ein Hinweis auf die Verwendung von Barbituraten. Dazu kam der verblassende Bluterguß auf der rechten Hüfte, der vielleicht von einem Sturz herrührte und bei Kate den Verdacht weckte, daß Claudia Stuyvesant gelogen hatte, als sie erklärte, sie nehme keine Medikamente.

An der Tür zum Untersuchungszimmer wartete ein Krankenpfleger mit den Berichten über die Patientin Stuyvesant, die gerade aus dem Labor gekommen waren. Kate studierte sie sofort.

Leider waren die Ergebnisse nicht gerade aufschlußreich. Ein Hämatokritwert von 33 war ein Anzeichen für eine leichte Anämie. Die Menge der weißen Blutkörperchen war mit 14 000 eher hoch, aber weder beunruhigend noch zeigte sie eine schwere Infektion an. Die Harnanalyse ergab keine Spuren von Blut und keinen Hinweis auf Nierensteine.

Angesichts dieser Ergebnisse war die einzige vernünftige, professionelle Entscheidung, die Patientin im Krankenhaus zu behalten, die Rehydrierung fortzusetzen, die wesentlichen Körperfunktionen weiterhin zu kontrollieren und noch ein Blutbild zu machen, um zu sehen, ob sich eine Änderung ergeben hatte. Kate schloß die Infusion wieder an und befestigte sie mit einem Klebstreifen an Claudias Arm.

Während dieser Zeit hatte Mrs. Stuyvesant neben ihrer Tochter gestanden und stumm verlangt, daß Kate ihr den Laborbericht zeigte. Als nichts dergleichen geschah, verließ sie ihre Tochter, faßte Kate am Arm und führte sie in eine Ecke.

»Ich weiß, daß es schlimm ist ...« begann sie.

Kate unterbrach sie. »Bevor Sie Vermutungen anstellen, Mrs. Stuyvesant – die Laborberichte sind nicht entscheidend. Sie sind keineswegs eine ausreichende Grundlage für eine Behandlung, die unnötig oder sogar schädlich sein könnte.«

»Ich möchte einen älteren Arzt konsultieren. Wenn es um das Leben meiner Tochter geht, akzeptiere ich nur das Beste.«

»Zu dieser Zeit, in diesem Untersuchungszimmer, in diesem Krankenhaus bin ich das Beste«, erwiderte Kate.

»Dann, Frau Doktor…« begann Mrs. Stuyvesant.

»Ich weiß«, unterbrach Kate sie. »Stehen Sie nicht einfach rum, Frau Doktor. Tun Sie etwas!«

»Genau«, bestätigte Mrs. Stuyvesant.

»Glauben Sie mir, Mrs. Stuyvesant, ich weiß, wie einer besorgten Mutter zumute ist. Aber solange es mir die Symptome Ihrer Tochter und die Laborergebnisse nicht ermöglichen, eine definitive Diagnose zu stellen, ist es besser und medizinisch gesehen sicherer, nichts zu tun.«

»Ich werde nachsehen, ob Dr. Eaves' Telefondienst ihn erreichen kann, wo immer er auch ist.«

»Sie können die Telefonzelle am Ende des Korridors benützen«, meinte Kate.

»Das ist nicht nötig. Wir haben in unserem Wagen ein Telefon!« Damit marschierte Mrs. Stuyvesant auf die Straße zu ihrer Limousine.

Kate, die hoffte, daß Claudia offener sprechen würde, wenn sie nicht mehr unter der Aufsicht ihrer Mutter stand, kehrte zu ihr zurück.

Damit die Fragen beiläufig klangen, ergänzte sie die Eintragungen in die Akte Stuyvesant, während sie nebenbei erklärte: »Ich brauche einige Antworten von Ihnen, Claudia, und verspreche Ihnen, daß ich alles, was Sie mir erzählen, vertraulich behandeln und nichts davon an Ihre Mutter weitergeben werden.«

Claudia nickte leicht, fühlte sich aber sichtlich genauso unbehaglich wie zuvor.

»Erstens, hatten Sie kürzlich Geschlechtsverkehr?«

Diesmal kam Claudias Verneinung sofort. »Nein, ich habe es Ihnen schon gesagt, nein.«

»Und Ihre Regel?«

»Pünktlich.«

»Jetzt zu Medikamenten, jede Art von Mitteln, legale, illegale, vom Arzt verschriebene oder rezeptfreie. Verwenden Sie etwas davon regelmäßig?«

»Nein«, beharrte die junge Patientin.

»Ich muß Sie darauf aufmerksam machen, Claudia, daß es gefährlich sein kann, wenn Sie die Wahrheit verschweigen. Es kann unsere Diagnose beeinflussen. Und ohne richtige Diagnose können wir Sie nicht so behandeln, daß es Ihnen hilft.«

Claudia dachte anscheinend über diese ernste Warnung nach, und Kate hoffte, daß sie jetzt endlich die Wahrheit hören würde.

»Ich… ich… wenn ich die Regel bekomme, die Krämpfe und all das, nehme ich meist Midol.«

»Ist das alles?« ließ Kate nicht locker.

»Das ist alles. Und nicht einmal das nehme ich immer.«

Kate hätte noch nicht aufgegeben, aber ein verzweifelter Hilferuf vom Aufnahmepult lenkte sie ab. »Frau Doktor! Frau Dr. Forrester!«

Kate erkannte die Stimme von Sara Melendez, der Frau, die über nächtliche Aufnahmen in die Notaufnahme entschied. Sie hatte diesen Posten seit einigen Jahren inne, hatte während dieser Zeit jede Art von Notfall gesehen, die Kranken, die Schwerkranken und alle, die nur glaubten, krank zu sein. Wenn Sara so besorgt um Hilfe rief, dann mußte sich draußen wirklich ein Schwerkranker befinden.

Kate rief Claudia hastig zu: »Ich komme bald wieder!«, und verließ das Zimmer.

4

Kate lief durch den Korridor auf eine Fahrbahre zu, die zwei Sanitäter des Medizinischen Notdienstes so rasch auf sie zuschoben, daß allein ihr Tempo für einen besonders dringenden Fall sprach. Hinter ihm folgte in einigem Abstand eine Frau, der es nicht gelang, mit ihnen Schritt zu halten. Kate winkte die beiden Männer zu dem einzigen freien Untersuchungsraum. Sobald die beiden dort eintrafen, fragte sie: »Was?«

»Überdosis. Vermutlich absichtlich«, antwortete einer von ihnen.

Nachdem die Sanitäter den Patienten auf den Untersuchungstisch verfrachtet hatten, ließen sie ihn und die junge Frau in Kates Obhut. Um herauszufinden, ob der Mann vielleicht noch bei Bewußtsein war, begann Kate, ihn vorsichtig zu untersuchen. Gleichzeitig fragte sie: »Was ist geschehen?«

Statt einer Antwort hielt ihr die Begleiterin des Patienten ein kleines leeres Pillenfläschchen hin. Als Kate danach griff, bemerkte sie den Trauring am Finger der jungen Frau. Ein Blick auf das Fläschchen ließ sie feststellen: Seconal, 50 Kapseln.

»Hat er alle genommen?« fragte sie.

»Alle, die übrig waren.« Die junge Frau bemühte sich, nicht in Tränen auszubrechen.

»Wie lange ist es her, daß Sie ihn so gefunden haben?« fragte Kate.

»Als ich nach Hause kam...«

»Wie lange ist es her?« unterbrach Kate sie. »Stunden?«

»Vor beinahe zwei Stunden.«

»Und wie lange vorher haben Sie das Haus verlassen?«

»Stunden. Ich arbeite nachts.«

Kate überlegte. »Wann hat er Sie zurückerwartet?«

»Kurz nach Mitternacht. Warum?«

Statt zu antworten, stellte Kate rasch einige entscheidende Berechnungen an. Unter Umständen fünfzig Kapseln Seconal vor drei bis vier Stunden, falls sie Glück hatten. Es konnte noch möglich sein, die tödliche Wirkung zu annullieren. Sie zog die Lider des Patienten hoch und leuchtete ihm mit der Taschenlampe in die Augen. Die Pupillen reagierten kaum.

»Wie heißt er?« fragte Kate.

»Karl. Karl Christie.«

Kate beugte sich zum Patienten und sprach ihm direkt ins Ohr. »Karl, Karl, können Sie mich hören? Karl!«

Seine Augen wandten sich ihr langsam zu. Er war kaum noch wach, aber er nahm sie noch wahr. Das genügte, um die erste erforderliche Maßnahme einleiten zu können. Kate ließ Schwester Beathard kommen, damit sie ihr assistierte.

»Schlauch. Salzlösung. Saugspritze«, befahl Kate. Dann zwang sie dem Patienten den Mund auf und führte den Schlauch durch den Hals in den Magen ein. Schwester Beathard reichte ihr einen Stahlkrug mit Salzlösung, und Kate begann, sie in den Trichter am oberen Ende des Schlauchs zu gießen.

Sobald der Krug halb leer war und die Lösung Zeit gehabt hatte, den Magen zu füllen, griff sie nach der Spritze und saugte mit ihr die Salzlösung ab. Diese Flüssigkeit leerte sie in ein Stahlbecken und suchte nach den Resten der Kapseln. Beim dritten Mal entdeckte sie einige davon. Sie setzte das Verfahren fort, wusch den Magen des Patienten und entnahm ihm langsam alle Reste des Medikaments, deren sie habhaft wurde. Damit hatte sie die Gefahr verringert.

»I.V. und EKG«, befahl sie. Während Schwester Beathard eine intravenöse Infusion installierte, um die Dehydrierung zu vermeiden, und die Sensoren für das Elektrokardiogramm anbrachte, mit dem man die Herztätigkeit überwachen konnte, untersuchte Kate den Herzrhythmus des Patienten, seinen Puls, die Geräusche in der Brust.

Sobald sie davon überzeugt war, daß der Patient durchkommen würde, richtete sie ihn in sitzende Stellung auf und zwang ihn, eine Lösung von Absorptions-Tierkohle zu schlucken. Obwohl er sich wehrte und einen Teil aushustete, gab Kate nicht nach. Die Tierkohle konnte nicht nur verhüten, daß die Reste des Medikaments in seinen Organismus gelangten, sondern sogar bereits absorbierte Mengen zurückholen.

Kate überprüfte seine lebenswichtigen Funktionen (Puls, Blutdruck, Temperatur) noch einmal, untersuchte seine Augen, seine Reflexe. Sie sprach weiterhin zu ihm, bis er reagierte – undeutlich flüsternd, aber er reagierte. Er war so weit bei Bewußtsein, daß Kate beschloß, sich die Zeit für ein Gespräch mit seiner Frau zu nehmen.

»Ist es das erste Mal?« fragte sie.

Die junge Frau hätte die Frage gern bejaht, aber sie mußte den Kopf schütteln.

»Einmal«, gab sie zu. »Sie müssen verstehen – er ist sehr fein-

33

fühlig. Er wurde monatelang nur abgewiesen... er ist ein so großartiger Musiker... aber niemand interessiert sich dafür. Niemand.« Sie begann zu weinen. »Machen Sie ihm keine Vorwürfe. Er kann nichts dafür. Retten Sie ihn nur, mehr will ich nicht. Retten Sie ihn.«

»Das tun wir gerade. Ich glaube, daß er außer Gefahr ist. Wenn Sie allerdings nicht zeitiger zurückgekommen wären...«

Kate wurde nicht deutlicher. »Wußte er eigentlich, wann Sie wieder dasein würden?«

»Seit ich nachts arbeite – ich bin Kassiererin in einem Restaurant – komme ich für gewöhnlich gegen Mitternacht nach Hause.«

»Das hat er natürlich gewußt.«

»Ja, und das wollte er nicht. Daß ich arbeite und er nicht. Als ich zum Nachtdienst eingeteilt wurde, störte es ihn noch mehr. Meist holte er mich ab und brachte mich nach Hause – wenn man bedenkt, wie es in New York zugeht... Als er heute nicht da war, machte ich mir Sorgen.«

»Warum? Haben Sie etwas Ähnliches erwartet?« fragte Kate.

»Ich weiß nicht. Ich... ich machte mir einfach Sorgen. Vergangene Woche war er noch deprimierter gewesen als sonst. Deshalb beeilte ich mich, nach Hause zu kommen. Ich nahm sogar ein Taxi, obwohl es so teuer ist. Aber wie gesagt – ich war besorgt. Was wird jetzt mit ihm geschehen?«

»Ich lasse Schwester Beathard bei ihm bleiben, damit sie sich vergewissert, daß er weiterhin gleichmäßig atmet. Wir werden ihn auf neurologische Schäden hin untersuchen. Dann werde ich einen Psychiater hierherkommen lassen, damit er mit ihm spricht.«

»Einen Psychiater?«

»Er soll herausfinden, ob es sich um einen echten Selbstmordversuch handelt oder ob es ein Hilferuf war. Ich halte es für letzteres. Er wollte, daß Sie ihn finden und ihn retten. Das haben Sie getan. Jetzt müssen wir ihn gesund machen. Das werden wir tun.«

»Danke, Frau Doktor, danke vielmals.« Die junge Frau mußte

sich zur nächsten Frage zwingen. »Es... Sie werden doch nicht die... die Polizei verständigen?«

»Das ist eine altmodische Vorstellung. Wir sind nicht da, um Menschen zu bestrafen, die so etwas tun. Wir werden ihm keine Vorwürfe machen, sondern ihm helfen.«

Die junge Frau ergriff unvermittelt Kates Hand und küßte sie. Verlegen wehrte die Ärztin ab. »Bitte tun Sie das nicht. Ich freue mich, daß wir helfen konnten.«

Nachdem Kate Schwester Beathard Anweisungen erteilt hatte, machte sie sich auf den Rückweg, um mehrere Patienten aufzusuchen, die sich bereits auf dem Weg zur Genesung befanden oder noch untersucht wurden.

Kate hatte nach Claudia Stuyvesant gesehen, deren Symptome und Laborberichte sich nicht so weit geändert hatten, daß sie eine Diagnose stellen konnte. Sie hatte einige alltägliche Magenverstimmungen, unter denen sich zwei Salmonelleninfektionen befanden, aufgenommen, diagnostiziert und behandelt. Auch eine ernste Grippe, die an Lungenentzündung grenzte. Eine Fehlgeburt. Zwei Opfer von Raubüberfällen, von denen keines so schwer verletzt war, daß sie es in ein Traumazentrum einweisen mußte. Eine Niereninfektion, die sie für eine eventuelle Operation weiterverwies.

Nun kehrte sie noch einmal zu Claudia Stuyvesant zurück, die wieder lethargisch war und halb schlief. Trotzdem war ihre Mutter nach wie vor besorgt, und ihr Gesichtsausdruck besagte, daß sie mehr Betreuung erwartete.

Kate benützte eine kurze Flaute, um ihre Aufzeichnungen zu ergänzen. Doch die Ruhe dauerte nur einige Minuten, dann kam von der Aufnahme wieder der Hilferuf: »Frau Doktor! Frau Dr. Forrester!«

Während Kate zum Aufnahmepult lief, kam ihr ein weiteres Team vom Medizinischen Notdienst mit einer Fahrbahre entgegen, auf der eine junge Frau lag. Sie wurde von einem etwa fünfundzwanzigjährigen Mann begleitet, der ihre Hand hielt.

Als sie näherkamen, sagte er gerade: »Alles wird in Ordnung kommen, ganz bestimmt. Wir sind da. Man hat die Ärztin geholt. Es wird dir gleich wieder gutgehen. Sofort.«

Kate schickte die Männer vom Medizinischen Dienst in einen gerade freigewordenen Untersuchungsraum. Sobald sich die Fahrbahre neben dem Untersuchungstisch befand, halfen der junge Mann und ein Sanitäter der Patientin hinauf. Ganz offensichtlich waren ihre Schmerzen so stark, daß sie es allein nicht geschafft hätte.

»Okay«, begann Kate. »Erzählen Sie.«

Gleichzeitig schätzte sie die Patientin schnell ab. Sie schwitzte heftig, das Gesicht war blaß, die Lippen blutleer. Das Atmen fiel ihr schwer, und sie litt ohne Zweifel große Schmerzen.

»Sagen Sie mir, was los ist. Was ist geschehen? Wann hat es begonnen?«

»Ich… ich bin nicht… ich kann nicht… Ich…« Die junge Frau versuchte weiterzusprechen, wandte jedoch schließlich den Kopf ab, weil sie den Faden verloren hatte.

Auch desorientiert, wurde Kate klar. Sie wandte sich an den jungen Mann. »Seit wann befindet sie sich in diesem Zustand? Wie fing es an?« Dabei schob sie der Patientin den Ärmel des Regenmantels, des Morgenrocks und ihres Nachthemds hoch, um den Blutdruck zu messen.

Inzwischen erklärte der Mann: »Es ging ihr gut. Das heißt, sie fühlte sich bis heute morgen wohl. Um die Mittagszeit begann sie dann, sich… ich weiß nicht… irgendwie komisch zu fühlen. Sie war vorher schon kränklich gewesen. Sehr oft. Schon bevor wir heirateten. Doch in letzter Zeit ging es ihr gut – bis zu diesem Morgen.«

Kate hatte inzwischen den Blutdruck der Patientin gemessen: 90:50. Sehr niedrig, aber kein eindeutiger Hinweis auf die Ursache ihres Zustands. Als nächstes streifte Kate einen frischen Kunststoffüberzug über das elektronische Thermometer und schob es der Patientin in den Mund.

»Bitte unter die Zunge«, sagte sie. Dann beobachtete sie die Temperaturanzeige. 37,8. Niedriges Fieber. »Setzen Sie sich bitte auf.« Ihr Mann wollte ihr helfen, aber Kate hinderte ihn daran. »Nein, sie soll es allein tun.«

Der junge Mann zuckte schuldbewußt zurück, als hätte man ihn bei einem Verbrechen ertappt. Langsam begann seine Frau sich aufzurichten, und Kate merkte, daß sie im unteren Teil des Rückens Schmerzen hatte. Mit großer Mühe gelang es ihr, einen Moment lang zu sitzen; dann sank sie, von der Anstrengung und den Schmerzen erschöpft, sofort zurück.

»Ich ... konnte nicht ...« Sie schüttelte hoffnungslos den Kopf.

Ihr Mann wollte es erklären und sie entschuldigen. »So war sie beinahe den ganzen Tag. Jedesmal, wenn ich sie dazu bringen wollte, sich aufzusetzen oder heiße Suppe zu essen, sagte sie, sie könne nicht. Wenn sie es endlich tat, schwindelte ihr, und ihr wurde übel. Bitte, Frau Doktor, tun Sie etwas.«

An der Art, wie er bat, erkannte Kate, daß er seine Frau nicht nur sehr liebte, sondern auch Angst davor hatte, sie zu verlieren. Mit gutem Grund, dachte sie.

Zwar waren die Anzeichen und Symptome der Patientin nicht eindeutig lebensbedrohlich, aber doch so gravierend, daß man ihnen sogleich nachgehen mußte. Sie nahm eine Blutprobe und rief in den Korridor: »Juan! Juan Castillo! Raum A. Sofort!«

Der Krankenträger kam hereingerannt. »Ja, Frau Dr. Forrester?« fragte er atemlos.

»Bringen Sie diese Blutprobe ins Labor. Ich brauche ein CBC. Mit Elektrolyten. Und warte auf das Ergebnis!«

»Ja, Frau Doktor.« Juan nahm die Phiole und machte sich auf den Weg.

»Frau Doktor?« fragte der Ehemann flehentlich nach dem Zustand seiner Frau.

Kate wandte sich wieder der Patientin zu und setzte die Untersuchung fort. Mit dem Stethoskop bestimmte sie den Zustand von Lunge, Herz und Thorax und wandte sich dazwischen an den Ehemann, der sich an die Hand seiner Frau klammerte – mehr, um sich selbst zu beruhigen als um sie zu trösten, denn sie war offenbar eingeschlafen.

»Sie haben vorher gesagt ...« begann Kate.

Er unterbrach sie. »Ja, sie fühlte sich heute morgen sehr gut.«

»Das habe ich nicht gemeint. Sie haben erwähnt, daß sie kränklich war. Sie verwendeten das Wort kränklich und sagten ›sehr oft‹. Was meinten Sie damit?«

»Ach so. Sie war schon vor unserer Hochzeit so.«

»Wie war sie?«

»Sie hatte diese Anfälle.«

»Anfälle? Was für Anfälle?«

»Sie hatte Schwierigkeiten mit dem Atmen. Aber nicht so wie jetzt. Heute ist es anders.«

Kate wandte sich von der Patientin ab und dem Ehemann zu. »Wie nannten die Ärzte die Schwierigkeit, die sie mit dem Atmen hatte? Asthma?«

»Ja. Asthma.«

Jetzt begannen die Anzeichen und Symptome wie ein Syndrom auszusehen. Doch um Sicherheit zu gewinnen, mußte Kate noch weitere Faktoren ermitteln.

»Hat ihr der Arzt etwas gegen das Asthma verschrieben?«

»O ja, und es half wirklich. Sie fühlte sich wie gesagt sehr gut. Ich verstehe nicht, was geschehen ist, noch dazu so plötzlich.«

»Was für Medikamente nahm sie? Können es Steroide gewesen sein?«

»Ja, das stimmt. Der Apotheker nannte es so.«

»Sie sagten ›es half wirklich‹. Heißt das, daß sie es nicht mehr nimmt?«

»Sie fühlte sich so gut, hatte seit Wochen keinen Anfall gehabt. Deshalb riefen wir den Arzt an und fragten ihn, ob sie aufhören könne, das Zeug zu nehmen. Er sagte ja.«

»Hörte sie mit der Einnahme schlagartig auf?«

»Ja also, als der Arzt sagte, sie könne aufhören, hörte sie einfach auf«, erklärte der junge Ehemann.

Kate löste die Hand der Frau aus dem zärtlichen Griff des Mannes und untersuchte sie sorgfältig. Jeden Finger, jede Spalte zwischen den Fingern. Dort entdeckte sie, was sie vermutete. Verfärbung. Sie hatte zwar noch nie einen solchen Fall gesehen, aber der Professor für Innere Medizin hatte ihn so präzise beschrieben, genau wie ihre Lehrbücher, daß Kate die Anzeichen und Symptome problemlos zusammenfügen konnte. Niedriger Blutdruck. Niedriges Fieber. Schwindel. Starke Schmerzen im unteren Teil des Rükkens und in den Beinen. Verwirrtheit. Und jetzt der entscheidende Hinweis – dunkel verfärbte Hautfalten.

Ein eindeutiger Fall einer Addisonschen Krise, zweifellos durch das plötzliche Absetzen des Cortisons hervorgerufen, das die junge Frau gegen ihr Asthma genommen hatte. Ihre Adrenalindrüsen waren nicht imstande gewesen, mit der normalen Lieferung von Cortisol und Corticosteron zu reagieren.

Kate wußte bereits, wie die Laborergebnisse aussehen würden. Viel Kalium, wenig Natrium, wenig Natriumbikarbonat. Keine Zeit, die Ergebnisse abzuwarten. Um einen vollkommenen Zusammenbruch des Gefäßsystems zu vermeiden, mußte man zweierlei sofort tun: Fluids wiederherstellen, Steroide liefern.

Sobald Kate die nötigen Infusionen angebracht hatte, übergab sie die Patientin der Schwester und wies diese an, die Beobachtung bis zum Eintreffen der Laborberichte fortzusetzen. »Rufen Sie mich bitte an, sobald die Berichte da sind«, ordnete Kate an, bevor sie ihre Runde zu den in ihrer Obhut stehenden Menschen fortsetzte.

Während sie den Korridor entlangging, erinnerte sie sich an das, was ihr ein älterer Arzt einmal gesagt hatte: »Sie werden innerhalb einer Woche in der Notaufnahme mehr Erfahrung sammeln und eine größere Mannigfaltigkeit an Fällen erleben als in einem Jahr auf einer regulären Station. Und um diese Fälle richtig zu behandeln, werden Sie sich an alles erinnern müssen, was Sie je gelesen oder gelernt oder gesehen haben.«

Nach dieser Nacht war Kate mehr als bereit, ihm zuzustimmen.

5

Zwei Stunden später. Zwei Stunden nach Mitternacht. Kate spürte ihre Müdigkeit nun überdeutlich. Auch eine weitere Tasse heißer, starker, schwarzer Kaffee hatte ihr keine neue Energie geschenkt, wie sie gehofft hatte. Innerhalb der letzten Stunde hatte sie acht Fälle begutachtet, behandelt und in die Obhut anderer entlassen und weitere sieben nach beruhigender Behandlung und viel gutem Zureden nach Hause geschickt.

Doch der verwirrende Fall von Claudia Stuyvesant in Raum C war noch immer nicht geklärt. Als Kate die beiden letzten Male hineingesehen hatte, schienen Claudias Schmerzen zugenommen zu haben. Die dritte Serie von Laborberichten, die Kate bestellt hatte, um eventuelle Veränderungen zu erkennen, war noch nicht da, so daß sie die Behandlung nicht ändern konnte. Am frühen Morgen dauerte es länger, bis die Laborberichte fertig waren, denn um diese Zeit waren weniger Techniker im Dienst, und diese machten öfter Pause, um etwas zu essen oder Kaffee zu trinken.

Da Kate noch immer nicht zu einer Diagnose gelangt war, beschloß sie, den Spitalchirurgen kommen zu lassen, um eine zweite Meinung zu hören.

Sie griff nach dem Hörer. »Rufen Sie Dr. Briscoe. Ersuchen Sie ihn, in den Raum C in der Notaufnahme zu kommen. Sofort!«

Als sie auflegte, bemerkte sie, daß die Mutter der Patientin sie mit einem Blick ansah, der deutlich besagte: *Es war an der Zeit, junge Frau, sehr an der Zeit.*

Minuten später betrat Eric Briscoe den Raum C und fragte: »Kate? Sie haben mich kommen lassen?«

»Ja.« Sie winkte ihn außer Hörweite von Mrs. Stuyvesant, erzählte ihm darin von ihren Feststellungen und zeigte ihm die Laborberichte.

Während Dr. Briscoe bei Claudia sowohl eine Unterleibs- als auch eine Beckenuntersuchung vornahm, blieb ihre Mutter ständig in ihrer Nähe. Briscoe kümmerte sich nicht um die forschenden Blicke von Mrs. Stuyvesant, während er Kate erklärte: »Unterleib empfindlich, aber nicht so sehr, daß eine spezifische Behandlung erfolgen müßte.«

»Gebärmutter?« fragte Kate.

»Kaum vergrößert, keine deutliche Verfärbung des Gebärmutterhalses.«

»Besteht ein Grund für einen chirurgischen Eingriff?«

»Vorläufig nicht«, erwiderte Briscoe. »Wiederholen Sie die Laboruntersuchungen, und lassen Sie mich wissen…«

Bevor Kate erklären konnte, daß sie das bereits getan hatte, mischte sich Mrs. Stuyvesant ein. »Wiederholen Sie die Laboruntersuchungen, wiederholen Sie die Laboruntersuchungen. Fällt den Ärzten nichts anderes ein?« Als sich der junge Chirurg ihr zuwandte, fügte sie vorwurfsvoll hinzu: »Ich habe einen älteren Mann erwartet. Jemanden mit mehr Erfahrung.«

Briscoe überhörte ihre Bemerkung: »Wenn der nächste Satz Berichte herunterkommt, Frau Dr. Forrester, lassen Sie es mich wissen.«

Um drei Uhr morgens hatte Kate weitere sechsundzwanzig Patienten untersucht, vier auf die Herz-Intensivstation und zwei in die Chirurgie geschickt, einen wegen einer Blinddarmoperation, den anderen wegen einer eventuellen Gallenoperation, hatte sieben unter Beobachtung gestellt und mindestens ein Dutzend weggeschickt, die unwesentliche oder vorgetäuschte Anzeichen und Symptome geschildert hatten.

Doch Claudia Stuyvesant, die Patientin in Raum C, ging ihr nicht aus dem Kopf. Sechs Stunden nach Einlieferung in die Notaufnahme war ihr Fall noch immer nicht geklärt. Kate war im Begriff, ein drittes Mal nach ihr zu sehen. Die Ergebnisse der dritten Laboruntersuchung sollten inzwischen dasein.

Als sie das Zimmer betrat, sagte Mrs. Stuyvesant rasch: »Die Laborergebnisse sind seit beinahe einer halben Stunde da!«

»Ich hatte andere Patienten, Mrs. Stuyvesant.« Kate überflog die Ergebnisse.

Diesmal gab es Veränderungen, deutliche Veränderungen.

Die bereits vorher hohe Zahl der weißen Leukozyten war auf 21 000 gestiegen, während der Hämatokritwert auf 19 gesunken war. Obwohl die Rehydrierung durch Infusionen normalerweise die Zahl der roten Blutkörperchen senkt, war die Senkung so groß, daß diese Erklärung nicht genügte. Kate war auch dadurch verwirrt, daß die Patientin offensichtlich kaum noch unter Schmerzen litt und lethargischer war. Hatte sich ihr Zustand verändert, oder kam es einfach daher, daß es spätnachts war?

Kate beschloß, den Unterleib noch einmal zu untersuchen. Diesmal war Claudias Bauch etwas aufgebläht und leicht gespannt. Die Darmgeräusche hatten nachgelassen. Diese gleichzeitig auftretenden Anzeichen waren ein Hinweis auf eine möglicherweise ernste Infektion irgendwo im Unterleib. Kate konnte ihre Besorgnis nicht ganz vor den wachsamen Augen von Mrs. Stuyvesant verbergen, als sie noch einmal eine genauere Untersuchung vornahm, um einen Hinweis auf das Zentrum der Infektion zu bekommen.

Ihr Verdacht regte sich wieder. Trotz der Anwesenheit der Mutter beugte sie sich zu dem Mädchen hinunter und wiederholte einige Fragen, die sie bereits gestellt hatte.

»Ich möchte, daß Sie mir gegenüber wirklich ehrlich sind, Claudia. Es ist wichtig. Waren Sie in den letzten Monaten sexuell aktiv?«

»Nein, wirklich nicht.«

»Ist Ihre letzte Regel ausgeblieben?«

»Nein. Sie kommt sehr regelmäßig«, beharrte Claudia, die es nicht fertigbrachte, die Blicke ihrer Mutter zu ignorieren.

»Sie ist nicht schwanger, falls Sie auf das hinauswollen«, mischte sich Mrs. Stuyvesant ein.

Kate war klar, daß Claudia in Anwesenheit ihrer Mutter nicht die Wahrheit sagen würde, und beschloß, sich die lebenswichtige Information selbst zu verschaffen. Sie mußte wissen, ob es sich um eine Infektion handelte, an der eine Schwangerschaft oder sogar eine ektopische Schwangerschaft (außerhalb der Gebärmutter) schuld war.

Weil Kate keine Zeit vergeuden wollte, indem sie die Patientin zu einer Harnprobe überredete, entschloß sie sich für eine raschere Vorgehensweise. »Schere«, wies sie Schwester Cronin an.

Die Schwester reichte ihr eine abgerundete chirurgische Schere, und Kate schnitt damit ein Bein von Claudias Jeans ab.

»Was tun Sie jetzt schon wieder?« wollte Nora Stuyvesant wissen.

»Ich versuche, so rasch wie möglich zu einer Harnprobe zu kommen«, erwiderte Kate. Sie hatte inzwischen die Jeans bis zum Schritt aufgeschlitzt und zerschnitt gerade das Höschen der Patientin. Die Schwester stand schon mit einem Katheter bereit, den Kate einführte, um anschließend etwas Harn in ein Reagenzglas zu ziehen.

»Testsatz!« verlangte sie als nächstes. Schwester Cronin war darauf gefaßt gewesen, hatte den Satz bereits geöffnet und entnahm ihm eine durchsichtige Kunststoffpipette und ein rundes Plastikröhrchen. Als sie den Rest des Inhalts herausnehmen und die Schachtel wegwerfen wollte, fragte Kate: »Ablaufdatum?«

Die Schwester las vom Etikett ab: »30. Dezember 1994.«

Damit war Kate sicher, daß der Inhalt gebrauchsfähig war, tauchte die Pipette in das Reagenzglas, entnahm ihm einige Tropfen Harn und drückte den Daumen auf die obere Öffnung der Pipette, um den Harn festzuhalten, während sie ihn zum Kunststoffröhrchen brachte. Dort nahm sie den Daumen weg, so daß die Tropfen auf eine Membrane laufen konnten, die einen Zentimeter unterhalb des Randes durch das Röhrchen gespannt war.

Mrs. Stuyvesant hatte den Vorgang beunruhigt beobachtet und fragte jetzt: »Darf ich fragen, was Sie da tun, Doktor?«

»Ich mache einen Enzym-Immunotest zur semiquantitativen Feststellung von HCG im Harn Ihrer Tochter.«

Kate hatte erreicht, was sie beabsichtigte: Mrs. Stuyvesant war restlos verwirrt. Die Schwester wußte natürlich, daß Dr. Forrester die Angaben der Patientin bezweifelte und daher auf die schnellstmögliche Art einen Schwangerschaftstest durchführte.

»Dieses Immunozeug ... HCG ... wozu ist das gut?« fragte die Mutter mißtrauisch.

»HCG ist Human-Choriongonadotropin, ein Hormon, das sofort nach einer Befruchtung erzeugt wird. Durch den Test stellen wir fest, ob es sich im Harn Ihrer Tochter befindet«, erklärte Kate.

»Und wenn es vorhanden ist, verrät es Ihnen, woran meine Tochter leidet?«

Schwester Cronin warf der Ärztin einen Blick zu: Sie war neugierig, wie diese reagieren würde. Kate zögerte nicht. »Nein. Aber es verrät mir, ob sie schwanger ist.«

»Meine Tochter hat Ihnen bereits gesagt, daß sie nicht sexuell aktiv war«, protestierte Nora Stuyvesant.

Aus einer Phiole mit der Beschriftung Reagens A fügte Kate der Harnprobe ein paar Tropfen einer Flüssigkeit hinzu.

»Was tun Sie jetzt?« wollte die Mutter wissen.

»Dieser Test ist sehr einfach, sehr schnell und für gewöhnlich richtig. Mit dem Reagens immobilisiere ich alle HCG in Claudias Harn.«

»Aber wir haben Ihnen schon gesagt ...«

»Dann macht es ja nichts aus, wenn wir es überprüfen.« Kate fügte einige Tropfen Reagens B hinzu, um alle freien HCG-Moleküle in der Harnprobe zu entfernen, so daß nur das HCG übrigblieb, das durch die Hinzufügung von Reagens C nachgewiesen werden sollte. Kate war davon überzeugt, daß das Ergebnis ihren Verdacht bestätigen würde, und fügte der Harnprobe vorsichtig einige Tropfen Reagens C hinzu. Dann wartete sie gespannt. Wenn ihre Annahme stimmte, würde sich das Gemisch blau verfärben, ein Hinweis auf eine Konzentration von HCG im Harn der Patientin.

Kate ließ das Röhrchen nicht aus den Augen, während sie darauf wartete, daß sich sein Inhalt verfärbte. Er wurde nicht leuchtend blau. Er wies überhaupt keine Spur von Blau auf.

»Also?« fragte Mrs. Stuyvesant, die spürte, daß sie recht behalten hatte.

»Es gibt keinen Hinweis auf eine Schwangerschaft«, mußte Kate zugeben, »womit eine mögliche Diagnose ausscheidet.«

»Statt weit hergeholte Theorien zu verfolgen, sollten Sie etwas unternehmen, Frau Doktor!«

»Ja, natürlich, Mrs. Stuyvesant.«

Aber was soll ich unternehmen? fragte sie sich.

An diesem Fall stimmte etwas nicht. Ihr Verdacht, daß die junge Claudia trotz ihrer negativen Antworten tatsächlich drogensüchtig war, erwachte wieder. Viele Drogen können Schmerzen verschleiern oder verringern und dadurch dem Patienten und dem Arzt verbergen, wie ernst die Situation ist.

Kate beschloß, einen toxikologischen Test durchführen zu lassen, um zu erfahren, ob sich in Claudias Blut Spuren von Morphium, Heroin, Valium oder Kokain befanden. Morphium konnte am Erbrechen schuld sein, aber auch daran, daß sie verwirrt und vage war und ihre Schmerzen nicht klar beschreiben konnte. Zwar dauerte ein toxikologischer Test mindestens vierundzwanzig Stunden und konnte Kate nicht zu einer Diagnose verhelfen, wohl aber bei der folgenden Behandlung wertvoll sein.

Kate holte sich eine weitere Blutprobe und schickte sie zu einer kompletten toxikologischen Analyse in das Labor, bei der nach jeder Droge gesucht wurde, die eine junge drogenabhängige Frau nehmen konnte.

Trotz des negativen Ergebnisses des Schwangerschaftstests ließ Kates berufliche Intuition nicht zu, daß sie ihren Verdacht aufgab. »Dank meiner Untersuchung weiß ich, Claudia, daß sie früher sexuell aktiv waren. Haben Sie jemals ein Intrauterinpessar oder etwas Ähnliches verwendet?«

Claudia zögerte, bevor sie antwortete. »Vor einiger Zeit … ja, ich habe so etwas benützt.« Sie warf ihrer Mutter rasch einen schuldbewußten Blick zu und fügte entschuldigend hinzu: »Dr. Eaves hat es mir persönlich empfohlen.«

Ungeachtet der Spannung zwischen Mutter und Tochter beschloß Kate, ihrem Verdacht weiter nachzugehen. Sie griff nach dem Wandtelefon und tippte eine dreistellige Nummer ein.

»Radiologie? Dr. Forrester. Ich brauche das Sonogramm einer Patientin, um eine eventuelle ektopische Schwangerschaft festzustellen.«

»Sie haben bereits festgestellt, daß Claudia nicht schwanger ist«, protestierte Mrs. Stuyvesant.

Kate beachtete die Unterbrechung nicht, denn der Röntgenologe sagte gerade: »Diese Untersuchung kann doch hoffentlich bis morgen nachmittag warten, Frau Dr. Forrester?«

»Warum morgen nachmittag?« wollte Kate wissen.

»Sie wissen, daß Sonogramme bei Ektopien besonders heikel sind, deshalb macht sie nur Frau Dr. Gladwin. Und die hat erst morgen nachmittag wieder Dienst. Wenn Sie ein verläßliches Ergebnis haben wollen...« Der Röntgenologe verstummte.

Da Kate wußte, daß die Ergebnisse von Sonogrammen nicht immer perfekt waren, selbst wenn sie unter den besten Umständen und von dem erfahrensten Fachmann gemacht wurden, legte sie auf. Aber nur einen Augenblick. Sie wählte eine andere Nummer.

»Labor?« fragte sie. »Hier ist Dr. Forrester in der Notaufnahme. Ich habe Ihnen gerade eine Blutprobe zur toxikologischen Analyse geschickt. Zusätzlich brauche ich einen Blutserum-Schwangerschaftstest.«

»Sie brauchen die Ergebnisse hoffentlich nicht sofort?« fragte die Laborantin.

»Ich weiß, daß die Analyse vierundzwanzig Stunden oder länger dauern wird. Aber den Blutserum-Schwangerschaftstest brauche ich dringend.«

»Genau den habe ich gemeint«, antwortete die Laborantin. »Da dieser Test besondere Geräte und einen Fachmann erfordert, sammeln wir die Anforderungen und machen die Tests nur alle paar Tage. Ich würde sagen, daß Sie das Ergebnis frühestens nach eineinhalb Tagen haben können.«

Kate überlegte, dann erklärte sie: »Machen Sie trotzdem den Blutserum-Schwangerschaftstest. Vielleicht hilft uns das Ergebnis weiter.«

Damit hatte Kate alle in Frage kommenden Untersuchungen

veranlaßt und beschloß, den Unterleib noch einmal zu untersuchen. Zu ihrer Überraschung und ihrem Schrecken war Claudias Bauch jetzt so stark gebläht, daß er praktisch hart war. Kate ging sofort zum Telefon zurück, entschloß sich dann jedoch, vom Schwesternzimmer aus anzurufen. Es war nicht notwendig, Mrs. Stuyvesants zunehmende Besorgnis zu vergrößern.

»Suchen Sie Dr. Briscoe! Sofort! Er soll unbedingt sofort in Raum C in der Notaufnahme kommen. Ich wiederhole! Sofort!«

6

Kate Forrester wartete außerhalb von Raum C, um Briscoe abzufangen und ihn unter vier Augen über ihre letzten Feststellungen zu unterrichten. Nach nicht einmal fünf Minuten sah sie erleichtert, daß er durch die Flügeltür stürmte, die die Notaufnahme vom Haupttrakt des Krankenhauses trennte.

Briscoe hörte sich ihre Berichte an, dann sagte er: »Eine lange Punktionsnadel. Ich will nachsehen, ob eine innere Blutung vorliegt.«

Als sie den Raum betraten, maß Schwester Cronin gerade den Blutdruck der Patientin, was jetzt laufend gemacht wurde.

Da der Schwester bewußt war, daß die nervöse Mutter zuhörte, sagte sie leise: »Der Blutdruck sinkt.«

»Geben Sie ihr noch eine Infusion. Und dann bringen Sie Dr. Briscoe eine Punktionsnadel«, sagte Kate, während sie die Kontrolle des Blutdrucks übernahm.

Bei dem Wort Nadel fragte Mrs. Stuyvesant: »Was haben Sie vor?«

»Bitte verlassen Sie den Raum, Madam!« sagte Briscoe. Sie sah ihn nur herausfordernd an. »Bitte gehen Sie!«

Schließlich gab Nora Stuyvesant nach und stieß beinahe mit Schwester Cronin zusammen, die mit der langen Punktionsnadel und einer Spritze zurückkam. Während Schwester Cronin wieder die Blutdruckkontrolle übernahm, sah Kate zu, wie Briscoe alles vorbereitete, um die Nadel durch die Vagina einzuführen und das Blut abzusaugen, das sich in ihrem Unterleib gesammelt hatte, falls es tatsächlich eine innere Blutung gab.

Gerade als er mit der Einführung begann, rief Schwester Cronin plötzlich aufgeregt: »Kein Puls! Sie hat keinen Puls!«

Kate und Briscoe hoben die Patientin sofort vom Tisch auf eine Fahrbahre, die an der Wand stand.

»Kardiopulmonale Wiederbelebung!« befahl Kate. Die Schwester kam dem Befehl sofort nach. Sie lief neben der Bahre her und setzte die Wiederbelebung fort, während Kate und Briscoe die Patientin aus dem Raum, an Claudias erschrockener Mutter vorbei und durch den Korridor zum Notfallraum schoben, wo die erforderlichen Geräte bereitstanden. Mrs. Stuyvesant folgte ihnen und jammerte: »Was ist geschehen? Was ist meiner Tochter zugestoßen?«

Niemand konnte stehenbleiben und es ihr erklären. An der Tür zum Notfallraum hinderte Kate Mrs. Stuyvesant daran, mit hineinzukommen, obwohl diese flehte.

»Sie ist meine Tochter. Ich habe das Recht...«

»Sie würden nur im Weg stehen.« Damit verschwand Kate im Zimmer und schloß schnell die Tür hinter sich.

Im Notfallraum gingen zwei Ärzte und drei Krankenschwestern gleichzeitig an die Arbeit. »Infusionen«, befahl Kate. »Drei. Große Infusionen von Salzlösung und Rinbers-Laktat-Lösung, um die Elektrolyten zu ersetzen. Sie machen mit der Wiederbelebung weiter, Schwester Cronin.« Dann wandte sie sich an die Schwester des Notfallraums. »EKG-Elektroden!« Während die Schwester die Elektroden auf der Brust der Patientin festklebte, so daß sie auf dem Bildschirm die Herztätigkeit verfolgen konnten, befahl Kate: »Eine Ampulle Epinephrin!« Die zweite Notfallraum-Krankenschwester brachte Ampulle und Injektionsnadel.

Kate band der Patientin rasch einen Gummischlauch um den Unterarm, fand eine Vene und injizierte das Epinephrin, um die Herztätigkeit anzuregen.

Inzwischen griff Briscoe nach einem langen Plastikschlauch, hielt der Patientin den Mund auf, schob den Schlauch vorsichtig an den Stimmbändern vorbei durch den Rachen in die Luftröhre. Er befestigte einen Atembeutel und befahl der zweiten Schwester: »Beatmen.« Die Schwester nahm den Atembeutel in beide Hände, um der Patientin Luft in die Lunge zu treiben, achtete dabei jedoch darauf, sich mit Schwester Cronin zu koordinieren, die noch immer die Wiederbelebung fortsetzte, so daß sie nicht die Arbeit der anderen aufhob.

Briscoe wandte sich der Tür zu und rief: »Castillo! Juan Castillo!«

Weiter unten im Korridor rief jemand: »Bin schon unterwegs, Doktor!«

»Juan! Blutgruppe Null! Vier Beutel! Sofort!«

Bei der Erwähnung der Bluttransfusion lehnte sich Mrs. Stuyvesant haltsuchend an die Wand. Sie hatte jetzt zuviel Angst, um Fragen zu stellen oder zu protestieren. Briscoe trat zu Kate, während sie verzweifelt den Blutdruck der Patientin maß. Beide beobachteten auf dem Monitor die Hinweise auf die Herztätigkeit, doch bald wurde klar, daß die Herztätigkeit zwar vorhanden war, die Infusionen und Medikamente jedoch weder den Puls noch den Blutdruck wiederhergestellt hatten.

Schließlich mußte Kate in grimmigem Flüsterton »Volumenmangelschock« zugeben.

Dieser Ausdruck bedeutet, daß das Herz automatisch weiterpumpt, daß es aber keinen Puls gibt, weil infolge einer inneren Blutung nicht mehr genügend Blut im Kreislauf vorhanden ist.

»Wo zum Teufel bleibt das Blut?« rief Briscoe.

Augenblicke später traf Juan mit vier Beuteln Blut der Blutgruppe Null ein. Kate fand sofort eine Vene in Claudias Arm und richtete die Transfusion ein; sie zwang das lebensspendende Blut in Claudias Gefäße, bevor ihr Kreislauf vollkommen zusammenbrach.

»Wenn wir sie halbwegs zu Bewußtsein bringen können, würde ich sie auf dem schnellsten Weg in die Chirurgie schaffen«, sagte Briscoe.

Doch nach der Infusion von drei Beuteln Blut war noch immer kein Puls vorhanden. Kein Druck. Offensichtlich konnte das frische Blut nicht das Blut ersetzen, das sie noch immer verlor.

»Ich gehe in den Bauch«, erklärte Briscoe. »Ich muß die Blutung finden und abbinden.«

Er wandte sich dem Schrank zu, der das Minimum an chirurgischen Instrumenten enthielt, die im Notfallraum gebraucht wurden, zog Gummihandschuhe an und wählte ein Skalpell. Während Kate weiterhin Blut infundierte, eine Schwester Luft in Claudias Lunge zwang und Adelaide Cronin noch immer Herzmassage machte, legte Briscoe einen großen Sondierungsschnitt quer über den Unterleib der Patientin.

Ein Sturzbach frischen, hellroten Bluts brach aus dem Schnitt hervor.

Infolge seiner eingefahrenen Chirurgengewohnheiten befahl Briscoe instinktiv »Absaugen!«, um das Blut wegzubekommen und zur Quelle der Blutung zu gelangen. Doch genau wie Kate und den Schwestern fiel ihm sofort ein, daß im Notfallraum kein Absauggerät vorhanden war. Er mußte sich auf seinen Tastsinn verlassen. Während er die behandschuhten Hände in die Wunde schob und die Ursache der Blutung suchte, rief er »Klemme!« Kate, Cronin und eine der Schwestern aus dem Notfallraum setzten ihre Aktivitäten fort.

Briscoe tastete in einem Meer von Blut herum. Da das neue Blut nicht das ausgeströmte Blut ersetzt hatte, fand Kate keinen Puls. Die Notfallraum-Schwester zwang weiterhin Luft in die Lunge der Patientin. Nach etlichen Minuten dieser kombinierten, aber vergeblichen Tätigkeit mußte Kate zugeben: »Kein Puls. Sie hat noch immer keinen Puls.« Trotzdem transfundierte sie weiter Blut, Schwester Cronin machte Herzmassage und die Schwester aus dem Notfallraum pumpte Luft in die Lunge.

Es war schließlich Adelaide Cronin, die das aussprach, was beide Ärzte nicht zugeben wollten. »Exitus. Sie ist tot.«

»Sie kann nicht tot sein«, widersprach Kate. »Macht einfach weiter. Wir holen sie zurück. Wir holen sie zurück!«

Briscoe trat vom Tisch zurück und zog die blutverschmierten behandschuhten Hände aus der offenen Wunde. »Lassen Sie es bleiben, Kate. Es gibt keine Hoffnung mehr.«

Beide Schwestern stellten ihre Arbeit ein, doch Kate übernahm die Herzmassage von Schwester Cronin, die ihr zuredete: »Nein, Frau Doktor, es hat keinen Sinn.«

Von Kates Stirn tropfte der Schweiß, die blonden Haare hingen strähnig herab, aber sie drückte immer wieder in einer verzweifelten, vergeblichen Anstrengung auf die Brust der Patientin, um sie ins Leben zurückzurufen. Die Ärztin Kate Forrester wußte, daß es keine Hoffnung gab. Die Frau Kate Forrester weigerte sich aufzugeben.

»Kate! Frau Dr. Forrester!« befahl Briscoe entschieden. »Die Patientin ist tot! Sie können sie nicht ins Leben zurückholen. Also hören Sie auf! Ich sagte, hören Sie auf!«

Aber er mußte die blutigen Handschuhe abstreifen und Kate in die Arme nehmen, um sie vom Tisch wegzubringen. Sobald der professionelle Teil ihres Gehirns wieder die Leitung übernahm, fragte sie: »Haben Sie die Ursache entdeckt?«

»Ich konnte nicht einmal die Quelle der Blutung finden«, gab Briscoe zu. »Aber spielt es jetzt noch eine Rolle?«

»Nein, nein. Ich … wahrscheinlich nicht«, stimmte Kate zu.

Neun Stunden nachdem Claudia in die Notaufnahme des City-Krankenhauses gekommen war, fünfundvierzig Minuten nachdem ihr Puls ausgesetzt hatte, war die neunzehnjährige Claudia Stuyvesant trotz aller beharrlichen Wiederbelebungsmaßnahmen tot.

Tot. Ursache unbekannt. Man würde sie kennen, sobald die vorgeschriebene Autopsie durchgeführt war. Laut den Gesetzen des Staates New York muß jedes Mal, wenn ein Patient in die Notaufnahme eines Krankenhauses gebracht wird und innerhalb von vierundzwanzig Stunden stirbt, eine Obduktion vorgenommen werden.

»Ich gehe jetzt hinaus und bringe es der Mutter bei«, sagte Briscoe.

»Nein, das ist meine Aufgabe«, widersprach Kate.

»Es wird nicht leicht sein«, warnte er sie.

»Trotzdem bin ich dafür verantwortlich.« Kate ging zur Tür, dann blickte sie zu der jungen Patientin zurück, von der die Schwestern jetzt Schläuche, Elektroden und alle sonstigen medizinischen Geräte, die sich als nutzlos erwiesen hatten, entfernten. Schwester Cronin bedeckte Claudias nackten Körper mit einem einfachen grünen Laken.

Draußen mußte Kate die verhängnisvollen Worte nicht aussprechen. Die verzweifelte Mutter las es in ihren Augen.

»Getötet! Ihr habt sie getötet!«

»Wir haben alles getan, was wir konnten, Mrs. Stuyvesant.«

»Ich hätte ihr helfen können. Aber Sie haben mich ausgeschlossen. Ich hätte sie gerettet!« schrie die Frau. Aus den Untersuchungsräumen stürzten Schwestern und Patienten und beobachteten die hysterische Frau und die junge Ärztin, die versuchte, sie zu beruhigen.

»Wir haben alles getan, was möglich war, wirklich alles«, wiederholte Kate.

»Alles? ›Wiederholen Sie die Laboruntersuchungen, wiederholen Sie die Laboruntersuchungen!‹ Das nennen Sie behandeln? Untersuchungen, Infusionen – das nennen Sie behandeln?« fragte die verzweifelte Mutter anklagend. »Ich bringe eine gesunde Neunzehnjährige mit verdorbenem Magen hierher, und ihr tötet sie innerhalb von Stunden, nur Stunden. Neunzehn Jahre alt. Das ganze Leben lag vor ihr. Neunzehn Jahre Liebe, Fürsorge und Hoffnung auf die Zukunft sind weg, weg innerhalb einer Handvoll Stunden. Mein Kind, mein einziges Kind … Claudie … arme, arme Claudie … das ganze Leben lag vor ihr …«

»Bitte, Mrs. Stuyvesant.« Kate streckte die Hand aus, um sie zu trösten.

»Rühren Sie mich nicht an, Frau ›Doktor‹! Und glauben Sie nicht, daß Sie straflos davonkommen werden. Es gibt Gesetze … Gesetze, um Ärzte wie Sie zu bestrafen!«

Trotz der Anklagen und Drohungen der Frau empfand Kate tiefes Mitleid mit ihr.

»Möchten Sie jemanden anrufen, Mrs. Stuyvesant? Oder soll ich jemanden anrufen?«

Die Frau starrte sie durch Tränen an; ihre Augen waren vorwurfsvoll und haßerfüllt. Schließlich führte Dr. Briscoe die verzweifelt weinende und stöhnende Frau durch den Korridor zum großen roten Neonschild mit dem Wort NOTAUFNAHME. »Er wird mir die Schuld geben... Er wird mir die Schuld geben...« murmelte Mrs. Stuyvesant pausenlos.

Als sie am Aufnahmepult vorbeikamen, erhob sich die diensthabende Schwester und starrte ihr nach, bis sie fort war. Dann ging sie durch den Korridor zu Kate.

»Wissen Sie, wer das war, Frau Dr. Forrester?«

»Mrs. Stuyvesant«, antwortete Kate, die noch immer die Tür anstarrte.

»Das war nicht einfach ›Mrs. Stuyvesant‹, Frau Doktor. Sie ist Mrs. *Claude* Stuyvesant!«

»Das hat sie mehr als einmal betont.« Kate begriff plötzlich. »Er ist im Grundstücksgeschäft groß drin, was?«

»In New York ist er *der* Mann, der mit Arealen und Immobilien handelt. Außerdem besitzt er ein halbes Dutzend anderer Unternehmen und hat im Rathaus und in Albany das Sagen.«

»Und wo war er, als ihn seine Tochter brauchte?« fragte Kate, wartete aber nicht auf die Antwort.

Sie kehrte ausgepumpt und erschöpft in den Notfallraum zurück, den die Schwestern gerade in Ordnung brachten. Auf der Fahrbahre lag die Leiche der jungen Claudia Stuyvesant unter einem grünen Laken. Kate konnte nicht anders, sie hob das Laken hoch und betrachtete das blasse Gesicht, die geschlossenen Augen, das unordentliche, feuchte schwarze Haar der toten Patientin. *Ihrer* Patientin.

Sie hatte versagt. Die Patientin hatte sich neun Stunden in Kates Obhut befunden, der alle Hilfsmittel eines großen, gut ausgerüsteten, modernen Krankenhauses zur Verfügung standen. Dennoch hatte sie eine neunzehnjährige junge Frau verloren, die noch Anspruch darauf hatte zu leben.

Hatte sie sich all die Jahre in bezug auf ihre Fähigkeiten getäuscht? Hatte sie sich durch die ausgezeichneten Noten irreführen lassen, die sie während des Studiums erhielt, und hatte sie auch die anderen irregeführt? Konnte man in der Schule ein außergewöhnlicher Schüler und gleichzeitig unfähig sein, all sein Wissen einzusetzen, wenn es um ein Menschenleben ging? Während des Studiums waren Studenten am Weg liegengeblieben, Praktikanten und Assistenten hatten die Verantwortung nicht ertragen, Entscheidungen zu treffen, von denen das Leben anderer abhing. Sie hatte sogar einen Assistenten gekannt, der von solchen Zweifeln geplagt wurde, daß er sich im zweiten Ausbildungsjahr das Leben nahm.

Vielleicht, dachte sie, waren das Praktikum und die Zeit als Assistenzarzt dazu da, um jene auszumerzen, die unfähig waren, sich der Realität der angewandten ärztlichen Kunst zu stellen.

Es lief auf die entscheidende Anklage hinaus: *Gab es etwas, das ich, Kate Forrester, hätte tun sollen, hätte tun können, etwas, das ich versäumte, etwas, das für einen anderen Arzt selbstverständlich gewesen wäre?*

Eric Briscoe hatte Mrs. Stuyvesant zu ihrer Limousine gebracht und kehrte jetzt zurück. Er las die Niederlage und die Selbstvorwürfe in Kates Augen.

»Jeder von uns verliert einige Patienten, Kate. In diesem Fall geschah es nicht, weil Sie nicht alles versucht hätten«, meinte er tröstend.

Sie schüttelte den Kopf. Briscoe bedeutete Schwester Cronin, ihm eine Beruhigungspille zu bringen, und überredete Kate, sie zu schlucken.

Wider Willen mußte er denken: Wenn sie es sich jetzt so zu Herzen nimmt, ist es nur gut, daß sie die Drohungen nicht gehört hat, die die hysterische Mutter ausstieß, bevor ich sie in ihre Limousine setzen konnte. Arme Kate. Ich glaube nicht, daß dieser Fall für sie vorüber ist.

Sobald Dr. Kate Forrester im Morgengrauen die Akte des Falls Stuyvesant ergänzt und den Totenschein unterschrieben hatte, konnte sie das Krankenhaus verlassen und hatte den Tag frei.

7

Jedesmal, wenn Kate durch einen so langen, ununterbrochenen Dienst in der Notaufnahme erschöpft und ausgelaugt war, freute sie sich darauf, in ihre bescheidene Wohnung zurückzukehren. Jede Faser ihres Körpers sehnte sich nach dem bequemen Bett und nach neun, zehn oder mehr Stunden ungestörten Schlafs.

Doch an diesem Morgen um sechs Uhr früh war es anders. Claudia Stuyvesants Tod belastete sie zu sehr. Außerdem gab es noch einen Fall, der ihr beruflich und persönlich am Herzen lag.

Sie ging durch die Doppeltür in das Hauptgebäude des Krankenhauskomplexes und fuhr mit dem Fahrstuhl in den dritten Stock zur Kinderstation. Dort suchte sie Dr. Harve Golding und fand ihn in seinem verdunkelten Büro, in dem er eine Reihe Röntgenaufnahmen vom gesamten Körper eines kleinen Kindes studierte.

»Harve?« fragte Kate.

Ohne sich von der Glaswand abzuwenden, an der die Röntgenfilme befestigt waren, sagte Golding, der ihre Stimme erkannt hatte: »Kate? Kommen Sie, und sehen Sie es sich an.«

Sie trat nahe an die von hinten beleuchtete Glaswand heran, auf der man Röntgenbilder am besten beurteilen konnte.

»Sie haben ins Schwarze getroffen, Mädchen«, stellte Golding fest. »Sehen Sie die beiden verheilten Brüche am linken Bein? Einer am Schienbein, einer am Oberschenkel.«

»Und der am rechten Bein ist der frische Bruch, den ich vermutet hatte?« fragte Kate.

»Richtig«, bestätigte Golding. »Ich habe vor den Ergebnissen des Gehirnröntgens beinahe Angst.«

»Erwarten Sie, daß es so schlimm sein wird?«

»Ich warte darauf, daß Sperber zum Dienst kommt. Wir brauchen eine vollständige neurologische Beurteilung, um herauszufinden, wie groß die bleibenden Schäden sind, vorausgesetzt, es gibt welche.«

»Die arme kleine Maria«, sagte Kate. »Wie kann man einem Kind so etwas antun?«

»Stellen Sie sich vor, was geschehen wäre, wenn Sie zuge-lassen hätten, daß die Eltern sie nach Hause nehmen«, meinte Golding. »Sie können stolz auf sich sein, Kate. Sie haben heute nacht ein Leben gerettet.«

Eines gerettet, eines verloren, dachte Kate. Mathematisch gleicht es sich vielleicht aus, aber es fühlt sich nicht so an. Es fühlt sich überhaupt nicht so an.

»Gehen Sie nach Hause, Kate, zu Ihrem wohlverdienten Schlaf«, drängte Golding freundlich. »Heute haben Sie ihn sich wirklich verdient.« Er erwartete eine Antwort von ihr, und als die nicht kam, drehte er sich zu ihr um. »Katie? Ist etwas nicht in Ordnung?«

»Es war nur eine schlimme Nacht, eine sehr schlimme Nacht«, antwortete Kate und machte sich auf den Heimweg.

Wenn Kate vom Nachtdienst in der Notaufnahme nach Hause ging, hielt sie meist ein Taxi an, sank erleichtert in den Rück-sitz und ließ sich zu ihrer Wohnung fahren, die sie mit Rosa-lind Chung teilte. Ihr Apartment lag in einem Haus, das das Krankenhaus gekauft hatte, um seinen jungen Ärzten in der Stadt mit den höchsten Mieten akzeptable Wohnmöglichkeiten zur Verfügung zu stellen.

Obwohl Kate erschöpft war, beschloß sie an diesem Morgen, zu Fuß zu gehen. Die Straßen der West Side Manhattans waren noch vom nächtlichen Regen naß. Die Luft roch frisch, denn der Regen hatte den größten Teil des Rußes und der Schadstoffe herausgewaschen. Aus dem Gebiet jenseits des Hudson brachte eine kräftige Brise kühle Morgenluft in die Stadt. Doch sie wirkte auf Kate nicht so belebend wie an anderen Tagen.

In der Ninth Avenue brachten Lastwagen die Morgenliefe-rungen zu den kleinen Lebensmittelgeschäften des Viertels, zu einfachen kleinen Restaurants, Fleischmärkten, Gemüsemärk-ten, die Vorräte für den täglichen Bedarf führten. Ein neuer Tag brach an, und New Yorks West Side wurde lebendig.

Kate schlängelte sich zwischen den Lastwagen durch, die von den Fahrern und den Hilfskräften entladen wurden. Sie starrten sie bewundernd an und machten gelegentlich anzügliche Bemerkungen, die jedoch nur eine kurze vergnügliche Unterbrechung in der langweiligen Routine der täglichen Arbeit darstellten.

Kate kam von einer kleinen Farm in Illinois und hatte den größten Teil ihres Lebens dort verbracht; sie hatte sich nie ganz an diese Form von gutmütigen Neckereien gewöhnt, die für Lastwagenfahrer, Taxifahrer und Bauarbeiter in New York typisch sind. Zuerst war sie beleidigt gewesen, später lachte sie darüber. Heute dachte sie nur an den Tod von Claudia Stuyvesant.

Sie erreichte ihre Wohnung, sperrte beide Schlösser auf, ging hinein und rief »Rosie?«

Keine Antwort. Kate erinnerte sich, daß Rosie im Krankenhaus Dienst hatte und erst am Nachmittag nach Hause kommen würde. So ging sie in ihr Zimmer und begann, sich zu entkleiden, als ihr einfiel, daß sie noch kein Badewasser eingelassen hatte. Sie drehte den Warmwasserhahn auf und zog sich aus. Gerade als sie in die Wanne steigen wollte, klingelte das Telefon. Ihr erster Gedanke war: Hoffentlich ist es nicht Walter. Heute morgen bin ich viel zu müde, um mich mit persönlichen Problemen herumzuschlagen. Aber sie brachte es nie fertig, das Telefon einfach klingeln zu lassen, vor allem, wenn es so hartnäckig läutete. Beim neunten Läuten beschloß sie: Ganz gleich, was ich für Walter empfinde oder wie überzeugt ich davon bin, daß unsere Beziehung zu Ende ist, ich muß mich wenigstens melden. Das bin ich ihm schuldig.

»Hallo?« meldete sie sich.

Es war Walter. »Kate... es tut mir leid, daß ich dich im Krankenhaus angerufen habe. Ein kindischer Impuls. Aber wir müssen einander treffen. Ich muß mit dir sprechen.«

»Ich habe dir schon gesagt, Walt, daß es keinen Sinn hat.«

»Nach allem, was wir einander waren, den Plänen, die wir geschmiedet haben...«

»Diese Pläne hast du geschmiedet, Walter. Ich habe ebenfalls

Pläne. Es wird noch drei oder vier Jahre dauern, bis ich meine Nische in der Medizin gefunden habe. Ich kann erst an eine Ehe denken, wenn ich soweit bin.«

»Wenn du mich wirklich liebtest, könntest du daran denken.«

»Walter, lieber Walter«, antwortete Kate sehr langsam und sehr vorsichtig, »du und ich sind, ohne es zu wissen, zu dem gleichen Schluß gelangt. Ja, ich könnte es, wenn ich dich wirklich liebte.«

»Sieh mal, Liebling, wenn wir noch ein einziges Mal zusammenkommen könnten…« ließ er nicht locker.

»Walt, du kannst niemandem einreden, daß er einen bestimmten Menschen liebt. Entweder er tut es, oder er tut es nicht. Ich mag dich, aber ich fürchte, daß ich dich nicht so liebe, wie du es verdienen würdest. Bitte, Walter, ich bin fix und fertig, vollkommen erledigt. Ich habe den anstrengendsten Dienst meiner beiden Jahre im Krankenhaus hinter mir. Ich brauche ein heißes Bad, ich brauche Schlaf. Vor allem aber muß ich Ruhe haben. Also bitte…«

Weil Walter Palmer in ihrer Stimme mehr entdeckte als nur Erschöpfung, sagte er: »Natürlich. Okay. Aber ich werde dich bald wieder anrufen. Du brauchst Zeit. Zeit, um nachzudenken. Zeit, um meinen Standpunkt zu verstehen.«

Er legte auf. Als Kate den Hörer auf die Gabel zurücklegen wollte, merkte sie, daß sie weinte. Sie wischte die Tränen weg und fragte sich: Bin ich so rührselig, weil ich mit Walter Schluß mache? Schließlich glaubte ich einmal, daß ich ihn liebe. Weine ich deshalb? Oder ist es die Erinnerung an Claudia Stuyvesant, an ihr blasses Gesicht, die schwarzen Haare, die im Todesschweiß auf ihrer Stirn klebten?

Sie wußte es sofort. Es war die Erinnerung an die neunzehnjährige Claudia.

Gleichzeitig war ihr klar, daß sie mit dem Fall innerlich abschließen mußte. In der Medizin geschehen solche Dinge. Kein Arzt rettet alle seine Fälle. Ein heißes Bad, damit sie sich entspannte, ein langer, langer Schlaf, und am Abend würde sie wieder frisch und munter sein.

Doch als Kate endlich im Bett lag, konnte sie trotz ihrer Müdigkeit nicht einschlafen. Je entschlossener sie war, den Schlaf nachzuholen, den sie verzweifelt brauchte, desto wacher wurde sie. Obwohl sie sich bemühte, den katastrophalen Fall Claudia Stuyvesant zu verdrängen, begann sie, jeden Augenblick dieses Falls noch einmal zu erleben. Sie ging das erste Gespräch durch, Claudias Antworten, die so allgemein gehalten und schließlich irreführend gewesen waren. Warum hatte sie nicht stärkere Schmerzen, wenn sie sich wirklich elend fühlte? Kate analysierte jede Maßnahme, die Infusionen, die Laborergebnisse, nicht einmal, sondern dreimal, den Schwangerschaftstest, der eindeutig negativ war. Sie hatte versucht, ein Sonogramm machen zu lassen, um ihre Ergebnisse zu erhärten, aber kein Fachmann war verfügbar gewesen. Das war eines der Risiken bei Notaufnahmen. Die Ärzte erhielten nicht immer jede Art von Unterstützung, die sie vielleicht brauchten.

Ihre Gedanken waren langsam von der Wiederholung der Ereignisse dazu übergegangen, zu erklären, zu debattieren, zu rechtfertigen. Während des Medizinstudiums hatte kein Professor jemals gelehrt, daß die Medizin eine exakte Wissenschaft ist. Daß alle Patienten gesund werden, wenn man alles Notwendige unternimmt, die richtigen Vorgehensweisen wählt, die richtige Medikamention verwendet. Aber das war nur ein schwacher Trost in einem Fall, in dem eine anscheinend gesunde Neunzehnjährige mit unwesentlichen Symptomen gestorben war.

Doch Kates beunruhigter Verstand argumentierte weiter. Wenn sie so gesund gewesen wäre, wie es zuerst den Anschein hatte, dann wäre sie nicht gestorben. Warum diese starke Blutung? Warum blieb sie so unsichtbar, so versteckt, daß man sie erst entdeckte, als es unmöglich war, sie einzudämmen?

Briscoe war dabeigewesen. Er hatte Kates Beobachtung und Rückschlüsse bestätigt. Oder war es das Fehlen von Rückschlüssen, die Unfähigkeit, eine Diagnose zu erstellen, die Diagnose eines behandelbaren Zustands?

Nein, mußte sie zugeben, es half ihr nicht, wenn sie versuchte, die Schuld, oder auch nur einen Teil von ihr, Briscoe zuzuschieben. Claudia Stuyvesant war von Anfang an ihre Patientin gewesen. Wenn etwas schiefgegangen war, dann war Dr. Kate Forrester daran schuld.

Kate Forrester, die von den ersten Tagen in der Grundschule an eine Starschülerin gewesen war. Immer die Erste in ihrer Klasse. Immer die erste, die die Hand hob und sie schwenkte, wenn Freiwillige gebraucht wurden. Kate Forrester, die mit Auszeichnung von der örtlichen High School in die Universität von Illinois übersiedelt war, wo sie die vierjährige Ausbildung in drei Jahren absolvierte, damit sie rascher in die medizinische Fakultät der Universität von Iowa eintreten konnte. Als sie noch in der High School und nicht alt genug war, um als reguläre freiwillige Hilfskraft im örtlichen Krankenhaus zu arbeiten, war sie trotzdem akzeptiert worden. Kate Forrester war die neugierigste und eifrigste unter den freiwilligen Helfern. Als sie um Zulassung zur medizinischen Fakultät ansuchte, legte sie dem Gesuch die Empfehlungen von drei Ärzten bei, die verschiedene Abteilungen im Krankenhaus leiteten.

Die medizinische Fakultät hatte sich als härter erwiesen, als sie erwartete. Das bedeutete nur, daß sie noch harter arbeitete und sich immer auf die Zeit freute, wenn sie ihr angesammeltes Wissen und ihre Erfahrung nutzbringend einsetzen würde. Sie hatte bewußt ein großes Krankenhaus in einer Stadt gewählt, eines der größten und besten Stadtkrankenhäuser. Das City-Krankenhaus. Sie wollte von den besten Ärzten und Chirurgen lernen, mit den besten und intelligentesten jungen Ärzten und Chirurgen der nächsten Generation wetteifern. Es war beinahe, als säße sie wieder in der Schule, hatte die Hand erhoben, schwenkte sie eifrig und bettelte: Nehmen Sie mich zur Kenntnis, rufen Sie mich auf, prüfen Sie mich, ich weiß die Antwort!

Doch an diesem Morgen quälte sie sich und konnte nicht schlafen, denn sie mußte sich gestehen: Nein, ich weiß nicht alle Antworten. Ich wußte sie letzte Nacht und in den frühen Morgenstunden nicht, als mir aus einem nicht erkennbaren Grund ein junges Leben aus der Hand glitt.

Der Zweifel schmerzte wie ein Stich, und sie fragte sich: War alles ein Irrtum, mein Ehrgeiz, meine Hingabe an die Medizin? Habe ich versagt, als sich dieser Fall, der zuerst wie ein verdorbener Magen aussah, in eine echte Krise verwandelte?

Habe ich versagt?

Kate versuchte, sich zu trösten. Ich bin zu müde, um klar zu denken, zu schuldbewußt, um logisch zu überlegen. Schlaf. Ich brauche den Schlaf.

Doch eine hartnäckige Frage erlaubte es nicht: Habe ich wirklich alles getan, das ich glaube, getan zu haben? Ich blicke jetzt zurück, erkläre, rechtfertige mich, aber erkläre ich vielleicht zu viel, rechtfertige ich mein Verhalten zu ausführlich?

Je mehr Fragen Kate sich stellte, desto wacher wurde sie. Schließlich warf sie die Decke zurück und kleidete sich hastig an. Sie hatte beschlossen, in das Krankenhaus zurückzukehren und Claudia Stuyvesants Akte durchzusehen, um genau festzustellen, was sie dort geschrieben hatte.

Kate betrat die Notaufnahme von der Straßenseite aus. Es war ihr unangenehm bewußt – oder bildete sie es sich nur ein? –, daß das Personal, die Schwestern, Ärzte, Sicherheitsleute, Krankenträger sie anstarrten. Sie kümmerte sich nicht um sie, sondern ging direkt zur Zentralablage und durchsuchte die Akten.

Die Stuyvesant-Akte war nicht vorhanden. Seltsam.

Normalerweise begleiteten die Akten den Patienten nur, wenn dieser in eine andere Abteilung verlegt wurde – Intensivstation, Chirurgie, Herzstation. Jedoch das Stuyvesant-Mädchen war, wie gesetzlich vorgeschrieben, zum Leichenbeschauer gebracht worden. Die Akte hatte die Leiche bestimmt nicht begleitet.

Es war Kate unangenehm, sich danach zu erkundigen, aber ihr blieb nichts anderes übrig. Als sie die diensthabende Schwester danach fragte, erklärte diese: »Ach, diese Akte. Dr. Cummins hat sie sich heute morgen kommen lassen.«

Dr. Cummins? Kate überlegte. Warum nahm sich der Verwalter des gesamten City-Krankenhauses die Zeit, sich diese Akte anzusehen? Cummins ist immer so sehr damit beschäftigt, Geld aufzutreiben, mit Stadt, Staat und Bund um Mittel zu kämpfen, daß es sogar für die Leiter der verschiedenen Abteilungen schwierig ist, seine Zeit mit ihren Forderungen in Anspruch zu nehmen. Ich habe mehr als einmal gehört, wie sie sich darüber beschwerten. Warum hatte sich Cummins diese eine Akte kommen lassen? Doch wenn er derjenige ist, der sie hat, dann ist er derjenige, mit dem ich sprechen werde, auch wenn er noch soviel zu tun hat.

Als Kate in Cummins Büro eintraf, hatte sie merkwürdigerweise das Gefühl, daß man sie erwartete. Sie wurde sofort in das beeindruckende Büro des Verwalters geführt, einen Raum mit getäfelten Wänden und Bücherregalen voller medizinischer Bände. Er brütete gerade über der Akte und machte sich Notizen. »Setzen Sie sich, Frau Dr. Forrester«, forderte er sie auf, ohne aufzusehen. »Bitte nehmen Sie Platz.«

Er setzte seine Lektüre fort und machte sich weiterhin Notizen, während Kate unbehaglich wartete und versuchte, über den Tisch hinweg einen heimlichen Blick auf die Akte zu werfen.

Als Cummins fertig war, sagte er – scheinbar zu sich – erleichtert: »Gut.« Dann wandte er sich Kate zu. »Also dann, Frau Dr. Forrester...« Es war seine übliche Eröffnungsfloskel bei jeder Rede, die er Untergebenen hielt, vor allem jungen Ärzten.

»Ihre Eintragungen in dieser Akte sind angesichts der Situation absolut angemessen. Sehr eingehend. Natürlich bleibt da ein Problem. Aus den Eintragungen ergibt sich, daß die Patientin keinen Grund hatte zu sterben. Aber ich bin sicher, daß der Bericht des Leichenbeschauers diesen Punkt aufklären wird. Ich rufe Sie sofort an, wenn ich ihn bekomme.«

»Darf ich die Akte sehen?« fragte Kate.

»Natürlich. Aber ich kann nicht gestatten, daß sie mein Büro verläßt. Wenn Sie sie im Warteraum durchsehen möchten...«

Er hielt ihr die Akte hin. Bevor er sie losließ, sagte er: »Eine sehr gut geschriebene Akte, die unter diesen Umständen hilfreich sein kann.«

Cummins' Worte klangen zwar wie ein Kompliment, doch sein Blick deutete mögliche Schwierigkeiten an. Kate nahm die Akte entgegen und ging zur Tür. Dort blieb sie stehen und fragte: »Darf ich erfahren, Dr. Cummins, warum Sie sich die Akte kommen ließen?«

»Habe ich es Ihnen nicht gesagt? Ich erhielt heute morgen einen Anruf. Zu Hause.«

»Anruf?«

»Von Claude Stuyvesant.«

Kate konnte es jetzt überhaupt nicht mehr erwarten, die Akte zu lesen.

Sie ging jede einzelne Eintragung, jeden Laborbericht durch. Sie studierte sie ein zweites Mal. Dadurch erinnerte sie sich nicht nur daran, was sie aufgrund des Zustands der Patientin und der Ergebnisse der Laborberichte getan hatte, sondern auch an den Grund für jede Behandlung, für die sie sich entschieden hatte. Und obwohl der Schwangerschaftstest negativ ausgefallen war, war es richtig gewesen, ihn zu machen. Der einzige Bericht, der fehlte, war die toxikologische Untersuchung. Aber die würde später kommen.

Sie hatte den Fall und seine Entwicklung jetzt deutlich vor Augen. Sie erinnerte sich sogar an die Unterbrechungen der Behandlung, zu denen andere Fälle sie gezwungen hatten.

Als sie Cummins' Büro verließ, war sie zutiefst beruhigt. Sie konnte im Fall Claudia Stuyvesant jede ihrer Handlungen erklären und begründen.

Sie suchte kurz die Kinderstation auf, um zu sehen, wie es der kleinen Maria ging. Golding war bereits nach Hause gegangen. Aber Mike Sperber, der Neurologe der Kinderstation, würde bald den Dienst antreten. Er würde das kleine Mädchen untersuchen und feststellen, ob es Anzeichen für eine dauernde neurologische Schädigung gab.

Kate warf einen Blick in den kleinen Raum, in dem das Kind lag. Maria schlief, schlief friedlich, als wisse sie, daß sie sich jetzt in Sicherheit befand.

8

Im gleichen Augenblick, in dem Kate das Zimmer der kleinen Maria verließ, hatte sich einige Stockwerke weiter oben der Krankenhausverwalter Dr. Cummins auf die bevorstehende Nervenprobe gefaßt gemacht und befahl seiner Sekretärin, ihn mit Claude Stuyvesant zu verbinden.

Sobald die Sekretärin die Verbindung hergestellt hatte, sagte Cummins voll echten Mitgefühls: »Ich kann Ihnen gar nicht sagen, Mr. Stuyvesant, wie sehr ich, wie sehr wir alle hier im City-Krankenhaus die Tragödie bedauern, der Ihre Tochter zum Opfer gefallen ist.«

»Das will ich doch annehmen«, erwiderte Stuyvesant unbeeindruckt. »Aber ich habe Sie heute morgen nicht angerufen, weil ich nur Mitgefühl brauche. Ich will wissen, und ich will es genau wissen, was letzte Nacht schiefging. Warum ist meine Tochter gestorben?«

Stuyvesants Schärfe und Direktheit bestätigten Cummins' schlimmste Befürchtungen. Es war allgemein bekannt, daß Claude Stuyvesant, einer der einflußreichsten Geschäftsleute und einer der mächtigsten Politiker hinter den Kulissen der Stadt New York, dann am gefährlichsten war, wenn er in diesem kalten, entschiedenen Ton sprach.

Schadensbegrenzung, rief sich Cummins ins Gedächtnis. *Schadensbegrenzung.* Er antwortete auf seine gewinnendste professionelle Art, die er immer dann einsetzte, wenn er an die Reichen der Stadt um riesige Beträge herantrat.

»Ihr Anruf heute morgen hat mich so sehr erschüttert, Mr. Stuyvesant, daß ich keine Ruhe fand, ehe ich der Sache nicht selbst auf den Grund gegangen war. Ich habe während der letzten Stunden jede Einzelheit im Fall Ihrer Tochter genauestens überprüft. Jede Eintragung in ihrer Akte, jeden Test, jedes Laborergebnis. Alles, was die Ärztin, die ihren Fall übernommen hatte, tat und tun ließ. Während ich mit Ihnen spreche, halte ich die Akte des Falls in Händen.«

»Vergessen Sie all das, Cummins! Ich will eines wissen, und nur das eine. *Wer hat meine Tochter getötet?*«

»Ich versuche gerade, es Ihnen zu erklären, Mr. Stuyvesant. Niemand hat Ihre Tochter getötet. Zu diesem Zeitpunkt wissen wir nicht einmal, warum sie, abgesehen von einer Blutung unbestimmten Ursprungs, gestorben ist.«

»Was für ein Krankenhaus leiten Sie eigentlich, Cummins? Eine Patientin verblutet, und niemand weiß, warum.« Stuyvesants Ton war drohend.

»Ich versuche ja, es zu erklären, Sir. Laut der Akte Ihrer Tochter tat Dr. Forrester alles, was angezeigt war ...«

Wieder unterbrach ihn Stuyvesant. »Wer zum Teufel ist Dr. Forrester?«

»Sie hat Ihre Tochter behandelt«, erklärte Cummins. »Als Ihre Tochter hierhergebracht wurde, machte Dr. Forrester in der Notaufnahme Dienst.«

»Ach ja, meine Frau hat mir von Ihrer ›Dr. Forrester‹ erzählt. Sie ist doch eine Frau?«

»Ja.«

»Ich nehme an, daß sie sich deshalb in Ihrem Mitarbeiterstab befindet, damit Sie den verdammten Vorschriften des Bundes und des Staates entsprechen können, laut denen Sie so und so viele Frauen, so und so viele Schwarze und so und so viele Lateinamerikaner in Ihrem Mitarbeiterstab haben müssen. Was zum Teufel ist aus den Zeiten geworden, als die *Befähigung* einer Person in diesem Land etwas zählte? Ich würde eine Ärztin nicht einmal auf zehn Meter an ein Mitglied meiner Familie heranlassen! Und jetzt wissen Sie, warum!«

Harvey Cummins war so wütend, daß er Stuyvesant direkt widersprach. »Ich muß Ihnen sagen, Mr. Stuyvesant, daß Katherine Forrester zu den am besten ausgebildeten jungen Ärzten unseres Krankenhauses zählt. Wenn Sie ihre Zeugnisse aus dem College und von der medizinischen Fakultät sehen, werden Sie genauso denken wie ich.

Es war ein Glück für uns, daß wir sie für das City-Krankenhaus gewinnen konnten. Das ist heutzutage nicht leicht, denn die besten jungen Ärzte werden mit lukrativen privaten Partnerschaften geködert.«

»Verdammt noch mal, ich bedaure, daß niemand sie mit einer solchen Partnerschaft geködert hat, bevor sie meine Tochter töten konnte!« brüllte Stuyvesant.

»Ich versuche, Ihnen zu erklären, Mr. Stuyvesant, daß nichts von dem, was Frau Dr. Forrester getan hat, den Tod Ihrer Tochter verursachte.«

»Ich weiß, daß Sie Ihre Mitarbeiter verteidigen müssen, Cummins, ganz gleich, wie nachlässig sie sind. Aber wie *Sie* verdammt genau wissen, bin ich mit einigen Mitgliedern Ihres Treuhänderausschusses befreundet. In dieser Sache ist das letzte Wort noch nicht gesprochen. Das gilt auch für ihre Frau Dr. Forrester.«

Stuyvesant legte auf, bevor Cummins antworten konnte. Dieser überlegte kurz, dann befahl er: »Miß Hopkins, verbinden sie mich bitte mit Richter Trumbull.«

Aus Achtung vor seinem Alter und seiner früheren Richtertätigkeit sprach jedermann Lionel Trumbull mit Richter an, während er eigentlich Seniorpartner der bedeutenden Wall-Street-Anwaltsfirma Trumbull, Drummond & Baines war und als einer der klügsten und am wenigsten emotionalen Anwälte dieser Berufsgruppe galt.

Nachdem Trumbull Cummins' Bericht über sein Gespräch mit Claude Stuyvesant gehört hatte, sagte er: »Lassen Sie die junge Frau kommen. So rasch wie möglich. Bei einem Mann wie Claude Stuyvesant, der soviel Macht, so viele juristische Talente zur Verfügung hat, müssen wir sehr, sehr vorsichtig vorgehen. Er kann uns ein Verfahren wegen eines Kunstfehlers anhängen, das uns Millionen kostet. Millionen!«

»Ich versichere Ihnen, Lionel, daß ich die gesamte Akte

durchgesehen habe. Es gab keinen Kunstfehler...« versuchte Cummins zu erklären.

»Heutzutage ist für die Geschworenen *alles* ein Kunstfehler. Jeder Husten, jedes Niesen wird zur Grundlage für einen teuren Prozeß. Und wenn es um den Tod einer *jungen* Frau geht, sind es Millionen! Ganz zu schweigen von dem Schaden, den Stuyvesant dem Krankenhaus und seinem Ruf zufügen kann. Ich will mit der jungen Frau sprechen!«

Wie befohlen, betrat Kate Forrester um genau vierzehn Uhr Dr. Cummins' Büro. Der Verwalter erwartete sie nicht hinter seinem reichverzierten antiken Schreibtisch, sondern am Kopfende des langen Konferenztisches, der eine Ecke des großen Raums einnahm. Zu ihrer Überraschung saß dort noch ein zweiter Mann, der weit über die besten Jahre hinaus und bis auf einen Kranz grauer Haare kahl war. Sein Gesicht war zwar rotbackig, aber streng, als säße er zu Gericht.

»Das ist Richter Trumbull, Frau Dr. Forrester. Rechtsberater des Krankenhauses.«

Das Wort *Rechtsberater* machte Kate bewußt, daß diese Zusammenkunft nicht die medizinische Beratung war, die sie erwartet hatte. Plötzlich wurde die Drohung, die Mrs. Stuyvesant zwei Nächte zuvor ausgesprochen hatte, wesentlich realer.

»Setzen Sie sich, Frau Dr. Forrester, bitte setzen Sie sich«, drängte Cummins freundlich.

»Das Ganze hat mit dem Fall Stuyvesant zu tun, nicht wahr?« fragte Kate, blieb jedoch stehen.

Trumbulls Gesichtsausdruck bestätigte ihren Verdacht, und ihre Besorgnis nahm zu.

»Setzen Sie sich, Frau Doktor«, wiederholte Cummins.

Kate glitt gegenüber von Trumbull in einen Stuhl.

»Ja«, gab Cummins bedrückt zu. »Es hat mit dem Fall Stuyvesant zu tun.«

»Alles, was diesen Fall betrifft, findet sich in der Akte. Wie Sie wissen, habe ich meine Eintragungen sehr sorgfältig überprüft. Die Akte ist vollständig und genau«, erklärte Kate.

Diesmal antwortete Trumbull. »Sie haben gesagt, daß Sie Ihre Eintragungen sehr sorgfältig überprüft haben?«

»Ja«, bestätigte Kate.

»Warum?«

»Warum?« wiederholte Kate verständnislos, weil für sie die Antwort auf diese Frage augenscheinlich war. »Bei einem solchen Fall, der so verwirrend und dessen Ende so verhängnisvoll ist, würde jeder gewissenhafte Arzt neugierig sein.«

»Neugierig?« wiederholte Trumbull. »Weswegen?«

»Warum es geschehen ist«, erwiderte Kate. »Ich warte schon ungeduldig auf den Bericht des Leichenbeschauers.«

»Wie wir alle«, bemerkte Cummins.

»Sie sollten Frau Dr. Forrester über den Ernst der Lage unterrichten, Cummins«, meinte Trumbull. »Sie möchte vielleicht Schritte unternehmen.«

»Schritte unternehmen?« wiederholte Kate verständnislos. »Was für *Schritte*?«

»Meine Firma ist die Rechtsberaterin des Krankenhauses«, antwortete Trumbull, »und es ist selbstverständlich, Frau Doktor, daß wir Ihre Verteidigung übernehmen werden. Aber in einer solchen Situation wenden sich manche Ärzte lieber an ihren eigenen Anwalt.«

»Verteidigung? Wogegen?« wollte Kate wissen.

Trumbull sah Cummins an und schob ihm die unangenehme Rolle des Erklärers zu.

»Da Sie aus dem Mittelwesten kommen, Frau Dr. Forrester, sagt Ihnen der Name Stuyvesant vielleicht nichts«, begann Cummins.

»Ich weiß, daß er zu den Großen im Immobiliengeschäft gehört.«

»›Zu den Großen im Immobiliengeschäft‹ ist eine sehr vorsichtige Art, es auszudrücken. Der Mann besitzt Spielkasinos in Atlantic City und Las Vegas, Hotels in einem Dutzend Städte, genügend Bürogebäude in New York, um eine eigene Stadt zu gründen, wenn er wollte.«

»Was hat das mit mir zu tun?« fragte Kate.

»Der Mann besitzt Macht«, erklärte Cummins. »Der Mann *ist* Macht. Finanziell. Gesellschaftlich. Vor allem politisch. Angeblich kann nur jemand zum Bürgermeister dieser Stadt gewählt werden, den Claude Stuyvesant mit Worten und Geld unterstützt. Wenn er annimmt, daß bei der Behandlung seiner Tochter ein Fehler geschehen ist, dann wird er sich vielleicht rächen.«

Trumbull fügte hinzu: »Meine Firma hat bereits mit ihm zu tun gehabt. Daher kenne ich ihn und bin sicher, daß er sich rächen wird. Ein Prozeß wegen eines Kunstfehlers ist unausbleiblich. Wir müssen darauf vorbereitet sein.«

»Ich habe für seine Tochter alles getan, was in meiner Macht stand«, protestierte Kate.

»Ich glaube es. Dr. Cummins glaubt es«, sagte Trumbull. »Aber wenn es notwendig ist, müssen wir imstande sein, es den Geschworenen zu beweisen.«

»Wir werden es beweisen!« meinte Kate empört.

»Ein guter Grund, damit Sie sich das, was ich gesagt habe, überlegen. Die Firma Trumbull, Drummond & Baines ist zwar bereit, Sie zu verteidigen, aber Sie wollen vielleicht Ihren eigenen Anwalt hinzuziehen.«

»Anwälte kosten Geld«, erwiderte Kate. »Und ich habe noch nicht alle Schulden für meine Ausbildung an der medizinischen Fakultät bezahlt.«

»Dann verlassen Sie sich auf meine Firma«, sagte Trumbull beruhigend. »Inzwischen ein Rat. Erwähnen Sie niemandem gegenüber, daß Sie ins Krankenhaus zurückgekehrt sind und die Stuyvesant-Akte überprüft haben.«

»Aber ich habe es getan!«

»Ja, natürlich. Doch Ihre Handlungsweise kann auf verschiedene Arten ausgelegt werden.«

»Der Fall ist verwirrend, und meine professionelle Neugierde war erwacht. Deshalb kam ich wieder hierher und sah noch einmal nach, wie ich ihn gehandhabt hatte«, versuchte Kate, ihr Verhalten zu erklären.

»Stimmt es nicht, Frau Doktor, daß Sie nicht sicher waren, ob

Sie sich in diesem Fall richtig verhalten, ob Sie keinen Fehler gemacht hatten, und daß Sie aus *diesem* Grund zurückgekommen sind, um Ihre Eintragungen in der Akte zu überprüfen?«

»Das stimmt keinesfalls«, antwortete Kate sofort.

Das vielsagende Schweigen der beiden Männer gab ihr Zeit zu begreifen, daß dies genau die Art von belastenden Fragen war, die ihr ein feindseliger Anwalt vielleicht eines Tages stellen würde. Fragen, die jeglicher Grundlage entbehrten, die aber Anschuldigungen enthielten, auf die sie nie entsprechend reagieren konnte.

»Ich verstehe, was Sie meinen«, sagte sie.

»Ich rate Ihnen folgendes, junge Frau: Sprechen Sie über den Fall ausschließlich mit demjenigen, den ich zu Ihrem Anwalt ernenne. Selbst bei einer vollkommen unschuldigen Erklärung, die Sie abgeben, können Sie nie wissen, ob sie nicht eines Tages gegen Sie verwendet wird.«

»Gegen mich verwendet wird«, wiederholte sie. »Plötzlich bin ich eine Angeklagte. Meine gesamte Laufbahn, meine Jahre im College, in der medizinischen Fakultät – die Pläne für mein Leben…«

Cummins wollte sie seiner Unterstützung versichern: »Wir werden unser Bestes tun, um Sie zu beschützen, meine Liebe. Aber wenn Stuyvesant seine Klage wegen eines Kunstfehlers gewinnt…«

»Sind Sie sicher, daß es zu einer Klage wegen eines Kunstfehlers kommen wird?«

»Bei der heutigen Spruchpraxis der Geschworenen geraten sogar die Reichen in Versuchung«, erklärte Trumbull. »Und Stuyvesant gehört zu den Männern, bei denen wir auf das Schlimmste gefaßt sein müssen.«

»Ich habe nichts falsch gemacht!« erklärte Kate. »Das kann ich beweisen. Wann spreche ich mit dem Anwalt?«

»Meine Sekretärin wird Sie am Nachmittag anrufen und einen Termin vereinbaren«, sagte Trumbull.

Nach dem Gespräch war Kate zornig, aber auch durch die Bedrohung erschüttert, die Trumbull so klar geschildert hatte.

Während sie nach Hause fuhr, wurde ihr Groll immer stärker. Es war nicht fair. Nach all den Opfern, nach der intensiven Arbeit, nach den Studienjahren. Es war nicht fair, daß ein Mann, von dessen Existenz sie kaum etwas gewußt hatte, plötzlich in ihr Leben eingreifen und sie bedrohen konnte. Sie versuchte, sich zu trösten: Wenn er so mächtig und reich ist, was hat er dann davon, daß er klagt? Auch wenn er Millionen besitzt – seine Tochter kann ihm das Geld nicht wiederbringen.

Wenn man ihm vielleicht erklärte, in welchem Zustand seine Tochter ins Krankenhaus gekommen war, wie unspezifisch ihre Symptome waren, daß Laborberichte nur einzelne Aspekte ihres Zustands betrafen und die Ergebnisse nicht ausreichten, damit ein Arzt eine endgültige Diagnose stellen konnte – wenn ihm jemand all das erklärte, dann würde er es sicherlich verstehen. Sobald sie mit ihrem Anwalt zusammentraf, mußte sie mit ihm darüber sprechen.

Sie öffnete die Wohnungstür, und im gleichen Augenblick rief Rosalind aus der Dusche: »Bist du es, Kate?«

»Ja, Rosie«, antwortete sie so niedergeschlagen, daß ihre Mitbewohnerin aus der Dusche kam, während sie ihre langen schwarzen Haare trockenrieb.

»Was wollte Cummins?«

»Sie stellen mir einen Anwalt zur Verfügung.« Kate versuchte, positiv zu klingen und nicht zu zeigen, wie bedroht sie sich fühlte.

»Anwalt? Wozu brauchst du einen Anwalt?« Statt Kate wurde Rosie immer zorniger.

»Sie sind davon überzeugt, daß er auf einen Kunstfehler klagen wird.«

»Kunstfehler?« wiederholte Rosie empört. Trotz ihrer für gewöhnlich ruhigen, zurückhaltenden Art verfügte sie über Temperament, das aufflammte, wenn sie sich über Ungerechtigkeiten empörte. »Die Stunden, die wir arbeiten! Die Arbeitsbedingungen! *Wir* sollten diejenigen sein, die klagen.«

Da Rosie klar war, daß Kate Trost und Ermutigung, aber nicht Zorn brauchte, schloß sie ihre Freundin in die Arme.

»Sieh nicht so betrübt aus, Süße. Im gesamten Team gibt es keinen jungen oder alten Arzt, der nicht für dich auf die Barrikaden steigen würde. Es wäre ein Vergnügen für uns, mit unseren Beschwerden zu Gericht zu gehen. Und es wäre an der Zeit! Ich habe gerade frischen Kaffee gekocht. Möchtest du welchen?«

Kate nickte müde. Was ihre Freundin als Ermutigung gemeint hatte, war zu einer zusätzlichen Belastung geworden. Kate wollte nicht, daß sich ihre Situation zu einem Fall entwickelte. Es wäre ihr viel lieber, wenn die ganze Geschichte ruhig einschliefe, so daß sie ihren Beruf weiter ausüben könnte, der für sie immer bedeutet hatte, kranken, bedürftigen Menschen zu helfen, und nicht, um ihr Recht zu kämpfen.

Als Rosie ihr eine dampfende Tasse reichte, sagte Kate: »Ich denke immerzu daran…«

»Hör auf zu denken«, riet ihr Rosie. »Es gibt keinen einzigen Arzt, der keinen solchen Fall hinter sich hat. Oder mehrere. Patienten sterben eben. Der Tod ist der Preis des Lebens. Er stößt jedem von uns früher oder später zu. Die Art, wie er eintritt, ergibt nicht immer einen wissenschaftlichen Sinn, wie unsere Lehrbücher behaupten.«

»Als Briscoe ihre Mutter hinausführte, war das letzte, das ich von ihr hörte: ›Er wird mir die Schuld geben, er wird mir die Schuld geben‹.«

»Was heißt das?« fragte Rosie.

»Obwohl der plötzliche Tod ihrer Tochter ein Schock für sie gewesen war und sie verzweifelt war, hatte sie vor jemand anderem schreckliche Angst.«

»Vor wem?«

»Wahrscheinlich vor Claude Stuyvesant.«

»Dann kann ich nur hoffen, daß sie dir einen sehr guten Anwalt geben«, sagte Rosie. »Denn einen Mann, der seiner Frau solche Angst einjagen kann, möchte ich nicht zum Feind haben.«

Kate nickte schwach. Sie versuchte, den Kaffee zu trinken, schüttelte aber niedergeschlagen den Kopf. »Ich muß zu Hause anrufen und es ihnen erzählen.«

»Kann das nicht warten, bis du etwas klarer siehst?«

»Meinst du damit besser oder schlechter? Nein, ich rufe an. Dad hat das Recht, es zu erfahren. Nach allem, was er für mich getan hat.«

»Lade dir nicht auch noch zu all deinen übrigen Kümmernissen Selbstvorwürfe auf. Wir stehen alle in der Schuld unserer Eltern«, erklärte Rosie. »Nicht, weil *wir* es so wollten, sondern weil *sie* es wollten. Glaubst du, ich wollte es, daß mein Vater seinen gesamten Gewinn aus seinem kleinen Restaurant dazu verwendete, um mir die Ausbildung zu bezahlen? Er hätte damit das Lokal vergrößern können. Den Umsatz verdoppeln. Aber er sagte immer: ›Ein so großes Lokal macht zuviel Arbeit.‹ Das stimmte nicht. Er hätte es tun können, und er hätte es geschafft. Vielleicht hätte er sich jetzt schon zur Ruhe setzen können. Aber nein, seine kleine Rosie würde das werden, was sie immer schon hatte werden wollen, eine Ärztin. Deshalb kann ich jetzt endlose Stunden lang arbeiten, mich mit tyrannischen Abteilungsleitern, arroganten, anspruchsvollen Patienten herumschlagen und in einer Stadt wohnen, in der mein Leben jedesmal in Gefahr ist, wenn ich aus dem Haus trete!«

Sie merkte, daß ihr Gejammer Kates deprimierte Stimmung verstärkt hatte, und versuchte, scherzhaft zu klingen. »Damit habe ich meine Kümmernisse abgeladen, und jetzt bist du an der Reihe.«

»Ich – ich werde lieber anrufen. Daddy kommt ungefähr um diese Zeit nach Hause. Zum Mittagessen. Zu Hause ist das Mittagessen die Hauptmahlzeit. Großes Mittagessen: für Dad, meinen Bruder Clint und vier Landarbeiter. Früher waren es sieben. Aber Dad verkaufte einen Teil seines Besitzes. Wahrscheinlich aus demselben Grund wie dein Vater. Obwohl Dads Vorwand lautete, daß eine Farm in Zeiten der wechselnden Kreditzinsen ein Verlustgeschäft ist, solange man den Kredit zurückzahlt. Väter finden anscheinend immer vernünftige Erklärungen dafür, daß sie für ihre Kinder unvernünftige Dinge tun.«

Rosie lachte. »Eines kann ich dir sagen. Für meine Kinder

werde ich nie etwas tun. Ich will nicht, daß sie schuldbewußt sind oder sich zu Dank verpflichtet fühlen. Sie können selbst für sich sorgen, sage ich. Ich war noch nie eine Mutter. Noch nicht. Aber irgendwann – irgendwann werde ich soweit sein, all diese elterlichen Fehler ebenfalls zu begehen.«

Kate ging zum Telefon am Ende der Couch und sah auf die Uhr. Sie konnte sich genau vorstellen, wie es jetzt zu Hause zuging. Dad saß am Kopfende des Tisches zwischen seinen Landarbeitern und Kates Bruder. Mutter brachte dampfende Schüsseln mit Stew oder Suppe oder Gemüse auf den Tisch. Und zwei Laib selbstgebackenes Brot. Dad behauptete immer, daß das Zeug, das man im Laden kaufte, kein Brot sei. Zum Beweis knetete er eine Handvoll des weichen Brotinneren, bis es eine Kugel aus gummiartigem Zeug war, das man nicht essen konnte. Deshalb buk Mutter das Brot selbst.

Liebevoll rief sich Kate diese alltäglichen Szenen in Erinnerung, als sie die Nummer wählte. Es klingelte – zweimal, dreimal, viermal. Einen Augenblick lang hatte sie Angst. Wenn um die Mittagszeit niemand an den Apparat ging, mußte etwas nicht in Ordnung sein. Aber beim sechsten Klingeln wurde abgehoben.

»Hallo«, sagte ihre Mutter.

»Ich bin es, Ma.«

»Katie.« Ihre Mutter erkannte ihre Stimme und freute sich, war aber dennoch vorsichtig. »Ist etwas nicht in Ordnung, Liebling?«

»Nein, es ist alles in Ordnung«, leugnete Kate. Es wäre ihr lieber gewesen, wenn das Gespräch nicht mit diesem Thema begonnen hätte.

»Du fuhrst Ferngespräche, wenn die Gebühren hoch sind und nichts danebengegangen ist?« fragte ihre Mutter. »Wenn du nur hallo sagen und dich erkundigen wolltest, wie es hier geht, hättest du am Abend angerufen.«

»Ist Dad da? Kann ich mit ihm sprechen?« fragte Kate.

Jetzt wußte ihre Mutter, daß es Schwierigkeiten gab. Man merkte es an ihrer Stimme. »Ja, Liebling. Ich schalte um.«

Kate wartete einen Augenblick und hörte dann, wie sich ihr Vater räusperte.

»Dad?«

»Ja, Liebling, schön, deine Stimme wieder zu hören. Seit du diesen verdammten Dienst in der Notaufnahme machst, rufst du nicht mehr so oft an, wie du solltest.«

Er spricht und versucht, um meinetwillen entspannt und sorglos zu klingen, dachte Kate. Aber er spürt, daß es ernst ist. Ich muß es ihm erzählen. Jetzt. Ohne Umschweife.

Sie tat es. Eine kurze Schilderung der Situation. Eine laienhafte Erklärung der Maßnahmen, die sie getroffen hatte. Das tragische Ende. Während sie berichtete, gab ihr Vater zustimmende Geräusche von sich, um zu zeigen, daß er verstand. »Ja, das sehe ich ein.« »Natürlich, das war genau das Richtige.« Im Hintergrund hörte Kate ihre Mutter. »Was ist los, Ben? Was sagt Katie?« Sie konnte sich ihre Mutter vorstellen, die Dad knapp bis zur Schulter reichte, wenn sie neben ihm stand und sich auf die Zehen stellte. Kate hatte den zarten Knochenbau von ihrer Mutter geerbt. Dads blonde Haare und Mutters zierliche Gestalt waren das Beste an den beiden, pflegten sie zu sagen, als sie ein kleines Mädchen war.

Als Kate mit ihrer knappen Schilderung fertig war, sagte ihr Vater sofort: »Vielleicht sollten wir dir einen Anwalt verschaffen, den du dir selbst aussuchst. Jemanden wie George Keepworth. Ich vertraue ihm mehr als einem Fremden.«

»Das ist nicht notwendig, Dad. Das Krankenhaus ist verpflichtet, es zu bezahlen«, erwiderte Kate.

»Würde es dir helfen, wenn ich zu dir komme?« fragte er.

»Nein, Dad, auch das ist nicht notwendig. Wir wissen noch gar nicht, ob überhaupt etwas geschehen wird. Ich wolle es euch nur wissen lassen. Bevor ihr es aus einer anderen Quelle erfahrt.«

»Was soll das heißen, aus einer anderen Quelle?« Jetzt war er nervös.

»Dieser Claude Stuyvesant ist in New York ein sehr bedeutender Mann. Alles, an dem er beteiligt ist, gelangt irgendwie in die Nachrichten. Zeitungen, Fernsehen.«

»Dann sag dem ›bedeutenden‹ Hurensohn, daß er mein kleines Mädchen in Ruhe lassen soll, sonst komme ich nach New York und verziere seinen ›bedeutenden‹ Arsch.«

Dad mußte sehr zornig sein. Unabhängig davon, wie rauh seine Sprache anderen gegenüber war, verwendete er solche Worte nie in Hörweite seiner Frau oder seiner Tochter.

»Mir wird überhaupt nichts geschehen«, versprach Kate, um zu verhindern, daß er tatsächlich alles liegen- und stehenließ, sich in den Wagen setzte und nach New York fuhr. Mutter würde natürlich mitkommen und ihn ununterbrochen ermahnen, vorsichtig zu fahren. Kate hatte nicht vorgehabt, ihn zu beunruhigen, hatte es aber offenbar getan.

»Entspann dich inzwischen, Dad; ich halte dich auf dem laufenden.«

»Tu das«, sagte er. Dann fügte er hinzu: »Ich denke oft daran – was machst du in einer Stadt wie New York? Die Leute hier könnten einen guten Arzt brauchen. Und sie wären dir wesentlich dankbarer als diese Wilden. Überlege es dir, ob du nicht nach Hause kommen und dich unter deinesgleichen niederlassen willst.«

Kate begriff, daß ihr Vater bereits eine Rückzugsposition für sie schuf, obwohl das Justizverfahren vorläufig nur eine hypothetische Drohung darstellte.

»Ich habe nicht vor, nach Hause zu kommen, Dad«, sagte sie. »Ich bleibe und kämpfe!«

»Du vergißt, was die Leute hier von dir halten, Katie. Schließlich warst du in der High School die Klügste. Sogar klüger als die Jungs. Sie sprechen noch immer von dir, erkundigen sich nach dir. Jedes Mal, wenn ich in die Stadt fahre, hält mich jemand auf und fragt: ›Und wie geht es unserer Kate?‹ Als würdest du der ganzen Stadt gehören. Als ich ihnen erzählte, daß dich das City-Krankenhaus angestellt hat, waren sie nicht überrascht. Es war für sie selbstverständlich, daß du in das größte und beste Krankenhaus aufgenommen wurdest. Schließlich bist du ›unsere Kate‹. Wenn du mußt, stell dich diesem Schuft Stuyvesant und feuere aus allen Rohren auf ihn, ja?«

»Ja, Dad.«

Als Kate auflegte, war sie noch deprimierter als zuvor. Mit seinem Versuch, sie zu ermutigen, hatte er ihr nur eine zusätzliche Bürde aufgeladen: die hohe Meinung, die ihre Freunde und Nachbarn zu Hause von ihr hatten.

Der Anwalt, ich muß mit dem Anwalt sprechen, kam ihr in den Sinn.

9

Obwohl Kate an große Universitäten, medizinische Fakultäten und Krankenhäuser gewöhnt war, hatte sie nie zuvor so beeindruckende Büros wie die der Firma Trumbull, Drummond & Baines betreten. Der Empfangsraum befand sich im sechsten von den elf Stockwerken, die die Firma einnahm. Kate fragte nach Scott Van Cleve, den ihr Richter Trumbulls Sekretärin genannt hatte. Die Empfangsdame ließ einen Pagen kommen, der Kate aus dem sechsten Stockwerk hinunter in das zweite führte, an einer Reihe großer, gut eingerichteter Räume der Partner vorbei zu kleineren, weniger beeindruckenden Büros, bis sie das Ende des langen, mit Teppichen belegten Korridors erreichten. Dort blieb der Page stehen und bedeutete ihr einzutreten.

In den kleinen Büro herrschte ein solches Durcheinander, daß nach Kates Empfinden kein normaler Mensch dort arbeiten konnte. Gesetzbücher waren über den Tisch verstreut und stapelten sich auf dem Boden in großen Haufen. Einige waren aufgeschlagen, andere geschlossen und mit gelben Lesezeichen versehen, die auf wesentliche Fälle hinwiesen. Auf dem Schreibtisch gab es nicht nur einen, sondern drei gelbe Notizblocks, und auf alle drei waren Notizen gekritzelt. An einer Ecke des Schreibtischs lag ein halbaufgegessenes Sandwich, das man wieder in die Plastikfolie gewickelt hatte; daneben stand eine halbvolle Tasse Kaffee, der offensichtlich kalt geworden war.

Kate hatte jetzt den gleichen Verdacht wie ihr Vater: daß ihr Fall einem weniger fähigen, wenn nicht dem am wenigsten fähigen Anwalt in Trumbulls Firma übertragen worden war. Wenn ihre medizinische Laufbahn und die sechzehn Jahre Studium, die sie investiert hatte, von dieser Person abhingen, wer immer er war, dann wäre vielleicht ein sehr fähiger, allein arbeitender Rechtsanwalt aus ihrer Heimatstadt, jemand wie George Keepworth, tatsächlich besser und sicherer.

Sie überlegte gerade, ob sie gehen sollte, als plötzlich ein hochgewachsener junger Mann in das Büro stürzte und offensichtlich über ihre Anwesenheit erstaunt war.

»Oh!« platzte er leicht verärgert heraus, als hätte sie seinen Gedankengang unterbrochen. »Sie sind … ja …« Er versuchte, sich zu erinnern. »Die junge Frau, die – sind Sie die Arztperson?«

Kate unterdrückte die rasche zornige Antwort, die ihr auf der Zunge lag, und erwiderte: »Ja. Sind Sie die Anwalt-›Person‹, mit der ich sprechen soll?«

Er starrte sie an, dann entspannte sich sein Gesicht zu einem Lächeln. »Entschuldigen Sie. Aber heutzutage wollen die Frauen weder als Mädchen noch als Damen bezeichnet werden, und ich bin immer auf der Suche nach dem richtigen Wort.«

»Person«, wiederholte sie.

»Klingt gut«, sagte er. »Ich bin Scott Van Cleve«, begann er, dann unterbrach er sich … aber Sie kennen meinen Namen. Sonst hätten Sie nicht nach mir gefragt. Und Sie heißen …«

Er kennt nicht einmal meinen Namen, ging es Kate durch den Kopf, so wenig ist er mit meiner Lage vertraut. Ich sollte gehen. Sofort! George Keepworth wird bestimmt einen guten Anwalt in New York kennen, den er empfehlen kann.

Sie beschloß, sich wenigstens anzuhören, was der gestreßte junge Mann zu sagen hatte. Gleichzeitig diagnostizierte ihn die Ärztin Forrester. Es war hager, offenbar bei guter Gesundheit. Es gab weder auf dem Schreibtisch noch an ihm einen Hinweis auf eine Brille. Seine Eßgewohnheiten waren schlecht, was durch das halbgegessene Sandwich bestätigt wurde, aber das konnte auch bedeuten, daß er in bezug auf seinen Beruf sehr pflichtbewußt war. Er war sehr groß. Seine Haare waren dunkel, nicht ganz tiefschwarz. Schon um halb drei Uhr nachmittags brauchte er eine Rasur, was bedeutete, daß er sich vor vielen Stunden rasiert hatte. Also war er ein Frühaufsteher. Vielleicht lief er morgens früh. Das würde seinen hageren, gesund aussehenden Körper erklären.

Sie war mitten in ihrer Diagnose, als er sie mit einem fröhlichen »Okay! Fangen wir an!« überraschte. Er schob alle Bücher und Notizblöcke auf eine Seite seines Schreibtischs und öffnete eine Schublade, der er einen neuen Schreibblock entnahm. Er suchte noch einmal nach ihrem Namen. »Miß... Miß stimmt doch, nicht wahr? Oder ziehen Sie ›Mrs.‹ vor?«

»Ich persönlich ziehe ›Doktor‹ vor. Kate Forrester.«

»Okay, Frau Dr. Forrester, fangen wir an.«

Sie nahm an, daß sie schildern sollte, was sich während der Behandlung von Claudia Stuyvesant ereignet hatte, und begann: »Die Patientin wurde gegen 9.30 Uhr abends in die Notaufnahme gebracht, wobei nur vage Symptome...«

Van Cleve unterbrach sie. »Frau Doktor, als ich ›fangen wir an‹ sagte, meinte ich, daß *ich* anfangen werde.«

»Ich hätte angenommen, daß Sie als mein Anwalt meine Darstellung des Sachverhalts kennenlernen wollen«, bemerkte Kate leicht gereizt.

»Das werde ich, aber alles zu seiner Zeit. Zunächst halte ich es für meine Pflicht, Ihnen Ihre gesetzliche Situation zu erläutern.«

»Soviel ich weiß, habe ich keine ›gesetzliche Situation‹.«

»Noch nicht. Aber versuchen Sie, es so zu sehen. Wir betreiben Präventivmedizin gesetzlicher Art, weil wir beim normalen Verlauf der Ereignisse damit rechnen müssen, daß gegen das Krankenhaus eine Klage wegen eines Kunstfehlers eingebracht werden wird. Und auch gegen Sie persönlich.«

»Ich habe angenommen, daß die Versicherung des Krankenhauses alle Ärzte einschließt. Das ist einer der Gründe, warum man zum ärztlichen Personal eines großen Krankenhauses gehören will. Der Arzt ist geschützt.«

»Geschützt ja, immunisiert nein«, sagte Van Cleve.

Ihr besorgtes Gesicht machte dem jungen Anwalt klar, daß Kate Forrester in bezug auf ihre gesetzliche Situation vollkommen ahnungslos war.

»Der Grund, warum Ihnen ein eigener Anwalt zugewiesen wurde, ist folgender: Wenn es zu einem Verfahren wegen eines Kunstfehlers kommt, wie wir erwarten, wird das Krankenhaus als Beklagter genannt, genau wie Sie und der andere Arzt – wie hieß er noch?«

»Briscoe? Eric Briscoe?«

»Richtig. Briscoe. Wenn Anwälte wegen Kunstfehlern klagen, dann klagen sie gegen jeden, der sich in Sichtweite befindet. Jeden, der irgendwie mit dem Fall in Zusammenhang steht. Der Grund dafür ist, daß sie nicht wissen, wie die Jury reagieren wird. Sie wird vielleicht das Krankenhaus wegen seiner Vorschriften und Praktiken verantwortlich machen. Oder sie macht die Ärzte persönlich dafür verantwortlich...«

»Das sagen Sie schon zum zweiten Mal, Mr. Van Cleve«, unterbrach ihn Kate. »Was nützt eine Versicherung gegen Kunstfehler, wenn sie nicht den Arzt schützt?«

»Sie schützt sehr wohl den Arzt – in gewissen Grenzen. Sie stellt Ihren Verteidiger und bezahlt innerhalb gewisser Grenzen die Schadenersatzansprüche des Klägers. Doch wenn der Schuldspruch der Geschworenen die Versicherungssumme übersteigt, haften das Krankenhaus und der Arzt für die Differenz. Und ich muß Ihnen nicht erst sagen, wie sich die Geschworenen in den letzten Jahren verhalten haben.«

»Sie meinen, es wäre möglich, daß ich für den Rest meiner ärztlichen Tätigkeit persönlich...« Kate war fassungslos.

»Sie sollten wissen, welcher potentiellen Gefahr sie in dieser Situation gegenüberstehen«, erklärte Van Cleve so sanft, wie es ihm möglich war.

»Ja...« antwortete Kate leise. »Ja, natürlich verstehe ich.«

»Dann möchte ich jetzt gern Ihre Version der Ereignisse hören.«

»Mein erster Kontakt mit der Patientin erfolgte gegen 21.30 Uhr am Samstagabend...« Kate erzählte der Reihe nach alles, woran sie sich erinnern konnte, ohne in der Akte nachzusehen.

Van Cleve hörte zu und kritzelte von Zeit zu Zeit eine Notiz auf seinen gelben Schreibblock. Kate unterbrach sich jedesmal und fragte sich, Was habe ich gerade gesagt, das er notiert hat? Warum ist das wichtig? Habe ich etwas gesagt, das meine Lage verschlechtert?

Obwohl Van Cleve wußte, was in ihr vorging, drängte er ständig: »Fahren Sie fort, Frau Doktor, fahren Sie fort.«

Als Kate mit ihrem Bericht fertig war – Claudias Symptome, die Anzeichen, die Laborergebnisse, die Reaktionen der Patientin –, nickte Van Cleve nachdenklich.

»Mr. Van Cleve?« drängte Kate.

»Ich werde mich in die Angelegenheit vertiefen, sobald ich Zeit habe, eigene Nachforschungen anzustellen. Was war bis zum Zusammenbruch der Patientin für Sie die wahrscheinlichste Diagnose?«

»Diese allgemeinen Symptome weisen deutlich auf eine virale Erkrankung des Verdauungstrakts hin«, erwiderte Kate.

»Wenn ich diese Symptome sechs Ärzten schildere...«

»Und Anzeichen«, ergänzte Kate.

»Symptome... Anzeichen... wo ist da der Unterschied?«

»Symptome sind das, was der Patient schildert. Anzeichen sind das, was der Arzt entdeckt und beobachtet. Der Arzt beurteilt beides zusammen und erstellt eine Diagnose.«

»Danke, Doktor.« Kate hielt es für möglich, daß Van Cleve es sarkastisch meinte. »Ich wiederhole: Zu welcher Diagnose würden sechs Ärzte, die ich unter Eid befrage, gelangen, wenn ich ihnen die gleichen Symptome und Anzeichen schildere wie Sie jetzt?«

»Sicherlich zur gleichen: virale Infektion im Unterleib.«

Van Cleve notierte sich wieder etwas und fragte: »Alle sechs?«

»Wenn nicht alle sechs, dann zumindest fünf von ihnen.«

»Virale Infektion im Unterleib«, wiederholte Van Cleve nachdenklich und notierte wieder etwas. »War Briscoe der gleichen Ansicht?«

»Er sagte es nicht ausdrücklich. Aber er fand keine andere Ursache.«

»Zum Beispiel was?«

»Diese Symptome – Übelkeit, Erbrechen, Durchfall, Bauchschmerzen – treten bei vielen Erkrankungen auf. Blinddarmentzündung. Scheidenentzündung. Schwangerschaft. Geschwüre. Ein halbes Dutzend Erkrankungen. Man testet dann eine Möglichkeit nach der anderen und scheidet sie aus, bis man die richtige hat.«

»Was Sie unglücklicherweise nie getan haben.«

»Die Medizin ist keine exakte Wissenschaft«, verteidigte sich Kate. »Sie wird es im Lauf der Jahre mit jeder neuen Entdeckung immer mehr, aber sie ist noch nicht vollkommen. Und wird es wahrscheinlich nie sein.«

»Genau das ist unser Problem«, meinte Van Cleve grimmig. »Die Patienten – und die Jury besteht aus Patienten – setzen voraus, daß die Medizin vollkommen ist. Daß ein Fehler des Arztes daran schuld ist, wenn etwas schiefgeht, wenn der Patient stirbt. Hier setzen wir an und bekämpfen diese Meinung. Wir gewinnen nicht immer. Und wenn wir verlieren, sind die Beträge, zu denen wir verurteilt werden, exorbitant. Ich wollte, daß Sie es wissen.«

Kate nickte ernst.

»Das wäre für unsere erste Besprechung alles, Frau Doktor.«

Kate blieb regungslos sitzen; sie war nicht fähig, auf die Worte des Anwalts zu reagieren.

»Ich rufe Sie an, sobald wir die Unterlagen haben. Aber ich kann Ihnen schon jetzt sagen, daß es keine Überraschungen geben wird. Man wird sie als Mitbeklagte nennen. Seien Sie darauf gefaßt.«

Kate erhob sich und ging zur Tür.

»Noch etwas«, rief ihr Van Cleve nach. »Das wird keiner der üblichen Fälle wegen eines Kunstfehlers oder Fahrlässigkeit sein. Hier haben wir es mit dem S-Faktor zu tun.«

»Dem S-Faktor?« wiederholte Kate verständnislos.

»Der Stuyvesant-Faktor. Er wird nicht nur die besten Kunstfehler-Anwälte einsetzen, sondern ihm wird auch das mitfühlende Ohr jedes Richters und jedes anderen Stadt- oder Staatsbeamten offenstehen, der ihm helfen kann. In dieser Stadt oder diesem Staat gibt es nur sehr wenige Leute, die Claude Stuyvesant nein sagen können.«

»Das ist möglich. Aber ich glaube noch immer, daß die Wahrheit meine beste Verteidigung ist«, beharrte Kate.

»Im Augenblick besteht Ihre beste Verteidigung darin, daß das City-Krankenhaus, seine Versicherungsgesellschaft und unsere Anwaltsfirma in diesen Fall verwickelt sind. Sie werden jede Menge Geld ausgeben, um sich zu verteidigen, was bedeutet, daß man gleichzeitig Sie verteidigen wird. Wenn Sie diese Verteidigung selbst bezahlen müßten, kämen Sie bis an Ihr Lebensende nicht aus den Schulden heraus. Sie hören von mir, Frau Doktor.«

Van Cleve berichtete noch am selben Tag über die erste Besprechung mit seiner neuen Klientin, Dr. Katherine Forrester; einige Stunden später rief Richter Trumbull Verwalter Cummins an.

»Nur um Sie auf dem laufenden zu halten, Harvey«, begann der Anwalt, »einer unserer jüngeren Mitarbeiter, Van Cleve, ist mit Ihrer Frau Dr. Forrester zusammengekommen. Die erste Runde, um den anderen kennenzulernen. Dabei stellte sich nichts Ungewöhnliches heraus.«

»Was mich nicht überrascht«, warf Cummins ein.

»Es hat mich jedoch veranlaßt, eingehender über die Situation nachzudenken.«

Cummins wurde unbehaglich zumute; ein so beschäftigter und angesehener Anwalt wie Trumbull rief normalerweise nicht wegen Routineangelegenheiten an. »Weitere Überlegungen? Zum Beispiel?« fragte er vorsichtig.

»In Übereinstimmung mit Ihrer Politik der Schadensbegrenzung, die ich absolut gutheiße, und um auf alle künftigen Entwicklungen vorbereitet zu sein – schließlich haben wir es mit Claude Stuyvesant zu tun – wäre es zur Zeit vielleicht eine gute Idee, Dr. Forresters Aktivitäten einzuschränken.«

»Ihre Aktivitäten einschränken?« wiederholte Cummins. »Sie ist eine gut qualifizierte praktische Ärztin, und wir brauchen alle Mitarbeiter, die wir haben...«

»Es ist möglich, daß wir irgendwann das Verhalten des Krankenhauses rechtfertigen müssen, Harvey...«

Cummins protestierte. »Das Verhalten des Krankenhauses ist in Ordnung. Auch das von Frau Dr. Forrester, soweit wir wissen.«

»Genau, Harvey. ›Soweit wir wissen.‹«

»Ich habe volles Vertrauen zu ihr.«

»Natürlich«, stimmte Trumbull rasch zu. »Glauben Sie mir, niemand schätzt Loyalität den Mitarbeitern gegenüber mehr als ich. Doch Anwälte müssen alle Möglichkeiten in Betracht ziehen, bevor sie beraten. Vor allem in Fällen, bei denen es um mehrere Millionen Dollar gehen kann. Deshalb schlage ich vor, nein, ich dränge darauf, daß Sie Dr. Forresters Aktivitäten einschränken. Vor allem in bezug auf die Behandlung von Patienten.«

»Ich weiß wirklich nicht...« protestierte Cummins.

»Harvey, als Rechtsberater Ihres Krankenhauses ist es meine Pflicht, Sie darauf aufmerksam zu machen, daß in dieser Situation Loyalität vielleicht ein Luxus ist, den Sie sich nicht leisten können.«

»Ich möchte keine Schritte unternehmen, die einen Schatten auf Dr. Forresters berufliche Kompetenz werfen könnten«, beharrte Cummins.

»Ich rate zu nichts Derartigem. Vermeiden Sie vorläufig nur, daß sie Kontakt mit Patienten hat. Aber was immer Sie tun, tun Sie es unauffällig. Das einzige, was wir jetzt auf keinen Fall brauchen können, ist schlechte Publicity.«

10

Am nächsten Morgen stand Kate früher auf als sonst, denn sie wollte vor ihrem Dienstantritt noch einen Sprung in die Kinderabteilung machen. Der Anblick der kleinen, halb bewußtlosen Maria Sanchez, auf deren Körper die Spuren ihrer Leiden so deutlich zu erkennen waren, hatte sie tief berührt. Sie wollte nachsehen, ob das Kind Fortschritte machte oder sich in noch schlechterem Zustand befand als bei ihrer Einlieferung. Manche mißhandelten Kinder konnten nicht gerettet werden. Sie siechten dahin und starben. Kate hoffte, daß es bei Maria nicht der Fall sein würde.

Maria befand sich bereits in der Obhut von Dr. Mike Sperber, einem Spezialisten für neonatale und neurologische Probleme bei Kindern.

Obwohl Kate Dr. Sperber nur vom Hörensagen kannte, war er offensichtlich über sie informiert, denn als sie in der Tür zu Marias Zimmer auftauchte, während er das Kind untersuchte, begrüßte er sie scheinbar spöttisch; in Wirklichkeit war das seine Art, jemanden zu loben.

»Habe ich die Ehre, dem neuen Fliegengewichtchampion der Krankenhauswelt gegenüberzustehen?« fragte Sperber. »Suchen Sie sich beim nächsten Mal jemanden in Ihrer Gewichtsklasse aus.«

»Ich verstehe nicht.«

»Golding hat mir erzählt, daß Sie sich dem Vater dieses armen Kindes gestellt haben. Das war gut. Sie ist an der Grenze. Noch eine Episode, und ich hätte keinen Cent mehr auf ihre Chancen gewettet.«

»Und jetzt?« Kate starrte Maria an, die nur wenig wacher wirkte als bei ihrem ersten Zusammentreffen.

Sperber winkte Kate in den Raum. Sie trat an das Bett, und der Arzt ergriff ihre Hand und drückte sie gegen das Gesicht des Kindes. Maria zog sich zurück, als schrumpfe sie zusammen. Doch dann reagierte sie langsam auf Kates weiche, warme Hand, indem sie ihren Zeigefinger ergriff. Obwohl der Griff des Kindes nicht kräftig war, sprach aus ihm ein verzweifeltes Bedürfnis.

»Würden Sie etwas für mich tun, Frau Dr. Forrester?«

»Ich habe nicht viel Zeit. Ich muß mich an meiner neuen Dienststelle melden.«

»Heben Sie sie hoch. Und halten Sie sie so lange in den Armen, wie Sie Zeit haben. Das ist alles. Drücken Sie sie nur an sich. Wir müssen ihr allmählich beibringen, daß nicht alle Erwachsenen gefährlich sind. Daß man auch vertrauen kann. Leider sind meine Mitarbeiter so überbeschäftigt, daß sie dafür keine Zeit haben. Also halten Sie sie nur.«

Kate setzte sich auf das Bett und versuchte, das Kind in die Arme zu nehmen. Die kleine Maria wehrte sich, doch dann überließ sie sich allmählich Kates Umarmung und schmiegte sich offensichtlich zufrieden an ihre Brust.

»Gut«, lobte Sperber. »Jetzt werden Sie das täglich mehrere Male tun, auch wenn es jedes Mal nur für einige Minuten ist. Vielleicht können wir sie mit der Zeit in ein normales Leben zurückführen.«

»Ihr neurologischer Zustand?« fragte Kate.

»Wird noch beurteilt. Ich sehe Zeichen der Hoffnung. Aber nur Zeichen«, antwortete Sperber.

Kate hatte leichte Verspätung, als sie auf der Anschlagtafel den Dienstplan für die medizinischen Mitarbeiter las. Ihr Name befand sich nicht unter den Assistenzärzten, die einer Abteilung oder anderen Aufgaben zugewiesen waren. Erst auf der zweiten Seite standen neben ihrem Namen die Worte: Abt. Klinische Effektivität. Dr. Nicholas Troy, Zimmer B-22.

Troy? Dr. Troy? überlegte Kate. Der Name war ihr irgendwie vertraut, aber sie konnte ihn mit keiner bestimmten medizinischen Dienststelle in Verbindung bringen. Und von der Abteilung für Klinische Effektivität hatte sie noch nie gehört. Sie wußte, daß sich Raum B-22 im Keller befinden mußte, irgendwo in den unterirdischen Tunnels, die die verschiedenen Gebäude des Krankenhauskomplexes miteinander verbanden.

Kate blieb nichts anderes übrig, als der Anweisung zu folgen.

Troys Büro war zwar geräumig, aber Kate hatte den Eindruck, daß es überfüllt war, weil große, altmodische Computer und jede Menge zimmerhoher offener Aktenschränke herumstanden. Troy, der aussah, als wäre er sechzig oder darüber, studierte gerade einen endlosen Computerausdruck, der auf der gegenüberliegenden Seite seines Schreibtischs begann, den Schreibtisch überquerte und auf seinen Schoß hinunterhing. Seine Haare waren weiß, strähnig und zerstrubbelt, weil er jedes Mal, wenn er verwirrt oder verzweifelt war, mit dem Zeigefinger seinen rosa Skalp kratzte. Ohne von dem Ausdruck aufzublicken, wandte er sich sichtlich frustriert an Kate.

»Ja?« fragte er ungeduldig.

»Ich bin Dr. Katherine Forrester.«

»Das ist schön«, erwiderte Troy gereizt. »Was soll ich deshalb unternehmen?«

»Ich bin vorläufig Ihrer Abteilung zugeteilt.«

»Ich habe Sie nie angefordert«, erklärte er brüsk, dann murmelte er: »Diese verdammten Zahlen!« Doch plötzlich fiel ihm ein Telefongespräch vom Vortag ein, dem er sehr wenig Aufmerksamkeit geschenkt hatte, weil er sich auf etwas anderes konzentrierte. »Aha!« sagte er strahlend. »Sie sind diejenige! Ja! Cummins hat mit mir über Sie gesprochen. Was für ein schreckliches Verbrechen haben Sie begangen, junge Frau, daß man Sie nach Sibirien schickt? Für einen jungen Arzt, der es nicht erwarten kann, hinauszugehen und die ganze Welt zu heilen, muß meine Abteilung, die sich nur mit trockenen Tatsachen und Zahlen beschäftigt, ein Exil sein.«

Erst jetzt blickte er vom Ausdruck auf und musterte Kate. »Hmmm«, meinte er sehr beeindruckt. »Wenn ich in meiner Jugend eine Ärztin wie Sie kennengelernt hätte, so wäre ich jetzt kein verkrusteter alter Junggeselle. Aber zuerst wollen wir uns einigen Tatsachen stellen. Sie wollen nicht hier sein. Und um ehrlich zu sein, ich will Sie nicht unbedingt hier haben. Der Grund? Sie werden zweifellos unglücklich sein, weil Sie hier keine Patienten behandeln können, und der Meinung sein, daß meine Arbeit nichts mit Medizin zu tun hat.«

Er wandte sich von seinem Schreibtisch ab und umfaßte mit einer Handbewegung den Raum, die Akten, die Computer. »Sehen Sie all das? Wegen dieser Dinge haben alle übrigen Ärzte Angst vor mir. Mit meinen Computern und meinen Ausdrucken entdecke ich die Irrtümer in ihrer Arbeit. Mythen, an denen die Medizin jahrelang festhielt, erweisen sich als falsch. Unbeabsichtigter Betrug, wenn man es höflich ausdrücken will.

Die jungen Ärzte werden immer von den Männern und Frauen ausgebildet, die ihnen vorangehen. Der Glaube und die Überzeugungen der älteren Generation werden an die Jungen weitergegeben. Deshalb ist die Medizin tatsächlich immer um eine Generation zurück, und die meisten Ärzte begehen einen Fehler nach dem anderen, bis sich etwas Neues durchsetzt.«

Troy bedeutete Kate, sich zu setzen. Als er merkte, daß kein freier Platz für sie vorhanden war, nahm er einen Stoß Ausdrucke von einem der Stühle und ließ ihn unsanft auf den Boden fallen. Bereit, Troys Vortrag durchzustehen, sank Kate auf den Stuhl, denn ihr war klar, daß er nur selten dazu kam, seine Arbeit zu rechtfertigen, und daher jede Gelegenheit dazu ausnützte.

»Wenn wir zum Beispiel vor achtzig, neunzig Jahren genaue Aufzeichnungen über Kuren geführt hätten, hätten wir weder uns noch unseren Patienten eingeredet, daß frische Luft und Sonnenschein Tuberkulose heilen. Wir haben Patienten jahrelang befohlen: ›Trinkt Milch und Sahne, das wird eure Geschwüre heilen.‹ Es heilte keineswegs die Geschwüre, sondern verschlimmerte sie manchmal sogar. Ganz zu schweigen vom steigenden Cholesterinspiegel des Patienten.

Doch irgendwann fragten wir uns, ob die Märchen der Medizin, also unsere überkommenen, aber vielleicht falschen Praktiken tatsächlich heilen, und versuchten, es durch kalte, harte Tatsachen und Zahlen herauszufinden. Heilt diese oder jene Behandlung? Wie oft? Wie vielen Patienten von wie vielen Patienten, die damit behandelt wurden, ging es nachher tatsächlich besser? Vergessen Sie, was ein verehrter Professor sagt – was *beweisen* die Tatsachen?

Mit anderen Worten, ich bin für alle Ärzte ein lästiger Mensch, ein unangenehmer Brummbär. Das Gewissen des Krankenhauses. Meine Arbeit besteht darin, die Fakten und Zahlen zu sammeln und zu studieren und dann zu sagen:

›Meine Damen und Herren, wir arbeiten mit falschen medizinischen Grundsätzen. Wir müssen die alte Medizin aufgeben und die neue suchen. Vor allem aber dürfen wir nichts als erwiesen betrachten. Fragt, fragt, fragt!‹«

Troy hatte sich anscheinend verausgabt, denn er fragte: »Was würden Sie zu einer Tasse Tee sagen? Ich könnte eine vertragen.«

Kate nickte.

Während sie darauf warteten, daß das Wasser im Glastopf auf der einflammigen Elektroplatte zu kochen begann, sagte er:

»Ich muß Ihnen ein Geständnis machen, Frau Dr. Forrester.«

»Ja, Dr. Troy?«

»Ihr Name war mir bekannt. Ich habe gehört, in was für einer Lage Sie sich befinden. Sehr bedauerlich. Noch bedauerlicher ist, daß sie schlechter werden wird.« Troy tauchte den Teebeutel in das dampfende Wasser. »Sie werden zu einem weiteren Opfer Ihrer Zeit werden. Heutzutage ist alles Geld, Geld, Geld. Anwälte suchen Möglichkeiten, Geld zu machen, stürzen sich auf jedes kleine Mißgeschick und rufen ›Kunstfehler‹. Jede Familie, die über den Verlust eines ihrer Lieben empört ist, versucht, sich mit kaltem Bargeld zu trösten. Wieso auch nicht? Schließlich sehen sie im Fernsehen jede Woche plötzliche Heilungen, medizinische Wunder. Und alles innerhalb von nur sechzig Minuten. Schauspieler, die nicht einmal ein Heftpflaster ordentlich aufkleben können, werden zu Helden, wenn sie Ärzte spielen. Daher erwartet das Publikum, daß ein echter Arzt selbstverständlich all das kann, was ein Schauspieler tut. Es ist möglich, daß Sie ein Opfer des Systems werden. Deshalb sind Sie hier. Weil Sie vielleicht ein Schandfleck sind, will man Sie nicht oben in der Notaufnahme oder in der Klinik oder auf den Stationen haben. Wenn Ihnen nämlich noch ein Patient sterben sollte, würde die Versicherung dem Krankenhaus die Schuld zuschieben, weil es Sie behalten hat.«

»Warum schicken sie mich dann nicht fort?«

»Aha! Jetzt haben Sie den Finger auf den Wahnsinn des Systems gelegt«, rief Troy. »Wenn man Sie jetzt gehen läßt, würde man damit offen zugeben, daß Sie inkompetent sind. Was bedeuten könnte, daß es überhaupt ein Fehler war, Sie anzustellen. Deshalb kann man Sie nicht fortlassen. Doch man kann keineswegs das Risiko eingehen, Patienten Ihrer Obhut zu überlassen.«

»Ich werde kündigen.« Kate erhob sich halb aus dem Stuhl.

Troy griff sanft unter ihr energisches Kinn, um ihr Gesicht zu heben. »Das wäre erst recht das Eingeständnis, daß man schuldig ist. Sie haben es weit gebracht, und zwar nicht, indem Sie aufgaben. Bleiben und kämpfen Sie, obwohl Sie wissen, daß Sie auch verlieren können. Wichtig ist: Seien Sie davon überzeugt, daß Sie das Stuyvesant-Mädchen richtig behandelt haben. Soviel ich weiß, haben Sie alle richtigen und erforderlichen Schritte unternommen. Wenn das Ergebnis tragisch war, so war es nicht Ihre Schuld.«

Er starrte sie einen Augenblick lang an. »Sie haben doch alle korrekten, angebrachten Verfahren angewendet, oder?«

»Natürlich! Das beweisen meine Eintragungen in die Akte der Patientin.«

»Eintragungen... Ich habe erlebt, wie Ärzte Eintragungen machten, die Lügen, reine Lügen waren, die Stunden und manchmal Tage nach dem Tod des Patienten erfunden und in die Akte eingetragen wurden«, höhnte Troy.

»Meine Eintragungen sind genau und wahr und wurden in derselben Nacht gemacht«, erklärte Kate.

»Ich werde sie mir bestimmt ansehen«, versprach Troy. »Nur um mein Gewissen zu beruhigen. Inzwischen arbeiten Sie hier. Sie werden vielleicht darüber erstaunt sein, was Sie alles entdecken. Vielleicht wird Ihnen sogar klar, daß ich kein alter Narr bin, der sich im Keller versteckt, weil er Angst vor dem Ruhestand hat.«

Um ihr den Aufenthalt etwas angenehmer zu machen, fügte er lächelnd hinzu: »Hören Sie, meine Liebe, was ist eine Woche oder ein Monat in Ihrem jungen Leben? Denken Sie nur daran, was es für einen alten Mann bedeuten wird. Denn zwischen uns gibt es eine Beziehung. Sie haben so viele Jahre vor sich – was ist dann ein Monat für Sie? Aber für mich, der nur noch wenige Jahre zu leben hat, ist ein Monat ein ganzes Leben. Was kann es schaden, wenn ich mich jeden Morgen darauf freue, hierherzukommen und Ihr reizendes Gesicht zu sehen? Jetzt trinken Sie den Tee aus, und wir machen uns an die Arbeit!«

11

Alle Rundfunkanstalten, alle Zeitungen New Yorks brachten die Nachricht vom Tod des einzigen Kindes eines in der Öffentlichkeit so bekannten Mannes wie Claude Stuyvesant und kommentierten sie. Alle Fernsehstationen erwähnten sie. Zwei Tage lang wurde die Telefonzentrale des Krankenhauses von den Medien mit Anrufen überschwemmt, die Verwalter Cummins an seine Öffentlichkeitssprecherin Claire Hockaday weiterleiten ließ. Ms. Hockaday beantwortete alle Fragen mit einer einzigen knappen, vorbereiteten Erklärung: »Vergangenen Samstag nachts wurde die Patientin Claudia Stuyvesant mit einer nicht diagnostizierten Krankheit in die Notfallstation dieses Krankenhauses gebracht. Sie starb am Sonntagmorgen aus zur Zeit noch nicht bekannten Ursachen.«

Ms. Hockaday hielt sich strikt an die rechtlichen Anweisungen und beantwortete weder Fragen noch gab sie weitere Informationen bekannt. Die örtlichen Fernsehanstalten waren daher ihrer blühenden Fantasie überlassen, und jede sah die Geschichte aus einem anderen Blickwinkel. Ein Kanal deutete an, daß Claudia Stuyvesants Tod auf eine Überdosis Drogen zurückzuführen sei. Ein anderer nahm an, daß es sich um Selbstmord handelte. Am dritten Tag ließen die meisten Anstalten unter dem unaufhörlichen Sturzbach von grausigen Nachrichten, von Vergewaltigungen, Raubüberfällen und Morden, die das tägliche Brot der New Yorker Fernsehstationen ausmachen, die Stuyvesant-Story fallen.

Nur Hank Daniels, der Redakteur der 18-Uhr-Nachrichten auf Kanal 3, verfolgte sie nach wie vor interessiert. Daniels und sein Ermittlungsreporter Ramón Gallante hatten einige Tage lang aufschlußreiche Interviews über das Gesundheitswesen im Gebiet von New York zusammengetragen.

Gallante hatte zahlreiche Gespräche mit enttäuschten Patienten, Hinterbliebenen und verärgerten Angestellten der städtischen Krankenhäuser geführt. Er hatte sie dazu gebracht, über die Fehler, Unzulänglichkeiten, hohen Kosten und kostspieligen Gewohnheiten in verschiedenen Gesundheitseinrichtungen zu sprechen. Aber weder Gallante noch Daniels waren davon überzeugt, daß diese Interviews packend genug waren, um das Publikum eine Woche lang an die Serie zu fesseln.

Zwei Tage zuvor hatte Hank Daniels beim Frühstückskaffee zum ersten Mal die Stuyvesant-Nachricht gesehen und gehört. Als er im Studio von Kanal 3 eintraf, hatte er sich bereits entschieden. Er veranlaßte, daß Ramón Gallante sofort nach seinem Eintreffen zu ihm geschickt wurde.

»Ray«, begann er, »glaubst du, daß du ein Interview mit Claude Stuyvesant bekommen kannst?«

»Stuyvesant ist ein harter Brocken, außer, er will eines seiner Riesenprojekte publik machen – dann läßt er uns kommen.«

»Und wenn wir ihn dazu bringen, dich kommen zu lassen?« fragte Daniels lächelnd.

»Hast du etwas, womit du ihn ködern kannst?« fragte Gallante interessiert.

»Hast du heute morgen Kanal 2 gesehen? Und Kanal 4?«

»Nur nebenbei, ich zog mich gerade an. Was ist mit Zwei und Vier?«

»Zwei führte Claudia Stuyvesants Tod auf ›verdächtige Umstände‹ zurück. Was Selbstmord bedeuten könnte. Und Vier bezeichnete ihren Tod als ›plötzlich und durch bis jetzt nicht erklärte Umstände verursacht, die durch weitere Untersuchungen geklärt werden sollen‹. Was andeutet, daß sie an einer Überdosis Kokain, Heroin oder einer anderen Droge gestorben ist.«

»Ich habe kapiert, Hank«, grinste Gallante. »Ich rufe Stuyvesant an und biete ihm eine Chance, die Verleumdungen seiner unschuldigen Tochter zu widerlegen, die ihren Ruf nicht mehr verteidigen kann.«

»Wir dienen den hohen Idealen des gutes Journalismus, indem wir die Tatsachen richtigstellen«, stimmte Daniels zu.

»Ich mache mich sofort an die Arbeit«, sagte Gallante.

»Tu das; ich habe einen Knüller zum Nachstoßen.«

»Und zwar?«

»Nur eine kleine Meinungsverschiedenheit, um Aufmerksamkeit zu erregen und die Einschaltquote zu erhöhen. Sobald wir Stuyvesant auf Band haben, rufe ich das City-Krankenhaus an und...«

»Gib ihnen genauso viel Zeit wie Stuyvesant«, unterbrach ihn der jetzt breit grinsende Gallante. »Für mich wirst du immer der beste TV-Nachrichtenmann dieser Stadt sein, Hank. Was für ein Start für die Serie!«

Ramón Gallante verbrachte zwanzig frustrierende Minuten am Telefon. Zuerst mit Claude Stuyvesants Sekretärin, dann mit Stuyvesants Chefsekretärin, bis er endlich seinen Trumpf ausspielte.

»Ist Ihnen klar, Ms. Parker, in welche Lage Sie Kanal 3 bringen?«

Florence Parker reagierte mit langjähriger Gelassenheit. »Mr. Stuyvesant steht infolge dieses tragischen Ereignisses noch unter Schock und ist derzeit nicht in der Lage, einen Kommentar abzugeben.«

»Glauben Sie mir, das verstehe ich und fühle mit ihm. Aber versetzen Sie sich in die Lage eines ehrlichen Nachrichtenreporters, Ms. Parker. Morgen um achtzehn Uhr werde ich berichten müssen, daß ich auf die Frage, ob Claude Stuyvesants Tochter Selbstmord beging, wie ein Kanal andeutete, oder an einer Überdosis starb, wie ein anderer Kanal andeutete, die Antwort erhielt, Mr. Stuyvesant weigere sich, zu einer dieser Behauptungen Stellung zu nehmen. Ich würde das ungern sagen, Ms. Parker, aber Sie sehen, in welcher Zwangslage ich mich befinde.«

Florence Parker hatte so oft mit unverfrorenen, aufdringlichen Journalisten zu tun gehabt, daß sie sofort die hinterhältige, erpresserische Drohung erkannte.

»Einen Augenblick. Mr. Gallante. Ich bin sofort wieder da.«
Gallante wartete vergnügt auf Ms. Parkers Antwort. Einen Augenblick später meldete sie sich wieder.

»Was genau stellen Sie sich vor, Mr. Gallante?«

»Mr. Stuyvesant muß sein Büro nicht verlassen. Ich komme mit einem kleinen Kamerateam zu ihm. Ich werde nicht mehr als fünfzehn Minuten seiner kostbaren Zeit beanspruchen. Mehr brauche ich nicht. Er kann alles sagen, was er will. Wir werden ihn nicht zensieren. Ich werde mich nur nach der Zeit richten.«

»Fünfzehn Minuten?« nagelte ihn Ms. Parker fest.

»Fünfzehn Minuten. Sie haben mein Wort«, versprach Gallante.

»Wann?«

»Wann Sie wollen. Ich stehe zu Diensten.«

»Würde Ihnen heute fünfzehn Uhr passen?«

»Fünfzehn Uhr. Ich werde dasein!«
Gallante legte erwartungsvoll auf.

Ramón Gallante und sein Team kehrten um 16.15 Uhr von Claude Stuyvesants Büro in die Studios von Kanal 3 zurück.

»Wie ist es gelaufen, Ray?« fragte Daniels.

»Meinungsverschiedenheit, Hank? Hast du Meinungsverschiedenheit gesagt? Ich habe ihn im Kasten. Sehr heiß. So heiß, daß ich auf dem Rückweg beim City-Krankenhaus angehalten und einige Außenaufnahmen gemacht habe. Sobald ich das Ganze zusammengeschnitten habe, wird es eine verdammt gute Einführung zur Serie.«

»Kann ich das City-Krankenhaus anrufen und sie auffordern, die Behauptungen richtigzustellen?«

»Ruf sie nur an. Ich muß jetzt das Zeug zurechtstutzen.«

An Gallantes erregter Stimme merkte Daniels, daß das Interview mit Stuyvesant seine ursprüngliche Vermutung mehr als bestätigt hatte. Er hob äußerst befriedigt den Telefonhörer ab.

»Maggie, geben Sie mir ... wie heißt er noch ... den Arzt, der das City-Krankenhaus verwaltet.«

»Dr. Cummins.«

»Richtig. Verbinden Sie mich mit ihm!«

»Dr. Cummins«, begann Hank Daniels, »gemäß der Fairneßpolitik von Kanal 3 fühle ich mich verpflichtet, Ihnen mitzuteilen, daß wir morgen um achtzehn Uhr mit einer neuen Serie beginnen. Ihr Titel lautet ›Es ist Ihr Leben: Wie groß sind Ihre Überlebenschancen in einem Krankenhaus der Stadt New York?‹. Unsere erste Story ist ein Interview mit Claude Stuyvesant zum Tod seiner Tochter im City-Krankenhaus. Mr. Stuyvesant erhob einige erschreckende Anschuldigungen.«

»Anschuldigungen? Was sagte er?« fragte Cummins besorgt.

»Er sagte vieles, Doktor, aber wir können nicht alles verwenden. Es wäre deshalb am besten, wenn Sie morgen abend unsere 18-Uhr-Nachrichten einschalten und Ihre Antwort entsprechend gestalten.«

»Antwort?« wiederholte Cummins vorsichtig.

»Ja, Sir. Ich lade Sie ein, am darauffolgenden Abend um achtzehn Uhr zu antworten. Entweder live oder auf Band, was Sie vorziehen. Wir geben Ihnen drei Minuten. Kann ich damit rechnen, daß Sie antworten werden?«

»Ich werde ... ich rufe Sie an«, sagte Cummins. Er legte auf und rief sofort Richter Trumbull an.

Am nächsten Morgen erschien Dr. Kate Forrester wieder im Kellerbüro von Dr. Troy. Wie üblich lagen auf seinem Schreibtisch Berge von Computerausdrucken, sein strähniges Haar war zerzaust.

Er begrüßte Kate beiläufig, ohne sich umzudrchen.

»Guten Morgen, Frau Dr. Forrester.«

»Guten Morgen, Doktor.«

Die Müdigkeit in ihrer Stimme veranlaßte ihn, sie über den oberen Rand seiner Brille anzusehen.

»Wir haben eine schlechte Nacht hinter uns, nicht wahr?«

»Nein, eigentlich nicht«, leugnete Kate.

»Nicht genug geschlafen, was?« Er musterte sie noch einmal und änderte seine Diagnose. »Überhaupt nicht geschlafen. Leugnen Sie es nicht, meine Liebe. Sie haben sich unruhig von einer Seite auf die andere gewälzt und sich gefragt, was man heute morgen bei der Sitzung beschließen wird. Ehrlich, ich...«

Kate unterbrach ihn. »Sitzung? Heute morgen? Was für eine Sitzung?«

»Ich habe geglaubt, daß Sie es wissen«, erwiderte Troy verlegen.

»Und was sollte ich wissen, das mir verschwiegen wird?«

»Angesichts des Tratsches in diesem Krankenhaus habe ich angenommen, daß Sie ohnehin Bescheid wissen.« Troy bedauerte sichtlich, daß er das Thema angeschnitten hatte.

»Bitte, Dr. Troy. Sagen Sie es mir.«

»Ja also... heute morgen findet eine Sondersitzung der medizinischen Leiter des Krankenhauses statt.«

»Um über meinen Fall zu sprechen?«

Troy zuckte bekümmert die Achseln – es stimmte.

»Ohne daß ich Gelegenheit bekomme, mich zu verteidigen?« fragte Kate.

»Soviel ich weiß, hat es nichts damit zu tun, daß man Sie beschuldigt oder verteidigt, sondern mit dem Fernsehen.«

»Fernsehen? Über mich?« fragte Kate noch verständnisloser als zuvor. »Das werden wir ja sehen.« Damit war sie zur Tür hinaus.

Dr. Cummins hatte die medizinischen Leiter aller Abteilungen zu einer dringenden Sitzung an den Konferenztisch gebeten. Da es möglich war, daß ihre Entscheidung juristische Folgen nach sich zog, hatte er auch Lionel Trumbull eingeladen.

Cummins eröffnete die Sitzung sehr ernst. »Meine Damen und Herren, ein Ereignis, von dem ich hoffte, daß es ein peinlicher interner Vorfall bleiben würde, droht jetzt zu einem öffentlichen Skandal zu werden.«

»Öffentlicher Skandal?« fragte einer der Ärzte entsetzt. »Das fehlt uns gerade noch.«

»Kanal 3 beginnt eine Serie mit dem Titel ›Es ist Ihr Leben: Wie groß sind Ihre Überlebenschancen in einem Krankenhaus der Stadt New York?‹«

Dr. Eleanor Knolte, die Leiterin der Kinderstation, bemerkte scharf: »So etwas bezeichnen sie gern als Ermittlungsreportagen. Kann nicht zur Abwechslung jemand eine Ermittlungsreportage über die Medien machen? Sie haben also den Fall des Stuyvesant-Mädchens aufgegriffen, nicht wahr?«

»Schlimmer«, sagte Cummins.

»Was kann denn noch schlimmer sein?« fragte Frau Dr. Knolte.

»Der Grund für diese dringende Sitzung: Gestern rief mich der Produzent der Serie an. Er behauptet, daß Ramón Gallante ein langes Interview mit Claude Stuyvesant über den Tod seiner Tochter auf Band aufgezeichnet hat. Gallante hat vor, die Serie heute abend mit diesem Interview zu beginnen.«

»Wir müssen ihn daran hindern«, meinte Knolte.

»Zu spät«, antwortete Cummins. »Das Interview wird heute bei den 18-Uhr-Nachrichten gesendet. Gallantes Produzent rief nur an, um zu erfahren, ob wir antworten wollen. Diese Entscheidung müssen wir bei der heutigen Sitzung treffen. Wird das City-Krankenhaus antworten, und wenn ja, welchen Standpunkt nehmen wir ein?«

Sofort wurden Meinungen für und wider eine Antwort auf das Interview und die Beschuldigungen, die Stuyvesant dabei vielleicht äußern würde, laut. Cummins stellte die Ruhe wieder her, und jetzt tauchten durchdachtere Vorschläge auf.

Dr. Solomon Freund, ein bekannter Neurologe, der früher einmal die Neurologie geleitet hatte und jetzt emeritierter Professor war, wartete, bis alle Anwesenden gesprochen hatten, und sagte dann ruhig und langsam:

»Meine Damen und Herren, bevor wir eine Entscheidung treffen, sollten wir herausbekommen, woran das Stuyvesant-Mädchen gestorben ist. Soviel ich weiß, ist bis jetzt kein Autopsiebericht eingetroffen, oder?«

Mehrere »Nein« wurden um den Tisch laut.

»In diesem Fall«, fuhr Freund fort, »wären wir schlecht beraten, wenn wir irgendwem irgend etwas erklären, bevor wir alle Fakten des Falls kennen.«

»Wollen Sie damit sagen«, fragte Harold Wildman, der frisch ernannte Chef der Thoraxchirurgie, »daß Sie nichts unternehmen wollen, wenn ein Fernseh-Lästermaul dieses Krankenhaus verleumdet? Wollen Sie zulassen, daß ein mächtiger Mann wie Claude Stuyvesant dem Krankenhaus unqualifizierte Vorwürfe macht und wir ihm nicht einmal widersprechen?«

»Ich will damit sagen, daß wir, solange wir die Fakten nicht kennen, uns nicht mit Erklärungen in Verlegenheit bringen sollen, die sich vielleicht als falsch erweisen«, antwortete Freund. »Wir würden wie Verbrecher wirken, die ein Verbrechen vertuschen wollen. Wir haben kein Verbrechen begangen. Wir haben es nicht nötig, etwas zu vertuschen. Ich bin dafür, daß wir nicht reagieren.«

»Normalerweise würde ich mich Ihnen anschließen, Sol«, sagte Cummins. »Aber in diesem Fall geht es um die Reaktion der Öffentlichkeit. Um von der Regierung Geld zu bekommen, müssen wir die Betten füllen. Denn ohne Zuschüsse der Regierung müßten wir das Krankenhaus schließen. Angesichts dieser schlechten Publicity werden die Patienten nur zögernd hierherkommen. Wir müssen irgendwie reagieren.«

»Ja, aber wie?« wollte Freund wissen.

Lionel Trumbull fand es nunmehr an der Zeit, seine Meinung zu äußern.

»Dank meiner langjährigen juristischen Erfahrung konnte ich feststellen, daß es manchmal mehr schadet als nützt, wenn man auf solche Beschuldigungen reagiert. Erwiderungen führen zu Widerlegungen und möglicherweise zu weiteren Anschuldigungen. Eine endlose schlechte Publicity. Bei einem mächtigen Mann wie Stuyvesant ist es am besten, sich auf keine direkte Konfrontation einzulassen. Ich schlage vor, daß wir uns das Stuyvesant-Interview ansehen. Wenn wir daraufhin beschließen zu antworten, dann erscheinen entweder Dr. Cummins oder Ms. Hockaday, Ihre Öffentlichkeitssprecherin, im Fernsehen und berichten den Bürgern dieser Stadt sehr würdevoll. Informieren sie über die Zahl der Fälle, die wir jedes Jahr in der Notaufnahme behandeln, die Zahl der Patienten, die geheilt oder zumindest in besserem Zustand nach Hause gehen. Damit legen wir dem Fernsehpublikum einen Bericht über gute, wirksame Notfallversorgung vor, die wir allen bieten, die hilfesuchend zu uns kommen. Prägnant. Spezifisch. Sachlich.«

Trumbulls Rat kam offenbar bei allen Anwesenden gut an.

»Ich halte also fest«, sagte Cummins, »daß unsere Antwort, falls wir eine geben, ein würdevoller, ausschließlich Fakten enthaltender Bericht sein wird, bei dem wir nicht versuchen, uns auf eine Konfrontation mit Stuyvesant einzulassen. Ich werde Dr. Troy die Statistik zusammenstellen lassen.«

»Ich nehme auch an, daß Sie zur Zeit nicht vorhaben, Frau Dr. Forrester zu verteidigen?« fragte Dr. Freund.

»Da wir Vorsicht walten lassen wollen«, mischte sich Trumbull ein, »und da sehr wahrscheinlich eine Klage wegen eines Kunstfehlers kommen wird, bin ich dafür, diesen Punkt vorläufig zu vermeiden.«

»Würde das nicht so aussehen, als ließen wir sie im Stich?« fragte Freund.

»Dieses Haus steht hinter seinen Mitarbeitern«, erwiderte Cummins sofort scharf. »Und das wird es auch in Dr. Forresters Fall tun.«

»Wir haben im Gegenteil gezeigt, daß wir bereit sind, sie voll und ganz zu verteidigen«, fügte Trumbull hinzu. »Sie ist bereits in meinem Büro mit dem Anwalt zusammengekommen, der ihre Verteidigung übernimmt.«

»Solange sie geschützt ist«, sagte Freund erleichtert, »stimme ich der hier getroffenen Entscheidung zu.«

»Gut!« schloß Cummins. »Ich werde Troy auf die Zahlen ansetzen. Und ich nehme an, daß wir alle heute abend Kanal 3 sehr interessiert einschalten werden.«

Als Kate in Cummins' Wartezimmer eintraf, hatte sich die Versammlung schon aufgelöst. Sie fragte, ob sie den Verwalter sprechen könne, und wurde sofort hineingelassen. Cummins begrüßte sie sehr umgänglich. »Sie sind wahrscheinlich hier, weil Sie darum bitten wollen, zu Ihren üblichen Pflichten zurückversetzt zu werden. Ich habe geglaubt, daß es Ihnen Spaß machen wird, mit Troy zu arbeiten. Es ist eine faszinierende Betrachtungsweise der Medizin.«

»Hatte die soeben abgehaltene Sitzung etwas mit mir zu tun, Dr. Cummins?«

»In geringem Maß, ja.«

»Dann möchte ich wissen, was beschlossen wurde. Es ist das mindeste, worauf ich Anspruch habe.«

»Sie haben auch Anspruch darauf zu erfahren, daß Claude Stuyvesant heute abend um achtzehn Uhr auf Kanal 3 über den Tod seiner Tochter interviewt wird.«

»Stuyvesant will damit an die Öffentlichkeit gehen?« fragte Kate, der klar wurde, was sich dabei ergeben konnte.

»Ein Mann mit seinem Prestige und seiner Macht – Sie haben doch nicht angenommen, daß er schweigen würde, oder? Einmal wollte er für einen Besitz einen Steuernachlaß haben. Die Stadt lehnte es ab. Er erschien im Fernsehen und beschuldigte den Bürgermeister, er raube der Stadt dreitausend neue Arbeitsplätze. Der Bürgermeister mußte ihm schließlich nachgeben. Obwohl Stuyvesant immer behauptet, er liebe seine Ungestörtheit, versteht er es gut, die Medien zu benützen, wenn er sie brauchen kann.«

»Wissen Sie, ob er mich angreifen wird?« fragte Kate.

»Wir haben keine Ahnung, was er sagen wird. Aber heute nach achtzehn Uhr werden wir alle wesentlich klüger sein.«

Kate nickte nachdenklich, obwohl sich ihr Magen verkrampfte. Dann fragte sie: »Haben Sie mich deshalb Dr. Troy zugeteilt?«

»Eine Vorsichtsmaßnahme. Trumbulls juristischer Rat. Zurückhaltung üben. Erst reagieren, sobald die Klage wegen eines Kunstfehlers eingebracht wurde.«

»Warum sind alle so sicher, daß es eine Klage geben wird?«
wollte Kate wissen. »Mit all seinen Millionen oder Milliarden
hat er es doch nicht nötig, einen qualvollen Prozeß durchzustehen, nur um zu noch mehr Geld zu kommen.«

»Stuyvesant ist rachsüchtig. Um seine Ansicht durchzusetzen,
gibt er mehr Geld für Prozeßkosten aus, als das Gericht ihm zu-
spricht. Deshalb müssen wir uns von dem Rat unserer Anwälte
leiten lassen. Soviel ich weiß, haben Sie bereits einen kennengelernt.«

»Ja, einen jungen Mann namens Van Cleve.«

»Und wie fanden Sie ihn?«

»Er wirkt intelligent. Nimmt seine Arbeit sehr ernst. Er
könnte gut sein.«

»Gut! Sie wissen, daß das Krankenhaus Ihnen allen Schutz
bietet, den Sie brauchen werden.«

»Es wäre mir lieber, wenn ich ihn nicht brauche.«

»Heute abend werden wir mehr wissen. Inzwischen gehen Sie
bitte zu Dr. Troy zurück. Er hat jede Menge Hilfe nötig, um die
Statistik zusammenzustellen, die ich verwenden werde, wenn
wir uns zu einer Antwort entschließen.«

12

Kate saß in der Wohnung, die sie mit Rosalind Chung teilte,
allein vor dem Fernsehapparat. Voller Ungeduld und Sorge ließ
sie die nationalen und lokalen Nachrichten über sich ergehen,
die vor dem entscheidenden Beitrag kamen. Die Moderatorin
hatte ihn zu Beginn des Programms folgendermaßen angekün-
digt: »Teilen Sie die bittere Erfahrung eines Vaters mit der ärztlichen Versorgung in der Stadt New York. Der erste Teil von
Ramón Gallantes neuester Tatsachenserie – über Krankenhäuser, Ärzte und Ihre Chancen, in unseren größten und angeblich
besten medizinischen Institutionen eine angemessene Behandlung zu erhalten.«

Es folgten weitere Nachrichten, noch zwei Reklameunterbrechungen, der Mann mit dem Wetterbericht, der schlechte Witze machte, und ein Sportreporter, dessen Witze noch schlechter waren.

Kate hatte das Gefühl, daß man es bewußt darauf abgesehen hatte, ihre Qualen zu verstärken, und sie schrie den Bildschirm an: »Mach weiter!«

Schließlich verkündete die Moderatorin: »Und jetzt ›Es ist Ihr Leben‹ mit unserem Ermittlungsreporter Ramón Gallante über die traurige Erfahrung eines Vaters. Ramón!«

Von der Nahaufnahme der Moderatorin wechselte die Kamera zu dem Band, auf dem Ramón mit dem Mikrofon in der Hand vor dem City-Krankenhaus stand. Im Hintergrund kamen und gingen Schwestern und anderes Krankenhauspersonal. Manche von ihnen blieben stehen und starrten Gallante an.

»Ich stehe vor einer Institution, die die meisten New Yorker gut kennen – das City-Krankenhaus. Viele betrachten es als eines der berühmtesten Zentren der Gesundheitsfürsorge im Stadtgebiet. Es enthält die besten, neuesten und sicherlich teuersten Geräte und dazu sorgfältig ausgesuchte Mitarbeiter, angeblich die besten, die überhaupt zu bekommen sind. Und dennoch – wie gut ist es wirklich? Gut genug, damit Sie ihm Ihr Leben anvertrauen? Oder das Leben Ihres Kindes?«

Kate spürte, wie brennender Zorn in ihrem Hals hochstieg.

Im Büro des Krankenhausverwalters Harvey Cummins sahen er und seine Mitarbeiter mit unterdrückter Feindseligkeit zu.

Scott Van Cleve und Lionel Trumbull saßen in einem Büro von Trumbull, Drummond & Baines vor dem Fernsehapparat. Scott ließ den Bildschirm nicht aus den Augen. Trumbull beobachtete abwechselnd die Röhre und Scotts zornige Reaktion; sein Gesicht wurde immer röter.

Während Gallante weitersprach, wechselte das Bild vom City-Krankenhaus zum Stuyvesant Tower auf der Wall Street. Die Kamera erfaßte Gallante, der vor diesem Gebäude stand.

»Ich befinde mich jetzt vor einem anderen Gebäude der Skyline von Manhattan, dem mächtigen Stuyvesant Tower. Ein Wahrzeichen der finanziellen Hauptstadt der Welt. Nur wenige von Ihnen werden jemals diese Enklave der Reichen und Mächtigen betreten. Ich tue es jetzt nur, um den Mann zu treffen, dessen Name dieses Monument aus Glas und Stahl schmückt.«

Während Gallante sich umdrehte, als wolle er das Gebäude betreten, schwenkte die Kamera zu einer reich getäfelten Eichentür, auf der der Name CLAUDE J. STUYVESANT in großen Buchstaben aus rostfreiem Stahl prangte. Die Tür ging auf, und während die Kamera hineinfuhr, sprach Gallante. »Sie werden dem legendären Claude J. Stuyvesant jetzt von Angesicht zu Angesicht gegenüberstehen und die tragische Geschichte der Erfahrungen hören, die ein Vater mit dem City-Krankenhaus machte.«

Das Bild wechselte zu Claude Stuyvesant, der hinter seinem mächtigen Schreibtisch saß, auf dem unübersehbar ein Foto seiner Tochter stand. Er war ein muskulöser, hochgewachsener Mann mit kantigem Kinn, dessen gesunde Gesichtsfarbe von den vielen Stunden zeugte, die er auf offener See verbrachte und sich seinem Hobby widmete – mit seiner Jacht an transozeanischen Rennen teilzunehmen. Die Wand hinter ihm war zur Gänze aus Glas, und durch sie erblickte man den großen Hafen von New York, als säße man in einem Helikopter. Stuyvesants Erscheinung und seine Umgebung mußten auf Besucher äußerst beeindruckend wirken.

»Mr. Stuyvesant«, begann Gallante, »Ihre Tochter Claudia war eigentlich nicht der typische Patient, der den Notdienst eines städtischen Krankenhauses in Anspruch nimmt, oder?«

»Die Menschen erwarten wahrscheinlich, daß ein ganzes Gefolge von teuren Ärzten Tag und Nacht zur Verfügung steht, falls ein Stuyvesant krank wird. Der Zufall wollte, daß unser Hausarzt in der fraglichen Nacht bei einem medizinischen Kongreß und daher nicht in der Stadt war. Was keine Entschuldigung dafür ist, was meiner einzigen Tochter widerfuhr.« Stuyvesant sprach jetzt sehr erregt. »Man zieht ein Kind neunzehn

Jahre lang auf, und dann töten sie es in einer Nacht, nein, in weniger als einer Nacht, innerhalb von Stunden. Mord, es war glatter Mord!«

»Mit dem, was Sie sagen, Mr. Stuyvesant, meinen Sie doch sicherlich nicht, daß die Mitarbeiter des City-Krankenhauses sich verschworen hatten, Ihre Tochter zu töten?«

»Verschworen? Nein. Aber ich mache sie dafür verantwortlich. Sie haben das Schicksal meiner Tochter in die Hände einer Ärztin gelegt... einer Frau namens Forrester. Ich glaube, sie heißt mit Vornamen...« Er tat, als suche er den Namen und als fiele er ihm plötzlich ein. »Ach ja, Katherine Forrester. Falls ich den Namen anscheinend vergesse, dann kommt es daher, daß ich ihn am liebsten für alle Zeiten aus meinem Gedächtnis löschen möchte.«

Aus Claude Stuyvesants kantigem Gesicht, seinen verkrampften Kiefermuskeln, seinen rachsüchtigen Augen, seiner ganzen Haltung sprach unbändiger Haß.

Kate hörte, wie dieser Mann sie hemmungslos anprangerte, und sprang wütend auf, war aber gleichzeitig so verletzt, daß sie den Tränen nahe war. Sie ging zum Telefon und sah auf dem Zettel nach, auf den Scott Van Cleve seine Nummer geschrieben hatte. Sie begann, sie einzugeben, wurde jedoch durch einen neuen Ausbruch Stuyvesants abgelenkt.

»Wenn die Behandlung meiner Tochter im City-Krankenhaus so aussah, dann können Sie sich vorstellen, was die übrigen Bewohner dieser Stadt erwartet.«

»Hat man bereits die Ursache für den Tod Ihrer Tochter gefunden, Mr. Stuyvesant?« fragte Gallante.

»Nein, wir müssen auf die Autopsie warten«, erwiderte Stuyvesant. »Sie können sich den Schmerz, den Kummer eines Vaters nicht vorstellen, Mr. Gallante, wenn er im Geist das Bild seiner unschuldigen jungen Tochter vor sich sieht, die nackt und tot im Büro des Leichenbeschauers in einem Gewölbe liegt und aufgeschnitten und von fremden Händen durchwühlt werden soll, damit man die Todesursache findet. Als genüge es nicht, daß sie gestorben ist. Und dabei hätte alles durch die richtige ärztliche Betreuung vermieden werden können.«

»Halten Sie eine solche Feststellung für fair, Sir, wenn Sie nicht mehr über den Fall wissen?« bohrte Gallante, bemühte sich jedoch gleichzeitig, den Eindruck zu erwecken, daß er nur die Wahrheit suche.

»Fair?« fuhr ihn Stuyvesant an. »Fair? In diesem Fall sprechen die Tatsachen für sich. Eine junge, neunzehn Jahre alte Frau, die Schmerzen im Unterleib hat, wird im City-Krankenhaus behandelt und stirbt innerhalb von Stunden. Erst heute morgen haben mich meine Anwälte darauf aufmerksam gemacht, daß es im Gesetz einen lateinischen Satz gibt, *res ipsa loquitur,* was bedeutet, daß die Dinge für sich selbst sprechen, daß kein weiterer Beweis gebraucht wird. Sie meinten, daß es sich hier um einen Kunstfehler handle, bei dem dieser Satz sehr wohl angewendet werden kann.«

»Dann werden Sie wahrscheinlich auf einen Kunstfehler klagen, Sir?«

»Das ist die einzige Art und Weise, wie man die Krankenhäuser dieser Stadt dazu bringen kann zu spuren! Sie verklagen. Ihnen zeigen, daß Nachlässigkeit Geld kostet. Ebenso Arroganz. Diese junge Frau war nicht nur nachlässig, sondern auch arrogant«, schloß er anklagend.

»Dann werden Sie sie ebenfalls verklagen?«

»Klagen wird das Geringste von dem sein, was ich gegen sie unternehmen werde«, erklärte Stuyvesant.

»Was könnten Sie ihr denn noch Schlimmeres tun, Sir, als klagen?«

»Ein Prozeß wegen eines Kunstfehlers kann vor Gericht Jahre dauern. Ich will viel früher Ergebnisse sehen.«

»Ergebnisse, Sir?«

»Ich will, daß man dieser Frau verbietet, in dieser Stadt, in diesem Staat, irgendwo den ärztlichen Beruf auszuüben«, erklärte Stuyvesant.

»Und wie erreicht man das?« wollte Gallante wissen.

»Das war das erste, das ich meine Anwälte fragte. Durch welches Verfahren kann man einen unfähigen, gefährlichen Arzt aus den Reihen der praktizierenden Ärzte entfernen? Sie sagten mir, daß es ein solches Verfahren gebe. Man beschwert sich beim Leiter des Gesundheitswesens in diesem Staat. Läßt den Fall vom staatlichen Ausschuß für Professionelles Ärztliches Verhalten überprüfen. Sobald man diesen Behörden die Fakten unterbreitet, garantiere ich Ihnen, daß sie der Frau die Lizenz zur Ausübung ihres Berufes entziehen werden.«

Gallante hoffte, daß er Stuyvesant eine noch brisantere Antwort entlocken konnte, und fragte: »Wenn sich Ihre Anschuldigungen als unbegründet erweisen sollten, Mr. Stuyvesant, könnte es dann Auswirkungen geben? Juristische Auswirkungen?«

»Sie meinen einen Prozeß?« fragte Stuyvesant.

»Gegen Sie. Wegen Rufschädigung eines Arztes. Angesichts Ihres bekannten Reichtums könnte es beim Urteil um Millionen gehen.«

Stuyvesant schnaubte höhnisch. »Sie würde wagen, mich zu verklagen? Dann soll sie's tun. Meine Anwälte werden dafür sorgen, daß sie den Rest ihres Lebens in Gerichtssälen verbringt. Ich werde sie lehren, meine Tochter so zu behandeln, wie sie es tat, meine Frau so zu ignorieren, wie sie es tat!«

»Danke, Sir.« Gallante wußte, daß er etliche zitierenswerte Aussprüche im Kasten hatte, die seine Konkurrenten bei den anderen TV-Kanälen unter Berufung auf ihn wiederholen würden.

Sobald das Interview zu Ende war, wählte Kate Scott Van Cleves Nummer.

Van Cleve, der noch überlegte, welche Auswirkungen das Interview haben würde, meldete sich gleichgültig. »Hallo? Wer…«

»Ich bin es, Kate Forrester. Die herumläuft und Patienten tötet.«

»Ach, Sie haben es auch gesehen.«

»Allerdings. Was werden wir dagegen unternehmen?«

»Überhaupt nichts.«

»Raten Sie mir, auf Stuyvesants empörende Beschuldigungen nicht zu reagieren?«

»Vorläufig ja.«

»Wenn ich seine Behauptungen nicht sofort widerlege, kommt das doch einem Schuldgeständnis gleich. Ich werde die TV-Station anrufen und erklären, was an dem Samstagabend tatsächlich geschah...«

Van Cleve unterbrach sie. »Frau Doktor! Hören Sie mir zu. Sehr genau. Sie werden nichts Derartiges tun.«

»Ich kann nicht zulassen, daß er mit diesen Lügen ungeschoren davonkommt«, protestierte Kate.

»Vorläufig werden Sie es zulassen.«

»Ich habe geglaubt, daß es Ihre Aufgabe ist, mich zu schützen.«

»Das stimmt. Deshalb verbiete ich Ihnen als Ihr Anwalt, sich in eine öffentliche Auseinandersetzung mit einem so mächtigen Mann wie Stuyvesant einzulassen.«

»Trotzdem, ihm solche Lügen durchgehen zu lassen...«

»Frau Doktor... bitte hören Sie mir zu. Nichts, was Sie sagen, wird die Öffentlichkeit überzeugen. Sie befindet sich im Kriegszustand gegen alle Ärzte. Die medizinischen Kosten steigen stetig. Für die Leute, die Gesundheit am dringendsten brauchen, ist sie unerreichbar. Das Klima ist zur Zeit für Ärzte schlecht, sehr schlecht. Und deshalb sind Sie, falls Gallante Sie aufsuchen will, ›im Augenblick nicht erreichbar‹, wie es so schön heißt.«

»Die Menschen sollen die Wahrheit erfahren. Ich will sie ihnen sagen.«

»Sie sind der letzte Mensch, der das tun kann.«

»Ich bin die einzige, die weiß, was geschah. Schließlich war ich die damit befaßte Ärztin.«

»Genau! Und deshalb sind Sie in dieser Sache zu emotional. Für Fernsehreporter sind Streitereien Ware, die sie teuer verkaufen. Gallante versucht nur, die Dinge zu seinem beruflichen Vorteil aufzubauschen. Er wird Sie wahrscheinlich dazu bringen, mit etwas herauszuplatzen, das unserem Fall schadet, oder, was schlimmer ist, das Stuyvesant verleumdet. Dann vollzieht Stuyvesant eine Wendung um hundertachtzig Grad und verklagt Sie. Für ihn wäre es ein amüsantes Hobby, das Sie finanziell für den Rest Ihres Lebens lahmlegen würde.«

An solche Folgen hatte Kate in ihrer Erregung nicht gedacht.

»Zu den schlimmsten juristischen Fehlern kommt es, wenn eine empörte Person auf die Suche nach Gerechtigkeit geht«, warnte Van Cleve sie.

»Aber wenn seine Beschuldigungen...« begann sie.

»Wir werden seine Behauptungen an den beiden einzigen Stellen widerlegen, die zählen: in einem Gerichtssaal, wenn es einen Prozeß wegen eines Kunstfehlers gibt, und, falls Sie eine Anhörung bekommen, vor der staatlichen Behörde. Inzwischen wollen wir auf den Autopsiebefund warten.«

»Also gut, wir tun, was Sie vorschlagen«, gab Kate zögernd nach.

Kaum hatte sie aufgelegt, läutete das Telefon, während ihre Hand sich noch auf dem Hörer befand. Sie hob ihn wieder ab und meldete sich.

»Hallo...«

»Kate... Katie...«

»Walter?« fragte sie erschrocken. »Ich habe dir bereits gesagt, wie ich mich entschieden habe. Außerdem habe ich jetzt andere Probleme. Wichtige Probleme.«

»Deshalb rufe ich ja an«, erklärte Walter.

»Du hast es gesehen, hast Stuyvesant gehört?«

»Die halbe Stadt muß ihn gehört haben. Hör mal, ich komme zu dir. Du brauchst Hilfe. Ich werde dir helfen. Als erstes werden wir meinen Anwalt Tom Brady aufsuchen. Mach dir keine Sorgen, das bezahle ich. Wir werden herausbekommen, wie wir dieses Schwein Stuyvesant zwingen können, alle Lügen zurückzunehmen, die er über dich erzählt hat...«

»Walter... Walter...« versuchte Kate, ihn zu unterbrechen. Schließlich sagte sie: »Walter! Hör sofort auf!«

»Wir können nicht zulassen, daß er damit durchkommt, Kate«, protestierte Walter.

»Ich versuche seit Wochen, dir zu erklären, daß es ›wir‹ und ›uns‹ nicht mehr gibt. Das ist vorbei. Wir leben verschiedene Leben. Haben verschiedene Ziele und Ambitionen. Es ist zwecklos. Du bist mit dem, was du tust, nämlich Geld machen, sehr erfolgreich. Aber das ist mir nicht genug.«

»Nein«, stimmte Walter scheinbar zu, fuhr jedoch sarkastisch fort. »Du mußt der Menschheit dienen. Sehr edel. Aber du siehst jetzt, was es dir bringt. Ein einziger Fehler, und du wirst im Fernsehen angegriffen, man droht dir mit einem Prozeß wegen eines Kunstfehlers, und man will deine Lizenz widerrufen. Was du brauchst, ist ein Mann, ein Ehemann, der dich vor deinen selbstlosen Ideen beschützt. Damit die Welt nicht zusammenbricht, falls du tatsächlich einmal einen Fehler machst. Schließlich bist du nur ein Mensch…«

»Was soll das heißen?«

»Was soll was heißen?«

»Schließlich bist du nur ein Mensch«, wiederholte Kate seine Worte.

»Keiner von uns ist vollkommen.« Walter versuchte, seine Feststellung zu korrigieren, weil er plötzlich merkte, daß sie wie eine Beschuldigung klang.

»Ich spreche nicht von ›keinem von uns‹«, sagte Kate zornig. »Ich spreche von mir. Du deutest an, daß Stuyvesant mir eine gesunde junge Tochter übergeben hat, die Stunden später wegen etwas, das ich getan oder nicht getan hatte, tot war, weil ich nur ›ein Mensch‹ bin.«

»Ich habe nie gesagt…« begann Walter.

Kate unterbrach ihn. »Erstens war Claudia Stuyvesant nicht die ›gesunde junge Tochter‹ von irgendwem. Wenn sie es gewesen wäre, hätte ihre Mutter sie nicht nachts in die Notaufnahme gebracht. Sie war krank und in einem Zustand, der uns nicht einmal jetzt vollkommen klar ist. Sie wurde aufgrund der Informationen, die ich in Erfahrung bringen konnte, auf die bestmögliche Art behandelt. Sie wurde weder vernachlässigt noch schlecht behandelt und ganz bestimmt nicht ermordet. Damit wird er also nicht durchkommen.«

»Das versuche ich ja, dir zu erklären. Ich will dir helfen. Ich will dir einen Anwalt stellen.«

»Ich bin dir für dein Angebot dankbar. Weil du das, was wir einander waren, wiederbeleben willst. Und das ist eine der Möglichkeiten, es zu tun. Aber nein, danke.«

»Vielleicht...« begann Walter, überlegte es sich und gab schließlich zu: »Vielleicht hast du recht. Aber vielleicht ist es etwas anderes.«

»Zum Beispiel?« fragte Kate erstaunt.

»Schuldbewußtsein«, sagte Walter.

»Schuldbewußtsein?« Kate war jetzt mehr als erstaunt.

»Ich... ich hoffe nur, daß ich nicht die Ursache all dieser Schwierigkeiten bin«, gestand er.

»Du?«

»Samstag abend. Ich rief dich in der Notaufnahme an. Erinnerst du dich nicht?«

»Natürlich erinnere ich mich. Was ist damit?« wollte sie wissen.

»Du ranntest nicht nur zum Stuyvesant-Mädchen, sondern von einem Patienten zum anderen, und ich bestand darauf, daß sie dich ans Telefon schleppten. Weißt du noch, daß du sagtest ›Ich hoffe nur, daß ich es bis sechs Uhr durchstehe‹?«

»Natürlich. Ich war erschöpft.«

»Dann sagtest du: ›Wenn ich Glück habe, stehe ich die Nacht durch, ohne zusammenzubrechen.‹«

»Jeder junge Arzt fühlt sich so, wenn er bei der Notaufnahme Dienst macht. Eine lange Nacht, auf die ein langer Tag folgt, dem wieder eine lange Nacht folgt, wie sollen wir uns da fühlen?«

»Darum geht es mir ja. Während du dich um Patienten kümmertest, die krank waren, Schmerzen litten, sogar starben, bestand ich wie ein verwöhntes Kind darauf, daß du mir deine Aufmerksamkeit schenkst. Als ich hörte, wie Stuyvesant dich beschuldigte, bekam ich ein schlechtes Gewissen. Ich bin ebenfalls daran schuld.«

»Ebenfalls?‹« fragte Kate. »Was meinst du mit ›ebenfalls‹?«

»Ich meine … ich meine, alle Vorwürfe …« Als Walter klar wurde, was er gerade gesagt hatte, verstummte er unvermittelt.

»Wenn du dir Vorwürfe machst, dann machst du sie auch mir.«

»Natürlich nicht!«

»Du hast gesagt, daß ich zu müde, zu abgehetzt, zu erschöpft war, um wie ein guter, kompetenter Arzt zu arbeiten. Ich habe den Fall verpatzt. Ich habe das Mädchen getötet.«

»Ich habe nie gesagt …« Walter versuchte, es zu widerlegen.

»Warum willst du dann die Schuld mit mir teilen? Warum bietest du mir an, mir einen Anwalt zu verschaffen und die Kosten zu übernehmen? Wenn du meinst, daß ich schuldig bin, was muß dann der Rest der Stadt inzwischen von mir denken?«

Die Eingangstür wurde aufgesperrt und Rosie Chung rief: »Kate? Bist du hier?«

»Ja, ich bin hier!« rief Kate zurück und wandte sich wieder dem Telefon zu. »Danke für dein Angebot, Walter. Ob du es aus Rücksicht auf mich gemacht hast oder um deine eigene Schuld zu verringern – die Antwort bleibt ›Nein‹. Und noch etwas – bitte rufe nicht mehr an. Du wirst meine Einstellung zu uns beiden nicht ändern.«

Kate legte auf, bevor Walter antworten konnte. An der Stelle, an der ihre Hand den Hörer umklammert hatte, war er schweißnaß.

Inzwischen hatte Rosie den Mantel aufgehängt und stand im Wohnraum. »Er ist ein sehr hartnäckiger Typ.«

»Er wollte mir nur helfen«, erklärte Kate.

»Du wirst Hilfe brauchen.« Kate sah Rosie fragend an. »Ich habe das Ganze im Fernsehen gesehen. Dann bin ich sofort in ein Taxi gestiegen und nach Hause gefahren. Ich wußte, daß du jemanden brauchen würdest, mit dem du nach Stuyvesants bösartigen Anschuldigungen sprechen kannst. Glaub mir, Katie, ich weiß, wie du dich fühlen mußt, weil ich weiß, wie ich mich fühle. Und mich hat niemand beschuldigt.«

Sie umarmte Kate. »Mach dir keine Sorgen, Süße. Du hast Freunde, jede Menge Freunde. Alle Mitarbeiter sind empört.

Stuyvesant hätte genausogut uns alle beschuldigen können. Wenn er also den Kampf sucht, dann bekommt er ihn. Die Assistenzärzte wollen zusammenlegen, um einen Anwalt für dich zu engagieren.«

»Ich habe schon einen.«

»Ich meine einen Anwalt, den du bezahlst, der nur dir verantwortlich ist«, sagte Rosie. »Wir haben es uns schon zurechtgelegt. Bert Hoffman sagte, soweit er das Gesetz kennt, kannst du Stuyvesant wegen Verleumdung und Beleidigung anklagen.«

»Klar, ich verklage Stuyvesant. Wie er gesagt hat, dauert es Jahre, bis der Fall verhandelt wird. Und was geschieht in diesen Jahren mit mir? Kein Geldbetrag der Welt kann mir diese Jahre meines Lebens zurückbringen. Etwas muß geschehen. Jetzt. Und ich muß es tun. Allein. Für mich. Ich will nicht, daß jemand anderer meine Schlacht kämpft.«

»Und was willst du tun, Katie?«

»Ich erzähle ihnen, was wirklich geschah«, sagte Kate entschlossen.

»Erzählen wem? Wie?« fragte Rosie.

»Der ganzen Stadt«, erwiderte Kate. »Im Fernsehen.«

»Du solltest zuerst mit diesem Anwalt sprechen«, riet ihr Rosie.

»Das habe ich bereits getan.«

»Was hat er gesagt?«

»Daß ich überhaupt nichts sagen soll«, gab Kate zu.

»Dann solltest du dich daran halten.«

»Na klar«, spottete Kate. »Es ist für ihn sehr leicht, mir gute Ratschläge zu geben. Es geht weder um *seinen* Ruf noch um *seine* Laufbahn noch *sein* Leben, die auf dem Spiel stehen, sondern um meine! Wenn sogar Walter mich verdächtigt, dann müssen Stuyvesants Beschuldigungen den Geist der meisten Menschen dieser Stadt vergiftet haben. Sie alle sollen die Wahrheit erfahren. Und ich bin die einzige, die sie ihnen erzählen kann.«

Kate suchte die Nummer im Telefonbuch, während Rosie warnte: »Vielleicht machst du alles nur noch schlimmer.«

Doch Kate tippte bereits die Nummer ein. Augenblicke später meldete sich der Telefonist: »Station WNYO – Kanal 3.«

»Bitte Ramón Gallante.«

»Mr. Gallante nimmt keine Anrufe entgegen.«

»Dann verbinden Sie mich mit dem Produzenten der 18-Uhr-Nachrichten.«

»Einen Augenblick, bitte.«

Momente später kam eine gehetzte, gereizte Stimme durch den Draht. »Daniels. Wer sind Sie, und was wollen Sie?«

»Ich bin Katherine Forrester.«

»Ja, und?« antwortete Daniels ungeduldig.

Kate hatte angenommen, daß er ihren Namen sofort erkennen würde. »Ich bin *Doktor* Katherine Forrester.«

»Hören Sie, Frau Doktor, wenn Sie sich über das Stuyvesant-Interview beschweren wollen – wir *machen* die Nachrichten nicht. Wir berichten sie nur. Der Mann hat einen legitimen Anspruch darauf, sich zu einem Thema zu äußern, über das Gallante gerade eine ermittelnde Serie macht. Wir fanden, daß das Interview hineinpaßt, also verwendeten wir es. Das war's. Punkt. Übrigens sehe ich Bänder für morgen abend durch, also muß ich Schluß machen.«

»Sie wollen mir also keine Gelegenheit geben, den Standpunkt des Arztes darzulegen?« fragte Kate.

Daniels Stimme wechselte von gereizt und aggressiv zu interessiert und wach. »Sie meinen, daß Sie vor die Kamera treten und verschiedenes erklären wollen?«

»Ja.«

»Geben Sie mir Ihre Nummer. Ich sage Gallante, er soll Sie anrufen.«

Es dauerte nur drei Minuten, bis Kates Telefon klingelte.

»Frau Dr. Forrester? Hier spricht Gallante. Ich habe gehört, daß Sie Stuyvesants Anschuldigungen gegen das City-Krankenhaus und vor allem gegen Sie widerlegen wollen.«

»Ja.«

Hank Daniels beugte sich über Gallantes Schreibtisch und wartete auf das Ergebnis des Gesprächs. Als Gallante nickte, um zu zeigen, daß Kate einverstanden war, flüsterte Daniels: »Stell sie in ihre normale Krankenhausumgebung. Gute Farbe.«

»Doktor, um fair zu sein, wollen wir Sie – genau wie Mr. Stuyvesant – an Ihrem normalen Arbeitsplatz zeigen«, fuhr Gallante fort. »Im Krankenhaus. In der Notfallstation, wenn möglich.«

»Ich nehme an, daß das Krankenhaus dank Ihres Interviews mit Mr. Stuyvesant so etwas nicht gestatten wird.«

Gallante schüttelte den Kopf, um Daniels einen Hinweis zu geben. »Dann vor dem Krankenhaus«, flüsterte der Produzent.

»Ginge es außerhalb des Krankenhauses? Ich kann mit einem Übertragungswagen und einem Team hinkommen.«

»Live, live«, flüsterte Daniels eindringlich.

Gallante nickte. »Wie wäre es, wenn wir es live machen, damit wir Ihre Antwort unbearbeitet und unbeschnitten bringen? Morgen abend?«

»Vorausgesetzt, ich bekomme die Möglichkeit, auf den vollkommen ungerechtfertigten, giftigen Angriff auf meinen Ruf zu antworten«, stimmte Kate zu.

»Gut. Das ist unsere Politik. Fairneß. Gleiche Zeit. Auf Wiedersehen vor dem Krankenhaus Viertel vor sechs. Damit haben wir Zeit, uns einige Fragen und Antworten zurechtzulegen, bevor wir auf Sendung gehen.«

»Ich komme«, versicherte ihm Kate.

Als Gallante auflegte, sagte Daniels: »Das könnte sogar besser sein als eine Reaktion des Krankenhauses. Menschlich interessanter.«

Als Kate auflegte, sagte Rosie: »Ich hoffe nur, Katie, daß es kein Fehler ist.«

»Jemand muß das Gift daran hindern, sich auszubreiten«, antwortete Kate und suchte die Telefonnummer des Leichenbeschauers.

Obwohl es Abend war, wurde im Leichenschauhaus infolge der zahlreichen Morde, Selbstmorde, Drogenüberdosen und Unfalltoten rund um die Uhr gearbeitet.

In dieser Nacht hatte einer der Assistenten des Leichenbeschauers Dienst. Dem ungeduldigen Ton in seiner Stimme entnahm Kate, daß er durch ähnliche Anrufe wie ihren bereits überlastet war.

»Dr. Kennedy, hier spricht Dr. Kate Forrester, City-Krankenhaus.«

»Ich weiß, ich weiß«, sagte Kennedy, um ihrer Bitte zuvorzukommen. »Die Stuyvesant-Leiche. Sie sind heute erst die vierte, die danach fragt. Frau Doktor, der Distriktstaatsanwalt sitzt mir wegen der Ergebnisse bei acht verschiedenen Morden im Nacken, damit er rechtzeitig zur Grand Jury kommt, und der Fall Stuyvesant steht an zehnter Stelle. Dr. Schwartzman wird sich daranmachen, sobald er kann.«

»Aber dieser Fall ist äußerst wichtig«, begann Kate.

»Und ob ich das weiß«, erwiderte der erschöpfte Gerichtsmediziner. »Schließlich macht der Immobilienkönig Druck.«

»Hat Stuyvesant den Leichenbeschauer unter Druck gesetzt?« wollte Kate wissen.

»Wenn wir drei Anrufe vom Büro des Bürgermeisters bekommen, Frau Doktor, die sich auf das Ergebnis einer bestimmten Autopsie beziehen, muß man uns nicht sagen, daß eine Menge politischer Macht dahintersteckt. Ich gebe Ihnen die gleiche Antwort wie der Sekretärin des Bürgermeisters. Dr. Schwartzman wird sich mit dem Fall befassen, sobald er kann!«

Kate legte den Hörer so nachdenklich und langsam auf, daß Rosie fragte: »Stimmt etwas nicht, Katie?«

»Hast du schon jemals das Gefühl gehabt, daß du bewußt hingehalten wirst?«

13

Im Lauf des folgenden Tages nutzte Kanal 3 Kates Auftreten hemmungslos aus. Er brachte verlockende Reklameankündigungen, in denen er einen Überraschungsgast bei Ramón Gallantes Serie über das Gesundheitswesen in New York versprach. Im Lauf des Nachmittags wurden die Ankündigungen immer reißerischer. Ab siebzehn Uhr versprachen sie ›ein Liveinterview mit der Ärztin, von der Claude Stuyvesant behauptet, sie habe seine Tochter getötet‹.«

Die Neuigkeit sprach sich im Krankenhaus noch schneller herum als der übliche Tratsch. Sie erreichte das Büro von Verwalter Cummins vor achtzehn Uhr. Er ließ Kate Forrester sofort durch seine Sekretärin ausrufen, um sie vor diesem Auftritt zu warnen. Doch sie hatte das Krankenhaus bereits verlassen. Cummins war gezwungen, sich das Interview im Fernsehen anzusehen.

In anderen Teilen des Krankenhauses starrten die Leute, die nicht aktive Krankenpflege betrieben, aus den Fenstern auf Gallantes Übertragungsteam hinunter, das sich auf der gegenüberliegenden Straßenseite niederließ. Gallante stellte die beiden Kameras selbst so ein, wie er es haben wollte.

»Wir eröffnen mit dem Krankenhaus voll auf Kamera eins. Dann schwenkt ihr, bis ihr mich drinnen habt, und schaltet für eine Nahaufnahme von mir auf Kamera zwei. Ich mache meine Einleitung und die Einführung. Dann fahrt ihr so weit zurück, daß ihr auch die Ärztin im Bild habt. Den Rest der Sendung bleiben wir beide im Bild, bis ich solo aussteige.«

Er wandte sich so schnell von der Kamera ab, daß er mit Kate zusammenstieß. Er trat zurück und rief seinem Team zu: »Haltet doch den Platz frei, Jungs.« Dann wandte er sich Kate zu: »Hören Sie, Lady, wir machen hier eine TV-Übertragung, also verschwinden Sie bitte.«

»Mr. Gallante?«

»Ja, ja, jetzt habe ich keine Zeit für Autogramme.«

»Ich bin Dr. Kate Forrester«, sagte Kate.

»Sie? Sie sind die ›berüchtigte‹ Frau Dr. Forrester? Ich habe geglaubt, daß Ärztinnen nur in Seifenopern so hübsch und blond aussehen. Ich freue mich, Sie kennenzulernen.« Er musterte sie von Kopf bis Fuß und schüttelte ungläubig lächelnd den Kopf. »Nehmen wir einige Fragen durch, damit Sie sich die Antworten zurechtlegen können.«

»In Ordnung«, sagte Kate.

»Ist Ihnen klar, daß dies ein Teil meiner Serie ›Es ist Ihr Leben: Wie groß sind Ihre Überlebenschancen in einem Krankenhaus der Stadt New York?‹ ist?«

»Niemandem ist das klarer«, fuhr ihn Kate an.

»Mr. Stuyvesant gab dieses Interview, um sich über die Behandlung zu beschweren, die seiner Tochter in diesem Krankenhaus zuteil wurde und zu ihrem Tod führte. Das werde ich als erstes sagen. Dann können Sie darauf antworten. Danach habe ich noch einige Fragen über den Zustand der medizinischen Versorgung in den Notfallräumen in diesem und den übrigen Krankenhäusern der Stadt. Sie können sich dazu äußern, wie Sie wollen. Es ist ein nicht abgesprochenes Interview. Aber hören Sie nicht auf zu reden. Bei Fernsehnachrichten haben wir keine Zeit für Pausen. Nur Präsidenten der Vereinigten Staaten dürfen während der Fernsehnachrichten Pausen machen.«

»Ich habe nicht vor, Pausen zu machen.« Kate war entschlossen, jede Sekunde Sendezeit auszunützen, die Gallante ihr zugestand, und wenn möglich noch mehr.

»Okay. Halten Sie sich für die Nachrichten aus dem Studio bereit, darin bekommen wir unser Stichwort und sind auf Sendung.«

Gallante sah sich den Beginn der Nachrichten im Übertragungswagen auf dem Monitor an, dann ging er zu Kate hinaus. Er stellte sie so hin, daß das Krankenhaus den Hintergrund bildete, hielt das Mikrofon in der Hand und wartete auf sein Stichwort. Die Frau an der Kamera gab ihm ein Zeichen, und Gallante war auf Sendung.

»Hier ist Ramón Gallante. Wie Sie sehen, befindet sich das City-Krankenhaus im Hintergrund, denn wir setzen unsere Ermittlungsserie ›Es ist Ihr Leben‹ fort. Ist die medizinische Versorgung ausreichend, ist sie gut genug? Heute abend ist Dr. Kate Forrester bei mir.«

Mit der freien Hand griff er nach Kate und zog sie zu sich und ins Bild.

»Diejenigen von Ihnen, die gestern abend bei uns dabei waren, wissen, daß Katherine Forrester die Frau ist, die Claude

Stuyvesant für den Tod seiner neunzehnjährigen Tochter Claudia im Notfallraum eben dieses Krankenhauses verantwortlich macht. Heute abend ist Frau Dr. Forrester hier, um auf Mr. Stuyvesants Anschuldigungen zu reagieren. Frau Doktor?«

»Mr. Stuyvesants Anschuldigungen gegen mich und dieses Krankenhaus sind vollkommen falsch und unbegründet. Für seine Tochter ist alles getan worden, was getan werden konnte, und zwar gemäß der besten medizinischen Praxis.«

»Aber sie starb, nicht wahr, Frau Doktor?«

»Ja. Doch niemand weiß, warum.«

»Sie lag neun Stunden in diesem modernen Krankenhaus, war von den besten medizinischen Geräten umgeben, wurde mit den neuesten medizinischen Techniken behandelt, aber sie starb, und niemand weiß, warum?« fragte Gallante. Er gab eher einen Kommentar ab, als Information zu suchen.

»Claudia Stuyvesant wies nicht genügend Anzeichen und Symptome auf, die es einem Arzt ermöglicht hätten, eine endgültige Diagnose zu erstellen«, erklärte Kate.

»War in dem ganzen, großen Krankenhaus kein einziger Arzt imstande, eine Diagnose zu stellen?« fragte Gallante.

»*Ich* trug die Verantwortung, *ich* war nicht imstande, eine Diagnose zu stellen. Und ich bezweifle, daß es einen Arzt gibt, der es unter den gleichen Umständen geschafft hätte«, erwiderte Kate.

»Sie haben keinen anderen, erfahreneren Arzt zu einer Konsultation gebeten?« fragte Gallante. »Sie haben den Fall einfach Ihrer Ansicht entsprechend behandelt?«

»Ich zog einen zweiten Arzt zu. Einen Chirurgen.«

»Wie heißt er?«

»Dr. Briscoe, Dr. Eric Briscoe.«

»Und was sagte Dr. Briscoe?« wollte Gallante wissen.

»Er besaß genauso wenig wie ich eine Grundlage, auf der er eine Diagnose aufbauen konnte. Es gab einfach nicht genügend Fakten und entscheidende Laborentdeckungen.«

»Dennoch war Claudia Stuyvesant so krank, daß sie innerhalb von Stunden starb.« Gallante bearbeitete Kate wie ein

Picador beim Stierkampf den Bullen mit den winzigen, wirkungsvollen Stäben, die das Tier für den letzten, tödlichen Stoß fertigmachen.

»Der Puls der Patientin war schnell, und der Bauch war gebläht, aber das war kein Hinweis auf ihren wirklichen Zustand«, erklärte Kate.

»Schmerzen? Hatte sie Schmerzen?« fragte Gallante.

»Ja, aber die Schmerzen reichten nicht aus, um ein Hinweis darauf zu sein, wie ernst ihr Zustand war.«

»Was genau meinen Sie, Frau Doktor, mit ›nicht ausreichenden Schmerzen‹, wenn Sie darauf hinweisen wollen, daß eine junge, neunzehn Jahre alte Frau, die morgens bei bester Gesundheit ist, heute abend sterben wird? Das möchten unsere Zuseher sicherlich sehr gern wissen. Vor allem jene, die jetzt Schmerzen leiden und sich fragen, wo sie Hilfe suchen sollen.«

Kate war vollkommen klar, daß Gallante versuchte, sie lächerlich zu machen, war aber entschlossen, es zu verhindern.

»Mr. Gallante, das ist weder der richtige Ort noch verfügen Sie über so viel Zeit, daß ich die betreffenden medizinischen Bedingungen erläutern kann.«

»Wie Sie meinen, Doktor.« Gallante schien im Begriff zu sein, das Interview zu beenden, und tat dann, als wäre ihm etwas eingefallen. »Vor einigen Augenblicken haben Sie eine sehr interessante Erklärung abgegeben. Sie sagten, daß Sie keine Diagnose für das Stuyvesant-Mädchen erstellen konnten, doch Sie behandelten sie mit den neuesten medizinischen Techniken …«

»Das haben Sie gesagt, nicht ich«, warf Kate ein.

»Wollen Sie unseren Zuschauern sagen, daß Sie sie nicht einmal behandelten?«

»Wir behandelten sie«, gab Kate nicht nach.

»Wie behandeln Sie eine nicht diagnostizierte Krankheit? Gibt es eine Wunderpille, die ihr Ärzte am City-Krankenhaus bei allen unerklärlichen Fällen verwendet?« fragte Gallante und lächelte schwach, aber überlegen, in die Kamera.

»Bis man eine Diagnose erstellen kam, versucht man, das Fieber des Patienten zu senken und infundiert Flüssigkeit, um die

Dehydrierung zu vermeiden. Und macht alle Labortests, von denen man annimmt, daß sie zu einer richtigen Diagnose führen werden«, erklärte Kate entschieden.

»Das Fieber senken. Flüssigkeit infundieren«, wiederholte Gallante. »Das klingt nicht viel besser als ›nehmen Sie zwei Aspirin, und rufen Sie mich morgen früh an‹. Leider war Claudia Stuyvesant am Morgen tot.«

»Wir überwachten ihre Lebenszeichen ständig«, protestierte Kate. »Es gab keinen Hinweis darauf...«

»Wollen Sie unseren Zuschauern einreden, daß die Patientin zwar dem Tod so nahe war, daß jedoch nichts darauf hinwies?« fragte Gallante.

»Sie müssen die Situation verstehen...«

»Ich versuche es, Frau Doktor, glauben Sie mir. Ich versuche es«, spottete Gallante.

»Ein Arzt hat zwei Dinge, mit denen er arbeitet: was er selbst beobachtet und was ihm die Patientin erzählt. Manchmal ist das, was die Patientin erzählt, nicht wahr.«

»Sie meinen, daß ein Patient, der Hilfe sucht, den Arzt anlügen würde, der ihm helfen könnte?«

»Die Patienten lügen den Arzt häufig an. Über ihre sexuellen Gewohnheiten und Praktiken, über die Einnahme von Medikamenten oder Drogen. Wenn eine Patientin Medikamente nimmt, können ihre Symptome und Anzeichen verborgen oder verzerrt sein. Ihr Schmerz kann weniger intensiv erscheinen und ihr Zustand weniger bedrohlich, als er tatsächlich ist.«

»Erzählen Sie meinen Zuhörern, Frau Doktor, daß Claudia Stuyvesant drogensüchtig und eine sexuell leichtfertige junge Frau war?«

»Verdrehen Sie nicht, was ich sage, Mr. Gallante. Es gibt mehrere Möglichkeiten, die man untersuchen muß, und ich erwarte, daß die Autopsie uns Aufschluß geben wird«, stellte Kate richtig.

Gallante wußte, daß er ihr einige provokante Sätze entlockt hatte, die in anderen Spätabendsendungen wiederholt werden würden, und beschloß, ihr den Todesstoß zu versetzen.

»Da unsere Zeit beinahe um ist, Frau Doktor, lassen Sie mich das Ergebnis für unsere Zuschauer zusammenfassen. Die junge, neunzehn Jahre alte Claudia Stuyvesant wurde in die Notfallabteilung dieses Krankenhauses gebracht und Ihrer Obhut übergeben. Sie behandelten sie neun Stunden lang...«

»Gleichzeitig mit einer großen Zahl weiterer Patienten«, warf Kate ein.

»Ja, natürlich. Gleichzeitig mit einer großen Zahl weiterer Patienten. Aber Sie haben sie neun Stunden lang behandelt. Sie haben nie eine Diagnose gestellt. Sie haben einige oberflächliche Maßnahmen getroffen, die offenbar nicht wirksamer waren als Hühnersuppe, denn nach diesen neun Stunden war Claudia Stuyvesant tot.«

»Wir haben für sie alles getan, was unter diesen Umständen medizinisch möglich war«, protestierte Kate.

»Warum ist sie dann gestorben?« wollte Gallante wissen.

»Das weiß leider niemand. Aber wie gesagt – der Leichenbeschauer wird entdecken, warum.«

»Machen Sie so etwas oft, Frau Doktor?« fragte Gallante.

»Was tue ich oft?« fragte Kate verwirrt, was Gallante beabsichtigt hatte.

»Sich darauf verlassen, daß der Leichenbeschauer an Ihrer Stelle die Diagnose erstellen wird?« Gallante sah zur Kamera hinüber. Bevor Kate antworten konnte, fuhr er fort: »Hier ist Ramón Gallante mit einem Bericht vom City-Krankenhaus, ich gebe zurück ans Studio.«

»In eine peinliche Lage gebracht?« schrie Dr. Cummins ins Telefon. »Gedemütigt! Sie hat dieses Krankenhaus in eine äußerst prekäre Situation gebracht. Wenn ich es nur hätte verhindern können!«

Am anderen Ende der Leitung, im Büro von Trumbull, Drummond & Baines, saß der Seniorchef Lionel Trumbull hinter seinem riesigen Schreibtisch, schüttelte mißbilligend den Kopf über seinen jungen Mitarbeiter Scott Van Cleve und wartete auf eine Gelegenheit, die endlose Tirade des leicht erregbaren Krankenhausverwalters zu unterbrechen. Endlich fand er eine Lücke in Cummins' Gejammer.

»Harvey… Harvey… Ich hoffe, daß sie keine vorschnelle Aktion in Erwägung ziehen«, warnte er.

»Warum hat die Forrester es getan? Warum gab sie dem grinsenden journalistischen Aasfresser Gelegenheit, darauf hinzuweisen, daß Claudia Stuyvesant in diesem Krankenhaus gestorben ist? Wenn Kate Forrester persönlich ein solches Risiko einging, dann hätte sie daran denken müssen, was es für uns bedeutet.«

»Wenn jemand Ihnen droht, daß er Ihre Karriere zerstören wird, Harvey, dann würden Sie sich bestimmt ebenfalls zur Wehr setzen«, antwortete Trumbull.

»Natürlich. Aber mußte sie es auf diese Art tun? Das kann zu einer Katastrophe werden, Lionel. Eine totale Katastrophe für dieses Krankenhaus.«

»Nicht unbedingt.«

»Nein?« fragte der Verwalter überrascht.

»Was für einen Eindruck hat sie auf das Fernsehpublikum gemacht? Ein Arzt hat einen Fall vielleicht schlecht behandelt. Nicht euer Krankenhaus. Nicht euer gesamter Mitarbeiterstab. Ein Arzt. Noch dazu eine Ärztin. Vom Public-Relations-Standpunkt aus ist es vielleicht gar nicht so schädlich, wie Sie glauben«, meinte Trumbull tröstend.

Cummins ließ sich erweichen und entspannte sich ein wenig. »Ich werde Troy wegen der Leistungszahlen unseres Notdienstes zusetzen. Wenn sie zeigen, was ich erwarte, dann gehe ich ins Fernsehen. Direkt von meinem Büro aus. Genauso würdevoll wie Stuyvesant. Ich werde eine ruhige, vernünftige, gut dokumentierte Darstellung unserer Leistungen geben.«

»Und diesem – wie nannten Sie ihn noch? – grinsenden journalistischen Aasfresser weitere Munition für seine Serie liefern? Nein. Wenn Sie gegen Stuyvesant kämpfen wollen, heben Sie es sich für den Gerichtssaal auf, wo es zählt. Obwohl ich mich ehrlich gesagt auf die Besprechung seiner Anwälte mit unserer Versicherungsgesellschaft freue. Ich werde mich wesentlich wohler fühlen, wenn sie diese Angelegenheit erledigen können, bevor die Klage eingebracht wird.«

»Allerdings«, gab Cummins bekümmert zu, »sie werden sich einigen und dann unsere Kunstfehler-Prämie saftig hinaufsetzen.«

»Das wäre es wert. Bedenken Sie die Schadensseite eines solchen Falls, Harvey. Ein neunzehn Jahre altes Opfer. Dem eine Lebensdauer von sechzig, siebzig Jahren geraubt wurde. Wenn wir gezwungen werden, zu Gericht zu gehen, wäre so etwas ein gefundenes Fressen für eine Jury. Vergleichen wir uns jetzt, wenn wir können.«

»Und was wird aus Dr. Forrester?« fragte Cummins.

»Tun Sie nichts, engen Sie ihre Pflichten auch weiterhin ein. Wenn es sein muß, will ich in der Lage sein, darauf hinzuweisen, daß Sie sie, sobald auch nur der geringste Zweifel an ihren Fähigkeiten auftauchte, von allen klinischen Pflichten entbanden, um die Sicherheit der Patienten zu gewährleisten.«

Nachdem Trumbull dem bekümmerten Verwalter diesen tröstlichen Rat gegeben hatte, legte er auf und wandte sich Scott Van Cleve zu, der das ganze Gespräch auf dem Nebenanschluß mitgehört hatte.

Trumbull, der jetzt erst seinen wahren Sorgen Luft machte, donnerte: »Sie sollten doch der jungen Frau sagen, daß sie den Mund halten soll!«

»Das habe ich getan. Aber offenbar konnte sie es nicht schlukken, daß man sie des Mordes beschuldigte, und setzte sich zur Wehr.«

»Vielleicht könnt ihr jungen Männer es akzeptieren, Van Cleve, aber ehrlich gesagt, ich werde nie glauben, daß Frauen über die nötige emotionale Zähigkeit verfügen, um sich in einer männlichen Welt durchzusetzen.«

Van Cleve blieb diplomatisch. »Ich habe Mary Lawler vor Gericht beigestanden. Sie ist eine Tigerin. Und sehr scharf.«

»Von mir aus«, gab Trumbull zu, »Lawler ist eine Ausnahme. Deshalb habe ich sie zur Leiterin unserer Streitbeilegungsabteilung gewählt. Aber andere Frauen...« Er schüttelte traurig den

Kopf. Doch nach kurzem Nachdenken lenkte er ein: »Es gibt in dieser Firma eine oder zwei Frauen, die verdammt tüchtig sind, aber im allgemeinen...«

Bevor Trumbull seine chauvinistischen Vorurteile ausweiten konnte, sagte Van Cleve: »Ich werde mit Frau Dr. Forrester sprechen. Sofort.«

Als Kate die Wohnungstür aufsperrte, läutete das Telefon. Sie stürzte hin und war bereit, sich gegen eine Tirade von Verwalter Cummins oder jeden anderen zu verteidigen, der sich das Recht herausnahm, ihr Interview zu kritisieren.

»Frau Doktor«, sagte eine noch nicht ganz vertraute Stimme, die sie als die von Anwalt Van Cleve identifizierte. »Ich habe gerade im Fernsehen Ihr Interview gesehen und...«

»Und Sie sind nicht damit einverstanden«, unterbrach ihn Kate.

Doch Van Cleve stellte sich ihr nicht, sondern fragte: »Darf ich fragen, Frau Doktor, was Sie tun, wenn ein Patient sich weigert, Ihren Rat zu befolgen?«

»Es gibt Patienten, die sich weigern, im Krankenhaus zu bleiben. Wir lassen sie einen Entlassungsschein unterschreiben. Wir bezeichnen es als ›gegen den Rat des Arztes das Krankenhaus verlassen‹.«

»Bei Gericht gibt es ein ähnliches Verfahren. Aber dort sind es die Anwälte, die es tun.«

»Wollen Sie damit sagen, daß Sie meine Verteidigung niederlegen?« fragte Kate.

»Ich sage damit, daß ich Ihnen nichts nütze, wenn Sie sich weigern, meinen Rat zu befolgen. Dann wären Sie besser mit einem anderen Anwalt dran, dessen Rat Sie respektieren.«

»Mein Entschluß hat nichts mit Ihnen zu tun. Er hat mit mir zu tun. Ich weigere mich, mir stumm falsche Anschuldigungen anzuhören, die von jemandem kommen, der zufällig Claude Stuyvesant heißt. Nennen Sie es Stolz. Nennen Sie es einen Sinn für persönlichen Wert und Würde. Ich werde es mir nicht bieten lassen!« erklärte Kate.

Van Cleve wußte, daß es sinnlos war, mit einer so zornigen, an ihren Grundsätzen festhaltenden jungen Frau zu streiten. Deshalb fragte er: »Gibt es Zeiten, wenn ein Arzt dem Patienten sagt, er solle in den nächsten vierundzwanzig Stunden oder einigen Tagen gewisse Nahrungsmittel meiden? Oder erst frühstükken, nachdem man ihm Blut oder Harn abgenommen hatte?«

»Natürlich.«

»Was ich sage, ist nichts anderes. Solange wir nicht klar sehen, was Stuyvesant rechtlich unternehmen wird, geben Sie keine öffentlichen Erklärungen ab. Ich wiederhole, keine öffentlichen Erklärungen.«

»Sie meinen, ich muß mich einfach damit abfinden«, fragte Kate.

»Nein. Nehmen Sie es ihm übel. Hassen Sie ihn. Verfluchen Sie ihn. Schreiben Sie seinen Namen tausend Mal, und verbrennen Sie das Papier. Machen Sie Voodoo-Puppen von ihm, und stecken Sie Nadeln hinein. Aber geben Sie keine...«

Kate unterbrach ihn. »Ich habe schon verstanden. In der Öffentlichkeit kein Wort über ihn.«

»Ja, Frau Doktor, so meine ich es. Und jetzt versuchen wir, uns als Anwalt und Klient zu vertragen. Okay?«

Kate schwieg lange, bevor sie nachgab. »Okay.«

14

Nach Kates Auftritt im Fernsehen berief Cummins eine weitere Zusammenkunft der Abteilungsleiter ein und forderte auch Lionel Trumbull auf zu kommen.

Als Kommentare erbeten wurden, antworte Dr. Harold Wildman, der Leiter der Thoraxchirurgie, als erster.

»Sie wissen, daß ich dafür war, Dr. Forrester zu verteidigen, als die Rede zum ersten Mal darauf kam. Aber indem sie im Fernsehen auftrat, hat sie einen einzigen unglücklichen Fall aufgerollt und den Eindruck erweckt, daß dieses Krankenhaus über ein Sammelsurium von schlecht ausgebildeten, ahnungslosen Ärzten verfügt.«

»Ich fand, daß sie sich unter den Umständen sehr gut hielt«, meinte jemand anderer. »Den Schaden richtete dieser Geier Gallante an.«

»Aber sie gab ihm Gelegenheit dazu«, wandte Wildman ein. »Angenommen, sie hat im Fall Stuyvesant tatsächlich einen Kunstfehler begangen, dann hätte sie nur den Kopf einziehen müssen. Es wäre bald genug vergessen gewesen.«

»Da bin ich nicht so sicher, jedenfalls nicht, wenn Claude Stuyvesant damit zu tun hat«, erwiderte die Leiterin der Kinderstation Eleanor Knolte. »Man schafft sich keine Freunde, indem man seine Fehler rechtfertigt. Jedenfalls nicht in diesem Beruf. Die beste Regel, die Frau Dr. Forrester hoffentlich eines Tages lernen wird, lautet: Je weniger gesagt wird, desto besser. Im Augenblick zwingt uns ihr Denkfehler, Schritte zu unternehmen, um den Schaden zu minimieren.«

Professor Emeritus Sol Freund, der bereits mitgeteilt hatte, daß er in den Ruhestand treten würde, sah es anders. »Meine Damen und Herren, wir sprechen immerzu von ›ihr‹ und von ›ihrem möglichen Fehler‹. Ich sage, daß wir von uns sprechen. Wie ich es sehe, hätte das, was Dr. Forrester zugestoßen ist, bei dieser Patientin jedem von uns zustoßen können. Wir müssen sie und mit ihr alle gewissenhaften Ärzte verteidigen. Wir sind nur Menschen. Wir machen Fehler. Sollen wir deshalb auf dem Scheiterhaufen brennen?«

»Für dich ist es leicht, so verständnisvoll zu sein, Sol«, erwiderte Wildman. »Aber diejenigen von uns, vor denen sich Jahre der Praxis erstrecken, die durch empörende Kunstfehler-Prämien belastet werden, müssen an die Zukunft denken. Eine derartig schlechte Publicity kann unsere Prämien nur in eine Richtung beeinflussen. Hinauf! Während Sie also im seligen Ruhestand in der Sonne Floridas braten, ohne an Prämien denken zu müssen, werden ich und andere an diesem Tisch Kate Forresters Handlungsweise teuer bezahlen. Ich schlage vor, uns darauf festzulegen, daß das, was dem Stuyvesant-Mädchen zugestoßen ist, weder ein Fehler dieses Krankenhauses noch seines Personals war. Er geschah dadurch, daß eine Ärztin nicht fähig war, mit dem Druck fertigzuwerden, dem sie in der Notfallstation ausgesetzt war.«

Freund starrte ihn über den breiten Konferenztisch hinweg an. »Schlagen Sie vor, daß wir sie den Wölfen zum Fraß vorwerfen?«

»Ich sage nur, daß wir in Erwägung ziehen sollen, uns von ihr zu distanzieren.«

»In meinem Wörterbuch sind *distanzieren* und *den Wölfen vorwerfen* Synonyme. Vor allem angesichts des neuen Systems, des sich über das ganze Land erstreckenden Computernetzwerks, dank dem ein Arzt beinahe über Nacht in allen Staaten gebrandmarkt ist, wenn er in einem Staat bestraft oder ausgeschlossen wird. Es liefe darauf hinaus, daß wir es ihr unmöglich machen, jemals wieder in einem ordentlichen Krankenhaus zu arbeiten. Ich kann mich nicht dazu überwinden, eine solche Aktion gegen Frau Dr. Forrester zu unterstützen. Ich bin wahrscheinlich in einer anderen Ära der Medizin groß geworden. Als ich ein junger Assistenzarzt war, arbeitete ich unter einem Neurochirurgen namens Kessler, der unter Cushing in Boston studiert hatte. Kessler pflegte zu sagen: ›Diese Assistenzärzte, diese Kinder, die direkt vom Studium zu uns kommen, sie sind unsere Kinder. Wir müssen ihnen helfen, aufzuwachsen und unsere Plätze einzunehmen. Vom ersten Moment an, wenn es ihnen noch Schwierigkeiten bereitet, eine Vene zur Blutabnahme zu finden, bis zu dem Augenblick, da sie in der Lage sind, selbstsicher an den Operationstisch zu treten, müssen wir Geduld mit ihren Fehlern haben, verständnisvoll, freundlich, mitfühlend sein. Es ist die feierliche Pflicht älterer Ärzte den jungen gegenüber.‹«

»Cushing und Ihr Dr. Kessler mußten keine unverschämten Prämien wegen Kunstfehlern bezahlen«, meinte Wildman empört.

»Ist das das einzige, woran Sie denken können? Wie wär's mit ein bißchen mehr Loyalität für unsere jungen Ärzte?« fragte Freund.

»Es gibt Zeiten, in denen wir zwischen Loyalitäten wählen

müssen«, schoß Wildman zurück. »Loyalität Kate Forrester gegenüber? Oder Loyalität dem Krankenhaus gegenüber? Ich finde, daß unsere Loyalität der größeren Sache, diesem Krankenhaus, gehören muß. Und kein Mensch, der antiquierte Vorstellungen davon hat, was Loyalität ist, wird mich dazu bringen, es mir anders zu überlegen.«

Bevor sich die Versammlung zu einer erbitterten persönlichen Schlacht zwischen Freund und Wildman, zwischen der alten Generation und der neuen entwickeln konnte, griff Cummins ein.

»Gentlemen, Gentlemen, wir müssen hier mehr in Erwägung ziehen als Prämien für Kunstfehler. Wir müssen Betten füllen. Wenn wir es nicht tun, werden wir unsere Türen schließen müssen. Angesichts der schlechten Publicity, die wir bereits bekommen haben, werden die Patienten zögern, zu uns zu kommen.«

Jetzt meldete sich Wallace Simons, der Leiter der Geburtshilfe und Gynäkologie, zu Wort. »Ich muß Ihnen leider zustimmen. Wir sind in erster Linie diesem Krankenhaus verantwortlich. Von den 463 Ärzten und Ärztinnen ist eine einzige Ärztin angeklagt. Der Rest sind gute, fähige Ärzte und Chirurgen, die jedem Arzt in dieser Stadt, diesem Land gleichkommen. Falls wir einen schlechten Apfel haben, müssen wir ihn fortwerfen und die Gründe dafür nennen. Dann muß sich kein Patient davor fürchten, zu uns zur Behandlung zu kommen. Und damit wird die Geschichte ein Ende haben!«

Nach dem Gesichtsausdruck der Männer und Frauen um den Tisch zu schließen, fühlten sich die meisten verpflichtet zuzustimmen, bis Anwalt Trumbull leise, aber besorgt sagte: »Nicht ganz.«

»Und warum nicht?« wollte Simons wissen.

»Was geschieht, wenn Dr. Forrester eine Anhörung vor dem staatlichen Ausschuß für Professionelles Ärztliches Verhalten bekommt und er sie freispricht? Sie kann uns sofort verklagen, weil wir ihrem Ruf geschadet haben. Wenn abschätzige Erklärungen oder Handlungen im Zusammenhang mit den beruflichen Fähigkeiten einer Person unwahr sind, dann sind sie per se Verleumdung oder üble Nachrede Und wenn sie vom Ausschuß rehabilitiert wird, dann ist das ein glaubhafter Beweis dafür, daß diese Feststellungen nicht wahr sind. Doctores, Sie stehen vor einem Multimillionenprozeß. Sowohl gegen dieses Krankenhaus als auch gegen jeden einzelnen von Ihnen.«

»Und wie distanzieren wir uns davon, ohne dieses Risiko einzugehen?« wollte Wildman wissen.

»Wir überlassen es Claude Stuyvesant, sie zu verurteilen. Lassen ihn einen teuren Prozeß wegen Ehrenbeleidigung und Verleumdung riskieren«, meinte Trumbull. »Wir verurteilen niemanden.«

»Wir müssen wegen der jungen Frau etwas unternehmen«, ließ Simons nicht locker.

»Sobald der Ausschuß findet, daß sie sich unprofessionell verhalten hat, und seine Entscheidung bekanntgibt, können Sie sie ohne Angst vor Vergeltungsmaßnahmen oder Prozessen loswerden«, erklärte Trumbull.

»Und inzwischen?« fragte Simon.

»Hat Dr. Cummins die ideale Lösung gefunden. Lassen Sie sie keine Patienten behandeln, das verringert unser Risiko.«

»Mit anderen Worten«, warf Sol Freund von der anderen Seite des Tisches aus ein, »wir werden diese junge Frau in professioneller Einzelhaft halten, bevor wir sie öffentlich hinrichten. Und dann tun wir es auf nette, sichere, chirurgische und gesetzlich antiseptische Art. Damit niemand verklagt wird.«

Trumbulls Gesicht wurde zornrot, und Cummins griff rasch ein. »Ich würde eine Aktion gegen einen Arzt, den der Ausschuß für unqualifiziert hält, nicht als ›öffentliche Hinrichtung‹ bezeichnen.«

»Natürlich nicht«, antwortete Freund. »Wir dürfen keine schmutzigen Worte benutzen, die später gegen uns verwendet werden können, wenn es zu einem Prozeß kommt. Ich muß sagen, Gentlemen, daß es unter diesen Umständen feig ist, eine tüchtige junge Ärztin im Stich zu lassen, um unsere Haut zu retten.«

Die Gesichter rings um den Tisch zeigten deutlich, daß nur wenige seiner Meinung waren.

Am nächsten Nachmittag erschien Kate in der neurologischen Station der Kinderabteilung. Trotz ihrer persönlichen beruflichen Probleme hatte sie es sich angewöhnt, die Fortschritte der kleinen Maria Sanchez zu verfolgen. Sobald Maria sich so weit erholt hatte, daß sie wacher und aufgeschlossener war, machte Kate es sich zur Gewohnheit, bei jedem Besuch ein kleines billiges Geschenk mitzubringen, eine Stoffpuppe, ein Bilderbuch zum Bemalen. Als Maria bemerkte, wie süß Kate duftete, brachte diese dem Kind eine kleine Musterphiole Parfüm mit, die sie vor Monaten als Partygeschenk erhalten hatte, als sie mit Walter zu einem Börsendinner gegangen war.

Kate ging wie immer zur Tür von Marias Raum und lugte hinein, um zu sehen, ob das Kind vielleicht schlief oder von einem der Ärzte getestet wurde. Diesmal war Maria wach, allein und eher mutlos.

»Maria?« rief Kate leise.

Das Kind wandte sich sofort der Tür zu und setzte sich auf; ihre schwarzen Augen leuchteten erwartungsvoll. Kate versteckte das Geschenk hinter ihrem Rücken und schlüpfte hinein. Dann zog sie schwungvoll das bunt verpackte Päckchen hervor. Das Kind griff danach, riß eifrig das rot-goldene Papier weg und enthüllte ein Buch. Diesmal kein Malbuch, sondern ein Buch, aus dem die Kleine lesen lernen sollte.

Die leuchtenden Farben des Umschlags waren so aufregend, daß Maria Kate um den Hals fiel. In diesem Augenblick kam Dr. Golding eilig herein. Er war sichtlich verlegen. »Kann ich mit Ihnen sprechen, Kate?«

»Natürlich.«

Sie löste sich sanft aus Marias Umarmung und trat zu ihm an die Tür. Sie befürchtete, daß sich Marias Prognose verschlechtert hatte. Vielleicht hatte ein neuer Test neurologische Defekte infolge der Mißhandlungen enthüllt, die bisher noch nicht entdeckt worden waren.

Harve bedeutete Kate, in den Korridor zu treten. Dort fragte sie so leise, daß das Kind es nicht hören konnte: »Ist schon beschlossen worden, was mit Maria geschehen soll, Harve?«

»Ich kämpfe darum, sie hierzubehalten. Die Stadt will sie zu Pflegeeltern geben, bis der Fall vor Gericht kommt. So weit ist sie noch nicht.«

»Wahrscheinlich sind Pflegeeltern billiger als ein Krankenhausaufenthalt«, gab Kate zu. »Heutzutage geht es immer nur um Dollars. Schade. Sie scheint hier zu gedeihen. Jedesmal, wenn ich sie besuche, geht es ihr besser.«

»Es geht ihr deshalb jedesmal besser, weil Sie sie besuchen«, stellte Harve richtig. »Obwohl Sie genügend andere Sorgen haben, als sich um das Kind zu kümmern.«

»Das macht mir nichts aus. Sie ist entzückend. Sie braucht jemanden, der sie liebt. Vielleicht brauche ich jemanden, den ich liebe.«

»Ja, also«, begann Golding, überlegte es sich aber wieder.

»Okay, worum geht es, Harve?« fragte Kate direkt.

»Cummins hat befohlen, daß Sie in keinem Teil des Krankenhauses auftauchen dürfen, in dem es um Patienten geht.«

»Ich behandle niemanden. Ich besuche nur ein einsames Kind. Wem kann ich damit schaden?« protestierte Kate.

»Er reagiert äußerst sensibel auf den Tratsch, den Ihre Anwesenheit vielleicht zur Folge hat. Es tut mir leid, Kate. Es ist mies, aber ich habe keine Wahl.«

»Natürlich, ich verstehe«, erwiderte Kate. »Ich will ihr nur auf Wiedersehen sagen.«

Als sie ans Bett trat, glitten Marias Hände über den glänzenden Schutzumschlag des Buchs. Das Kind lächelte Kate an und schlug das Buch auf, damit Kate es ihr vorlesen konnte.

»Das da ist ein ganz besonderes Geschenk, Maria. Erwachsene nennen es ein Weggehgeschenk.«

»Weggehen«, wiederholte das Kind. »Ich gehe jetzt weg?«

»Nein, Maria. Ich gehe weg.«

In die schwarzen Augen des Kindes traten Tränen. »Du gehst weg?« fragte sie unglücklich.

Der Ausdruck auf Marias schmalem Gesicht, ihre flehenden Augen ließen Kate sagen: »Nein, nein, ich gehe nicht weg.« Sie setzte sich auf den Bettrand, nahm das Kind in den Arm, schlug das Buch auf und sagte: »Das ist ein A, Maria. Sag es. A.«
Das Kind gehorchte.

Sie hatten den Buchstaben E erreicht, als Kate hinter sich Schritte hörte. Als sie sich umdrehte, stand Golding in der Tür. Sie machte sich auf einen Tadel gefaßt.

»Seien Sie wenigstens so vernünftig, Kate, die Tür zu schließen«, sagte Golding. Er lächelte, zog sich zurück und schloß die Tür hinter sich. Kate wandte sich Maria zu und sagte: »E. Dieser Buchstabe ist E.«

Zur gleichen Zeit, als Kate Forrester die kleine Maria ermutigte, ihre neu erworbenen Kenntnisse zu zeigen, läutete eines der inoffiziellen Telefone auf dem Schreibtisch der Chefsekretärin des Bürgermeisters so hartnäckig, daß sie darauf reagieren mußte.

»Büro des Bürgermeisters. Am Apparat ist Madelaine«, meldete sie sich höflich, weil ihr klar war, daß nur wenige Auserwählte diese private Geheimnummer kannten.

»Ich muß mit ihm sprechen«, sagte eine Männerstimme.

»Dr. Schwartzman?« Madelaine hatte die Stimme erkannt.

»Ja«, erwiderte der Leichenbeschauer.

»Ich verbinde Sie.«

Der Bürgermeister komplimentierte Besucher aus seinem Büro hinaus und meldete sich dann sofort. »Ab?«

»Hör mal, ich kann den Stuyvesant-Autopsiebericht bis nach dem Begräbnis zurückhalten. Aber ich kann das Ergebnis nicht fälschen«, erklärte Schwartzman.

»Unangenehm?« fragte der Bürgermeister.

»Es wird Stuyvesant nicht gefallen. Die Todesursache kann nicht beschönigt werden.«

»Was ist es?«

»Massive Blutung infolge der Ruptur einer ektopischen Schwangerschaft.«

»Du hast recht. Es wird Stuyvesant nicht gefallen.«

»Ich kann es nicht fälschen, das wäre ein Verbrechen«, meinte Schwartzman.

Der Bürgermeister überdachte die Situation einen Augenblick, dann sagte er: »Wenn du deine Ergebnisse an die Medien weitergeben mußt, stell einfach fest: ›Die Todesursache waren massive innere Blutungen.‹«

»Und wenn die Presse neugierig wird, was sicherlich der Fall sein wird – schließlich geht es um eine Stuyvesant –, was dann?«

»Dann kann ich Stuyvesant sagen, daß wir unser Bestes getan haben, um es nicht in die Medien gelangen zu lassen. Schließlich werden wir ihn nächsten Monat bei dem Parteidinner um einen Beitrag angehen, der größer sein wird als für gewöhnlich.«

»Richtig. Für die Öffentlichkeit beschränke ich die Ursache auf ›massive innere Blutung‹, Punkt.« Schwartzman überlegte, dann fügte er hinzu: »Übrigens, wenn du mit Stuyvesant sprichst, schlage ihm vor, die Leiche einäschern zu lassen.«

»Einäschern? Warum?«

»Wenn es zu gesetzlichen Verfahren kommt, wird er nicht wollen, daß die Leiche exhumiert und untersucht wird.«

»Warum? Was hast du gefunden?« wollte der Bürgermeister wissen.

»Nichts. Aber um sicherzugehen, habe ich nichts gesucht.«

15

Der Bürgermeister hatte eine kleine Abteilung uniformierter Polizisten zu der Beerdigung Claudia Stuyvesants abgestellt, um einen möglichst störungsfreien Ablauf zu sichern, denn neben den Nachrichten- und Fernsehmedien war auch eine größere Menge neugieriger Zuschauer zu erwarten, die sich um die St.-Thomas-Kirche auf der Fifth Avenue drängen würde.

Der Beginn der Trauerfeier war auf zehn Uhr festgesetzt; eine halbe Stunde vorher begann die Prominenz, darunter der Bürgermeister, einzutreffen; die Türsteher der Kirche geleiteten sie zu ihren Plätzen.

Unter den Trauergästen waren jene Männer und Frauen zahlreich vertreten, die laut der bekannten Liste der Zeitschrift *Fortune* zu den fünfhundert reichsten Unternehmern des Landes gehörten. Doch die größte Gruppe bildeten die Angestellten von Stuyvesants eigenen Firmen sowie die Vertreter der vielen Bürger- und Wohltätigkeitsvereine, die ihm für Spenden zu Dank verpflichtet waren.

Als die meisten Kirchenstühle besetzt waren und alle geladenen Trauergäste Platz genommen hatten, stand die Kirche der Allgemeinheit offen. Unter den Neugierigen gab es viele ältere Männer und Frauen, die sich einmal im Leben unter die Mächtigen mischen wollten. Von den jungen Leuten Anfang Zwanzig oder knapp darunter waren einige wohl Klassenkameraden oder Freunde von Claudia Stuyvesant gewesen.

Auch Dr. Kate Forrester befand sich in der Menge. Sie stieg die abgetretene Sandsteintreppe hinauf und betrat die geräumige Kirche. Ihr Blick wanderte zu dem reich geschnitzten Altar, vor dem der einfache Sarg aus schmucklosem schwarzem poliertem Holz stand. Er war geschlossen.

Der Chor summte leise im Hintergrund, und die Besucher unterhielten sich gedämpft, bis durch eine Tür neben dem Altar der Priester im Ornat eintrat. Durch den Eingang an der gegenüberliegenden Seite schritt vor Claudias Eltern ein Türsteher herein. Nora Stuyvesant war schwarz gekleidet, und ihr Gesicht war hinter einem Schleier verborgen. In seinem schwarzen Cut mit gestreifter Hose, einem weißen Hemd mit steifem Kragen und gestreifter Krawatte gab Claude Stuyvesant eine imposante Erscheinung ab, die durch seine hohe kräftige Statur und den sonnengebräunten Teint unterstrichen wurde. Er verkörperte in jeder Hinsicht den Inbegriff eines wirtschaftlich und politisch mächtigen Mannes.

Als Nora Stuyvesant zu schwanken schien, führte ihr Mann sie zum vordersten Kirchenstuhl. Sobald sie saßen, sang der Chor einen Choral. Inzwischen betrachtete Kate verstohlen die

Leute in ihrer Umgebung. Viele von ihnen waren eindeutig Bewohner und ständige Besucher von Greenwich Village, wo Claudia das letzte Jahr ihres Lebens verbracht hatte. Während Kate den Blick ziellos weiterwandern ließ, erblickte sie ein Gesicht, das sie erschreckte.

Einige Reihen vor ihr saß der ihr zugeteilte Anwalt Scott Van Cleve. Ihr erster Gedanke war: Was tut er hier? Er ist kein Freund der Stuyvesants. Oder doch? Ihre Überlegungen wurden unterbrochen, als der Choral zu Ende war und der Priester die Kanzel bestieg, um die Grabrede zu halten.

Er kondolierte den Stuyvesants umständlich und hob lobend hervor, welch aufopfernde Eltern sie gewesen seien. Claudia Stuyvesants Leben, das sich nicht durch irgendwelche besonderen Leistungen ausgezeichnet hatte, schilderte der Priester nur kurz und in allgemeinen Phrasen. Viel mehr Zeit widmete er der Version darüber, was sie erreicht hätte, wenn ihr eine normale Lebensspanne vergönnt gewesen wäre.

Kate empfand diesen Teil der Grabrede als Anklage gegen sie. Sie verschränkte ihre im Schoß liegenden Hände krampfhaft, war aber entschlossen, sich nicht schuldig zu fühlen. Sobald der Priester verstummte, setzte der Chor mit einem weiteren Choral ein. Danach sprach der Bürgermeister kurz, genau wie zwei Freundinnen Claudias, die an einer Privatschule die gleiche Klasse wie sie besucht hatten. Eine von ihnen hatte ihrer Trauer in einem Gedicht Ausdruck verliehen.

Der Priester gab bekannt, daß die Beisetzung ausschließlich im Beisein der nächsten Verwandten erfolgen würde. Allen übrigen, insbesondere den Medien, war die Teilnahme untersagt. Die ehrenamtlichen Sargträger, die Claude Stuyvesant persönlich ausgesucht hatte, hoben den Sarg hoch und gingen zu der riesigen Vordertür. Hinter dem Sarg folgten Claude und Nora Stuyvesant. Nach einigen Schritten begann Nora plötzlich zu schwanken. Bevor sie zusammenbrechen konnte, faßte sie Stuyvesant an einem Arm, und Scott Van Cleve, der mit einem Satz bei ihr war, stützte sie auf der anderen Seite. So wurde sie von den beiden Männern durch das Kirchenschiff geleitet.

Als sie sich der Bankreihe näherten, in der Kate stand, verwandelte sich Stuyvesants kummervoller Gesichtsausdruck plötzlich in Zorn. Er hatte sie offensichtlich aufgrund des Fernsehinterviews erkannt. Sie hatte den Eindruck, daß er ihr sogar in dieser Umgebung und in diesem feierlichen Augenblick eine seiner ätzenden Beschuldigungen entgegenschleudern würde, und erwiderte seinen Blick mit der Ruhe der Unschuldigen.

Scott starrte sie ebenfalls zornig und vorwurfsvoll an.

Um seinem tadelndem Blick zu entgehen, wandte Kate ihre Aufmerksamkeit den Trauernden auf der gegenüberliegenden Seite des Mittelgangs zu. Eines der Gesichter fesselte sie. Es gehörte einem jungen Mann, dessen Augen dem Sarg folgten, der langsam aus seinem Blickfeld entschwand. Er war abgezehrt, Anfang Zwanzig. Seine langen braunen Haare hatte er zu einem unordentlichen Pferdeschwanz zusammengebunden. Er trug ein ausgeblichenes blaues Hemd mit offenem Kragen und ein Denimjakkett. Kaum die richtige Aufmachung für einen so feierlichen Anlaß, dachte Kate. Doch der stärkste Eindruck, der Kate im Gedächtnis blieb, waren seine Augen und die seltsame Art, wie er Claudia Stuyvesants Sarg betrachtete.

Scott, Claude Stuyvesant und seine Frau erreichten das Tor zur Straße. Von den Fernsehteams, Reportern und neugierigen Zuschauern kam der Ruf: »Sie kommen. Fangt an zu drehen!«

Kate drängte sich durch die Menge und erreichte das Tor gerade rechtzeitig, um zu sehen, wie Ramón Gallante Claude Stuyvesant ein Mikrofon hinhielt. Sie konnte nicht hören, was Gallante fragte, aber sie verstand Stuyvesants laute, zornige Antwort. »Ich habe bereits das Verfahren gegen sie eingeleitet.«

Während der Sarg in den Leichenwagen geschoben wurde, bestiegen Nora und Claude Stuyvesant die bereitstehende schwarze Limousine. Das Begräbnis würde tatsächlich im engsten Kreis stattfinden.

Als sie außer Sicht waren, drängte sich Van Cleve hastig durch die Menge, packte einen der Sargträger am Arm und wechselte einige Worte mit dem Mann, der verärgert und verständnislos reagierte. Aber Van Cleve hatte offenbar erfahren, was er wissen wollte, denn er wandte sich ab und mischte sich wieder unter die Menge, wobei er sich so rücksichtslos hindurchdrängte, daß Kate empört war.

Van Cleve gelangte zu der jungen Frau, die das Gedicht über Claudia gelesen hatte, und begann, ihr Fragen zu stellen. Doch sie antwortete ihm nicht, sondern lief die Treppe hinunter. Van Cleve folgte ihr. Dabei kam er an einem jungen Mann Anfang Zwanzig vorbei, der einen dunklen Teint und lange, zu einem Pferdeschwanz zurückgebundene Haare hatte. Kate erkannte ihn; sie hatte ihn in der Kirche beobachtet, wo er Claudias Sarg nicht aus den Augen gelassen hatte. Jetzt blickte er sich verstohlen um, als wolle er sich vergewissern, daß ihn niemand bemerkte, ging rasch die Treppe hinunter und verschwand auf dem Gehsteig in der Menge. Er hatte mit keinem der jungen Leute gesprochen, die ebenfalls in der Kirche gewesen waren und sich jetzt in kleinen Gruppen auf der Treppe und der Straße sammelten. Er schien sogar von seinen Altersgenossen isoliert zu sein.

Kate dachte noch über dieses seltsame Verhalten nach, als Van Cleve hinter ihr fragte: »Und was machen *Sie* hier?« Sie drehte sich um.

»Ich könnte Sie das gleiche fragen«, erwiderte sie.

»Ich bin beruflich hier. In meinem gesetzlichen Beruf.«

»Ich bin hier, weil ...« Ihr fiel kein richtiger Grund ein. »Sagen wir, ich war neugierig. Ich mußte einfach kommen.«

»Ich bin froh, daß Gallante Sie nicht entdeckt hat. Er hätte ganz bestimmt einen Kommentar abgegeben, wie ›Aha, die Täterin zieht es zum Opfer ihres Verbrechens‹. Ich traue dem Schweinehund alles zu.«

»Sie haben meine Frage nicht beantwortet«, sagte Kate.

»O doch, ich bin beruflich hier. Eine solch wichtige Gelegenheit wie diese, bei der Emotionen eine starke Rolle spielen, sollte man sich nicht entgehen lassen. Man weiß nie, was man dabei entdecken kann.«

»Und haben Sie etwas entdeckt?«

»Ja.«

»Und zwar?«

»Zum Beispiel der Sarg.«

»Was war mit ihm?« fragte Kate. »Poliertes Holz. Einfach und geschmackvoll.«

»Genau«, bestätigte Van Cleve.

»Was haben Sie gegen einfach und geschmackvoll?«

»Keinen Metallsarg für eine Stuyvesant – dauerhaft, der langsamen Fäulnis widerstehend? Außerdem war er versiegelt. Niemand hatte Gelegenheit gehabt, die Leiche zu sehen, sei es in der Kirche oder an dem vorhergehenden Tag in einer Begräbniskapelle. Das hat mich veranlaßt nachzudenken. Aber noch mehr hat mich die Art gestört, wie die Sargträger ihre Last trugen.«

»Haben Sie deshalb einen von ihnen angehalten?«

»Er hielt mich für verrückt, als ich ihn fragte, ob der Sarg schwer sei.«

»Was sagte er?«

»Die Antwort war interessant. ›Woher soll ich das wissen? Ich war noch nie Sargträger. Aber er war wesentlich leichter, als ich erwartet habe.‹ Haben Sie das begriffen? Wesentlich leichter als erwartet.«

»Was bedeutet das Ganze, Mr. Van Cleve?«

»Es ist genau das, was ich wissen wollte. Vor allem, als das Begräbnis plötzlich auf heute festgesetzt wurde. Das heißt, daß Claudias Leiche der Familie zurückgegeben wurde, was ferner heißt, daß die Autopsie vorbei ist. Haben Sie etwas von einem Bericht des Leichenbeschauers gehört?«

»Nein.«

»Ich ebenfalls nicht«, erklärte Van Cleve. »Und warum hat keiner der Trauergäste die Leiche jemals zu Gesicht bekommen?«

»Manchmal, wenn der Tod die Folge eines schweren Unfalls ist oder wenn eine entstellende Autopsie vorgenommen wurde, weigert sich die Familie, die Leiche zur Schau zu stellen«, erklärte Kate.

»War das bei Claudia Stuyvesant der Fall?«

»Nein.«

»Wissen Sie, was ich vermute?« fragte Van Cleve. »Daß in dem Sarg keine Leiche lag.«

»Keine Leiche?« wiederholte Kate erschrocken. »Wozu dann das Begräbnis?«

»Genau das möchte ich wissen. Wenn in dem Sarg keine Leiche lag, was lag dann darin? Nur die Asche von der Einäscherung? Was verbirgt Stuyvesant?«

»Drogen?« schlug Kate vor.

»Sie haben mir gesagt, daß Sie in dieser Nacht einen toxikologischen Test machen ließen.«

»Das stimmt.«

»Wie lautet der Bericht?«

»Ich habe ihn nie gesehen. Als ich ihre Akte zum letzten Mal durchging, war er nicht dabei.«

»Dann holen wir ihn uns. Sofort!« sagte Van Cleve.

Obwohl Dr. Cummins eigentlich nur Lionel Trumbull gestattete, die Akte der Patientin Stuyvesant durchzusehen, gab er schließlich nach.

Kate und Van Cleve blätterten sie eifrig Seite um Seite durch, doch es war kein toxikologischer Bericht dabei.

»Seltsam«, sagte Kate. Sie hob den Hörer ab und bat die Dame in der Zentrale: »Bitte rufen Sie Dr. Briscoe.« Es dauerte beinahe zehn Minuten, bis das Telefon läutete. »Eric? Hier Kate. Haben Sie beim Stuyvesant-Fall jemals einen toxikologischen Bericht gesehen?«

»Ich habe nicht nachgesehen. Warum? Was ist los?«

»Das möchten wir gern wissen.«

»Wir?«

»Mein Anwalt und ich.«

»Anwalt? Sie haben einen persönlichen Anwalt?« Briscoes Ton wurde plötzlich vorsichtiger. »Warum?«

»Da es möglich ist, daß Stuyvesant gerichtlich gegen mich vorgeht, brauche ich einen eigenen Anwalt.«

»Ich verstehe«, antwortete Briscoe. »Aber ich habe nie einen toxikologischen Bericht gesehen.«

Jetzt konnte Kate nur noch den Techniker suchen, der die letzten Blutproben bearbeitet hatte, die sie am Samstagabend in das Labor geschickt hatte – es war eine Frau namens Carmelita Espinosa. Als Kate sie fand, war Mrs. Espinosa dabei, dem computerisierten Scanner die nächste Blutprobe einzugeben, um Angaben über einen neuen Patienten zu erhalten.

Sie beantwortete Kates Fragen kurz und präzis. Konnte sich Mrs. Espinosa daran erinnern, daß sie den Stuyvesant-Test gemacht hatte? Sie erinnerte sich an Tests und ihre Ergebnisse nie unter dem Patientennamen. Erinnerte sie sich an die Nacht mit dem Stuyvesant-Fall? Ja. Hatte sie in dieser Nacht toxikologische Tests gemacht? Ja, drei. Alle drei waren positiv.

»Alle drei waren positiv?« wiederholte Kate, um absolut sicherzugehen.

»Ja«, bestätigte Mrs. Espinosa.

»Haben Sie den Computerausdruck in die Notfallstation geschickt?«

»Ich schicke den Ausdruck immer an die Stelle, von der der Auftrag gekommen ist«, bestätigte Mrs. Espinosa.

16

Kate war erleichtert, als ein Anruf von Dr. Cummins' Sekretärin sie von ihrer Arbeit bei Dr. Troy erlöste. Sie hatte den alten Troy ins Herz geschlossen und bewunderte seinen Arbeitseifer. Doch es gelang ihr nicht, statistische Studien über die Wirksamkeit der Medizin als gleichwertigen Ersatz für die direkte Krankenbetreuung zu akzeptieren. Sie hoffte, daß Dr. Cummins sie nun wieder in ihrer ehemaligen Funktion als Assistenzärztin im Bereich der allgemeinen Medizin einsetzen würde, nachdem das Stuyvesant-Begräbnis vorbei war und sich die Aufregung über ihr Interview gelegt hatte.

Als Kate das Büro des Verwalters betrat, erwartete er sie stehend.

»Dr. Cummins...«

Er antwortete nicht, sondern sah sie nur voll unterdrückter Wut an. In der Hand hielt er ein dünnes Bündel Papiere. Kate erkannte mit einem Blick das Siegel des Büros des Leichenbeschauers im Distrikt New York.

»Vielleicht sollten Sie sich setzen, bevor Sie das lesen«, sagte Cummins.

Kate griff nach dem Bericht, nahm ihn vorsichtig in die Hand, setzte sich und begann zu lesen. Als sie mit dem ersten Absatz fertig war, mußte sie wider Willen zu Cummins aufblicken. Er zeigte auf den Bericht und befahl ihr weiterzulesen.

»...ektopische Schwangerschaft«, las sie ungläubig, »die eine Ruptur im linken Eileiter verursachte...«

»Was zu schweren inneren Blutungen... und zum Tod führte«, beendete Cummins den Satz. »Wenn Sie jetzt die Notizen in ihrer Akte, ihre Anzeichen und Symptome überprüfen, werden Sie feststellen, daß sie genau zu diesem Zustand passen.«

»Diese Anzeichen und Symptome paßten auch zu Dutzenden anderer Zustände«, widersprach Kate. »Außerdem habe ich das Becken untersucht.«

»Und dabei haben Sie das übersehen«, warf Cummins zornig ein.

»Auch Briscoe hat das Becken untersucht und nichts gefunden«, erwiderte Kate.

»Dennoch war dies die Diagnose, zu der Sie hätten gelangen können. Wenn Sie es getan und sofort den erforderlichen chirurgischen Eingriff veranlaßt hätten, wäre das Mädchen heute noch am Leben, Kate. Leider wird die Öffentlichkeit in dieser Tatsache eine Bestätigung für die Behauptung des Mediengeiers Gallante sehen, der sagte: ›Wenn nicht einmal die Reichen eine gute medizinische Betreuung erwarten können, was für Chancen hat dann der Durchschnittsbürger?‹«

»Sie hat zweimal geleugnet, daß sie sexuelle Beziehungen gehabt hatte...«, begann Kate.

»Sie hätten sich denken können, daß sie log.«

»Das tat ich. Deshalb habe ich einen Harn-Schwangerschaftstest gemacht. Er war negativ.«

»Laut diesem Bericht ist klar, daß Sie ein falsches Ergebnis bekamen«, erwiderte Cummins. »Falls wir jemals hoffen konnten, einer Klage wegen eines Kunstfehlers zu entgehen, dann zerstört dieses Dokument unsere Hoffnung. Es wird beim Prozeß eine Schlüsselrolle spielen. Ganz zu schweigen von Ihrer Anhörung vor dem Ausschuß.«

Kate reichte den Bericht geistesabwesend zurück. »Ich habe diesen Schwangerschaftstest schon Dutzende Male gemacht«, erklärte sie.

»Ich bedaure diese Entwicklung, Frau Dr. Forrester. Natürlich werden wir weiterhin unser Bestes für Sie tun«, erklärte Cummins. Aber er wirkte so hoffnungslos, daß er Kate an einen Collegeprofessor erinnerte, der ihr einmal gesagt hatte: »Ein Mann sagt nur dann, daß er sein Bestes tun wird, wenn er darauf gefaßt ist zu versagen.«

Kate bedrückte das Ergebnis der Autopsie so sehr, daß sie nicht in ihr Kellerbüro zurückkehrte, sondern durch die unterirdischen Tunnels des Krankenhaus-Komplexes zur Notaufnahme lief.

Dort suchte sie Raum C auf, in dem sie Claudia Stuyvesant behandelt hatte, entnahm das Kästchen, aus dem Schwester Cronin den Schwangerschafts-Testsatz für Claudia Stuyvesant geholt hatte, mehrere ähnliche Sätze und suchte auf jedem Karton das Ablaufdatum.

Vor dem 30. Dezember 1994 verbrauchen.

Das Zeug war noch über ein Jahr verwendbar. Sie hatte keinen Grund, dem Material in den Sets zu mißtrauen. Doch der Bericht des Leichenbeschauers bewies zweifelsfrei, daß ihr Test ein falsches, irreführendes Ergebnis erbracht hatte. Hatte sie einen Fehler begangen? Oder war sie das Opfer des kleinen Prozentsatzes an Fehlanzeigen, zu denen es gelegentlich kommt? Kate kehrte verwirrt in ihr Kellerbüro zurück. Dort fand sie neben dem Ausdruck auf ihrem Arbeitstisch eine Notiz, die Troy hinterlassen hatte, bevor er zum Lunch ging.

Rufen Sie Ihren Anwalt an. Dringend.

Ein unwilliges »Hier ist Van Cleve« begrüßte sie. Offenbar hatte er sich gerade in ein legales Dokument vertieft. Doch als er ihre Stimme hörte, nahm er das Gespräch in die Hand. »Wir müssen zusammenkommen, Doktor. Heute abend. Machen Sie sich auf eine lange Sitzung gefaßt. Ich habe gerade eine Kopie des Autopsieberichts erhalten.«

»Ich auch«, erwiderte sie.

»Dann wissen Sie, daß ich einige Antworten von Ihnen brauche. Einige sehr überzeugende Antworten. Ich belästige Sie nur ungern damit, die weite Fahrt in die Wall Street zu unternehmen, vor allem abends. Aber es ist wichtig, daß ich heute abend spätestens um achtzehn Uhr in meinem Büro mit Ihnen sprechen kann.«

Van Cleves sachliche Art war eine Herausforderung für Kate, und sie erwiderte im gleichen Ton: »Achtzehn Uhr, Mr. Van Cleve. Ich werde pünktlich sein.«

Bevor Van Cleve mit der Befragung begann, vergewisserte er sich, daß sie bequem saß. Er bot ihr Kaffee an, den sie ablehnte. Doch ihr wurde klar, daß die nächsten Stunden eine Tortur sein würden.

»Okay!« sagte Van Cleve schließlich und ließ sich in seinen Stuhl sinken. Dieses einfache, mißbrauchte Wort klang wie der erste Schuß einer erbitterten Schlacht. »Wir wissen, was der Leichenbeschauer gefunden hat, Frau Doktor.«

»Und wir haben auch eine Ahnung, warum ihn jemand dazu gebracht hat, seine Erkenntnisse erst nach Claudia Stuyvesants Begräbnis bekanntzugeben«, bemerkte Kate.

»Auf die Art ist der Skandal kleiner. Aber jeder, der Stuyvesant kennt, weiß noch etwas: Es wird definitiv zu einem Prozeß kommen. Und er wird bei dem Ausschuß eine Beschwerde gegen Sie einbringen. Seiner egozentrischen Anschauung zufolge haben Sie nicht nur seine Tochter getötet...«

Kate hatte seine nächsten Worte vorhergesehen: »Ich habe auch den Namen Stuyvesant in der Öffentlichkeit in den Schmutz gezogen.«

»Wir müssen also auf das Schlimmste gefaßt sein«, stellte Van Cleve fest. »Wir können die Befunde des Leichenbeschauers nicht widerlegen, das wissen wir. Dadurch sind wir gezwungen zu erklären, warum Sie diesen Zustand nicht erkannten.«

»Ektopische Schwangerschaften sind nicht immer leicht zu entdecken.«

Van Cleve schob ihre Unterbrechung mit einer Handbewegung beiseite und fuhr fort: »Leicht zu entdecken oder nicht, wir müssen der medizinischen Welt – und auch dem Publikum – zu ihrer Zufriedenheit beweisen, daß alles, was Sie getan haben, mit der üblichen ärztlichen Vorgehensweise übereinstimmt. Das ist der legale Test. Vor Gericht und bei der Anhörung.«

»Es stimmt mit ihr überein.« Kate behauptete ihren Standpunkt.

»Warum haben Sie dann ihren Zustand nicht erkannt?« fragte Van Cleve wie aus der Pistole geschossen.

»Eric Briscoe hat ihn ebenfalls nicht erkannt.«

»Das ist keine Entschuldigung. Außerdem hat Stuyvesant Briscoe nicht beschuldigt. Er konzentriert sich auf *Sie*. Was *Sie* getan haben. Was *Sie* gefunden haben. Und *nicht* gefunden haben und warum. Einschließlich aller Gedanken, die Ihnen durch den Kopf gingen, während Sie Claudia Stuyvesant behandelten.«

»Ich habe keine Ahnung, wo ich beginnen soll.«

»Beginnen Sie mit dem Anfang. Von dem Augenblick an, als Sie sie zum ersten Mal sahen.«

»Eigentlich habe ich die Mutter vor der Patientin gesehen.«

»Zur Mutter kommen wir später«, erklärte Van Cleve. »Beginnen Sie mit dem ersten Blick auf Ihre Patientin. Lassen Sie nichts aus. Überlassen Sie es mir zu beurteilen, was wichtig ist und was nicht.«

Kate schilderte Claudia Stuyvesants Krankengeschichte so detailliert, wie es ihr möglich war. Die Blutuntersuchungen, die sie veranlaßt hatte. Die Anzeichen, die ihr aufgefallen waren. Sie unterbrach sich zweimal und fragte: »Schildere ich es zu detailliert und zu kompliziert?«

»Nein, fahren Sie nur fort.« Er machte sich von Zeit zu Zeit Notizen.

Kate beschrieb also weiterhin detailliert und bemerkte dazu: »Das steht alles in der Akte der Patientin. Ich habe alles notiert.«

»Während des Prozesses oder der Anhörung wird man Ihnen nicht erlauben, Frau Doktor, einfach die Akte der Patientin vorzulesen. Sie müssen mit Ihren eigenen Worten aussagen. Also machen Sie weiter.«

Als Kate damit fertig war, alle Ereignisse des Abends zu schildern, bemerkte Van Cleve: »Sie sagten zu Beginn, daß Sie zuerst Mrs. Stuyvesant und dann ihre Tochter sahen.«

»Ja.«

»Das war für Sie anscheinend von Bedeutung. Warum?«

»Es war nicht zu übersehen, daß es zwischen ihnen Reibungen gab. Eine Spannung, die ich erst viel später verstand. Zu spät.«

»Und worum ging es dabei?« fragte Van Cleve.

»Als alles vorbei war, als Claudia tot war, hörten mehrere Personen, wie ihre Mutter sagte: ›Er wird mir die Schuld geben... Er wird mir die Schuld geben...‹«

»Und was hieß das Ihrer Ansicht nach?«

»Damals hielt ich es für seltsam, daß sie in einem so tragischen Augenblick so etwas sagte. Aber seit ich mehr über Stuyvesant erfahren habe, ist mir klar, wie groß die Angst sein muß, die seine Frau vor ihm empfindet.«

»Sie hatte Angst, daß er ihr die Schuld am Tod seiner Tochter geben würde?«

»Was auch eine Erklärung für ihre Besorgnis ist, als ich sie zum ersten Mal sah. Ihre Tochter war ausgezogen, lebte allein, sehr wahrscheinlich aus Trotz gegen die Wünsche ihres Vaters.«

»Stuyvesant warf seiner Frau also vor, daß sie nicht fähig gewesen war, ihre Tochter unter Kontrolle zu halten.«

»Ich spürte, daß dieser Konflikt Claudia daran hinderte, offen zu sprechen.«

»Bei welcher Frage hätte sie anders geantwortet, wenn sie offen gesprochen hätte?«

»Daß sie sexuell aktiv gewesen war. Das hätte meine Diagnose sicherlich beeinflußt. Und daß sie Drogen nahm.«

»Vorläufig wollen wir akzeptieren, daß sie Sie wegen der Drogen angelogen hat. Damit ich Sie entsprechend verteidigen kann, muß ich wissen, wie diese Tatsache das tragische Ende hätte beeinflussen können.«

»Das hängt davon ab, was sie nahm«, erklärte Kate. »Kokain, Engelstaub, Crack, Perc…«

»Perc?« fragte Van Cleve.

»Percodan«, erklärte Kate. »Jede Droge wirkt anders. Kokain kann sich sogar auf verschiedene Menschen verschieden auswirken, von einem leichten Rausch bis zu dem abrupten Aussetzen der gesamten Herztätigkeit. Letzteres führt zum sofortigen Tod.«

»Und die Auswirkung von Drogen auf eine ektopische Schwangerschaft? Wie hätte Sie das irreführen können?«

»Dazu müssen Sie den Unterschied zwischen einer normalen und einer ektopischen Schwangerschaft verstehen.«

»Lassen Sie sich Zeit. Erklären Sie. Es ist wichtig, daß ich es verstehe«, ließ Van Cleve nicht locker.

»Eine ektopische Schwangerschaft manifestiert sich nicht so wie eine normale Schwangerschaft. Bei einer normalen Schwangerschaft zum Beispiel ist die Gebärmutter fühlbar vergrößert, bei einer ektopischen wesentlich weniger. Bei einer normalen Schwangerschaft ist der Gebärmutterhals verfärbt, bei einer ektopischen muß das nicht der Fall sein. Der Gebärmutterhals könnte empfindlich sein, aber dafür könnte es auch andere Ursachen geben. Und man könnte eine weiche Masse entdecken.«

»*Könnte* entdecken«, wiederholte Van Cleve. »Warum *könnte*?«

»Es ist nicht immer möglich, sie zu fühlen. In diesem Fall fühlten weder Briscoe noch ich sie.«

Van Cleve begann, die Fakten aufzuzählen. »Wenn Sie es also

mit einer jungen Frau zu tun hatten, die leugnete, sexuell aktiv zu sein...«

»Und die leugnete, daß ihre Regel ausgeblieben war«, ergänzte Kate.

»Und wenn der Arzt keine weiche Masse fühlte, wenn die Gebärmutter nur geringfügig vergrößert war – Gebärmutterhals nicht verfärbt – die Schmerzen durch Drogen ausgeschaltet oder verringert – das alles könnte zusammen ein sehr irreleitendes Bild ergeben.«

»Da alle Symptome und Anzeichen auf eine Virusinfektion des Verdauungstraktes hinwiesen und sonst nichts feststellbar war, hätte kein Arzt eine Schwangerschaft, geschweige denn eine ektopische Schwangerschaft diagnostiziert.«

»Und dennoch war sie vorhanden. Drogen«, sagte Van Cleve plötzlich. »Können Drogen auch andere Auswirkungen auf diesen Fall gehabt haben?«

»Sie könnten sie abwechselnd lethargisch und schwerfällig gemacht und ihre Antworten beeinflußt und dann zur Hyperaktivität geführt haben. Sie könnten auch an der Übelkeit schuld sein.«

»Eine durch Drogen verursachte Übelkeit?«

»Oder durch etwas, das sie gegessen hatte, was zu ihren ersten Beschwerden paßte – Übelkeit, Erbrechen, Durchfall.«

»Die Übelkeit war also auch kein klares Symptom für einen bestimmten Zustand?«

»Genau.«

»Jedes ihrer Anzeichen stimmte also ein wenig nicht, aber keines war so beunruhigend, daß die Alarmglocken schrillten. Trotzdem ist sie an schweren inneren Blutungen gestorben. Hätten sich dabei nicht wichtige Anzeichen zeigen müssen?«

»Ihr Hämatokrit hätte ein Anzeichen sein können«, erklärte Kate.

»Hämatokrit? Was ist das?«

»Ein Teil jeden vollständigen Blutbilds; es zeigt die Zahl der roten Blutkörperchen an.«

»Wie funktioniert es?«

»Das Labor trennt die roten Blutkörperchen durch Schleudern vom Blutplasma. Dann vergleicht es die sich ergebende Säule von roten Blutkörperchen mit dem noch übrigen Plasma, um den prozentualen Anteil von roten Blutkörperchen im Blut festzustellen. Für eine Frau sind dreißig bis fünfunddreißig Prozent normal.«

»Und Claudias Hämatokrit in dieser Nacht?«

»Soweit ich mich erinnere, einunddreißig.«

»Dann war der Wert eindeutig normal.«

»Was sich als äußerst irreführend erwies«, sagte Kate.

»Wieso?« Van Cleve war allmählich frustriert.

»Betrachten Sie den gesamten Fall«, erklärte Kate. »Als sie zu uns kam, klagte sie über Übelkeit, Erbrechen und Durchfall. Was bedeutete, daß sie wahrscheinlich dehydriert war. Also hängte Schwester Cronin sie an eine Infusion.«

»Das war doch richtig, oder?« fragte Van Cleve. Kate nickte. »Und was ging dann schief?«

»Wenn ein Patient dehydriert ist, scheint die Zahl der roten Blutkörperchen höher zu sein, als sie wirklich ist.«

Jetzt war Van Cleve wirklich verwirrt. »Was versuchen Sie mir zu erklären, Frau Doktor?«

»Die Dehydrierung entzieht dem Blut Feuchtigkeit. Dadurch wird die Plasmamenge geringer, und durch den Vergleich erscheint die Zahl der roten Blutkörperchen höher, als sie eigentlich ist.«

Van Cleve begriff allmählich. »Infolge der Blutungen hätte die Zahl der roten Blutkörperchen niedrig sein müssen, doch infolge der Dehydrierung erschien sie höher, als sie war.«

»Sie bekommen ein Sehr gut plus.«

»Das Ganze ist ein einziges, riesiges Puzzle. Und wenn Teile fehlen oder nicht in Ordnung sind, bekommt man das Puzzle nicht zusammen.«

»So wie die Ärzte keine genaue Diagnose stellen können, wenn sie nicht alle Fakten besitzen.«

Van Cleve schob seinen Notizblock weg und begann, im

engen Raum seines kleinen Büros auf und ab zu gehen. Plötzlich wandte er sich Kate zu.

»Aber es gab ein Element, das alle anderen an die richtige Stelle gerückt hätte. Es hätte sogar die fehlenden Informationen unnötig gemacht. Der Schwangerschaftstest.«

»Ja«, bestätigte Kate. »Der Schwangerschaftstest.«

»Wie kommt es, daß Ihr Resultat negativ war, während der Leichenbeschauer eine Schwangerschaft feststellte?«

»Kein medizinischer Test ist hundertprozentig sicher«, erklärte Kate.

Van Cleve begann jetzt, laut zu denken. »Ich muß demnächst zu Gericht gehen oder vor das Anhörungskomitee des staatlichen Ausschusses treten und erklären: ›Meine Klientin Frau Dr. Forrester machte alles richtig, aber sie wurde durch ein falsches Testergebnis irregeleitet, weil kein medizinischer Test hundertprozentig sicher ist.‹ Kein sehr starkes Argument.«

»Ich versuchte, ein Sonogramm zu bekommen, um das Ergebnis zu bestätigen, aber kein qualifizierter Techniker war verfügbar. Sie müssen sich klarmachen, unter welchen Bedingungen wir in der Notfallstation arbeiten. Sehr lange Arbeitszeiten ohne Unterbrechungen. Überfüllte Räume. Zu wenig Untersuchungszimmer. Manchmal müssen wir Patienten auf Fahrbahnen in den Korridoren behandeln. Und es sind mehr Patienten vorhanden, als der Arzt Zeit hat. Jeder Patient erhält bei uns die beste Behandlung, die möglich ist.«

»Ist Ihnen klar, Frau Dr. Forrester, was Sie gerade zugegeben haben?« fragte Van Cleve im anklagenden Tonfall des gegnerischen Anwalts.

»Zugegeben?« fragte Kate verständnislos.

»Sie haben praktisch gesagt, daß Sie infolge der Umstände Claudia keine gute medizinische Versorgung zuteil werden ließen.«

»Ich habe ihr eine gute medizinische Versorgung zuteil werden lassen«, protestierte Kate.

»Sie ließen ihr ›die beste Versorgung‹ zuteil werden, die möglich war. Sie könnten genausogut sagen, daß es keine vollkommene Versorgung, nicht einmal eine gute Versorgung war. Nur das Beste, das Sie unter schwierigen Umständen bieten konnten. ›Schwierige Umstände‹ sind keine Entschuldigung für einen unnötigen Tod. Sie können Ihrem Glücksstern danken, Frau Doktor, daß eine Versicherungsgesellschaft Sie im Fall eines Kunstfehlers verteidigt.«

»Und was ist mit der Anhörung und meiner Karriere? Mr. Van Cleve, ich habe acht Jahre lang studiert und zwei Jahre als Assistenzärztin gearbeitet. Es war mein Traumberuf. Ich half seit der High School freiwillig in den örtlichen Krankenhäusern aus, ich träumte davon, Arzt zu sein, Menschen zu behandeln, sie zu heilen. Es kann nicht… Ich meine, sie können nicht…« Dann sagte sie entschiedener: »Ich werde nicht zulassen, daß sie mir das wegnehmen.«

»Ich werde mein Bestes tun, um Ihnen zu helfen«, versicherte ihr Van Cleve. Die Ehrlichkeit zwang ihn zuzugeben, daß er ihr nichts versprechen konnte.

Kate war in das Büro von Trumbull, Drummond & Baines gekommen, weil sie Schutz vor einem staatlichen Verfahren suchte, das ihre kurze Karriere sehr rasch beenden konnte. Als sie sich verabschiedete, fühlte sie sich wesentlich gefährdeter als bei ihrem Eintreffen.

Van Cleve sah ihr beunruhigt nach. Noch mehr als damals, als er sie kennenlernte, war ihm ihr entschlossenes Gesicht bewußt, das klar und deutlich besagte, daß sie ihr Leben dem medizinischen Beruf widmen wollte. Doch diese Entschlossenheit verstärkte nur seine Angst.

Ich kann damit nicht zu Gericht gehen, wurde ihm klar. Ich kann es auf keinen Fall zu einer Anhörung kommen lassen. Es muß einen Weg geben, beide Möglichkeiten auszuschalten. Es muß diesen Weg geben, wiederholte er im Geist. Aber schließlich mußte er sich eingestehen: Es gibt vielleicht einen Weg. Falls wir Glück haben und er uns einfällt. Doch das Glück ist etwas sehr Zerbrechliches und Schwieriges, auf das man sich kaum in einem Fall wie diesem mit seinen möglichen drastischen Folgen verlassen kann.

150

An diesem Abend verließ er sein Büro viel später als sonst und zermarterte sich das Gehirn, um eine Lösung zu finden.

Eines wußte er. Er hatte nichts dagegen, eine junge Frau kennenzulernen, die so attraktiv und überzeugend war wie Kate Forrester, aber auf keinen Fall unter diesen Umständen.

Scott Van Cleve lebte in einer kleinen Wohnung im dritten Stock eines Backsteinhauses in den East Sixties. Als das Taxi vor dem Haus hielt, rief Scott dem Fahrer zu: »City-Krankenhaus.«

»City-Krankenhaus?« Der Fahrer drehte sich zu ihm um. »Das ist durch den Park auf der West Side.«

»Ich weiß. City-Krankenhaus.«

»Sagen Sie, Mann, ist Ihnen nicht gut oder sonstwas?« fragte der Fahrer. »Es gibt Krankenhäuser, die viel näher sind.«

»Mir fehlt nichts. Ich bin nur neugierig.«

»Ihm fehlt nichts. Er ist nur neugierig«, wiederholte der Fahrer mehr verärgert als besorgt. »Okay, Mister Neugierig. Der Fahrgast hat immer recht. Er ist vielleicht verrückt, aber er hat immer recht. City-Krankenhaus.«

Zehn Minuten später hielt das Taxi vor dem Notfalleingang des City-Krankenhauses.

»Wenn Sie warten, es sind nur ein paar Minuten«, sagte Scott.

»Bezahlen Sie mich lieber jetzt, Mister Neugierig. Wenn Sie da hineingehen, kommen Sie vielleicht nicht lebend heraus. Vor allem dann, wenn Sie der Ärztin in die Hände fallen, von der ich gehört habe.«

Scotts erste Reaktion war, scharf zu antworten, aber er sagte nichts und bezahlte den Fahrer; das Trinkgeld fiel kleiner aus, als er vorgehabt hatte. Dann machte er sich auf den Weg in die Notfallstation.

Er wartete in der Nähe des Eingangs, bis die diensthabende Schwester mit einer hysterischen Mutter und einem kranken Kind beschäftigt war. Dann schlüpfte er an ihr vorbei und ging den Korridor hinunter. An der Wand standen zwei Fahrbahnen mit Patienten. Einer war an eine Infusion auf einem Ständer angehängt, der zweite wand sich stöhnend vor Schmerzen, was die Geräuschkulisse aus weinenden Kindern, in mehreren Sprachen streitenden Eltern, lauten Befehlen, Forderungen nach Geräten von Schwestern, Pflegern und den beiden Nachtdienst-Ärzten verstärkte.

Er ging an den offenen Türen der Untersuchungs- und Behandlungsräume vorbei. Jeder war besetzt. Manche Patienten warteten auf Behandlung, andere bekamen sie. Schwestern gingen von Raum zu Raum, sahen hinein, überprüften den Zustand des Patienten und gingen zum nächsten Zimmer.

Als ihn der Sicherheitsmann Tolson stellte und ihm energisch befahl zu verschwinden, hatte sich Scott davon überzeugt, daß alles so war, wie seine Klientin es ihm geschildert hatte. Spätnachts war die Notfallstation ein Irrenhaus, ein organisiertes Irrenhaus. Daß die meisten Patienten richtig behandelt wurden und sich daraufhin besser fühlten, so daß man sie in gutem Zustand nach Hause oder zu anderen Abteilungen schicken konnte, grenzte an ein Wunder ...

Dr. Kate Forrester hatte die Tatsachen nicht übertrieben dargestellt, um ihr Verhalten zu rechtfertigen. Doch diese Gewißheit brachte Scott keiner juristischen Strategie näher, mit deren Hilfe er den Prozeß oder die Anhörung wegen des Entzugs ihrer Lizenz vermeiden konnte.

17

Die Veröffentlichung des Autopsieberichts im Fall Claudia Stuyvesant zog erhebliche Auswirkungen nach sich.

Gleich am nächsten Morgen fand im Konferenzraum von Trumbull, Drummond & Baines eine allgemeine Sitzung statt. Sie wurde als so wichtig eingestuft, daß alle drei leitenden Partner sowie Dr. Cummins und Marcus Naughton, der Präsident des Treuhänderausschusses des City-Krankenhauses, anwesend waren. Scott Van Cleve war ebenfalls eingeladen worden.

Lionel Trumbull eröffnete die Sitzung mit einer lakonischen, nicht gerade juristischen Feststellung. »Gentlemen, wir stecken bis zum Arsch in Schwierigkeiten.«

»Das weiß ich«, stimmte der Vorsitzende des Krankenhausausschusses grimmig zu. »Der Bericht des Leichenbeschauers ist der Todeskuß. Das ist nicht als Witz gedacht. Durch ihn sind wir hilflos. Vollkommen hilflos.«

»Nicht nur das«, stellte Trumbull fest, »sondern die Öffentlichkeit weiß jetzt auch, daß Stuyvesants unverheiratete Tochter ein Kind erwartete. Das ist die Art von Schande, die ein Mensch wie er nicht auf sich sitzenläßt. Jetzt wird er einfach aus Wut klagen. Und natürlich den Mond verlangen.«

»Und ihn bekommen«, fügte Cummins betrübt hinzu.

»Hat seit der Veröffentlichung der Autopsie jemand schon etwas von der Versicherungsgesellschaft gehört?« erkundigte sich Drummond.

»Kein Wort«, erwiderte Trumbull, »und das macht mir am meisten zu schaffen. Stellen Sie sich nur ihre Bibliothek in diesem Augenblick vor. Ein Dutzend junger Anwälte spürt jede mögliche Entscheidung auf, die ihnen ermöglicht, sich dieser Verpflichtung zu entziehen.«

»Geraten wir nicht in Panik, Lionel«, meinte Drummond. »Wenn wir es richtig anstellen, könnte Stuyvesant wahrscheinlich dazu gebracht werden, die Geschichte still und leise zu beenden. Natürlich zuzüglich ein paar Millionen Dollar.«

»Nur ein paar Millionen?« fragte Cummins. »Die Versicherungsgesellschaft wird vielleicht darauf einsteigen.«

»Auf wieviel wird sie einsteigen? Das ist das erste, was wir herausfinden müssen«, erklärte Trumbull.

»Und das zweite?« wollte Cummins wissen.

»Wer mit Stuyvesant spricht.« Trumbull wandte sich an den Ausschußvorsitzenden Naughton. »Stuyvesant ist doch im gleichen Golfklub wie Sie, Marc, oder?«

»Ja, aber ich kenne ihn kaum«, wehrte Naughton ab. »Ich habe einige Male einen Vierer mit ihm gespielt, aber das ist nicht das gleiche wie jemanden kennen. Außerdem liegt ihm Golf nicht besonders. Er ist vor allem Sportsegler.«

»Kennen wir jemanden, der ihm auf diesem Gebiet nahesteht?« fragte Trumbull. »Jemanden, der von Mann zu Mann mit ihm sprechen kann?«

»Im Verwaltungsrat des Krankenhauses gibt es einen sehr guten Sportsegler – Harry Lindsay«, schlug Naughton vor.

»Kontaktieren Sie Lindsay, und stellen Sie fest, ob er mit Stuyvesant sprechen würde«, sagte Trumbull. »Inzwischen müssen wir uns einen Plan zurechtlegen, auf den der alte Schuft einsteigt. Ich warte auf Vorschläge.« Er sah sich im Kreis um, aber niemand rührte sich.

Scott Van Cleve benützte die Pause, um das Wort zu ergreifen. »Für einen Mann wie Stuyvesant stellen ein paar Millionen Dollar keinen echten Anreiz dar.«

»Das wissen wir bereits.« Trumbull verbarg keineswegs, daß er über den jungen Van Cleve verärgert war, der wichtigtuerisch Offensichtliches feststellte.

Aber Van Cleve gab nicht auf. »Ich wollte gerade sagen, daß er in bezug auf seinen Ruf in der Öffentlichkeit sehr empfindlich ist. Wir sollten ihn bei seiner Eitelkeit packen.«

»Er ist ein empörter, in der Öffentlichkeit bloßgestellter Vater, für den Eitelkeit im Augenblick unwichtig ist«, widersprach Cummins.

»Es sei denn, wir nützen diese Tatsache zu unserem Vorteil aus«, sagte Van Cleve.

Weil von niemandem andere Vorschläge kamen, wandte sich Trumbull wieder dem jungen Van Cleve zu; er hatte vor, jeden Vorschlag dieses Grünschnabels herunterzumachen. »Ja, Van Cleve?«

»Wenn Lindsay ihn aufsucht, sollte er ihn natürlich bedauern. Was seiner Tochter zugestoßen ist, war eine schreckliche Tragödie. Jeder fühlt mit seinem Schock und seinem Kummer. Aber ein großer Mann – und hier muß Lindsay sein Argument anbringen – verwandelt ein Unglück in einen Gewinn.«

»Wie kann der Verlust einer Tochter in einen Gewinn für den Vater verwandelt werden?« wollte Cummins wissen.

»Ich habe ziemlich viel über Ihre Notaufnahme gehört, Dr. Cummins.«

»Tatsächlich? Von wem?«

»Von meiner Klientin.«

»Ich würde Dr. Forrester zur Zeit nicht als objektive Informationsquelle betrachten«, erwiderte Cummins.

»Da ich der gleichen Ansicht war, stellte ich persönlich Nachforschungen an. Mit allem gebotenen Respekt, Dr. Cummins – Ihre Notaufnahme ist alt, heruntergekommen und überfordert. Das Personal arbeitet bis zum Umfallen, um die Patienten zu versorgen. Kranke werden im Korridor behandelt, weil es nicht genügend Untersuchungsräume gibt.«

»Wir tun mit dem uns zur Verfügung stehenden Geld das Bestmögliche«, protestierte Cummins.

»Genau, Doktor«, fuhr Van Cleve fort. »Was wäre, wenn jemand zu Claude Stuyvesant ginge und sagte: ›Sie sind ein großer Mann in dieser Stadt, C. J. Ein bedeutender Mann. Bei Ihren Millionen bedeutet Ihnen Geld nicht viel. Nehmen wir diese Tragödie zum Anlaß, um etwas Gutes zu tun.‹ Damit weckt unser Abgesandter sicherlich Stuyvesants Neugierde und fährt fort: ›Zum Gedenken an Ihre Tochter und um etwas Gutes für die Allgemeinheit zu tun, könnten Sie die zwei Millionen Dollar der Versicherungsgesellschaft der Claudia-Stuyvesant-Gedächtnis-Notaufnahme im City-Krankenhaus spenden.‹«

Die Männer am Tisch hörten Van Cleve jetzt interessiert zu. Er fuhr fort:

»Vielleicht sollte Lindsay sogar in einer der hektischen Nächte Stuyvesant dorthinbringen. Er soll es selbst sehen. Die Kranken; ihre Familien; die übermüdeten, ungebärdigen kleinen Kinder, die man nicht zu Hause lassen kann, obwohl sie schon im Bett liegen und schlafen sollten. Sogar ein harter Mann wie Stuyvesant würde sich davon beeindrucken lassen. Und Lindsay müßte natürlich geschickt darauf hinweisen, wie begeistert die Öffentlichkeit auf eine so hochherzige Geste reagieren würde.«

»Nicht schlecht, Kollege, nicht schlecht«, gab Trumbull zu.

»Natürlich gehört zu diesem Abkommen, daß er alle Klagen gegen das Krankenhaus und sämtliche Beteiligten zurückzieht«, schloß Van Cleve.

»Natürlich«, stimmte Trumbull zu. »Darum geht es ja bei dieser Besprechung.«

Van Cleve lehnte sich zurück; er war davon überzeugt, daß seine Strategie auch seine Klientin davor schützen würde, daß die Stadt New York ihre Lizenz widerrief.

Trumbull wandte sich wieder an Naughton. »Ich nehme an, Marc, daß Sie Lindsay sofort kontaktieren werden. Erklären Sie ihm genau, was wir von ihm erwarten.«

»Sobald ich in meinem Büro eingetroffen bin«, versicherte ihm Naughton.

Sobald Van Cleves Strategie gebilligt worden war, konnte er es nicht erwarten, zu einem Telefon zu gelangen. Er spürte Kate im Büro von Dr. Troy auf.

»Ich glaube, daß Ihr Alptraum vorbei ist, Frau Doktor«, begann er.

»Wieso?« fragte Kate, die kaum zu atmen wagte.

Er stellte sich vor, wie ihr reizendes Gesicht aufleuchten, ihre blauen Augen endlich wieder glücklich strahlen würden.

»Ich habe einen Weg gefunden, um die ganze Angelegenheit zu erledigen, allen, Sie inbegriffen, aus der Patsche zu helfen und sogar eine neue, verbesserte Notaufnahme für das City-Krankenhaus zu erhalten.«

»Das klingt großartig«, sagte Kate begeistert.

»Natürlich muß Stuyvesant darauf einsteigen, aber das wird er meiner Ansicht nach tun. Die anderen nehmen es ebenfalls an.«

»Vielleicht werde ich endlich eine Nacht durchschlafen«, seufzte Kate.

»Es war eine scheußliche Zeit, nicht wahr?«

Seit der Nacht, in der Claudia Stuyvesant gestorben war, hatte Kate niemandem ihre Ängste anvertraut, nicht einmal Rosie Chung, die sie wirklich gut kannte. Angesichts dieses Freispruchs sprudelten die Worte aus ihr hervor.

»Es war die Hölle«, gab sie zu. »Ich liege schlaflos im Bett. Dann schlafe ich endlich ein und fahre einige Minuten später wieder hoch, weil ich Angst habe, was geschehen könnte. Ich schlafe wieder ein, fahre wieder hoch, erlebe diese Nacht, diesen Fall noch einmal, versuche einzuschlafen, döse ein, und dann kommt der nächste Schock.«

»Es klingt tatsächlich wie die Hölle«, sagte Van Cleve mitfühlend. »Also falls mein Plan gelingt, ist alles vorbei.«

»Danke. Vielen Dank, Mr. Van Cleve.«

Als Harry Lindsay Stuyvesant anrief, um ein Treffen mit ihm zu vereinbaren, nahm dieser an, es ginge um den Bau einer neuen Yacht, mit der man den America's Cup gegen die Australier verteidigen konnte. Deshalb lud er Lindsay zum Lunch im Yacht Club in der Vierundvierzigsten Straße ein.

Bei den Drinks schlug das Gespräch die Richtung ein, die Stuyvesant erwartet hatte. Später, beim Lunch, gingen sie detaillierter darauf ein, wie man beim Bauch der Yacht alle Vorschriften einhalten und die Australier dennoch schlagen konnte. Erst beim Kaffee brachte Lindsay das Gespräch auf seinen wahren Auftrag.

»Aus Achtung vor Ihren Gefühlen habe ich es vermieden, C. J., über Ihren schmerzlichen Verlust zu sprechen«, begann er. »Doch es gibt Zeiten, in denen aus einer Tragödie etwas Gutes entstehen kann. Etwas wirklich Gutes für die Allgemeinheit.«

»Wenn Sie mir einreden wollen, daß es für die Allgemeinheit etwas Gutes bringt, wenn ein Mann sein einziges Kind verliert, dann sind Sie verrückt«, erklärte Stuyvesant bitter.

»Sie haben absolut das Recht, mir zu sagen, ich soll den Mund halten, oder aufzustehen und fortzugehen. Aber Sie würden mir persönlich einen Gefallen erweisen, wenn Sie mir wenigstens zuhörten.«

»Niemand hat mir je vorgeworfen, daß ich vernünftigen Argumenten nicht zugänglich bin«, erklärte Stuyvesant laut und unwirsch.

Lindsay fühlte sich nicht gerade ermutigt, aber er hatte wenigstens Gelegenheit bekommen, sich zu äußern. »Wie wäre es, wenn es eine Möglichkeit gäbe, den Menschen den Namen Claudia Stuyvesant so einzuprägen, daß sie ihn segnen?«

Stuyvesant starrte ihn zweifelnd und noch immer zornig über den Tisch hinweg an. Aber er wartete sichtlich auf weitere Einzelheiten.

»Würden Sie anderen Vätern das gleiche wünschen, das Ihnen widerfahren ist?« Stuyvesant wußte, daß dies eine rhetorische Frage war, und Lindsay fuhr fort. »Sie haben die Möglichkeit, eine zweite solche Tragödie zu verhindern.«

»Wie?« fragte Stuyvesant mürrisch, aber doch neugierig.

»Waren Sie jemals in der Notaufnahme des City-Krankenhauses?«

»Natürlich nicht.«

»Sie sollten einmal nachts dorthingehen. Sehen, wie überfüllt sie ist, wie überarbeitet das Personal, wie alt und abgenützt die Anlage. Dann stellen Sie sich vor, was eine neue Notaufnahme für die Armen dieser Stadt und die anderen Menschen, die sich auf sie verlassen, bedeuten würde.«

»Wenn Sie mir eine Spende entlocken wollen, Harry, können Sie den Scheck morgen früh haben. Sie müssen nur den Betrag nennen.«

Lindsay überlegte kurz, dann sagte er: »Zwei Millionen Dollar.«

»Zwei Millionen…« wiederholte Stuyvesant verblüfft. »Als Sie von einem Beitrag sprachen, dachte ich an das Übliche – hunderttausend. Aber zwei Millionen…«

»Und was ist, wenn es Sie keinen Cent kostet?«

»Was soll das heißen?«

»Die Versicherungsgesellschaft hat uns zu verstehen gegeben, daß sie bereit wäre, mit Ihnen einen Vergleich über zwei Millionen abzuschließen. Wenn Sie dieses Geld dem City-Krankenhaus für eine Claudia-Stuyvesant-Gedächtnis-Notaufnahme spenden, würde der Name Ihrer Tochter für immer im Gedächtnis der Menschen weiterleben. Und das Ganze würde Sie selbst keinen Cent kosten. Es wird zu einer buchhalterischen Transaktion. Ich habe es noch nicht überprüft, aber es könnte sogar ein beträchtlicher Steuervorteil für Sie drinsein.«

»Claudia-Stuyvesant-Gedächtnis ...« murmelte Stuyvesant.

»C. J.?«

»Ich weiß nicht, was in den letzten Jahren in das Mädchen gefahren ist. Aufsässig! Vielleicht war meine Frau daran schuld, weil sie ihr zuviel Freiheit ließ, und ich war mit meinen Unternehmungen beschäftigt«, sagte er leise. »In unserer Zeit gibt es keine richtige Art, wie man ein Kind großzieht, Harry. Man gibt ihnen alles, aber es funktioniert nicht. Heutzutage scheint überhaupt nichts zu funktionieren, überhaupt nichts.«

Stuyvesant wollte sich noch eine Tasse Kaffee einschenken, erkannte jedoch, daß er sich nur vor einem schmerzhaften Geständnis drücken wollte. Er stellte die silberne Kaffeekanne ab und warf Lindsay einen Blick zu.

»Sie wissen, woran Claudia gestorben ist, Harry?«

»Ich habe es gehört.«

»Inzwischen haben es sehr viele Leute gehört. Ektopische Schwangerschaft, durch die es zu einer Ruptur kam, die eine Blutung verursachte.« Es war das schmerzlichste Geständnis, das dieser stolze Mann in seinem Leben gemacht hatte. »Ich hätte alles gegeben, alles getan ... Aber sie kam nie zu mir – nie.«

»C. J., Sie sollten dieses traurige Kapitel in Ihrem Leben Vergangenheit sein lassen. Die Menschen sollen sich nur daran erinnern, daß Claudias Tod zu einer hochherzigen karitativen Tat führte, aus der diese Stadt großen Nutzen zog.«

Stuyvesant trommelte mit den Fingern auf das steife weiße Leinentischtuch, dann nickte er. »Sie bekommen das Geld, Harry.«

»Sie schließen also mit der Versicherungsgesellschaft einen Vergleich und ergreifen keine weiteren gerichtlichen Schritte gegen uns?« fragte Lindsay, um die Abmachung zu bestätigen.

»Ja, ich verzichte auf den Prozeß.«

»Gut!« Lindsay wußte, daß er seinen Auftrag erfolgreich durchgeführt hatte.

»Aber diese Ärztin…« sagte Stuyvesant.

»Sie ist ebenfalls durch die Versicherungspolice des Krankenhauses gedeckt. Sie werden nicht nur den halben Anspruch vergleichen.«

»Das meine ich nicht. Verdammt, eine Entscheidung, daß ein Kunstfehler vorliegt, ist nicht einmal das Papier wert, auf dem sie steht. Ich will, daß eine Jury von ihresgleichen über die Art urteilt, wie sie im Fall meiner Tochter vorgegangen ist.«

»Sie meinen, vor dem Ausschuß?«

»Meine Anwälte haben bereits meine Klage eingebracht. Ich will, daß sie vor dem Ausschuß steht, wo weder eine Versicherungsgesellschaft oder ein Krankenhaus sie schützen. Ich werde dafür sorgen, daß sie nie wieder medizinisch tätig ist.«

»Ich weiß nicht, wie das Krankenhaus darauf reagieren wird. Sie möchten das Ganze hinter sich bringen.«

»Entweder sie überlassen mir die Frau, oder es gibt keinen Claudia-Stuyvesant-Gedächtnis-Flügel.«

Dr. Cummins, Scott Van Cleve und der Anwalt der Versicherungsgesellschaft nahmen an einem kleinen Konferenztisch in Trumbulls Büro Harry Lindsays Bericht über sein Treffen mit Claude Stuyvesant entgegen.

»Das ist also die Abmachung, Gentlemen. Zwei Millionen an das City-Krankenhaus für eine Claudia-Stuyvesant-Gedächtnis-Notaufnahme.«

»Das haben Sie verdammt gut gemacht, Harry«, sagte Trumbull. Er wandte sich dem Anwalt der Versicherung zu. »Wie steht Ihre Gesellschaft dazu?«

»Zwei Millionen plus vollkommener Verzicht auf alle Ansprüche wegen eines Kunstfehlers?«

»Richtig«, bestätigte Lindsay.

»Wir können von Glück reden, daß wir mit diesem Betrag davonkommen«, gestand der Versicherungsanwalt. »Ich setze die Papiere auf.«

»Damit ist auch Dr. Forrester gedeckt, nicht wahr?« warf Van Cleve ein.

»Natürlich«, bestätigte Lindsay, gab jedoch dann zu: »Soweit es um die Klage wegen eines Kunstfehlers geht.«

»Was heißt das genau?« ließ Van Cleve nicht locker.

»Stuyvesant behält sich das Recht vor, eine Anhörung vor dem Ausschuß zu beantragen«, erwiderte Lindsay. »Er hat die Klage schon eingebracht.«

»Er kann nicht auf der einen Seite einen Vergleich schließen und auf der anderen seine Vendetta fortsetzen«, protestierte Van Cleve. »Das ist nicht das, was ich bei unserer letzten Besprechung vorgeschlagen habe. Alle sollten frei und unbelastet sein.«

Trumbull sah sich gezwungen, die Besprechung in die Hand zu nehmen. »Wir dürfen nicht zulassen, daß unsere persönlichen Gefühle die Oberhand gewinnen. Schließlich sind wir Anwälte. Unser Klient, das City-Krankenhaus, ist gesetzlich nur dazu verpflichtet, Dr. Forrester gegen jede Klage wegen eines Kunstfehlers zu verteidigen. Das haben wir getan.«

»Wir überlassen es Dr. Forrester, sich vor einem Ausschuß selbst gegen ungerechtfertigte Anschuldigungen eines Mannes zu verteidigen, der in dieser Stadt und diesem Staat über eine keineswegs geringe politische Macht verfügt. Ist das fair?« fragte Van Cleve.

»Wie immer Sie es formulieren, das Krankenhaus, die Versicherungsgesellschaft und die Anwaltsfirma haben alles getan, wozu wir Frau Dr. Forrester gegenüber gesetzlich verpflichtet sind«, erklärte Trumbull entschieden.

»Genau«, bestätigte Cummins. »Wir sind bereit, Dr. Forrester bis zum Ende ihres Vertrags bei uns zu beschäftigen, was, soviel ich weiß, in zehn Monaten ist, außer, der Ausschuß erklärt sie für schuldig. In diesem Fall endet der Vertrag automatisch. Und damit sind wir mit der ganzen widerlichen Affäre fertig.«

»Fühlen Sie sich ihr gegenüber überhaupt nicht verpflichtet?« ließ Van Cleve nicht locker. »Sie ist eine loyale, engagierte und äußerst fähige junge Ärztin, die ihrem Berufsstand zur Ehre gereicht.«

»Ich würde in diesem Fall kaum sagen, daß sie unserem Krankenhaus zur Ehre gereicht hat«, erwiderte Cummins.

»Also wird sie isoliert, unter Quarantäne gestellt, als Fremdkörper behandelt. Wir sind unfehlbar, und sie hat unseren ausgezeichneten Ruf befleckt«, sagte Van Cleve zornig. »Jener, der frei von Sünden ist, möge den ersten Stein werfen, Doktor.«

Cummins stieg die Zornröte ins Gesicht. Trumbull kam ihm zu Hilfe. »Sie leiten keine riesige Institution wie das City-Krankenhaus, Van Cleve, aber Dr. Cummins tut es. Wir werden uns in diesem Fall daher an sein Urteil halten. Gentlemen, Harry Lindsay hat ausgezeichnete Arbeit geleistet und verdient unseren Dank. Erledigen wir jetzt die schriftliche Arbeit an dieser Abmachung, bevor Stuyvesant es sich anders überlegt.«

Die Männer schüttelten Lindsay gratulierend die Hand und verließen dann das Büro. Als Van Cleve ihnen folgen wollte, rief Trumbull: »Van Cleve, einen Augenblick, bitte?«

»Ja, Sir?« Van Cleve kehrte zum Konferenztisch zurück.

»Es ist nicht zu übersehen, daß Sie in der Sache Forrester sehr emotionell reagieren. Das könnte daher kommen, daß Sie so engagiert für die sozial Schwächeren eintreten. *Oder...*« Er machte eine Pause, bevor er fortfuhr. »Oder könnte es sein, daß Sie sich nicht für den Fall Dr. Forrester, sondern für die Ärztin selbst interessieren? Verständlich. Sie ist eine sehr attraktive junge Frau.«

Van Cleve wollte es zuerst leugnen, aber Trumbulls Bemerkung enthielt sehr viel Wahres, so daß er es nicht einmal vor sich selbst leugnen konnte.

»Nun, mein Sohn, Ihr Privatleben ist Ihre Sache. Aber ich möchte über etwas anderes mit Ihnen sprechen. Als ich Sie für diese Firma anwarb, lauschte ich Ihren hochfliegenden Vorsätzen, ohne Entgelt zu arbeiten. Ich sagte mir: ›Er gehört zu der neuen Generation, steckt voller erhabener, idealistischer Vorstellungen von der Justiz, wie alle jungen Kreuzritter.‹ Ich halte das für großartig. Bei einem *sehr jungen* Anwalt. Daher dachte ich: ›Sobald er eine Weile in dieser Firma arbeitet und sieht, wie sich andere junge Männer voll auf Gesellschaftsrecht spezialisieren und drei-, vier- und fünfmal soviel verdienen wie er, wird er sich ändern.‹ Das tun alle. Sie sind der einzige, der es nicht getan hat. Ich kann Ihnen gar nicht sagen, wie oft ich Sie bei Besprechungen mit den Partnern verteidigen muß.«

»Ich habe meinen Teil unserer Abmachung eingehalten«, warf Van Cleve ein.

»Niemand behauptet, daß Sie das nicht getan haben. Aber wir erwarteten, daß Sie reifer werden würden. Die Zeit. Die Umstände. Der Wettstreit. All dies hätte Sie verändern müssen, so wie es den anderen ging. In Ihrem Fall jedoch...« Trumbull schüttelte den Kopf. »Deshalb finde ich, daß ich bei dem Forrester-Fall einen Strich ziehen muß.«

»Einen Strich ziehen muß?« fragte Van Cleve verständnislos.

»Sobald die Abmachung Stuyvesant rechtskräftig ist, endet unsere Verantwortung Frau Dr. Forrester gegenüber.«

»Und das heißt?«

»Ihre Anhörung vor dem Ausschuß für Professionelles Ärztliches Verhalten ist eine rein persönliche Angelegenheit. Sie muß sich selbst verteidigen.«

»Heißt das, daß ich mit dem Fall nichts mehr zu tun habe?« fragte Van Cleve.

»Das heißt, daß Trumbull, Drummond & Baines nicht mehr verpflichtet sind, sie zu verteidigen.«

»Und wenn ich darauf bestehe weiterzumachen?« wollte Van Cleve wissen.

»Nicht als Mitglied dieser Firma«, erklärte Trumbull entschieden.

»Ich verstehe.«

»Ich persönlich würde sehr ungern einen intelligenten jungen Anwalt verlieren, der über großes Potential verfügt. Aber zwingen Sie mich nicht zum Handeln.«

Der junge Anwalt antwortete nicht, sondern nickte nur ernst und ging.

Van Cleve kehrte in sein kleines, überfülltes Büro zurück und dachte über die Wahl nach, die Trumbull ihm gelassen hatte: Verzichten Sie auf die Forrester-Anhörung, oder treten Sie aus der Firma aus.

Er griff nach dem Telefon, tippte ihre Nummer ein und hörte ihre Stimme.

»Frau Dr. Forrester?«

»Ja.«

»Wir müssen uns treffen, Frau Doktor.«

»Warum? Ist etwas geschehen?« wollte Kate wissen.

»Ich erkläre es Ihnen, wenn wir zusammenkommen.«

»Wann?«

»So bald wie möglich.«

»Okay«, stimmte sie zu. »Heute abend.«

»Heute nachmittag, falls es möglich ist.«

»Heute nachmittag? Was ist so dringend? Was ist geschehen?« fragte Kate, die seine Hartnäckigkeit beunruhigte.

»Etwas, worüber ich am Telefon nicht sprechen kann. Ich hole Sie um fünfzehn Uhr vom Krankenhaus ab.«

18

Obwohl Kate den Besuch bei der kleinen Maria abgekürzt hatte, verließ sie das Krankenhaus mit Verspätung. Van Cleve ging auf der anderen Straßenseite auf und ab und überlegte, wie er ihr die Neuigkeit ab schonendsten beibringen konnte. Natürlich würde es ein Schock für sie sein, aber sie würde sicherlich begreifen, was geschehen war und daß er versucht hatte, ihr Problem zu lösen. Es würde vielleicht länger dauern, bis sie verstand, warum er sich für den Weg entschieden hatte, den er einschlagen wollte. Darauf war er vorbereitet.

Jetzt erblickte er sie. Sie verließ das City-Krankenhaus entschlossen, beinahe herausfordernd, entdeckte ihn und rannte rasch bei Rot über die Straße. Als sie ihn erreichte, war sein erster, unerwarteter Impuls, sie zu küssen. Aber das hätte ihn daran gehindert, sein eigentliches Vorhaben auszuführen.

»Was ist geschehen?« fragte Kate.

»Gehen wir irgendwohin, wo wir ungestört reden können«, schlug er vor.

»Ein Stück weiter unten gibt es ein kleines Café.«

Ein kleines Lokal erschien ihm unpassend; er würde sich eingeengt, eingesperrt fühlen. Was er vorhatte, war weder kühn noch tapfer.

»Es ist ein angenehmer Tag, und der Central Park ist nicht weit«, sagte er.

Sie befanden sich im Park, weit entfernt von den Autohupen, von den gelegentlich kreischenden Reifen, die plötzlich abgebremst wurden, von dem unvermeidlichen Gebrüll und den Schimpfwörtern, die für gewöhnlich folgten. So tief im Park, daß sie die Stadt rings um sie herum beinahe vergessen konnten.

Van Cleve führte Kate zu einer Bank unter einer großen Eiche, die sie vor der Hitze der untergehenden Sonne schützte. Als sie sich gesetzt hatte und ihn fragend ansah, sagte er ohne große Umschweife: »Es hat nicht funktioniert.«

»Was hat nicht funktioniert?«

Er erklärte ihr seine sorgfältig durchdachte Strategie, um Stuyvesants Feindseligkeit zu entschärfen. Daß Lindsay mit Stuyvesant zusammengekommen war und ihn geschickt dazu gebracht hatte, den gesamten Betrag für eine neue Notaufnahme zu spenden.

»Das hat doch sehr gut funktioniert«, meinte Kate. »Warum behaupten Sie das Gegenteil?«

»Der Teil, der nicht funktioniert hat, betrifft Sie.«

Kate verstand ihn sichtlich nicht.

»Stuyvesant besteht auf einer Anhörung vor dem Ausschuß.«

Kate überdachte kurz, was das bedeutete, erfaßte, worum es ging, und erklärte: »Natürlich müssen wir gegen ihn kämpfen.«

»Das ist...« begann Scott, dann gestand er: »Sie wären besser dran, wenn ich meinen Plan nie zur Sprache gebracht hätte.«

»Ich bin nicht schlechter dran«, widersprach sie, dann wurde sie nachdenklich: »Oder doch?«

»Ja.«

»Wie?«

»Vorher war es eine Interessengemeinschaft. Die Versicherungsgesellschaft, das Krankenhaus, die Anwaltsfirma – für alle stand genausoviel auf dem Spiel wie für Sie. Doch jetzt ist der Fall für alle anderen erledigt...«

»Das heißt, daß wir auf uns selbst gestellt sind.« Kate war klar, was das bedeuten konnte.

»Das ist nicht das Schlimmste daran.«

»Was denn?« fragte sie.

»Mr. Trumbull hat mir ein Ultimatum gestellt«, begann er zu erklären. Es war nicht nötig.

Sie sprach es aus: »Meine Verteidigung aufgeben oder die Firma verlassen.«

Er nickte. Ihre Augen verschleierten sich. Keine Tränen, bitte, weinen Sie nicht. Bitte –, dachte er.

»Gibt es einen anderen Anwalt, den Sie mir vorschlagen könnten?« fragte Kate.

»Daran habe ich noch gar nicht gedacht.«

»Dann denken Sie. Und lassen Sie es mich wissen.«

»Es tut mir leid«, platzte er heraus. »Mein ursprünglicher Plan sah vor, daß Stuyvesant alle Beschuldigungen gegen Sie fallenläßt. Ich habe nie erwartet, daß es ein Bumerang wird.«

»Sie müssen mir nichts erklären«, beruhigte sie ihn. »Ich bin davon überzeugt, daß Sie das Beste für mich wollten. Aber Sie müssen auch Ihre Karriere schützen. Niemand weiß besser als ich, was das bedeutet.«

»Ich werde alles tun, was ich kann. Natürlich inoffiziell. Ich kann Sie beraten, mit jedem Anwalt, den Sie bekommen, sprechen, ihn auf Ideen bringen, ihm Ratschläge erteilen. Ich kann es nur nicht offiziell tun, das ist alles.«

Kate antwortete nicht, sondern erhob sich und machte sich auf den Weg. Scott folgte ihr. Beim Parkausgang wurde sie schneller, um ihm zu entkommen.

»Darf ich Sie nicht einmal nach Hause begleiten?« fragte er.

»Ich möchte lieber allein sein. Ich muß mir sehr viel überlegen«, antwortete sie.

»Bitte warten Sie«, rief er. Sie blieb stehen und drehte sich zu ihm um. »Ich bin nicht daran schuld«, begann er, dann unterbrach er sich. »Nein, es ist meine Schuld«, gab er zu. »Wenn wir nur den hochfliegenden Plänen und Zielen treu bleiben könnten, an die wir als Studenten glaubten. Während meines Studiums verehrte ich Anwälte wie Clarence Darrow. Der in einer Woche den Sohn eines reichen Bankiers und in der nächsten einen bettelarmen Gewerkschaftsführer umsonst verteidigen konnte.«

Das Mitleid in ihren Augen ermöglichte ihm fortzufahren.

»Aber Männer wie Darrow sind Helden, Legenden. Und ich bin leider kein Held, keine Legende. Nur ein junger Anwalt in einer großen Stadt. Bei einer großen Anwaltsfirma. Die jungen Männern, die sich am Spiel beteiligen, äußerst verlockende Belohnungen bietet. All die Lippenbekenntnisse der Firma wegen unentgeltlicher Arbeit sind nur der Köder, mit dem sie einen fangen. Danach heißt es, spiel mit oder verschwinde.«

Kate begriff, in welchem Dilemma Scott steckte; er tat ihr leid, denn sie verstand ihn und hatte ihm eigentlich schon verziehen.

»Ich weiß, was Sie meinen«, sagte sie. »Aber mein Problem sieht ganz anders aus. Ich habe keine Wahl. Niemand hat mir gesagt: ›Spiel mit, sonst...‹ Wenn ich jetzt verliere, gibt es kein Spiel mehr. Nicht für mich. Sie tun mir leid, Van Cleve. Aber ich muß jetzt etwas für mich tun.«

Sie wandte sich ab. Er sah ihr nach und fragte sich: Sehe ich sie jetzt zum letzten Mal?

Kate ging betäubt, überrascht, zutiefst verletzt und verängstigt nach Hause, war jedoch fest entschlossen, nicht zu weinen. Van Cleve tat ihr sehr leid. Seine Verlegenheit, sein Schmerz, als er seine Schwäche zugab, paßten nicht zu einem mutigen oder starken Mann. Er mußte selbst mit seiner Schwäche fertigwerden; sie stand jetzt anderen Problemen gegenüber. Allein.

Sie öffnete die Wohnungstür und rief: »Rosie?«

Rosalind kam aus ihrem Schlafzimmer und begrüßte sie. »Du kommst zeitig nach Hause.«

»Ich – ich habe mit meinem Anwalt gesprochen. Eigentlich meinem Ex-Anwalt.«

»Was ist denn geschehen, Katie?« fragte Rosie, nun aufmerksam. »Komm, setz dich auf die Couch und erzähl.«

Kate berichtete von ihrem Treffen mit Scott Van Cleve.

»Was wirst du jetzt tun?« fragte Rosie.

»Ich weiß es nicht. Vielleicht zu Hause anrufen. Dad um Rat bitten, und er wird George Keepworth fragen. Nein. Ich will Dad und Mom nicht aufregen.«

»Ich weiß es«, erklärte Rosalind plötzlich energisch, »wir machen eine Sammlung.«

»›Wir?‹ Wer?«

»Das medizinische Personal, zumindest alle Praktikanten und Assistenzärzte«, erklärte Rosalind. »Wenn ich heute abend zum Dienst gehe, treibe ich eine Gruppe zusammen.«

»Bringe dich nicht selbst in Schwierigkeiten«, warnte Kate.

»Diesmal bist du es, nächstes Mal könnte es jede von uns sein«, erklärte Rosalind. »Du ahnst nicht, wie oft ich mich fragte, nachdem dir das zugestoßen war, warum wir uns selbst k. o. schlagen. Wir geben den besten Teil unseres Lebens auf, verschieben die Heirat, verschieben das Kinderkriegen, und wofür? Nur um schließlich im Regen stehengelassen zu werden, so wie sie es jetzt mit dir tun. Das muß aufhören! Wir müssen Stellung beziehen; die Zeit ist gekommen!«

»Nein, Rosie. Das ist mein Kampf. Ich will nicht, daß meinetwegen noch jemand in Schwierigkeiten gerät. Ich habe gesehen, was Van Cleve beinahe zugestoßen ist.«

»Wenn du es dir anders überlegst…«

»Das werde ich nicht«, sagte Kate.

Rosie war zum Nachtdienst ins Krankenhaus gegangen, Kate war seit einigen Stunden allein. Sie hatte sich ein Sandwich zurechtgemacht, konnte es aber nicht essen. Statt dessen hatte sie

Unmengen von Kaffee getrunken. Sie ging im kleinen Wohnzimmer auf und ab, bis sie befürchtete, daß sie den Teppich abnützen würde.

Immer wieder hatte sie alle ihre Möglichkeiten durchdacht.

Ein neuer Anwalt? Teuer. Wahrscheinlich teuer. Kann es Dad nicht wissen lassen. Er hat es auf der Farm schwer genug, mit der Dürre im vergangenen Jahr und den niedrigen Preisen für Sojabohnen und Weizen dieses Jahr. Er würde sofort wieder einen Acker verkaufen. Aber das ist Clints Erbe. Dafür hat er gearbeitet. Ich habe meinen Anteil bekommen, als Dad Acker verkaufte, um das College und zum Teil das Medizinstudium zu bezahlen. Ich habe nicht das Recht, noch etwas zu verlangen oder Dad auch nur in die Lage zu bringen, es mir anzubieten.

Warum brauche ich einen Anwalt? Die Tatsache, daß man es für gewöhnlich tut, bedeutet nicht, daß es die einzige Möglichkeit ist. Von Zeit zu Zeit lese ich in den Zeitungen von Gefangenen, die ihre Berufungen mit der Hand schreiben und neue Prozesse gewinnen, sogar beim Obersten Gerichtshof. Warum nicht ich? Warum soll ich mich nicht selbst vor dem Ausschuß verteidigen? Ihnen die Wahrheit erzählen. Sie werden mir glauben, sie müssen es.

Doch schließlich wurde ihr klar: Wenn es so einfach wäre, warum hielten dann Scott Van Cleve und offenbar auch seine Anwaltsfirma die Angelegenheit für so kompliziert, daß sie beschlossen, meinen Fall ad acta zu legen?

Eines wußte sie. Sie mußte versuchen zu schlafen. Zu wenig Essen, zu wenig Schlaf konnten ihre Gesundheit und ihre Stärke zu einem Zeitpunkt untergraben, an dem sie sie am meisten brauchte.

Zu Bett gehen war eines, einschlafen etwas anderes. Sie döste mehrmals ein, wachte aber jedesmal kurz darauf wieder auf und erkannte klar, wie schlecht ihre Lage war.

Das Telefon klingelte. Sie tastete in der Dunkelheit nach ihm und fand es.

»Hallo?« sagte sie. Ihre Stimme war heiser, weil sie so lange geschwiegen hatte.

»Frau Doktor? Ich habe einen großen Teil der Nacht damit verbracht, über den Nachmittag nachzudenken«, begann Scott.

»Und Sie haben den Namen eines guten Anwalts für mich.«

»Ja.«

»Warten Sie. Ich hole Notizblock und Bleistift.«

Einen Augenblick später fragte er: »Haben Sie alles?«

»Ja.«

»Dann schreiben Sie es sich sorgfältig auf.«

»Fangen Sie an!«

»Scott Van Cleve«, sagte er.

Kate war einen Augenblick lang verblüfft, dann rief sie ihm ins Gedächtnis: »Ist Ihnen klar, was das bedeutet?«

»Ja.«

»Das ist Ihnen gegenüber unfair«, wandte sie ein.

»Ich weiß. Aber in meiner Karriere wird es nur ein Punkt, eine kurze Unterbrechung sein, wie ein ausgebliebener Herzschlag auf Ihren EKG-Schirmen. Für Sie kann es jedoch Ihr ganzes Leben, Ihre Karriere bedeuten. Deshalb möchte ich mich an die Arbeit machen, falls Sie mich als Ihren Anwalt behalten. Sofort. Eigentlich jetzt.«

»Jetzt? Es ist nach Mitternacht«, protestierte sie.

»Ich weiß. Aber wenn ich am Morgen mit Ihrem Fall beginnen muß, muß ich jetzt einige Fragen stellen. Kann ich hinaufkommen?«

»Natürlich, klar.«

»Ich bin in einer Minute da.«

»Von der East Side bis hierher?«

»East Side? Ich stehe in der Telefonzelle an Ihrer Ecke.«

»Telefonzelle?« Sie erschrak. »Geben Sie mir eine Minute, damit ich mich präsentabel mache.«

»Tun Sie's nicht. Ich möchte wissen, wie Sie am Morgen aussehen.« Damit legte er auf.

Sie sprang aus dem Bett und lief in das Badezimmer, um Gesicht und Haare im Spiegel oberhalb des Waschbeckens zu studieren. Keine Zeit für ein Make-up. Aber sie konnte ihre Haare in Ordnung bringen. Sie hatte gerade begonnen, sie halbwegs durchzukämmen, als die Türklingel ging. Sie fuhr noch einmal mit dem Kamm durch die blonde Mähne und wollte zur Tür gehen, als sie merkte, daß sie nur ein Nachthemd trug. Sie griff nach dem Schlafrock und war noch dabei, ihn überzuziehen, als sie die Tür öffnete.

Er stand vor ihr, hochgewachsen, schlank, zerfurchtes Gesicht und sah sie lange an. Dann fragte er: »Sehen Sie am Morgen immer so gut aus?«

»Muß ich diese Frage beantworten?«

»Als Ihr Anwalt muß ich alles über Sie wissen. Ich bestehe auf einer Antwort.«

»Kommen Sie herein und hören Sie auf, den Komiker zu spielen.« Sie konnte endlich wieder lachen. »Haben Sie schon zu Abend gegessen?«

»Wann hätte ich das tun sollen? Ich bin die ganze Nacht herumgelaufen.«

»Ich habe ebenfalls nichts gegessen. Ich mache uns eine Kleinigkeit zurecht.« Sie ging in die kleine Küche.

Während sie frischen Kaffee kochte, Rührei machte, Speck briet und Weißbrot toastete, saß er auf einem Hocker und bewunderte jeden ihrer Handgriffe. Sie erwischte ihn einige Male dabei, daß er sie anstarrte. Allmählich erinnerte er sie an Owen Lindquist, einen Jungen aus ihrer Klasse in der Oberstufe der High School, der nie den Mut aufgebracht hatte, sich mit ihr zu verabreden, sie aber genauso anzustarren pflegte.

Schließlich bat Scott sie, den Stuyvesant-Fall noch einmal mit ihm in allen Einzelheiten durchzugehen, denn er suchte einen Punkt, an dem er mit seinen eigenen Nachforschungen beginnen konnte. Er wollte alles, was sie getan hatte, durch die Aussagen anderer Zeugen bestätigen lassen.

Als sie nach dem Essen im Wohnzimmer Kaffee tranken, war Scott so weit, daß er Eric Briscoe für den sichersten Zeugen hielt. Schwester Adelaide Cronin würde die nächste Zeugin sein. Dann möglicherweise der oder die Labortechniker, die die verschiedenen Blutproben von Claudia Stuyvesant analysiert hatten.

Aber zuerst würde er mit Eric Briscoe sprechen. Und mit Briscoes Anwalt, falls er einen hatte.

Als Scott ging, war es nach vier Uhr früh. Er ging ungern. Zwischen Tür und Angel ermahnte er sie: »Versperren Sie die Tür gut. Beide Schlösser«, fügte er besorgt hinzu.

»Das tue ich immer«, sagte Kate, die ihn genauso ungern gehen ließ.

»Vielleicht sollten Sie ein drittes Schloß anbringen lassen«, schlug er vor. »Heutzutage kann man nicht vorsichtig genug sein.«

»Wir haben daran gedacht«, antwortete sie.

Er schrak. »Wir?‹«

»Rosie Chung und ich. Wir teilen uns das Apartment.«

»Rosie?«

»Rosalind.«

»Rosalind«, wiederholte er sichtlich erleichtert. »Netter Name für eine Frau.«

»Nette Frau«, fügte Kate hinzu. »Sie arbeitet im selben Krankenhaus wie ich.«

»Gut, gut.« Er ging zum Fahrstuhl.

Sie sah ihm nach, bis er in die Kabine trat. Hat er angenommen, daß ich hier mit einem Mann zusammenlebe? fragte sie sich. Und wenn es so wäre – er ist mein Anwalt, nicht mein Hüter. Er hat nicht das Recht, mir meinen Lebensstil zu diktieren.

Doch einen Augenblick später dachte sie: Es war nett, daß er so besorgt war. Vielleicht nicht nett, aber zumindest interessant.

Obwohl es so spät war, ging Scott zu Fuß quer durch die Stadt zu seiner Wohnung an der East Side von Manhattan zurück. Er brauchte Zeit, um nachzudenken, um alles zu beurteilen, was Kate ihm über ihr Verhalten im Fall Stuyvesant erzählt hatte. Er analysierte nicht nur, was sie gesagt hatte, sondern auch, wie sie es gesagt hatte. Er wollte sicher sein, daß sie eine verläßliche Zeugin sein würde.

Sie wirkte ehrlich, äußerst ehrlich. Natürlich gab es Einzel-

172

heiten, die sie übersehen hatte oder an die sie sich ein wenig anders erinnerte, als die Aufzeichnungen es schilderten. Aber das war nur natürlich. Bei einem ehrlichen Zeugen kam es viel leichter zu solchen Fehlern als bei dem vorbereiteten, lügenden Zeugen, der jedes Wort geprobt und sich eingeprägt hat.

Deshalb mußte er sich vor allem davon überzeugen, daß ihre Erinnerung an die Ereignisse mit den Aufzeichnungen übereinstimmte. War das der Fall, dann gäbe es vielleicht die eine Möglichkeit, die Situation unauffällig und ohne das Aufsehen, das eine öffentliche Anhörung erregen würde, zu bereinigen.

Bevor er also einen Entlastungszeugen befragte, wollte er zuerst diesen Weg versuchen. Doch nach dem schrecklichen Mißlingen seiner vorhergehenden Strategie, die nur dazu geführt hatte, daß Kate den Schutz seiner Anwaltsfirma verlor, wollte er diesen Schritt unternehmen, ohne in ihr neue Hoffnungen zu wecken, die sich vielleicht wieder als falsch erweisen würden.

Zuerst mußte er die Krankenhausaufzeichnungen noch einmal überprüfen.

Als er diesmal die Akte Claudia Stuyvesant durchgehen wollte, hatte Dr. Cummins nichts dagegen einzuwenden. Die Akte war nicht nur sofort zur Hand, sondern der Verwalter sagte verlegen: »Sie verstehen als Anwalt sicherlich, daß meine Verpflichtungen dem Krankenhaus gegenüber Vorrang vor allen anderen Überlegungen haben. Wir können Dr. Forrester zwar nicht helfen, aber wir wünschen ihr nur das Beste.«

Scott verbrachte mehrere Stunden mit der vollständigen Krankengeschichte. Bis auf den fehlenden toxikologischen Befund bestätigte jede Eintragung in der Akte, was Kate ihm erzählt hatte. Jetzt war er davon überzeugt, daß sie eine verläßliche Zeugin war, und unternahm den nächsten Schritt.

Scott bog von der Fifth Avenue ab und ging die Fortieth Street in Richtung Madison hinunter. Es war ein Block von unauffälligen Bürogebäuden, manche waren neu, manche alt, manche wiesen über dreißig Stockwerke auf, manche nicht mehr als acht.

Das Gebäude, in dem die New Yorker Abteilung des Ausschusses für Professionelles Ärztliches Verhalten untergebracht war, gehörte zu den älteren Häusern.

Er las die Namensschilder in der Halle. Unter ›Staatlicher Ausschuß für Professionelles Ärztliches Verhalten‹ fand er den Namen ›Hoskins, Albert, Rechtsberater‹.

Hoskins war zwar als Rechtsberater angeführt, aber Scott wußte, daß der Anwalt im Fall Forrester als Ankläger fungieren würde, falls es Scott nicht gelang, die Anhörung zu verhindern.

Er trat in den alten, nicht besonders gut beleuchteten Fahrstuhl und drückte auf den Knopf. Die klapprige Kabine fuhr mit einem leichten Ruck an und nickte wiederum, bevor sie endgültig zum Stehen kam. Scott trat hinaus und stand vor der Empfangsdame, die an einem überfüllten Schreibtisch saß.

»Kann ich Mr. Hoskins sprechen?« fragte er.

Die Empfangsdame, die auch als Schreibkraft arbeitete, war offenbar über den Eindringling verärgert; ohne ihre Tätigkeit zu unterbrechen, erwiderte sie: »Er befindet sich in einer Konferenz. Haben Sie einen Termin?«

»Nein, aber ich werde warten«, erklärte Scott.

»Ihr Name?«

»Scott Van Cleve.«

»Weiß Mr. Hoskins, worum es geht?«

»Ich bin Anwalt.«

»Wenn Sie wegen einer Stellung zu uns kommen, ist Mr. Hoskins die falsche Adresse, dazu ist er zu beschäftigt. Sie müssen mit Mrs. Ross sprechen.«

»Ich bin in einer Ausschußangelegenheit hier. Es geht um meine Klientin, Dr. Katherine Forrester.«

Die junge Frau hörte sofort auf zu tippen. »Ach, *der* Fall.« Dadurch informierte sie ihn, ohne es zu wollen, darüber, wie wichtig der gesamte Mitarbeiterstab Claude Stuyvesants Klage nahm. »Ja. Es ist besser, wenn Sie warten, Mr. Van Cleve.«

Minuten später läutete das Telefon auf dem Schreibtisch der Empfangsdame. Sie meldete sich. »Ja, Sir, jemand wartet. Ein Mr. Van Cleve. Er sagt, daß er Frau Dr. Forrester vertritt. Ja, Sir. Sofort!«

Sie legte auf und zeigte gleichzeitig in den linken Korridor. »Mr. Hoskins' Büro befindet sich am Ende.«

Scott betrat das Büro des Anwalts. Hoskins saß hinter einem großen Schreibtisch, auf dem ordentliche Aktenstöße einen Hinweis darauf gaben, wie viele Klagen gegen Ärzte in der Stadt New York eingebracht wurden. Hoskins war ein massiger Mann und strengte sich anscheinend sehr an, als er sich erhob und Scott langsam die Hand hinhielt.

»Mr. Van Cleve, nicht wahr?« Er musterte seinen Gegner. »Setzen Sie sich, setzen Sie sich. Machen Sie es sich bequem«, forderte er Scott freundlich auf.

Ein wenig zu freundlich, fand Scott.

»Sie wollen mich also wegen des Falls Forrester sprechen, Van Cleve, noch bevor sie eine Vorladung erhalten?« fragte er.

»Ich weiß, daß Claude Stuyvesant eine Klage gegen meine Klientin eingebracht hat. Ich weiß auch, daß gemäß der üblichen Vorgehensweise des Ausschusses der erste Schritt vor einer Anhörung die Bildung eines Untersuchungskomitees ist.«

»Zum Schutz unschuldiger Ärzte und ihres Rufes studiert das Komitee alle medizinischen Unterlagen und Dokumente und hält Konsultationen mit medizinischen Sachverständigen ab. Wenn sich herausstellt, daß die Klage unbegründet ist, wird die Angelegenheit sofort beendet. Ruhig. Vertraulich.«

»Genau deshalb bin ich hier«, erwiderte Scott. »Ich habe den Fall Stuyvesant detailliert geprüft. Dr. Forrester hat zufriedenstellend glaubhaft gemacht, daß jeder Schritt, den sie unternahm, dem höchsten Standard der ärztlichen Praxis entsprach. Die Labortests werden es bestätigen. Wenn ich mit Dr. Briscoe spreche, wird er sicherlich alles bestätigen, was mir Frau Dr. Forrester erzählt hat.«

»Worauf wollen Sie hinaus, Mr. Van Cleve?« Hoskins wurde ungeduldig.

»Ich will Ihr Wort, daß die Angelegenheit in dem Augenblick, in dem das alles eintritt, niedergeschlagen wird, so daß Dr. Forresters Ruf und beruflicher Laufbahn kein weiterer Schaden zugefügt wird.«

»Sie wollen mein Wort haben?« fragte Hoskins. »Es tut mir leid, Mr. Van Cleve, aber das gesamte Material, die Akte der Patientin, die übrigen Unterlagen, die Gutachten einiger medizinischer Sachverständiger, wurden an das Untersuchungskomitee weitergeleitet.«

»Das Komitee wurde bereits ernannt?« fragte Scott überrascht.

»O ja«, erwiderte Hoskins.

»Handeln Sie immer so schnell?« wollte Scott wissen.

Hoskins stieg leichte Röte in die fleischigen Wangen. »Wir behandeln alle Fälle schnell und gründlich.«

»Auch wenn der Kläger nicht Claude Stuyvesant heißt?«

Die Röte auf Hoskins' Wangen vertiefte sich, diesmal vor Zorn.

»Falls Sie behaupten oder auch nur andeuten, daß diese Behörde jemanden begünstigt oder politischem Druck nachgibt, könnte ich veranlassen, daß Ihnen untersagt wird, jemals irgend jemanden vor dem Ausschuß zu vertreten.«

»Danke dafür, daß Sie meinen Verdacht bestätigt haben. Und in bezug auf das Verbot wäre ich Ihnen dankbar, wenn Sie das tun. Dann kann ich zu den Medien gehen und die ganze Stadt wissen lassen, daß dieser Ausschuß von einem einzigen, sehr mächtigen Mann manipuliert wird.«

»Geben Sie acht, was Sie sagen, Van Cleve.«

»Ich weiß, Hoskins, wie verlockend, wie unwiderstehlich es für einen Mann wie Sie, der in einer Beamtenlaufbahn steckt, sein muß, wenn sich ihm eine nette, fette Partnerschaft in einer der großen Anwaltsfirmen bietet, die Stuyvesant sich hält. Hat er Ihnen das als Belohnung versprochen, wenn Sie Dr. Forresters berufliche Laufbahn vernichten?«

»Das ist eine boshafte, vollkommen unbegründete Behauptung. Ich könnte mich bei der Anwaltskammer über Sie beschweren. Oder sogar die Revisionskammer ersuchen, Sie zu rügen, weil Sie solche abfällige Beschuldigungen gegen ein Kammermitglied erheben.«

Scott wußte, daß es keinen Sinn hatte weiterzumachen. »Da Sie offenbar fest entschlossen sind, haben wir nichts mehr zu besprechen.«

»Ich bin ganz Ihrer Meinung. Aber weil Sie gerade hier sind, könnten Sie etwas für mich tun.«

»Ich? Was?« fragte Scott mißtrauisch.

Hoskins hielt ihm ein gerichtliches Dokument hin. Nach kurzem Zögern griff Scott danach. Es war eine Vorladung zu einer Anhörung von dem Staatlichen Ausschuß für Professionelles Ärztliches Verhalten; als Beklagte wurde Katherine Forrester genannt. In einer Beilage waren die Anklagepunkte angeführt.

»Sie können mir die Mühe ersparen, es Ihrer Mandantin zustellen zu lassen.«

»Das Untersuchungskomitee ist also bereits zu einer Entscheidung gelangt«, bemerkte Scott. »Hat es je zuvor einen Fall gegeben, der so rasch bearbeitet wurde?«

»Es handelt sich hier nicht um einen unserer üblichen Fälle«, erklärte Hoskins. »Für gewöhnlich geht es um unnötige Operationen oder nachlässig durchgeführte Operationen oder Ärzte, die Drogen- oder Alkoholmißbrauch treiben. Aber daß eine Ärztin einen so offenkundige Diagnose übersieht und die Patientin deshalb stirbt, ist kein ›üblicher‹ Fall, Mr. Van Cleve. Die Öffentlichkeit muß geschützt werden. Und das ist meine Aufgabe! Mr. Stuyvesant hat nichts damit zu tun!«

Beunruhigender als Hoskins' Leugnen, das keinen Eindruck auf Scott gemacht hatte, war die Tatsache, daß nur ein einziger Beklagter genannt war, nämlich Dr. Katherine Forrester.

Der Name Dr. Eric Briscoe tauchte überhaupt nicht auf.

19

Lionel Trumbull hoffte noch immer, daß es ihm gelingen würde, seinen jungen Schützling Van Cleve zu seiner Sicht vom Anwaltsberuf zu bekehren. Deshalb hatte er bei seinen Partnern durchgesetzt, daß Scott sein Büro weiterhin benützen durfte, solange er Dr. Forrester verteidigte.

Doch das hieß nicht, daß ihm auch die anderen Einrichtungen der Firma zur Verfügung standen, zum Beispiel die Ermittlungsbeamten. Er war gezwungen, die Kleinarbeit selbst zu erledigen, während er sich mit dem Stuyvesant-Todesfall intensivst beschäftigte.

Der Zeitfaktor verstärkte den Druck. Die Anhörung begann in zwei Wochen. Scott blieb nur wenig Zeit, um Dokumente und Aufzeichnungen durchzugehen, mögliche Zeugen zu befragen und seine Verteidigung vorzubereiten.

Sein erster Zeuge mußte Dr. Eric Briscoe sein, der an den tragischen Ereignissen, die zu Claudia Stuyvesants Tod führten, beteiligt gewesen war.

Scott wartete beinahe eine Stunde in Briscoes Büro, bis der junge Chirurg hereinstürzte und sich entschuldigte. »Es tut mir leid, aber ich habe bei einer Dickdarmresektion assistiert. Die bösartige Geschwulst war umfangreicher, als Dr. Goodrich erwartet hatte.«

Als sich Scott erhob, um ihm die Hand zu schütteln, bat Briscoe: »Bitte lassen Sie die Förmlichkeiten, und behalten Sie Platz.« Er setzte sich hinter seinen überhäuften Schreibtisch, knöpfte den weißen Labormantel auf, streckte sich, um die gespannten Muskeln zu lockern, und sagte dann: »Also, Van Cleve, was kann ich für Sie tun?«

»Ihnen ist ja klar, daß ich nicht meinetwegen komme«, sagte Scott. »Es geht um Kate Forrester.«

»Natürlich. Das habe ich gemeint. Was immer ich für Kate tun kann – ich tue es. Sie ist eine fantastische junge Frau. Intelligent, fähig, energisch. Eine ausgezeichnete Ärztin. Es tut mir sehr leid, daß sie in so einem Schlamassel steckt. Das

Leben eines Praktikanten oder Assistenten ist nicht lustig. Und der lange, ununterbrochene Dienst in der Notaufnahme ist mehr, als die Pflicht verlangt. Aber sie hat es gut gemacht, verdammt gut. Und jetzt wirft man es ihr vor. Eine Schande. Wissen Sie, das ist etwas, das jedem von uns passieren könnte.«

»Ich bin froh, daß Sie das sagen, Doktor. Denn bis jetzt ist mir keine bessere Verteidigung eingefallen. Es war eine unglückliche Situation, in der sie unter unmöglichen Bedingungen ihr Bestes tat. Jeder Arzt – jung oder alt – hätte genau das gleiche getan wie Kate Forrester.«

Briscoe nickte entschieden, sagte jedoch: »Ich muß einem der Chirurgen bei einer komplizierten Operation assistieren. Eine Patientin mit ausgedehntem Krebs, der von der Gebärmutter auf die Bauchhöhle übergreift. Ich hoffe deshalb, daß wir nicht zu lange brauchen.«

»Ich brauche nur eine allgemeine Vorstellung von dem, was Sie bei der Anhörung aussagen werden.«

»Aussagen? Sie – Sie wollen, daß ich aussage?«

»Dr. Forresters Version wird natürlich als voreingenommen gelten, deshalb brauchen wir Unterstützung. Wer könnte mich besser unterstützen als Sie? Sie waren dabei. Sie haben die Patientin untersucht. Haben alle Laborberichte gesehen.«

Briscoe nickte, jedoch diesmal deutlich zurückhaltender.

»Die wesentliche Frage ist folgende: Wenn ihnen bei einer Patientin die gleichen Erkenntnisse, Laborberichte, Symptome und Anzeichen vorlagen wie Kate Forrester, würden Sie dann der professionellen Ansicht sein, daß Forresters Behandlung unter diesen Umständen richtig war?«

»Meine professionelle Ansicht?« wiederholte Briscoe.

»Als ausgebildeter Chirurg haben Sie zahlreiche derartige Fälle gesehen; sind Sie der Ansicht, daß Dr. Forrester den Fall sachkundig behandelte?«

»Sie leistete gute Arbeit. Ich meine…« Briscoe schienen nicht die richtigen Worte einzufallen.

»Lassen Sie mich die Frage anders stellen. Entsprach das, was

Dr. Forrester tat, dem medizinischen Standard dieses Krankenhauses?«

»Medizinischer Standard...« überlegte Briscoe.

»So drückt man es juristisch aus. Ich werde es einfacher formulieren. Hat Kate Forrester unter den gegebenen Umständen gute Arbeit geleistet?« Als Briscoe zögerte, ließ Scott nicht locker. »Das sollte nicht zu schwer zu beantworten sein. Wenn ich Sie als Zeugen aufrufe, werden die Fragen natürlich juristischer gestellt werden. Sowohl Hoskins als auch ich...«

»Hoskins?« fragte Briscoe erschrocken. »Wer ist das?«

»Der juristische Berater des Ausschusses für Professionelles Ärztliches Verhalten.«

»Was hat *er* damit zu tun?«

»Er wird bei Dr. Forresters Anhörung im Komitee als Ankläger fungieren.«

»Sie meinen, daß er ebenfalls Fragen stellen wird?«

»Natürlich. Er hat das Recht, jeden Zeugen, den ich rufe, ins Kreuzverhör zu nehmen.«

»Als Sie mich anriefen, Van Cleve, nahm ich an, daß Sie nur Informationen wollen. Aber als Zeuge auftreten – ich war noch nie zuvor Zeuge. In keinem einzigen Fall.«

Scott merkte, daß Briscoe immer zurückhaltender wurde, und versuchte es auf eine neue Tour. »Vergessen wir kurz die Zeugenaussagen. Beantworten Sie einfach einige Fragen.«

»Sie verstehen doch, daß ich Kate auf jede mir mögliche Art und Weise helfen will. Ich mag das Mädchen sehr. Deshalb werde ich mein Bestes tun, um alle Ihre Fragen zu beantworten. Fangen Sie an.«

»Gut.« Scott griff nach dem gelben Notizblock. »Als Dr. Forrester Sie aufgrund ihrer Erkenntnisse kommen ließ, hielten Sie das unter diesen Umständen für üblich, vernünftig, vorsichtig von einer jungen Ärztin?«

»Ja, ich hielt es für Routine, für üblich. Vernünftig. Es war ein vertrackter Fall.« Aber Briscoe sprach nicht weiter.

»Sie wollten sagen...« drängte Scott. Als Briscoe schwieg, redete ihm Scott gut zu. »Es war ein vertrackter Fall«, wiederholte er. »Was wollten Sie dann sagen?«

»Angesichts der Laborberichte, der lebenswichtigen Funktionen der Patientin und der Unmöglichkeit, eine spezifische Diagnose zu stellen, war es üblich, einen Chirurgen kommen zu lassen, der feststellen sollte, ob ein chirurgischer Eingriff nötig war.«

Scott wurde klar, daß Briscoe in seine Antworten allmählich immer mehr Bedingungen aufnahm.

»Drücken wir es anders aus, Doktor – ist es vernünftig und üblich, bei einen ungewöhnlichen Fall, bei dem die Patientin Fieber hatte, die Zahl der weißen Blutkörperchen zu hoch war und etliche Laborberichte vorlagen, nach einem Chirurgen zu schicken und ihn um seine Meinung zu fragen?«

»Ja, das war vernünftig«, mußte Briscoe zugeben.

»Und wie lautete Ihre Meinung?«

»Sie müssen verstehen, daß meine Meinung maßgeblich durch das bestimmt war, was mir Dr. Forrester erzählte.«

»Untersuchten Sie die Patientin?«

»Natürlich.«

»Waren Sie der gleichen Ansicht wie Dr. Forrester?«

»Wie schon gesagt, beruhte meine Meinung größtenteils auf dem, was sie mir erzählte. Sie hatte die Krankengeschichte der Patientin aufgenommen; ich bekam sie aus zweiter Hand. Ihr Anwälte nennt das ›vom Hörensagen‹. Wenn man mir sagt, daß eine Patientin nicht sexuell aktiv ist, daß ihre Regel nicht ausgeblieben ist, dann vermute ich keine ektopische Schwangerschaft. Erst der Leichenbeschauer fand sie.«

»Was nehmen Sie unter diesen Umständen an?«

»Die Möglichkeit einer Infektion, Darmvirus, Beckenentzündung. Aber keine ektopische Schwangerschaft mit Eileiterruptur.«

Eric Briscoe hatte offensichtlich nicht vor, sich für Kate einzusetzen, und lehnte es ab, sich an ihrer Verteidigung zu beteiligen. Scott versuchte, aus dem enttäuschenden Gespräch wenigstens etwas zu retten.

»Sie haben in dieser Nacht Claudia Stuyvesant ebenfalls untersucht, Doktor, nicht wahr? Sie haben auch eine Beckenuntersuchung vorgenommen?«

»Ja.«

»Entdeckten Sie bei der Untersuchung nichts, was auf den Zustand der jungen Frau hinwies?«

»Ich habe versucht, es Ihnen zu erklären – bei meiner Untersuchung berücksichtigte ich einige feststehende Tatsachen. Ich verließ mich auf Dr. Forresters Erkenntnisse.« Er begann zu wiederholen: »Keine sexuelle Aktivität, keine ausgebliebene Regel…«

Scott unterbrach ihn. »Dr. Forrester handelte doch ebenfalls aufgrund dieser feststehenden Tatsachen? So daß sie beide zu den gleichen professionellen Schlüssen gelangten?«

Briscoes Besorgnis färbte seine Wangen rot. »Hören sie, Van Cleve, mir wirft man nichts vor. Und ich habe nicht vor, diesen Zustand zu ändern. Ich werde meine Assistentenzeit am City-Krankenhaus zu Ende führen, mir dabei einen guten Ruf erwerben und zu einer Teilhaberschaft zurückkehren, die in Colorado auf mich wartet.«

Scott musterte Briscoe lange und sah den Schweiß auf dem geröteten Gesicht. Er verstand Briscoes Bestreben, nicht in den Fall verwickelt zu werden. Aber er mußte seine Klientin schützen.

»Beantworten Sie mir noch eine Frage, Briscoe: Hat Sie jemand davor gewarnt, Ihnen abgeraten, meine Untersuchung zu unterstützen – oder Ihnen gar gedroht?«

Briscoe zögerte, dann antwortete er leise und verlegen: »Nein, niemand.«

Scott wußte, daß Briscoe log. Aber es hatte keinen Sinn, es ihm auf den Kopf zuzusagen. Und wenn er einen so widerwilligen Zeugen unter Strafandrohung vorlud, würde das Ergebnis eine Katastrophe sein. Noch schlimmer wäre es, wenn Hoskins ihn als Zeugen aufrief, denn es würde schwierig sein, ihn anzugreifen. Wahrscheinlich war es am vernünftigsten, ihn nicht ins Kreuzverhör zu nehmen. War es möglich, daß Claude

Stuyvesant auf irgendeine Art, durch Beeinflussung oder Drohung, auch Briscoe zum Schweigen gebracht hatte?

Scott steckte den gelben Notizblock wieder ein, sagte »Danke für Ihre Zeit, Dr. Briscoe« und ging zur Tür.

»Verdammt, Van Cleve, ich hätte erwartet, daß Sie mich verstehen!« explodierte der Arzt.

Scott drehte sich um. »Verstehen? Aber natürlich. Sie wollen nach Colorado zurückkehren und als Chirurg mit makellosem beruflichem Vorleben arbeiten. Das gute Gewissen ist dabei nicht so wichtig«, stellte er vorwurfsvoll fest.

»Sie haben keine Ahnung, wie scharf ich kritisiert wurde, nur weil Kate in dem verdammten Fernsehinterview meinen Namen nannte.«

»Jagte Ihnen eine Heidenangst ein, was? Klar. Man rettet seine eigene Haut, und zum Teufel mit allen anderen!«

»Wenn ich Kate helfen könnte, wäre das etwas anderes. Aber nichts, was ich aussage, kann ihr helfen. Ich würde ohne triftigen Grund ein ungeheures Risiko eingehen. Kate tut mir leid. Ich mag sie, mag sie sehr. Aber ich kann nichts tun. Überhaupt nichts.«

Scott sah ihn an, ohne seine Verachtung zu verbergen. Dann ging er zur Tür.

»Mit dem negativen Schwangerschaftstest bin nicht ich dahergekommen«, schrie ihn Briscoe an. »Das hat sie getan. Sie hat uns beide in die Irre geführt.«

Scott machte sich nicht die Mühe zu antworten, sondern ging weiter; Briscoes letzte Beschuldigung lag ihm noch in den Ohren.

20

Je intensiver sich Scott mit Kates frustrierendem Fall befaßte und je enger er mit ihr zusammenarbeitete, desto deutlicher wurde ihm bewußt, daß sein persönliches Interesse an Kate von Tag zu Tag wuchs. Und das war gefährlich.

Er erinnerte sich nur zu gut an den Rat, den ihm der Professor für Beweismittel und Prozeßpraxis im zweiten Studienjahr gegeben hatte. »Lassen Sie sich nie von einem Fall so berühren oder von einem Klienten so umgarnen, daß Sie die Objektivität verlieren. Die erschreckendsten Enthüllungen, mit denen ein Prozeßanwalt konfrontiert wird, kommen von seinem eigenen Klienten. Behandeln Sie deshalb jeden Klienten als feindlichen Zeugen. Hinterfragen Sie jede seiner Erklärungen. Zwingen Sie ihn zur bedingungslosen Unterstützung, oder weigern Sie sich, ihn aussagen zu lassen.«

Da es Scott nicht gelungen war, Dr. Briscoe zur Kooperation und Unterstützung zu überreden und da der Tag der Anhörung immer näher rückte, beschloß er, den Rat des Professors auf Kates Version der Ereignisse anzuwenden.

Zu diesem Zweck konsultierte er mehrere auf Geburtshilfe und Gynäkologie spezialisierte Ärzte. Alle waren anerkannte, vom Ausschuß bestätigte Spezialisten. Keiner von ihnen war am City-Krankenhaus beschäftigt. Scott wollte nicht mit Ärzten sprechen, deren Meinung von ihrer Verbindung mit diesem Krankenhaus beeinflußt war.

Während der Gespräche schätzte Scott die Ärzte auch als eventuelle Zeugen der Verteidigung ein. Natürlich nur dann, wenn der jeweilige Arzt bereit war auszusagen. Angesichts der feindseligen Einstellung, die die Juristen in den letzten Jahren den Ärzten gegenüber an den Tag legten, empfand die Ärzteschaft die herrschende Praxis der Rechtsprechung allmählich eher als eine Art Inquisition.

Natürlich gab es Sachverständige, die von Beruf Zeugen waren und deren Ansichten man kaufen konnte; sie waren verdächtig und außerdem teuer.

Aber vielleicht gab es einen oder zwei Ärzte, die ausschließlich aus Gerechtigkeitsgefühl Kate zu Hilfe kommen würden. Zuerst ging es jedoch darum, daß sie Kates Verhalten im Fall Stuyvesant bestätigten.

Der Spezialist für Geburtshilfe und Gynäkologie Stephen Willows war der erste Arzt, der zu einem Gespräch bereit war. Scott

fühlte sich im Wartezimmer nicht sehr wohl. Es war ausschließlich von Frauen bevölkert; manche standen am Beginn einer
Schwangerschaft, manche an ihrem Ende, manche wirkten
überhaupt nicht schwanger und kamen wahrscheinlich zu Rou-
tineuntersuchungen. Er versuchte, seine Verlegenheit zu verbergen, indem er in einem Magazin blätterte, das ihn überhaupt
nicht interessierte. Gelegentlich sah er sich verstohlen um und
stellte fest, daß die Frauen ihn sehr neugierig musterten.

Er war in Versuchung zu erklären: »Nein, ich bin kein Ehemann, der sein Sperma testen lassen will. Oder erfahren will,
wann und wie er Geschlechtsverkehr haben soll, um seine Frau
zu schwängern.« Doch dann vertiefte er sich wieder in das Magazin, bis sich das Wartezimmer allmählich leerte und er allein
war.

»Dr. Willows ist bereit, jetzt mit Ihnen zu sprechen«, verkündete die Empfangsdame endlich.

Willows war nahe sechzig, möglicherweise älter, weißhaarig,
trug eine Brille und wirkte wie ein effizienter, fähiger Arzt.

Ein idealer Zeuge, fand Scott.

Willows blickte von der Akte seiner letzten Patientin auf, in
die er gerade eine Eintragung machte, und sagte: »Ja, junger
Mann? Sie sind der Anwalt, der gestern versuchte, mich telefonisch zu erreichen?«

»Ja, Doktor.«

»Dann kommen Sie zur Sache. Ich muß in einer halben Stunde
meine Krankenhausrunde machen.« Er sagte es nicht ungeduldig, sondern eher freundlich.

»Mein Besuch hat mit einer Anhörung vor dem Ausschuß für
Professionelles Ärztliches Verhalten zu tun.«

»Oh.« Willows' Freundlichkeit schwand. »Schon wieder so
etwas.«

»Ja, Sir, schon wieder so etwas. Und in diesem Fall vollkommen ungerechtfertigt.«

»Das sagen alle Anwälte. Ich bin übrigens kein professioneller Zeuge. Ich habe ein einziges Mal in einem Prozeß ausgesagt,
und zwar gegen einen Arzt.«

185

»Ich möchte trotzdem Ihre Meinung hören, Sir.«

»Dann fangen Sie an.« Willows fand sich damit ab, Scotts Version des Falles zu hören.

Scott schilderte die Ereignisse so, wie Kate sie erzählt und er sie der Akte Claudia Stuyvesant entnommen hatte, und Willows wurde nachdenklich. Schließlich fragte er: »Die Patientin leugnete, daß sie sexuell aktiv gewesen war?«

»Ja, Sir.«

»Und daß ihre Regel ausgeblieben war?«

»Ja, Doktor.«

»Und um sicherzugehen, machte die Ärztin einen Harnschwangerschaftstest?«

»Ja, Doktor. Er erwies sich jedoch als irreführend, weil er negativ ausfiel.«

»Ich vertraue einem Röntgen-Inmunoanalyse-Test mehr als einem Harntest. Aber in dem Streß und Zeitdruck einer Notaufnahme tat Ihre Frau Dr. Forrester das Richtige. Zu schade, daß das Ergebnis falsch war.«

»Wenn Sie in dieser Nacht dort gewesen wären, Sir, und diesen Fall behandelt hätten, zu welchem Schluß wären Sie dann gelangt?«

Willows ging noch einmal alle Fakten durch. »Die Patientin weist allgemeine Symptome, Übelkeit, Erbrechen, Durchfall auf. Und Bauchschmerzen. Ich würde der jungen Frau glauben, daß sie allein lebt und daß ihre Regel nicht ausgeblieben ist.«

»Und zu welcher Diagnose würden Sie gelangen?«

»Eine der üblichen Virusinfektionen des Verdauungstrakts.«

»Keine ektopische Schwangerschaft?« Scott wartete gespannt auf die Antwort.

»Ektopische Schwangerschaften sind schwer zu diagnostizieren. Keine zwei verlaufen gleich. Ich würde bei der Virusinfektion bleiben. Es sei denn, daß später noch Symptome oder Anzeichen auftreten oder daß die Laborergebnisse mich zwingen, meine Meinung zu ändern.«

»Also kann man Ihrer Ansicht nach das Verhalten meiner

Klientin in jener Nacht als gute medizinische Praxis betrachten?«

»Aha! Jetzt sprechen Sie wie ein Anwalt, der mich dazu verleiten will, als Zeuge auszusagen. Ich werde es nicht tun. Aber meiner Meinung nach hat diese Ärztin das getan, was die meisten guten Ärzte unter diesen Umständen tun würden.«

»Würde es eine Rolle spielen, wenn die Patientin Drogen genommen hätte?«

»Und ob!« rief Willows. »Das hätte sicherlich Grad und Ausmaß ihres Zustands verschleiert.«

»Nachdem Ihnen das alles klar ist, Dr. Willows, und nachdem Sie wissen, daß die Karriere einer jungen Ärztin davon abhängt, würden Sie vielleicht Ihre Ansicht über eine Aussage ändern?«

»Und riskieren, daß meine Kunstfehler-Versicherung gekündigt wird? Je weniger ein Arzt mit dem Gesetz zu tun hat, desto besser ist es heutzutage für ihn. Tut mir leid. Drücken Sie der jungen Frau mein aufrichtiges Mitgefühl aus; meine besten Wünsche begleiten sie – sie möge mit intaktem professionellem Ruf aus dieser Geschichte hervorgehen.«

Scott glückte es genausowenig, die übrigen von ihm interviewten Spezialisten zu einer Kooperation zu bewegen.

Von einer Sache war er aber inzwischen überzeugt. Die Antwort auf die Frage, ob Claudia Stuyvesant Drogen genommen hatte, würde sich für Kates Verteidigung als entscheidend erweisen.

Als Scott im Empfangsraum des Leichenbeschauers auftauchte und die offizielle Erklärung der Stadt zum Fall Stuyvesant sehen wollte, hielt ihn die Empfangsdame für den Reporter eines der Skandalblätter, die in allen Supermärkten zu haben sind.

»Es tut mir leid, Sir, aber alle Informationen über den Fall Stuyvesant sind ausschließlich privater Natur und streng vertraulich. Dr. Schwartzman empfängt niemanden wegen dieses Falls.«

Scott blieb so hartnäckig, daß die Empfangsdame schließlich

einen der jungen Gerichtsmediziner kommen ließ, der sich noch abweisender verhielt. Erst als Scott drohte, sich einen Gerichtsbefehl für den Zugriff auf die detaillierten Aufzeichnungen über den Fall Stuyvesant zu verschaffen, geruhte der Chef, ihn zu empfangen.

Als Van Cleve das Büro des Chefleichenbeschauers Dr. Abner Schwartzman betrat, stritt dieser gerade am Telefon mit einem eigensinnigen städtischen Beamten. Dadurch hatte der junge Anwalt Gelegenheit, den Mann zu beobachten. Er war untersetzt, füllte den Drehstuhl aus, in dem er saß, und war wie manche kleinen Männer aggressiv und streitlustig. Er antwortete seinem Gesprächspartner gerade äußerst heftig.

»Jetzt hören Sie zur Abwechslung einmal mir zu!« brüllte Schwartzman, während er Scott zu einem Drehstuhl winkte. »Sie sind in bezug auf unsere Ergebnisse anderer Meinung? Dann ziehen Sie Ihren Pathologen zu Rate!« Er hörte einen Augenblick zu, dann beendete er das Gespräch mit einem scharfen, »Okay, auf Wiedersehen vor Gericht.«

»Jeder ist ein Sachverständiger für Gerichtsmedizin«, brummte er, während er auflegte. Dann schwenkte er den Drehstuhl herum, um Scott gegenüberzusitzen. »Also, junger Mann. Worüber wollen Sie sich beschweren?«

»Ich bin Anwalt und will mich nach Ihren Ergebnissen im Fall Claudia Stuyvesant erkundigen.«

»Unsere Ergebnisse sind bereits bekanntgegeben worden«, stellte der Leichenbeschauer fest, als wäre die Angelegenheit damit erledigt.

»Ihre *vollständigen* Ergebnisse?« fragte Scott.

»Ja!« erwiderte Schwartzman heftiger als notwendig.

»Soviel ich weiß, haben Sie die Autopsie selbst durchgeführt.«

»Allerdings. Wie bei uns üblich, steht alles, was ich gefunden habe, in meinem Bericht.«

»In der offiziellen Verlautbarung stand nichts über die Ergebnisse der toxikologischen Untersuchung.«

»Weil keine toxikologische Untersuchung gemacht wurde.«

»Warum nicht?« ließ Scott nicht locker.

»Junger Mann – oder soll ich Sie Anwalt nennen? –, ich sage Ihnen nicht, wie Sie einen Fall handhaben müssen. Sagen Sie mir nicht, wie man eine Autopsie durchführt.«

»Ich würde annehmen, daß angesichts der Drogenszene heutzutage eine toxikologische Untersuchung zur Routine gehört.«

»Sobald ich die Todesursache gefunden hatte, war es nicht mehr notwendig, die Autopsie fortzusetzen.«

»Nicht mehr notwendig? Oder hätte es gegen den Befehl verstoßen?«

»Hören Sie, Junge, wenn Sie eine Mr. Stuyvesant erwiesene Gefälligkeit mit einer Vertuschung oder einem Trick verwechseln, sind Sie auf dem Holzweg.«

»Was bezeichnen Sie als ›Gefälligkeit‹, Doktor?«

»Der Bürgermeister bat mich darum, und ich erklärte mich bereit, Mr. Stuyvesant zuliebe die Autopsie persönlich vorzunehmen und die Ergebnisse erst nach dem Begräbnis seiner Tochter zu veröffentlichen. Die Familie wollte am Tag der Bestattung nicht von den Medien belagert werden. Sie müssen zugeben, daß es keine unbillige Bitte war.«

»Aber auch keine übliche«, bemerkte Scott.

»Es war einfach ein Entgegenkommen den trauernden Eltern gegenüber. Ich habe niemandem damit geschadet.«

»Diese Fakten, *alle* Fakten können bei der Verteidigung meiner Klientin vor dem Ausschuß für Professionelles Ärztliches Verhalten lebenswichtig sein.«

»Ach ja, mir ist so etwas zu Ohren gekommen. Zu schade. Es tut mir leid, aber ich kann Ihnen nicht helfen.«

»Können Sie mir als Pathologe wenigstens sagen, ob man noch Spuren von Rauschgift entdecken kann, falls die Leiche jetzt exhumiert würde?« fragte Scott.

»In diesem Fall nicht«, antwortete Schwartzman.

»Weil es keine Drogen gab oder weil wir in diesem späten Stadium keine mehr finden würden?« ließ Scott nicht locker.

»Weil es keine Leiche gibt«, erklärte sein Gegenüber. »Sobald ich mit der Autopsie fertig war, wurde die Leiche vom Leichenwagen eines Krematoriums auf Long Island abgeholt.«

Scott erinnerte sich an die Äußerung des Sargträgers über den Sarg: »Aber er war viel leichter, als ich erwartet hatte.«

»Denken Sie nach«, drängte Scott. »Gibt es einen Beweis für Drogenmißbrauch, den ein Arzt bemerken würde, auch wenn es keinen toxikologischen Befund oder eine andere Bestätigung des Labors gibt?«

»Das hängt von der Droge oder den Drogen ab.«

»Verschiedene Drogen, verschiedene Symptome?« fragte Scott. »Zum Beispiel?«

»Wenn es Alkohol ist, sind es die bekannten Symptome – eingeschränkte Koordination, Erröten, Erbrechen, Übelkeit...«

»Sie hat sich darüber beklagt.«

»Ja, aber Kokain würde ebenfalls zu Übelkeit führen.«

»Denken Sie nach, weitere Anzeichen, die ein Arzt bemerken würde und die zu einer Diagnose wegen Drogenmißbrauchs führen würden.«

»Ich bin sicher, daß es in Claudias Fall nicht Alkohol war«, erklärte Kate.

»Was dann?«

»Barbiturate wären möglich. Amobarbital. Pentobarbital. Phenobarb.«

»Und die Anzeichen?« ließ Scott nicht locker.

»Kopfschmerzen, Verwirrung, Ptosis...

»Ptosis?«

»Augenlidlähmung.«

»War das bei Claudia der Fall?«

»Nein.«

»Sie haben erwähnt, daß Kokain Übelkeit auslösen kann.«

»Und Erbrechen«, fügte Kate hinzu. »Ferner einen Reizzustand, auf den Depression folgt. Schwitzen. Angst.«

»Das alles wies Claudia auf.«

Kate lächelte. »›Wies auf?‹ Sie fangen an, wie ein Arzt zu reden.«

»Ich werde noch lernen müssen, wie ein Arzt zu denken«, meinte Scott. »Könnten Sie vor Gericht aussagen, daß Claudias

190

Anzeichen und Symptome durch den Gebrauch oder den Mißbrauch von Kokain hervorgerufen wurden?«

Kate zögerte, schüttelte jedoch dann den Kopf. »Ehrlich?
Nein.«

»Wir brauchen diese Aussage, und zwar dringend«, sagte
Scott. »Die Hälfte unserer Verteidigung beruht darauf, daß Sie
durch einen falschen Schwangerschaftstest in die Irre geführt
wurden. Aber die andere – und wichtigere – Hälfte ist, daß die
Patientin durch den Konsum von verschiedenen Drogen eine
richtige Diagnose unmöglich machte. Sie verschleierten und
verzerrten Symptome, Anzeichen und Laborberichte, so daß
kein Arzt auch nur mit annähernder Gewißheit sagen konnte,
in was für einem Zustand sie sich wirklich befand. Wo könnten wir erfahren, ob sie drogenabhängig war?«

»Ihr Arzt würde es wissen«, erklärte Kate. »Dieser Dr. Eaves,
den Mrs. Stuyvesant erwähnte.«

»Eaves«, überlegte Scott.

»Ein sehr guter Internist. Klienten ausschließlich aus der
Oberklasse«, erwähnte Kate. »Natürlich ist es möglich, daß er
nicht sprechen will.«

»Wir werden sehen.« Scott hatte so seine Hintergedanken.
»Wir werden sehen.«

Das Büro von Dr. Wilfred Eaves nahm die gesamte Straßenseite
eines der bekanntesten Gebäude der Park Avenue ein, das
zufällig Claude Stuyvesant gehörte. Dr. Wilfred Eaves' Tätigkeit wurde ruhig und effizient von einem Büromanager, der
einen Stab von vier Krankenschwestern beaufsichtigte, geleitet.
Die Schwestern sorgten dafür, daß jeder Patient in ein eigenes
Untersuchungszimmer gebracht und auf Eaves' Untersuchung
vorbereitet wurde, damit keine Minute seiner kostbaren Zeit
verlorenging.

Eaves, der immer einen makellos weißen Arztkittel trug, den
er viermal täglich wechselte, funktionierte präzise wie eine auf
Hochglanz polierte Maschine. Seine beinahe immer richtigen
Diagnosen äußerte er knapp, aber unmißverständlich klar. Sein

Ruf war nicht nur in der ganzen Stadt, sondern auf der ganzen Welt verbreitet, so daß viele seiner Patienten Angehörige der herrschenden Familien im Mittleren Osten waren. Wenn man ein krankes Kind oder einen anderen kranken Verwandten hatte oder um sein eigenes Leben fürchtete und wenn man sich seine teuren Dienste leisten konnte, war Wilfred Eaves der Mann, den man aufsuchte, nachdem alle anderen Ärzte versagt hatten.

Als Scott endlich Dr. Eaves' Konsultationsraum betrat, war er gebührend beeindruckt. Da etliche von Eaves' neuen Patienten von anderen Ärzten an ihn überwiesen wurden, fragte dieser sofort: »Haben Sie Röntgenaufnahmen, Scannerergebnisse oder Befunde mitgebracht?«

»Ich bin nicht als Patient gekommen.«

»Erzählen Sie mir bloß nicht, Ms. Berk hätte zugelassen, daß ein Missionar der Drogengesellschaft durchschlüpft«, sagte Eaves sichtlich verärgert.

»Nein, Sir, ich bin kein Vertreter der Drogengesellschaft. Ich bin Anwalt.«

Eaves schob sofort seinen Stuhl zurück und erhob sich. »Ich spreche nicht mit Anwälten. Wenn Sie sich beschweren oder Kunstfehler anzeigen wollen, wenden Sie sich an meinen Anwalt. Verschwinden Sie.«

Scott blieb sitzen. »Ich bin nicht hier, um mich zu beschweren oder Beschuldigungen oder Anklagen vorzubringen. Ich möchte nur für eine junge Ärztin, die sich vor dem Staatlichen Ausschuß für Professionelles Ärztliches Verhalten gegen Anschuldigungen verteidigen muß, einige Informationen sammeln.«

»Ich nehme an, daß Sie von Frau Dr. Forrester sprechen.«

»Ja.«

»Leider kann ich Ihnen nicht helfen. Auf Wiedersehen, Mr. Van Cleve.«

Scott fiel auf, daß Eaves seinen Namen kannte, obwohl er ihn nicht genannt hatte. Aber er fuhr dennoch fort. »Da Sie während des größten Teils von Claudia Stuyvesants Leben ihr Arzt waren, müssen Sie es wissen. War sie drogensüchtig, oder nahm sie gewohnheitsmäßig verschiedene Arten von Drogen?«

»Ich kann keine Fragen beantworten, die sich auf einen meiner Patienten beziehen«, erwiderte Eaves scharf.

»Wenn ich Sie vorladen lasse, werden Sie erscheinen und aussagen müssen.«

»In diesem Fall werde ich mich auf meine Schweigepflicht als Arzt berufen und keine vertraulichen Informationen über einen Patienten preisgeben.«

»Die Patientin ist tot. Die ärztliche Schweigepflicht besteht nicht mehr.«

»Diese Entscheidung werde ich dem Vorsitzenden der Anhörung überlassen.«

»Sogar Ihre Weigerung auszusagen kann wertvoll sein, Doktor.«

»Ich bin ein sehr beschäftigter Mann, Mr. Van Cleve.« Eaves wollte das Gespräch offensichtlich so rasch wie möglich beenden.

»Natürlich«, sagte Scott. »Danke für Ihre Zeit.«

Sobald Scott Eaves' Büro verlassen hatte, hob dieser den Hörer ab.

»Ms. Berk, verbinden Sie mich sofort mit Claude Stuyvesant.«

Kurz darauf läutete das Telefon, und Ms. Berk meldete: »Er ist am Apparat, Doktor.«

»Er war hier, Claude. Dieser junge Anwalt, Van Cleve.«

»Und?« fragte Stuyvesant.

»Wie wir ausgemacht hatten, habe ich ihm nichts gesagt. Aber er wird nicht lockerlassen.«

»Machen Sie sich keine Sorgen, Wilfred, er wird nichts erreichen.«

Als Scott Dr. Eaves' Büro verließ, war er einer Sache sicher. Eaves hatte schuldbewußt gewirkt. Scott zweifelte nicht mehr an Claudias Drogenabhängigkeit. Was er jetzt brauchte, war der Beweis.

21

Dr. Eaves' aggressive Weigerung, Informationen über Claudias Drogenabhängigkeit zu liefern, hatte ihren Zweck erfüllt, denn sie bestätigte Scotts Verdacht. Wenn Eaves, der ihre Gewohnheiten und ihren Zustand am besten kannte, nichts sagen wollte, würden vielleicht die Menschen, mit denen sie die letzten Jahre verbracht hatte, zugänglicher sein. In Claudias Akte war ihre letzte Adresse verzeichnet, und mit ihr begab sich Scott zu dem Haus in Greenwich Village im unteren Teil von Manhattan.

Es war ein altes Backsteingebäude unterhalb der West Eighth Street, das wahrscheinlich ein Jahrhundert zuvor für eine wohlhabende Familie von Kaufleuten oder Händlern errichtet worden war.

Da in den letzten Jahren die Mieten in Manhattan astronomische Höhen erreicht hatten und Wohnraum zur Kostbarkeit wurde, hatte man die alten geräumigen Einfamilienhäuser zu Einzimmerapartments für junge, emporstrebende Schriftsteller, Schauspieler und andere Künstler umfunktioniert, die nach New York kamen, um die größte Stadt der Welt zu erobern.

In der kleinen Eingangshalle las Scott die zwölf Namen auf dem Wandbrett; neben jedem befand sich ein Klingelknopf. Wahrscheinlich war es müßig, den Knopf neben dem Namen Stuyvesant zu drücken. Andererseits riskierte man damit nichts. Er klingelte. Zu seiner Verblüffung reagierte der Summer. Scott trat ein und ging die dunkle Treppe hinauf. Er hatte zwei Stockwerke hinter sich gebracht, als er plötzlich einer Frau gegenüberstand, die sich über das Geländer beugte und ihn anstarrte.

Sie war mager, Ende Fünfzig, hatte dunkle ergrauende Haare, war offensichtlich auf der Hut und jedem gegenüber mißtrauisch, der bei einem toten Mieter klingelte.

»Ja?« fragte sie in einem Ton, der ihr gesamtes Mißtrauen in einer einzigen forschenden Silbe zusammenfaßte.

»Darf ich wissen, wer Sie sind?« fragte Scott, um das Gespräch zu eröffnen.

»Diese Frage sollte wohl ich stellen.«

Inzwischen befand sich Scott im dritten Stockwerk direkt vor ihr. Sie war größer und magerer, als er erwartet hatte, und begegnete ihm mit äußerster Zurückhaltung.

»Ich heiße Scott Van Cleve ...« begann er.

Die Frau unterbrach ihn. »Ich bin Mrs. Benedick. Das ist mein Gebäude. Ehrlich gesagt habe ich genug von Ghuls wie Sie, die täglich die Todesnachrichten überfliegen, um leere Wohnungen zu bekommen. Sie sollten tun, was alle anderen tun müssen. Schreiben Sie Ihren Namen auf die Listen von einem Dutzend Gebäuden, und warten Sie, bis Sie an der Reihe sind. Aber kommen und wie Geier bei jedem Toten herumschnüffeln ist ... ist ...« Sie suchte nach dem richtigen Wort, fand es nicht und entschied sich für »frevlerisch«. Weil sie unsicher war, wiederholte sie: »Ja, frevlerisch.«

»Ich bin nicht wegen der Wohnung hier«, erklärte Scott.

»Tatsächlich?« fragte sie überrascht.

»Ich bin Anwalt und vertrete ...«

Noch bevor er den Namen seiner Klientin nennen konnte, wehrte sie ab. »Ich weiß überhaupt nichts. Von Anwälten. Oder von Besitztümern. Ich inspiziere das Haus, um zu sehen, ob die Wohnung nur gründlich gereinigt oder frisch ausgemalt werden muß, bevor ich sie wieder vermiete.«

»Hätten Sie etwas dagegen, wenn ich sie mir ansehe?« fragte Scott.

»Wozu?«

»Ich möchte sie nur sehen. Ich verspreche Ihnen, daß ich nichts anrühren werde.«

»Ja also, wenn sie sich nur umsehen – obwohl es nichts zum Umsehen gibt ...« Sie gab den Weg zur offenen Tür hinter ihr frei.

Ihre Worte wurden verständlicher, als Scott in das Zimmer trat. Bis auf den geblümten Kretonnevorhang, der schlaff an einer Seite des türlosen begehbaren Schranks hing, war der

Raum vollkommen leer. Es gab kein Möbelstück, keinen Spiegel an der Wand. Keine Spur von Bekleidung in dem leeren Schrank. Es war, als hätte die Wohnung nicht erst wenige Wochen, sondern lange Zeit leergestanden.

»Nichts, überhaupt nichts«, bemerkte Scott leise.

»Ich habe Ihnen gesagt, daß es nichts zum Ansehen gibt«, wiederholte die Frau.

»Für gewöhnlich, wenn jemand stirbt…« begann Scott.

Die Frau kam ihm wieder zuvor. »›Für gewöhnlich‹. In diesem Fall war nichts wie gewöhnlich. Das arme Mädchen starb am Sonntag frühmorgens. Am Montagnachmittag, noch bevor bekannt wurde, daß sie gestorben war, tauchten zwei Möbelpacker auf. Sie hatten ein gesetzlich aussehendes Papier mit und räumten die Wohnung aus. Ganz und gar. Alles. Einschließlich seiner Kleidung…«

Die Frau unterbrach sich plötzlich. »Sie sagten, daß Sie Anwalt sind. *Sein* Anwalt?«

»Nein. Aber sagen Sie mir, wer ist ›er‹? Wo ist er?«

»Er lebte hier. Mit ihr. Zu zweit um den Preis für einen. Sie gaben es nie zu, da sie Angst vor einer Mieterhöhung hatten. Das haben wir hier immerzu. Männer ziehen bei Mädchen ein. Mädchen ziehen bei Männern ein. Wie bei der Reise nach Jerusalem.«

»Wissen Sie, wer er ist? Wie er heißt?«

»Nein. Wenn sie einen zweiten Namen zur Klingel und auf den Briefkasten picken, wird die Miete erhöht. Deshalb verwenden sie überhaupt keine Namen. Zumindest tat er es nicht. Aber er machte einen Mordskrach, als er entdeckte, daß sie seine Sachen zusammen mit den ihren mitgenommen hatten.«

»Sagten die Möbelpacker, wer sie geschickt hatte und wohin sie das Zeug brachten?«

»Nein. Sie zeigten mir nur ein gerichtliches Papier. Also ließ ich ihnen freie Hand.«

»Kennen Sie den Namen des jungen Mannes?«

»Nur vom Hören. Sie nannte ihn Rick.«

»Rick«, wiederholte Scott. »Kein Familienname?«

»Ich habe nie einen gehört.«

»Wissen Sie überhaupt etwas über ihn? Wovon er lebte? Was für Gewohnheiten er hatte?«

»Wenn Sie mich fragen – er hatte nur eine ›Gewohnheit‹«, erwiderte die Frau und betonte das letzte Wort seltsam.

»Nahm er Drogen?« fragte Scott.

»Ich tratsche nicht, aber ich kenne die Anzeichen.«

»Was war mit ihr?«

»Was soll mit ihr gewesen sein?« fragte die Frau abweisend.

»Nahm sie ebenfalls Drogen?«

»Ich habe Ihnen schon gesagt, daß ich nicht tratsche.«

»Aber Sie ›kennen die Anzeichen‹«, rief ihr Scott ins Gedächtnis.

»Ich spreche nicht über Mieter. Vor allem nicht über tote Mieter. ›Laßt sie ihre Geheimnisse ins Grab mitnehmen‹, sage ich immer«, erwiderte sie so endgültig, daß Scott klar wurde, daß er auf diesem Weg nicht weiterkam.

»Dieser… dieser… Rick… wenn Sie seinen Familiennamen nicht kennen oder nicht wissen, wovon er gelebt hat, können Sie ihn mir wenigstens beschreiben?«

»Beschreiben… beschreiben…« überlegte die Frau. »Lassen Sie mich überlegen. Er ist irgendwie dunkel – nicht schwarz, nicht einmal lateinamerikanisch – aber dunkel. Vielleicht wie ein Italiener. Und Anfang Zwanzig. Entsetzlich mager. Etwas an ihm mochte ich nie. Er trug die Haare lang in einem Pferdeschwanz. Ich sage Ihnen, von hinten konnte man ihn beinahe für ein Mädchen halten. Nur war er dafür zu groß. Aber ich meine, nach seiner Frisur konnte man ihn für ein Mädchen halten. Heutzutage, besonders in dieser Gegend…«

»Und er hieß Rick?«

»Rick«, wiederholte die Frau. »Hilft es Ihnen weiter?«

»Es ist besser als nichts. Aber nicht viel besser«, meinte Scott nachdenklich. »Ich gebe Ihnen meine Karte. Wenn er wiederkommen sollte, bitten Sie ihn, mich anzurufen.«

»Er wird nicht wiederkommen«, erklärte die Frau. »Falls er doch kommt, sage ich es ihm.«

»Es ist wichtig. Die berufliche Laufbahn einer Ärztin hängt
davon ab.«

»Einer Ärztin...« Die Frau erinnerte sich. »Sie meinen die
Ärztin, von der Stuyvesant im Fernsehen gesprochen hat? Und
dann antwortete sie ihm? Diese Ärztin?«

»Ja.«

»Wenn Sie mich fragen – sie braucht bestimmt einen Anwalt.
Ich schenke Ihnen die Krankenhäuser, die Ärzte, alles. Wenn ich
krank werde, gehe ich kein Krankenhaus. Nicht heutzutage.«

»Rufen Sie mich an, wenn Sie von ihm oder über ihn etwas
hören. Ja bitte?«

»Ja. Klar. Okay.«

Als er das alte Haus verließ, dachte er: Wenn diese Frau typisch für die Jury ist, der Kate vor Gericht gegenübergestanden
hätte, dann ist es ein Glück, daß wenigstens der Kunstfehler-
Streit erledigt ist.

22

Scott, der sich nun darauf konzentrierte, Claudias Lebensweise
und Gewohnheiten in dem Jahr vor ihrem Tod zu erforschen,
benützte das Begräbnisprogramm, um die beiden Klassenka-
meradinnen aufzuspüren, die bei der Beerdigung ein paar kurze
Worte zu ihrem Tod gesprochen hatten.

Die junge Frau, die das Gedicht zur Erinnerung an Claudia
vorgetragen hatte und der Scott überhaupt keine Information
hatte entlocken können, war unerreichbar, weil sie nach Dallas
zurückgekehrt war. Die andere aber, in dem Programm als Shelley Montfort verzeichnet, wohnte noch in New York. Sie arbeitete als Produktionsassistentin bei einer Fernseh-Talkshow.

Scott mußte warten, bis die Show zu Ende war und er Shelley in ihrem Studio aufsuchen konnte. Von der ersten Frage an
antwortete Shelley ausweichend und hatte zu rasch Entschul-
digungen zur Hand.

»Hören Sie, Mr. Van Cleve, ich habe wirklich keine Zeit. Ich muß jede Woche die Gäste organisieren, und wir hatten bereits ein Storno für die morgige Show. Deshalb muß ich einen Politiker, einen publicityhungrigen Schriftsteller oder einen Verrückten mit einer seltsamen Idee auftreiben, der im Fernsehen gut ankommt. Ich sollte jetzt eigentlich telefonieren.«

»Ms. Montfort, es geht um die berufliche Laufbahn einer jungen Frau, einer Ärztin, die…«

»Bitte, Mr. Van Cleve! Ich habe genügend eigene Probleme. Und wenn es nicht ums Fernsehen geht, kann ich wirklich nichts tun!« fuhr sie ihn an.

»Aber es hat mit dem Fernsehen zu tun. Sie kannten Claudia Stuyvesant«, sagte Scott.

Shelley Montfort wurde sofort ruhiger, aber auch aufmerksamer und zurückhaltender.

»Was hat Claudia damit zu tun?« fragte sie leise.

Scott erklärte ihr, was Kate Forrester drohte. Er wies darauf hin, daß eine Aussage über Claudias Lebensweise während des letzten Jahres seine Klientin wesentlich entlasten könnte. »Ich bitte Sie deshalb nur darum, eine Stunde Ihrer Zeit zu opfern und über Claudias Gewohnheiten in den letzten ein bis zwei Jahren auszusagen.«

»Ich weiß wirklich nicht…«, begann Shelley.

»Natürlich wissen Sie es«, widersprach Scott. »Wenn ich daran denke, wie Sie beim Begräbnis gesprochen haben, standen Sie einander sehr nahe.«

»Wir hatten einander nahegestanden«, stellte Shelley richtig.

»Was geschah?« wollte Scott wissen. »Was änderte sich?«

»Schon während der Schulzeit war sie nach der Szene im Village verrückt. Jedes Mal, wenn wir einen freien Tag, ein freies Wochenende hatten, kam sie in die Stadt hinunter und ging direkt zum Village. Nach einer Weile hielt sie uns für seltsam und eigenartig und fand, daß wir auf dem Abstellgleis standen, weil wir nicht mitmachten. Ihr wurde nie klar, daß sie diejenige war, die auf dem Abstellgleis stand.«

»Drogen?« fragte Scott. »Nahm sie schon während der Schulzeit Drogen?«

»Darüber weiß ich nichts.« Shelley log nicht sehr überzeugend.

»Bitte. Die Wahrheit kann die Laufbahn einer jungen, sehr kompetenten Ärztin retten.«

»Darüber weiß ich nichts«, wiederholte Shelley.

»Ich bitte Sie nur, die Wahrheit zu sagen.«

»Es tut mir leid; ich habe nichts hinzuzufügen. Außerdem muß ich jetzt meine Anrufe erledigen.«

»Wenn Ihre Karriere in Gefahr wäre, wären Sie dann nicht froh, wenn sich jemand die Zeit nähme, Ihnen zu helfen?« fragte Scott.

»Es tut mir leid«, wiederholte sie.

Scott begriff, daß es keinen Sinn hatte, sie mit weiteren Fragen zu belästigen. Als er sich abwandte, veranlaßte sie das schlechte Gewissen oder das Schuldgefühl weiterzusprechen. »Sie bitten mich, jemandem zu helfen, den ich nicht einmal kenne. Und den Namen eines Mädchens anzuschwärzen, mit dem ich in einem Zimmer wohnte, das ich liebte, dessentwegen ich mir Sorgen machte. Hat man ihrem Ruf nicht schon genug geschadet? Sie ist tot. Lassen Sie sie in Frieden ruhen.«

Shelley war jetzt den Tränen nahe, und sie tat Scott leid, obwohl sie sich nach wie vor weigerte, ihm zu helfen.

»Ich weiß wirklich nicht, was sie war, was sie tat, denn wir trieben voneinander fort, vor allem im letzten Jahr. Das geschieht, wenn Menschen Drogen nehmen. Sie leben in ihrer eigenen Welt. Wenn man nicht gemeinsam mit ihnen Drogen nimmt, existiert man für sie nicht. Wir versuchten es, Gott weiß, daß wir alle versuchten, den Kontakt mit ihr aufrechtzuerhalten. Wir konnten nichts tun, sie hörte auf niemanden. Nur auf den Schönling, mit dem sie zusammenlebte.«

»Sie meinen Rick?« fragte Scott.

Damit überrumpelte er Shelley. »Sie wissen über ihn Bescheid?«

»Ja.«

»Dann wissen Sie wahrscheinlich alles.«

»Nur nicht, wo man ihn findet. Wissen Sie es?«

»Nein. Keiner von uns weiß es. Wir wußten nur, daß er von Claudias Geld lebte.«

»Haben Sie ihn jemals kennengelernt?«

»Nicht wirklich«, sagte Shelley.

»Was soll das heißen?«

Shelley zögerte und überlegte, ob es ratsam war, noch mehr zuzugeben, als sie bereits getan hatte.

»Bitte, Ms. Montfort, sie können Claudia nicht damit schaden, daß Sie es mir erzählen.«

»Na ja...« Shelley schwankte, dann gab sie zu: »Wir lernten ihn nicht kennen, aber...«

»Aber Sie sahen ihn?« schloß Scott.

Shelley nickte. »Vor etwa einem Jahr rief ihre Mutter mich an. Sie sagte, daß ihr Mann über Claudias Lebensweise verzweifelt sei und drohe, etwas Drastisches zu unternehmen. Sie bat uns, alles zu versuchen, um sie zu einer Rückkehr nach Hause zu bewegen. Wir gingen also zu zweit zu Claudia. Als wir die Treppe hinaufstiegen, kam ein junger Mann herunter. Wir nahmen an, daß es der Rick war, mit dem sie zusammenlebte. Als wir sie danach fragten, leugnete sie es nicht.«

»Und das war das einzige Mal, daß Sie ihn sahen?« fragte Scott.

»Ich habe ihn noch einmal gesehen«, gab Shelley zu.

»Beim Begräbnis?«

»Ja, aber woher wissen Sie das?«

»Dr. Forrester entdeckte ihn ebenfalls. Sie vermutete, daß er Claudias Freund war.«

»Ja, das war er. Mit Pferdeschwanz und allem«, gab Shelley zu. »Mehr weiß ich nicht. Ich fürchte, daß ich Ihnen nicht viel geholfen habe.«

»Es sei denn, Sie erklärten sich bereit auszusagen«, meinte Scott. Sie schüttelte entschieden den Kopf, und er wußte, daß er sie nicht überzeugen konnte. »Aber vielleicht wissen Sie noch etwas.«

»Und zwar?«

»Hat sie Ihnen verraten, wie dieser Rick mit Nachnamen heißt?«

Shelley zögerte, dann meinte sie: »Das tut ihr jetzt nicht mehr weh. Er heißt Rick Thomas. Das Schwein.«

»Das ist wenigstens etwas, an das ich mich halten kann«, stellte Scott fest. »Danke.«

Als er sich auf den Weg machte, rief sie ihm nach: »Das mit Ihrer Klientin tut mir leid. Aber ich kann nichts tun, das Claudia verletzen würde. Es tut mir wirklich leid.«

23

Rosie Chung war im Begriff, zum Nachtdienst zu gehen, als Kate von ihrer Arbeit bei Dr. Troy zurückkehrte. Sie rief aus dem Schlafzimmer: »Kate? Dein Anwalt hat angerufen.«

Kate lief zu Rosies Tür. »Was sagte er? Hat er mit Claudia Stuyvesants Freundin gesprochen?«

»Er sagte nur, daß du ihn um neun Uhr an der Ecke Eighth Street und Fifth Avenue treffen sollst.«

»Heute abend?«

»Heute abend«, bestätigte Rosie. »Er sagte, du sollst warme Sachen und ›feste, praktische Schuhe‹ anziehen, wie er es nannte.«

»Ich möchte wissen, was das bedeutet«, meinte Kate.

»Ich möchte es auch gern wissen.« Rosie trug sehr sorgfältig dunkles Make-up um ihre mandelförmigen Augen auf.

Was Kate veranlaßte zu fragen: »Hat Mel heute nacht Dienst?«

Rosie wandte sich ihr zu. »Warum fragst du?«

»Jedes Mal, wenn er Nachtdienst hat, machst du dich zurecht, als gingest du zu einem Rendezvous und nicht zu stundenlanger Höllenarbeit.«

»Er soll nie vergessen, daß ich nicht nur Ärztin, sondern auch eine Frau bin.«

»Das tut er sicherlich nicht. Er ist verrückt nach dir. Warum sollte er dich sonst nach Hause mitnehmen und seiner Familie vorstellen?« fragte Kate, kam aber nicht von der Nachricht los.

»Warme Kleidung und praktische Schuhe? Sagte er, warum er heute nacht mit mir zusammenkommen will?«

»Nein. Aber ich muß etwas zugeben: Er hat eine sehr angenehme Stimme. Sogar wenn er Befehle erteilt. Sieht er so aus, wie er klingt?«

»Wie klingt er?« wollte Kate wissen.

»Nach seiner Stimme zu schließen ist er ein guter, solider Bürger. Der Spencer-Tracy-Typ. Kräftiger Körperbau. Etwa einssiebzig…«

»Einsfünfundachtzig«, stellte Kate richtig.

»Und blond. Der typische blonde Amerikaner.«

»Braun«, sagte Kate. »Seine Haare sind braun.«

»Ein Mann mit dieser Stimme muß gut aussehen. Ähnlich wie Tom Cruise. Glatt. Und süß.«

»Zerfurcht«, korrigierte Kate wieder.

»Zerfurcht?« fragte Rosie überrascht. »Ich habe ihn mir immer mit einem Grübchen im Kinn vorgestellt. Wie Kirk Douglas oder Cary Grant in den Filmen, die wir im Spätabendprogramm sahen, wenn wir zu müde waren, um zu schlafen.«

»Kein Grübchen. Nur ein zerfurchtes Gesicht. Hochgewachsen. Sehr hager. Der Körperbau eines Langstreckenläufers. Ich glaube allerdings nicht, daß er läuft. Aber er ist nett. Sehr nett. Und… na ja, aufopfernd.«

»Aufopfernd?« Rosie wandte sich Kate zu; ihre Neugierde war wieder geweckt. »Soll das heißen, daß außer der juristischen Beratung noch etwas zwischen euch läuft?«

»Ich meine, daß er in seiner Arbeit aufgeht. In meinem Fall.«

»Ach so.« Rosie war offensichtlich enttäuscht. »Ich habe gedacht, daß du jetzt, da Walter aus deinem Leben verschwunden ist, endlich fähig bist, andere Männer in Betracht zu ziehen.«

Rosie schlüpfte vorsichtig in eines der einfachen dunklen Kleider, die sie für gewöhnlich beim Notaufnahmedienst unter dem weißen Kittel trug, als Kate plötzlich fragte: »Du hast Walter nie gemocht, nicht wahr?«

»Ich habe Walter gemocht. Ich mochte ihn nur nicht für dich.

Du hast Anspruch auf einen Mann, der nicht nur den Ehrgeiz hat, Geschäfte abzuschließen und Geld zu verdienen.«

»Du hast nie etwas Derartiges erwähnt.«

»Ich wußte, daß du irgendwann die richtige Antwort finden würdest. Außerdem – wer bin ich, daß ich Verliebten Ratschläge erteile? Ich würde sehr gern in bezug auf mein eigenes Leben so klug sein.«

»Was stimmt mit Mel nicht?«

»Mein Vater. Seine Mutter. Eine arme, liebe Lady. Als Mel mich zum ersten Mal mitbrachte, war sie so nervös, daß sie versuchte, eine angenehme Atmosphäre zu schaffen, indem sie herausplatzte: ›Wir lieben chinesisches Essen. Wir gehen beinahe jeden Sonntag in das reizende kleine chinesische Restaurant in der Nachbarschaft.‹ Dann brauchte sie Verstärkung und wandte sich ihrem Mann zu. ›Nicht wahr, Max?‹ Er tat sein Bestes, indem er hinzufügte: ›Außer, es läuft ein Fußballmatch. Dann schicken wir Chinesen ins Gefecht.‹ Nette Leute. Aber bei dem Gedanken, daß ihr geliebter Sohn eine Chinesin heiraten wird, werden sie schrecklich nervös.«

»Du darfst ihnen gegenüber nicht zu streng sein«, meinte Kate.

»Mein Vater wird auch nicht besser. Er wird nie verstehen, wie ein ordentlich erzogenes chinesisches Mädchen den Graben überspringen und sich in einen Amerikaner verlieben kann. Obwohl mein Vater es nie gesagt hat, weiß ich, was er fühlt. Er arbeitete schwer, opferte, kratzte das Geld zusammen und sparte, damit seine Tochter die Ausbildung bekommen konnte, die sie wollte. Und was geschieht? Ich höre ihn heute noch: ›Wir verlieren unsere einzige Tochter. An einen Außenseiter. Was für Enkelkinder werde ich haben? Werden sie aussehen wie unsere Rosie? Oder werden sie aussehen wie er?‹ Er. So nennt mein Vater Mel. Und das Traurige daran? Ich weiß genau, wie ihm zumute ist. Er riskierte sein Leben, unser aller Leben, um aus dem kommunistischen China zu fliehen. Er ist gern Amerikaner. Es macht ihn sehr stolz. Nur hat er nie erwartet, daß seine Tochter einen Amerikaner heiratet. Deshalb tut mir mein Vater leid. Aber ich ... ich liebe Mel. Was soll ich tun?«

Bevor Kate sie trösten konnte, sagte Rosie: »Ich muß mich beeilen. Mel und ich gehen vor dem Dienst auf eine Tasse Kaffee. Und das nennt sich Romanze. Aber wir sagen einander immer wieder, daß eines Tages alles großartig sein wird.«

Sie drückte Kate an sich. »Komm nicht zu spät. Van Cleve sagte neun Uhr, warme Kleidung, praktische Schuhe.« Sie ging zur Tür und rief von dort aus: »Erzähle ihm um Himmels willen nie, wie falsch ich ihn mir vorgestellt habe.«

Kate trug ein warmes Kostüm und kräftige braune Straßenschuhe, als sie von der U-Bahn-Station an der West Fourth Street zur Straße hinaufstieg. Der Boden war noch immer feucht vom Frühlingsregen, der am frühen Abend gefallen war. In der Dunkelheit machte sie sich auf den Weg zum vereinbarten Treffpunkt und empfand unterschwellig das Gefühl von Gefahr, wie die meisten New Yorker, die nachts allein auf einer einsamen Straße unterwegs sind. Außerdem war sie besorgt. Warum hatte Van Cleve so plötzlich angerufen, eine so kryptische Nachricht ohne Erklärung hinterlassen? Sie entdeckte ihn an der Ecke unter einer Straßenlaterne. Mit seiner hohen, hageren Gestalt und dem doppelreihigen Trenchcoat sah er aus wie eine Gestalt aus einem Kriminalroman. Als er Kate erblickte, begann er sofort zu sprechen.

Er war von seinem Plan so fasziniert, daß er annahm, sie wisse, worum es ging.

»Rick. Sein Name ist Rick Thomas.«

»Wer?« fragte sie.

»Der Mann, mit dem Claudia zusammenlebte. Der Mann, den Sie beim Begräbnis entdeckten. Zwei Leute haben ihn genau so beschrieben wie Sie. Jetzt ist die Frage, ob Sie ihn identifizieren können, wenn Sie ihn wiedersehen.«

»Ich glaube schon. Falls ich ihn wiedersehe. Können Sie dafür sorgen?«

»Das versuchen wir heute nacht. Gehen wir.«

Während sie sich auf den Weg machten, zählte Kate auf: »Pferdeschwanz. Blasses hageres Gesicht. Dunkler Teint. Trägt

Jeans. Das sind kaum besondere Kennzeichen. Vor allem nicht in diesem Teil von New York.«

»Ich habe mit Dan Farrell darüber gesprochen.«

»Dan Farrell?«

»Ein Polizeidetektiv im Ruhestand. Er macht alle Nachforschungen für unsere Anwaltsfirma. Er kann es nicht für mich tun, aber er gab mir Ratschläge, wie man einen Mann aufspürt, von dem man keine Adresse kennt, nur den Namen und eine allgemeine Beschreibung.«

»Wie?«

»Es steht zweifelsfrei fest, daß Claudia Drogen nahm. Was bedeutet, daß er es ebenfalls tut. Shelley Montfort nimmt an, daß er Claudia an Drogen gewöhnt hat. Farrell sagt, daß Ricks Rettungsleine – Farrell verwendete das Wort ›Nabelschnur‹ – ein Dealer aus der Gegend ist, in der sie zusammen gelebt haben.«

»Hier findet man an jeder Ecke einen Dealer. Genau wie in den Wohnvierteln«, sagte Kate. »Wenn ich in manchen Nächten oder frühmorgens das Krankenhaus verlasse, sehe ich drei oder vier von ihnen, die sich auf der Straße herumtreiben und auf Kunden warten. Die Polizei scheint sie nicht zu sehen.«

»Farrell behauptet, daß an einer Ecke in der Nähe des Hauses, in dem Rick und Claudia wohnten, ein – oder mehrere – Dealer Drogen verkauften, auch an die beiden. Seit Claudias Tod ist Ricks Geldquelle versiegt. Er wird alle Dealer, die er kennt, um einen Kredit angehen. Kein fremder Dealer wird ihn übernehmen. Farrell sagte: ›Finden Sie den Dealer, und Sie haben der Kerl.‹«

»Und haben Sie ihn gefunden?«

»Ich glaube schon«, erwiderte Scott. »Ich habe im Umkreis von einigen Blocks jeden Dealer an jeder Ecke ausgefragt. Natürlich leugneten sie, jemanden zu kennen, der Rick oder Thomas hieß. Offenbar haben sie vermutet, daß ich vom Rauschgiftdezernat bin. Bis auf einen Dealer. Zwar leugnete er auch, aber ich wußte, daß er log. Ihn beobachten wir heute nacht. Vielleicht kauft Rick heute nacht etwas.«

»Und wenn er es nicht tut?«

»Dann kommen wir morgen abend wieder. Und übermorgen abend. Und überübermorgen abend«, erklärte Van Cleve entschlossen.

»Was ist, wenn er nie auftaucht?«

»Dann haben wir das beste Element unserer Verteidigung verloren«, gab er grimmig zu.

Sie hatten die Ecke erreicht, die Van Cleve vorgesehen hatte. Er winkte Kate drei Stufen in ein offenes Kellergeschoß hinunter, von wo aus sie einen Mann beobachten konnten, der im Lampenlicht allein an einer Ecke stand. Von Zeit zu Zeit blickte er die eine Straße hinunter, dann die andere, als befürchte er, daß man ihn verfolgte. Doch ein Polizeiwagen, der langsam vorbeifuhr, blieb nicht stehen.

Mehrmals kamen teure in- und ausländische Sportwagen vorbei, hielten gerade so lange, bis der Fahrer dem Dealer Geld übergeben hatte, mehrere kleine Kuverts erhielt und rasch davonfuhr. Einige Male erschienen Fußgänger einzeln oder zu zweit, um ähnliche Transaktionen durchzuführen.

Jedes Mal, wenn der Kunde ein einzelner junger Mann war, flüstere Van Cleve: »Ist er das?«

Dann starrte ihn Kate an, solange er unter der Laterne stand, aber mußte schließlich sagen: »Nein, er ist es nicht.«

Sie warteten weiter. Nach einer Weile flüsterte Van Cleve: »Wenn mir jemand während des Jurastudiums gesagt hätte, daß ich in einer nebligen Nacht im Greenwich Village einen Dealer überwachen würde, hätte ich ihm erklärt, daß er den Verstand verloren hat. Ich hätte in Shenandoah bleiben sollen.«

»Shenandoah?« fragte Kate.

»Ich bin von dort. Kleine Stadt in Pennsylvanien. Obwohl meine Nachbarn nie zugegeben hätten, daß es eine kleine Stadt ist. Wir sind nämlich die große Stadt inmitten einer Menge wirklich kleiner Städte. Die Leute kamen nach Shenandoah, um einzukaufen oder zur Bank zu gehen. Aber ich träumte bereits als Kind davon, ein großer, bedeutender Anwalt zu werden und nach New York überzusiedeln. Die meisten Kinder träumen wahrscheinlich davon, in New York zu leben. Die große Stadt zu erobern. Vermutlich sehen wir zu viele Filme oder Fernsehshows. Offenbar auch Sie.«

»Hier befindet sich die Medizin auf dem höchsten Stand der Welt«, sagte Kate. »Deshalb bin ich hierhergekommen, um zu lernen. Und landete...«

Bevor sie weitersprechen konnte, packte Van Cleve ihren Arm und veranlaßte sie so, einen weiteren Verdächtigen zu beobachten. Kate musterte ihn so lange, bis er den Lichtschein der Laterne verließ.

»Nein, auch nicht«, sagte sie. »Jeans, Pferdeschwanz. Fahle Haut. Aber er war es nicht.«

Sie ließen sich wieder nieder.

»Sie sagten, daß Sie hierherkamen, um zu lernen und statt dessen...« erinnerte sie Van Cleve. »Statt dessen gerieten Sie in Kreuzfeuer? Wurden Ihres ärztlichen Status beraubt?«

»Fühlte ich mich verraten, gekränkt, verletzt«, gab Kate zu. »Als wäre ich professionell vergewaltigt worden.«

»Ich weiß, wie Sie sich fühlen«, sagte Scott.

»Das können Sie nicht. Das können Sie erst, wenn es Ihnen zustößt.«

»Wie fühlt man sich Ihrer Meinung nach, wenn man bei einer großen Anwaltfirma unter der ausdrücklichen Bedingung anfängt, einen Teil seiner Zeit Menschen zur Verfügung zu stellen, die Hilfe brauchen und verdienen, aber sie sich nicht leisten können? Dann nehmen Sie diese Abmachung in Anspruch, und die Firma sagt quasi, Sie sind gefeuert. Vielleicht gibt es zwischen uns mehr Gemeinsames, als uns klar ist.«

Er packte wieder Kates Arm. Ein weiterer Verdächtiger war zur Identifizierung erschienen. Kate sah ihn genau an, dann gab sie leise zu: »Nein, nicht er.« Als der junge Mann in die Dunkelheit verschwunden war, sagte sie: »Ich bekomme das schreckliche Gefühl, daß ich Rick Thomas nicht erkennen würde, wenn er auftaucht.«

»Verlieren Sie nicht den Mut. Wenn Sie ihn sehen, werden Sie ihn bestimmt erkennen«, meinte Scott tröstend.

Leichter Regen setzte ein. Ein feiner Dunst, den man nur sehen konnte, indem man in das Licht der Straßenlampe blickte. Kate trug einen Stoff-, aber keinen Regenmantel. So begann Scott, seinen Trenchcoat auszuziehen, um ihn ihr anzubieten, aber sie lehnte dankend ab.

»Er ist groß genug für zwei«, erklärte er, öffnete den Mantel und hüllte sie schützend ein. »Besser?«

»Besser«, antwortete Kate, obwohl sie sich in der unmittelbaren Nähe eines Mannes, der zwar ihr Anwalt, aber ihr praktisch fremd war, unbehaglich fühlte.

Wieder fuhr ein Wagen vor. Wieder ging eine Transaktion über die Bühne. Der Wagen fuhr weiter. Dann kam eine junge Frau um die Ecke. Sie hielt eine kleine, zusammengefaltete Banknote hin, erhielt mehrere kleine Kuverts, umklammerte sie mit der Faust und verschwand in die neblige Dunkelheit. Ein weiterer Wagen hielt, aber bevor der Fahrer die Hand ausstrecken konnte, um die Transaktion einzuleiten, bog ein Polizeiwagen um die Ecke. Der Sportwagen fuhr so schnell an, daß er auf der feuchten Straße ins Schleudern kam und eines der geparkten Autos streifte. Sofort nahm der Polizeiwagen die Verfolgung auf, und der Dealer trat in den Rinnstein, um die Jagd und ihren Ausgang besser beobachten zu können. Dann nahm er seine übliche Geschäftsposition wieder ein.

Kate und Scott setzten die Beobachtung fort.

»Glauben Sie, daß Sie je wieder zurückgehen könnten?« fragte Kate.

»Zurück?« Ihre plötzliche Frage überraschte Scott.

»Nach Hause. In diese Stadt in Pennsylvanien.«

»Shenandoah. Ich habe daran gedacht. Vor allem während der letzten beiden Wochen. Ich weiß nicht, ob ich in einer Kleinstadt leben und dort meinen Beruf ausüben könnte. Kleine Fälle wie der Verkauf eines kleinen Hauses. Das Testament eines Mannes, der nicht viel zu hinterlassen hat. Streitigkeiten zwischen zankenden Nachbarn um die Grundstücksgrenzen. Ich weiß es nicht. Vielleicht habe ich mich mit der New-York-Krankheit infiziert. Wenn es nicht groß ist, ist es nicht wichtig.

Das gilt sogar für die Fälle, die ich verteidige. Es müssen große Fälle sein. New York verändert wahrscheinlich das Gefühl für Werte. Ich hoffe, daß es nicht der Fall ist, fürchte aber, daß es stimmt. Haben Sie ebenfalls dieses Gefühl?«

»Wenn wir verlieren, werde ich nicht wählen können, ob ich zurückgehe oder bleibe, sondern muß einen Ort in diesem oder einem anderen Staat finden, an dem sie einen Arzt so verzweifelt brauchen, daß sie die Ausgestoßenen nehmen.«

»Sie sind keine Ausgestoßene.«

»Wenn wir Rick Thomas nicht finden, könnte ich eine sein.«

»Wir finden ihn«, sagte er, und weil er nicht sicher war, wiederholte er: »Wir werden ihn finden.«

Sie hatten gewartet und beobachtet, während Kunden zu Fuß und im Auto eintrafen, verstohlen den Kauf tätigten und gingen. Einige von ihnen sahen Rick Thomas ähnlich, aber nur oberflächlich, in Kleidung oder Frisur.

Kate streckte die Hand unter dem Trenchcoat hinaus, um die Luft zu prüfen.

»Es hat aufgehört zu regnen«, stellte sie fest.

»Ach ja«, stimmte Scott beinahe widerwillig zu, öffnete den Mantel und gab Kate frei. Dann begann er zu sprechen, um seine Verlegenheit zu überspielen. »Ihre Familie ... Sie erwähnten, daß Ihr Dad Farmer ist. Was baut er an?«

»Mais. Sojabohnen. Ein wenig Weizen. Aber hauptsächlich Mais.«

»Ein schweres Leben?«

»Es ist nicht leicht, aber sehr befriedigend. Vor allem in guten Jahren. Pflügen, pflanzen, das Wetter beobachten, das Getreide bis zur Ernte durchbringen, mitten in einem Maisfeld mit ganz hohen Pflanzen stehen; sie überragen einen, das gibt einem Menschen tatsächlich das Gefühl, etwas geleistet zu haben.«

»Sie lieben Ihren Vater wirklich.«

»Ich liebe und bewundere ihn. Er ist ein guter Mensch. Ein guter Vater. Ein guter Ehemann. Und er dient auf dieser Welt einem Zweck. Das zählt in dieser geldverrückten Zivilisation für mich.«

»Wie stehen Sie zu Anwälten?«

»Sie sind wahrscheinlich notwendig«, gab Kate zu.

»Nur ›notwendig‹? Das Bild eines Anwalts, der mitten in einer juristischen Bibliothek steht, in der ihn die aufgetürmten juristischen Werke überragen, gibt Ihnen nicht das gleiche Gefühl von Befriedigung«, meinte er trocken.

»Ich wollte damit nicht sagen, daß Anwälte nicht wertvoll sind. Wie könnte ich das in einem Augenblick tun, in dem meine Zukunft, meine Karriere von einem Anwalt abhängen?« entschuldigte sie sich.

»Danke. Danke vielmals«, sagte er. »Jetzt bedeuten mir die Jahre auf der juristischen Fakultät endlich etwas.«

Sie blickte zu seinem zerfurchten Gesicht, zu den grauen Augen auf. Deren verschmitztes Zwinkern bestätigte ihren Verdacht, daß er sie geneckt hatte.

»Ihr Vater«, sagte Kate. »Sie haben nie erwähnt, was er tut.«

»Tat«, stellte er richtig.

»Das tut mir leid. Ich nahm einfach an…«

»Sie hatten absolut das Recht, das anzunehmen. Ich bin neunundzwanzig und mein Vater wäre jetzt achtundfünfzig. Kein besonderes Alter heutzutage.«

»Wie ist es geschehen?« fragte Kate.

»Er war Lokomotivführer auf der Strecke von den Kohlebrechern zu den Hochöfen außerhalb von Pittsburgh. Eines Nachts entgleiste er in der Hufeisenkurve. Überhöhte Geschwindigkeit stellten die Sachverständigen der Bahnlinie fest.«

»Das war wirklich ein Unglück. Wie alt waren Sie damals?«

»Sieben.«

»Und Ihre Mutter war eine junge Witwe mit einem siebenjährigen Kind. Wie hielt sie sich über Wasser, was tat sie?«

»Dank den Männern in seinem Team bekam sie eine Pension. Wenig, aber besser als gar nichts.«

»Dank den Männern in seinem Team? Sie meinen, daß Eisenbahnarbeiter darüber abstimmen, wer eine Pension bekommt?«

»Sie stimmten nicht ab. Sie hielten nur den Mund. In dieser Nacht war er betrunken gewesen.« Scott zögerte, bevor er weitersprach. »Er war beinahe jede Nacht betrunken. Und dann war er gemein und rücksichtslos. Wenn das bekannt geworden wäre, hätte es vielleicht keine Pension gegeben.«

»Sie wußten es, obwohl sie erst sieben waren«, murmelte Kate mitfühlend.

»Ich wußte es seit meiner frühesten Kindheit. Wie er meine Mutter behandelte. Sie anschrie, wenn sie ihn bat, weniger zu trinken. Nicht aufzuhören, nur etwas weniger zu trinken. Und einmal... also zweimal... nein, dreimal... schlug er sie tatsächlich. Als ich versuchte, ihn aufzuhalten, ein kleiner, sechs Jahre alter Junge, schlug er mich so heftig, daß ich an der gegenüberliegenden Zimmerwand landete und das gesamte Lieblingsgeschirr meiner Mutter, das sie von ihrer Mutter geerbt hatte, in dem alten Porzellanschrank zerschlug. Als ich zu mir kam, lag ich in ihrem Schoß; sie saß auf dem Boden, drückte mich an sich und weinte.«

»Es ist tragisch, wenn man seinen Vater so in Erinnerung hat.«

»Nachdem ich alt genug geworden war, um an diese Dinge zu denken, überlegte ich mir lange, ob ich zu einem Psychiater gehen und etwas aufklären sollte, das mich von dem Tag seines Todes an beunruhigte. Ich habe es jedoch nie getan.«

»Und es quält Sie noch immer, nicht wahr?«

»Ja, es quält mich noch immer. In der Nacht, in der er starb, kamen sie, um es meiner Mutter zu erzählen. Sie mußte entscheiden, ob sie mich wecken oder bis zum Morgen schlafen lassen wollte. Ich wachte von selbst auf. Wahrscheinlich war es die Unruhe im Haus. All die Aktivitäten. Meine Mutter weinte. Ich lief zu ihr. Sie nahm mich in die Arme, drückte mich an sich und sagte: ›Du armer kleiner Junge, du armer kleiner Junge.‹ Ich war verwirrt und hatte Angst. Ich wußte nicht, was sie meinte. Dann sagte sie, ›Van...‹ Jeder andere nannte mich Scotty, aber sie sagte immer Van zu mir. ›Van, dein Vater kommt nie wieder nach Hause.‹ Sie brach wieder in Tränen aus.

Aber ich nicht. Ich fühlte mich gut, gut, gut! Er wird nie wieder nach Hause kommen, um sie zu verfluchen, sie zu schlagen, mich zu verprügeln. Gut! Es ist schrecklich, wenn ein Kind so fühlt.«

»Oder wenn es darüber spricht, jetzt noch«, sagte Kate leise.

»Ja, vor allem, wenn man zum ersten Mal drüber spricht...« Er unterbrach sich abrupt. »Sehen Sie!«

Kate starrte zum Dealer hinüber, dem sich ein neuer Kunde näherte. Ein junger Mann. Unnatürlich dünn. In Jeans. Pferdeschwanz. Dunklere Haut.

»Ist er das?« flüsterte Van Cleve.

»Ich glaube schon«, flüsterte Kate zurück. Sie sprangen gleichzeitig aus ihrem Versteck auf, riefen »Rick! Rick Thomas!« und liefen quer über den feuchten Asphalt zu ihm. Der Verdächtige wirbelte herum, erblickte Van Cleve und schlug die nächste in die Dunkelheit führende Straße ein. Scott rannte hinter ihm her, dicht gefolgt von Kate mit den widerstandsfähigen, praktischen Schuhen. Der Flüchtling rannte die Straße entlang, Scott blieb hinter ihm, holte ein wenig auf, aber nicht genug, um ihn zu ergreifen. Bis der Fuß des jungen Mannes bei dem Versuch, die Straße zu überqueren, in ein Schlagloch geriet. Er stolperte, fiel der Länge nach in den feuchten Rinnstein, und seine kostbaren Pergaminkuverts flatterten rings um ihn auf den Boden.

Van Cleve setzte sich auf ihn, drückte ihn auf die nasse Straße und drehte ihm den Arm nach hinten.

»He, Mann, sind Sie verrückt? Ich bin nicht Rick Thomas. Ich habe noch nie von einem Rick Thomas gehört.«

Van Cleve hob ihn hoch und schleppte ihn in das Licht der nächsten Straßenlampe. Er packte ihn an den Haaren und hielt sein Gesicht in das Licht, damit Kate ihn genau sehen konnte. Der Verdächtige wehrte sich. Van Cleve zog den Arm hinter seinem Rücken höher hinauf, und er schrie vor Schmerz auf. Aber er hielt jetzt still.

»Okay, Frau Doktor. Ist er es?«

Kate starrte in das Gesicht des verängstigten jungen Mannes.

Sie hätte ihre Suche gern beendet, war aber gezwungen zuzugeben: »Nein, er ist es nicht.«

Van Cleve ließ den Arm des Mannes los und murmelte verlegen ein kaum angemessenes »Entschuldigung«.

»Verrückt. Mann, Sie sind ein verrücktes Schwein«, stieß der junge Mann zornig und verächtlich hervor. »Wo sind sie? Wo ist mein Zeug?« Er warf sich auf alle viere in den Rinnstein und suchte nach den Pergaminumschlägen mit der Droge, die er so verzweifelt brauchte.

Scott beobachtete ihn kopfschüttelnd. »Das Zeug hat ihn in ein Tier verwandelt. Sehen Sie ihn nur an. Mir wird übel!«

Kate enthielt sich eines Kommentars über den möglichen Zusammenhang zwischen den Erinnerungen an seinen Vater und seinem intensiven Widerwillen gegen jeden, der sich in den Klauen eines unüberwindlichen Lasters befand.

Vielleicht ist er deshalb so darauf versessen, den Beweis für Claudia Stuyvesants Rauschgiftsucht zu erbringen, dachte sie.

Van Cleve und Kate kehrten enttäuscht zu ihrem Ausgangspunkt zurück. Doch bevor sie ihn erreichten, vertrat ihnen der Dealer, dessen alleiniger Besitz diese Ecke war, den Weg. Scott war auf einen physischen Angriff gefaßt, während Kate befürchtete, daß der Mann bewaffnet war, und hoffte, daß Scott keinen Widerstand leisten würde.

»He, du«, begann der Dealer, »hast du den Verstand verloren? Du jagst einen Jungen, den du nicht einmal kennst. Hier unten wirst du aus noch viel geringeren Gründen weggepustet. Dein Glück, daß der Kerl keine Kanone bei sich hatte. In der Gegend wirst du nicht lang am Leben bleiben.«

»Danke für die Warnung«, erwiderte Scott.

Der Dealer reagierte auf den Sarkasmus.

»Jetzt hör mir zu, Söhnchen, und zwar genau. Es ist schon blöd genug, wenn man eine kaputte Type durch die Straße jagt und Stunk macht. Aber schlimmer ist, daß du mein Geschäft störst. Und das ist viel gefährlicher. Drücke ich mich klar aus?«

»Ich hab's kapiert«, lenkte Scott ein.

»Okay. Jetzt haben wir das, was die Diplomaten einen offenen Meinungsaustausch nennen. Deshalb sage ich dir etwas. Ich weiß nicht, was dieser Rick Thomas dir bedeutet. Und es ist mir wurst. Ich will einfach nicht, daß du dich hier herumtreibst und mein Geschäft störst. Vor allem will ich nicht, daß jemand die Jungs in Blau auf die Beine bringt. Sie kreuzen vorüber, ich störe sie nicht, sie stören mich nicht. Sie wissen, daß ich nach zwei Stunden wieder an der Ecke bin, wenn sie mich einlochen. Aber wenn du einen Scheißlärm machst und Unruhe bringst, können die Cops es nicht übersehen. Vor allem, wenn jemand gejagt, auf den Boden geworfen und verprügelt wird. Das ist für mein Geschäft nicht gut. Also, du willst diesen Rick Thomas?«

»Wir brauchen ihn. Wir brauchen ihn dringend«, erklärte Scott.

»Okay«, sagte der Dealer. »Er ist einer von meinen Stammkunden. Oder war es. Bis ihm vor zwei Wochen das Geld ausging. Wenn ich verlauten lasse, daß ich ihm eine Zeitlang etwas zukommen lassen will, weil er ein langjähriger Kunde ist, wird er in einer Minute wieder hier sein.«

»Könnten Sie ihn uns liefern?« fragte Scott.

»Ich kann und will. Aber wir müssen ein Geschäft abschließen. Sobald ihr ihn habt, sehe ich keinen von euch mehr in der Gegend. Okay?«

»Okay«, stimmte Scott eifrig zu.

»Morgen nacht. Zwischen neun und Mitternacht. Seid hier.«

»Machen Sie sich keine Sorgen. Wir werden hier sein.«

Van Cleve und Kate machten sich erleichtert und guten Mutes auf den Rückweg.

»Ist das die Loyalität einem alten Kunden gegenüber?« fragte Kate.

»Mir ist es gleich, warum er es tut, Hauptsache, wir bekommen Rick Thomas als Zeugen.«

24

In der darauffolgenden Nacht nahmen Kate und Scott wie besprochen ihre Wache wieder auf. Auch diese Nacht war feucht und neblig. Diesmal war Kate darauf vorbereitet; sie trug einen Regenmantel und einen Regenhut. Die Hutkrempe war keck hinaufgeschlagen und sie bot einen äußerst erfreulichen Anblick. Scott nahm es ihr beinahe übel, daß sie ihren eigenen Regenmantel anhatte, warnte aber: Lasse dich nie mit einer Klientin privat ein. Es kann deine berufliche Perspektive verzerren. Außerdem verspielst du alle Chancen bei ihr, wenn du ihren Fall verlierst.

Kate ihrerseits stellte fest, daß sie ihn in Gedanken nicht mehr Van Cleve, sondern Scott nannte. In dieser Nacht bezogen sie hinter einem der Wagen Position, die auf der schmalen Straße dem Dealer gegenüber parkten. Sie warteten. Sie beobachteten. Während der verrinnenden Minuten, die sich zu Stunden summierten, sprachen sie. Voneinander. Von ihrem Ehrgeiz. Von ihrer Einstellung zur Welt und zur Nation; dabei stellten sie fest, daß ihre Ansichten häufig übereinstimmten.

So waren sie einer Meinung, daß die zunehmende Komplexität der Welt es erforderte, Probleme im internationalen Zusammenhang zu betrachten, und daß die Menschheit wenig aus den Fehlern der Vergangenheit gelernt habe. Es gab immer noch Kriege, und die Zerstörungskraft der Waffen wuchs ständig. Jeder wissenschaftliche Fortschritt brachte gleichzeitig neue Probleme mit sich. Überall gab es noch Armut und Hunger, Kinder mit aufgetriebenen Bäuchen. Zwar hatte die medizinische Wissenschaft in vielen Ländern die verbreitetsten Krankheiten zum Verschwinden gebracht, in großen Teilen der Welt jedoch wüteten sie weiter.

»Man muß nicht in andere Länder reisen, um Leiden zu sehen«, bemerkte Kate. »Es genügt, wenn Sie eine Nacht in der Notaufnahme verbringen.«

»Ich bin dort gewesen«, erwiderte Scott.

»Tatsächlich? Was hat Ihnen gefehlt?«

Einen Augenblick später hatte Kate begriffen. »Sie wollten meine Behauptungen überprüfen.«

»Nur Ihre Angaben über diese Abteilung. Das Durcheinander. Die Zahl der Fälle. Der dauernde Krach«, gab Scott zu und fuhr fort. »Ein guter Anwalt verläßt sich nie auf die Aussagen anderer. Er muß sich selbst von der Richtigkeit überzeugen, um jeder Überraschung vorzubeugen.«

»Waren Sie überrascht?«

»Nur in einer Hinsicht.«

»Tatsächlich? Worüber?«

»Daß man an einem solchen Ort die Ruhe bewahren kann. Man rennt von einem Patienten zum nächsten, von einem Fall zum andern, und nicht zwei sind gleich. Ich habe Achtung vor Ärzten bekommen, jungen Ärzten.«

»Oh, danke sehr«, erwiderte sie bitter.

Warum freut sie sich nicht? überlegte er. Ich habe ihr gerade ein Kompliment gemacht.

Um das Thema zu wechseln, fragte er: »Hat die Medizin den Vorstellungen entsprochen, die Sie sich von ihr gemacht haben?«

»So ziemlich. Ich hatte in der High School freiwillig im Krankenhaus gearbeitet und dabei schon eine Menge Erfahrung gesammelt. Natürlich hatten wir zu Hause nicht so viele Drogensüchtige oder Mißhandlungen. Schon einige, aber wesentlich weniger.«

»Denken Sie manchmal daran, dorthin zurückzukehren und zu praktizieren?«

»Manchmal. Aber für mich ist der Bedarf entscheidend. Praktiziere, wo der Bedarf am größten ist«, erklärte Kate mit einer Überzeugung, die Scott bewunderte.

»Sie würden hierbleiben? Hier leben? Hier heiraten? Ihre Kinder hier aufziehen?« fragte er.

»Ich... soweit voraus habe ich nicht gedacht«, gab sie zu.

»Sie haben doch vor zu heiraten, oder?«

»Den richtigen Mann zum richtigen Zeitpunkt, ja, irgendwann. Aber zuerst muß ich als Ärztin das erreichen, was ich mir vorgenommen habe.«

»Haben Sie jemals über den richtigen Mann nachgedacht? Wie er aussehen sollte? Wie er…«

Scott konnte den Satz nicht beenden, denn sie erstarrten beide: Der Dealer hatte ihnen ein Zeichen gegeben. Mit gespannter Aufmerksamkeit beobachteten sie die gegenüberliegende Straßenseite. In das Licht an der Ecke trat ein junger Mann, der abgenutzte Jeans trug, einen Pferdeschwanz hatte und unnatürlich mager war.

»Ist er es?« flüsterte Scott.

»Ich glaube.«

Sie rannten in dem Augenblick über die Straße, in dem der Dealer dem jungen Verdächtigen einen Umschlag zusteckte.

»Rick! Rick Thomas!« rief Scott.

Der junge Mann drehte sich instinktiv um, dann lief er davon. Scott und Kate verfolgten ihn und hatten ihn nach einem halben Häuserblock eingeholt. Schnell schlang Scott die Arme um ihn, schob ihn gegen das Eisengitter eines der kleinen Häuser und hielt ihn trotz seiner Gegenwehr dort fest. Nach kurzer Zeit gab Rick seinen Widerstand auf, ob aus körperlicher Schwäche oder aus Mangel an Willenskraft ließ sich nicht genau entscheiden. Er atmete schnell und oberflächlich und zitterte vor Kälte oder weil er Drogen brauchte.

»Ruhig, Mann, ruhig«, sagte Scott. »Wir machen Ihnen keine Schwierigkeiten. Wir sind weder von der Polizei noch von den Drogenfahndern.«

»Woher kennen Sie mich? Wer hat Sie geschickt? *Er*?«

»Niemand hat uns geschickt. Ich bin Anwalt. Das ist meine Klientin. Wir brauchen Ihre Hilfe.«

Rick starrte die beiden an. »Es gibt jemanden, der meine Hilfe braucht? Das ist neu. Ich bin derjenige, der Hilfe braucht.« Er musterte die beiden noch einmal, dann schloß er: »Er hat Sie nicht geschickt, nicht wahr?«

»Er?« fragte Scott verblüfft.

»Er. Ihr Vater.«

»Claude Stuyvesant?«

»Ja. Er«, erwiderte Rick überraschend heftig. »Er hat meine

218

Sachen mitgenommen. Alles, was ich besaß. Es war wenig genug. Er kam einfach mit irgendeinem offiziellen Papier daher und räumte die Wohnung aus. Wenn ich keine Freunde hätte, müßte ich auf der Straße schlafen.«

»Möchten Sie Kaffee, etwas zu essen, vielleicht einen Drink?«

»Ich habe seit dem Frühstück nichts gegessen«, gab er zu.

Sie gingen in ein kleines billiges Restaurant an der Sixth Avenue, das auch nachts geöffnet hatte, und setzten sich an einen der Kunststofftische. So gierig, wie Rick aß, hatte er in den letzten Tagen etliche Mahlzeiten ausgelassen. Manchmal beantwortete er Scotts Fragen mit vollem Mund oder schüttete vor der nächsten Antwort heißen Kaffee in sich hinein.

»Wo waren Sie in der Nacht, in der Claudia krank wurde, Rick?«

»Bei ihr. Ich hätte sie nie verlassen, wenn sie mich brauchte.«

»Aber sie wurde von ihrer Mutter ins Krankenhaus gebracht«, warf Kate ein.

»Klar. Sie wollte ihre Mutter haben. Wenn jemand wirklich krank ist, denkt er wahrscheinlich zuerst an seine Mutter. Außerdem hielt sie es für besser und sicherer, wenn ihre Mutter sie ins Krankenhaus brachte. Vor allem, weil ihr eigener Arzt nicht in der Stadt war.«

»Sie haben sie also zum letzten Mal gesehen, als sie ins Krankenhaus fuhr?« fragte Scott.

»Bevor sie wegfuhr«, stellte Rick richtig. »Sie wollte mich nicht dabeihaben, wenn ihre Mutter eintraf.«

Scott bedeutete Kate, daß sie bei der nächsten Frage nicht eingreifen sollte.

»Hatte Claudia in dieser Nacht, an diesem Nachmittag, in der vorhergehenden Nacht etwas genommen, Rick?«

»Du meine Güte. Die Leute glauben, daß wir die ganze Zeit wie Zombies herumgehen«, explodierte Rick.

»Ich frage Sie nicht nach der ganzen Zeit, Rick«, sagte Scott.

»Ich frage Sie nur nach dieser Nacht, diesem Nachmittag, der vorhergehenden Nacht. Hatte sie etwas genommen?«

Rick trank einen Schluck Kaffee, bevor er zugab: »Ja, hatten wir beide. So haben wir uns kennengelernt. Auf einer Party hier unten, wo es jede Art von Stoff gab.«

»Zum Beispiel?«

»Gelbe. Blaue. Regenbogen. Kokain. Angel.«

»Sie hing richtig drin, nicht wahr?« drängte Scott.

»Sie hatte immer ein Dutzend Rezepte von verschiedenen Ärzten bei sich. Valium. Darvon, Robaxen. Barbs – Sie können es sich aussuchen. Auch deshalb wollte sie nicht, daß ich sie ins Krankenhaus bringe.«

»Warum?«

»Wenn man dort entdeckte, daß sie etwas genommen hatte, sollte ich keine Schwierigkeiten bekommen. Sie überlegte sehr genau. Sie war wirklich ein großartiges Mädchen. Ich habe sie geliebt. Sehr.«

»Gab es noch einen Grund, warum sie Sie nicht dabeihaben wollte?«

»Er sollte nicht erfahren, daß ich bei ihr war. Sie hatte Angst davor, daß er etwas unternehmen würde.«

»Ihre monatliche Zuwendung streichen«, vermutete Scott.

»Nein, Angst davor, was er mir antun würde beziehungsweise durch irgend jemanden antun ließe«, fügte Rick vielsagend hinzu. »Er war zu allem fähig.«

»Das habe ich gehört«, bestätigte Scott. Dann sah er zu Kate hinüber. »Sie war also drogensüchtig, und zwar seit längerer Zeit.«

»Sie war es schon, bevor sie sein Haus verließ«, sagte Rick.

»Wußten Sie, daß sie schwanger war, Rick?«

»Das habe ich erst später gehört. Ist es wahr? Sie war schwanger?«

»Ja«, bestätigte Kate.

»Mir sagte sie nur, daß sie sich Sorgen machte. Ihre Regel war ausgeblieben. Aber nur einmal. Sie wollte abwarten, was im nächsten Monat sein würde.«

Sowohl Kate als auch Scott erkannten an Ricks Ton, daß er die Wahrheit sagte.

»Woher soll ich eigentlich wissen, daß ihr nicht von ihm hierhergeschickt seid?« fragte Rick plötzlich. »Um mir die Schuld an Claudias Tod zuzuschieben?«

»Wir sprechen deshalb mit Ihnen, Rick, weil diese Frau die Ärztin ist, die Claudia in der Nacht betreut hat, in der sie starb.«

»Sie?« Rick starrte Kate an. »Sie sind die Ärztin, von der sie im Fernsehen gesprochen haben?« Er musterte sie genau. »Ja, jetzt sehe ich es. Ich habe das Interview gesehen, das Gallante mit Ihnen gemacht hat. Er ist ziemlich grob mit Ihnen umgegangen. Sie sind es tatsächlich. Was wollen Sie von mir?«

Scott erklärte ihm kurz, welche Klagen Claude Stuyvesant gegen Kate eingebracht hatte. Deshalb brauchten sie unbedingt seine Aussage über Claudias Drogenabhängigkeit.

»Sie müßten nur dem Ausschuß die Wahrheit sagen, Rick. So wie Sie es jetzt uns beiden gegenüber getan haben.«

»Er wird – er wird nicht in der Lage sein, mir etwas anzutun? Mich wegen Verbrechen, die er mir anhängt, verhaften zu lassen?«

»Nein«, versicherte ihm Scott. »Das Ganze wird sich in einem Anhörungsraum abspielen. Nicht vor einem Richter, sondern vor einem Ausschuß. Wir wollen nur die Wahrheit hören, die Sie kennen.«

»Stuyvesant ist ein mächtiger Mann. Er hat die besten Beziehungen. Als ich mich einmal weigerte, mich von Claudia zu trennen, ließ er mich von den Cops festnehmen. Sie schlugen mich so gründlich zusammen, daß ich in die Notaufnahme des Saint Vincent gebracht werden mußte.«

»Diesmal kann er Ihnen nichts tun. Sie müssen nur die Wahrheit sagen, und Sie wissen, daß Sie damit die Karriere der Ärztin retten, die versucht hat, Claudias Leben zu retten. Es wäre ihr gelungen, wenn Claudia ihr in dieser Nacht die Wahrheit gesagt hätte.«

Als Rick darauf nicht antwortete, ließ Scott nicht locker. »Machen Sie sich wegen der Aussage keine Sorgen. Ich werde Sie vorher einige Stunden lang darauf vorbereiten, was ich und vielleicht auch der andere Anwalt Sie fragen werden. Vor allem dürfen Sie nicht lügen. Wir wollen nur die Wahrheit finden. Okay?«

Während Rick über Scotts Bitte nachdachte, sagte er leise: »Sie war also wirklich schwanger. Ich hätte Vater werden können.«

»Nein, Rick«, widersprach Kate. »Claudias Schwangerschaft, von der sie getötet wurde, hätte nie zu einem gesunden Baby geführt.«

»Wir sprachen darüber. Das heißt, wir wollten heiraten und die Stadt verlassen, falls sie wirklich schwanger wurde. Wir wollten dieses Leben aufgeben und irgendwo hinziehen, wo man den Namen Stuyvesant nicht einmal kennt. Ich wollte arbeiten. Ich verstehe mich auf Motoren und Autos. Ich bin ein verdammt guter Mechaniker, wenn ich mich darauf konzentriere. Die Drogen sind schuld. Ich meine, wenn man abhängig ist, hat man keine Lust, etwas zu tun. Man hat große Träume, aber man macht sich nur etwas vor. Man tut überhaupt nichts. Aber sobald man es aufgibt – wir hatten vor, es aufzugeben – wir sprachen die ganze Zeit über davon, daß wir von hier fortziehen würden, aber... Das alles ist jetzt Vergangenheit, nicht wahr?«

»Jetzt geht es darum, Rick, daß die berufliche Laufbahn dieser Frau von Ihnen abhängt. Sie müssen die Wahrheit sagen.«

»Das werde ich! Alles, um es diesem Schurken Stuyvesant heimzuzahlen.«

»Sie haben jetzt kein Zimmer, Rick – möchten Sie bis zur Anhörung bei mir wohnen?« bot ihm Scott an. »Damit hätte ich Gelegenheit, Sie darauf vorzubereiten.«

Rick überlegte, dann erwiderte er. »Ich bin bei einem Freund untergekommen. Deshalb bin ich vorläufig in Sicherheit. Aber hören Sie, Mr. Van Cleve, wenn Sie – ich meine, ich bin jetzt nicht gerade bei Kasse. Als Claudia noch lebte, hatten wir ihre Zuwendung. Aber im Augenblick...«

»Klar verstehe ich es.« Scott zog zwei Zwanzig-Dollar-Noten aus der Tasche. Bevor er sie Rick übergab, sagte er: »Sagen Sie mir, wo Sie wohnen, und ich hole Sie an dem Morgen ab, an dem Sie aussagen sollen. Das sollte Anfang nächster Woche über die Bühne gehen. Ich werde Sie an diesem Morgen um acht Uhr abholen. Dadurch werden wir Zeit haben, die Fragen noch einmal durchzugehen. Bis dahin melde ich mich täglich bei Ihnen.«

»In Ordnung«, bestätigte Rick.

»Wo finde ich Sie?«

»In der Charles Street 97. Die Wohnung läuft unter dem Namen Lengel. Marty Lengel. Gleich am Ende des Korridors... Aber läuten Sie viermal. Ein, zwei, drei, Kurze, dann Pause, dann einmal lang läuten lassen. Dann weiß ich, daß Sie es sind und nicht einer seiner Gorillas.«

»Charles Street 97. Die Wohnung läuft unter dem Namen Lengel«, notierte sich Scott. »Seien Sie da.«

»Keine Sorge. Mir genügt die Tatsache, daß ich mich an dem alten Schuft rächen kann.«

Scott ließ sich Ricks Telefonnummer geben, und dann sahen sie ihm nach, als er das Restaurant verließ. An der Tür blieb er stehen, machte das V-Zeichen und war fort.

Als er um die Ecke verschwand, sagte Kate: »Wenn wir nur sicher sein könnten, daß er auftaucht.«

»Ich denke das gleiche«, sagte Scott. »Ich habe sogar in Erwägung gezogen, ihn unter Strafandrohung vorzuladen. Aber er ist jetzt so nervös, daß ihn eine gerichtliche Vorladung aus der Stadt vertreiben würde. Außerdem ist Rache meiner Ansicht nach die beste Motivation für ihn.«

»Sie wissen doch, was mit den beiden Zwanzigern geschehen wird?«

»Ich kann es mir denken. Ein weiterer Grund, warum eine Vorladung nicht wirken würde. Deshalb war ich bereit, ihn bei mir wohnen zu lassen. Da er es ablehnte, ist es am besten, wenn ich ihn abhole, sobald wir ihn brauchen. Aber vorher müssen wir noch etwas erledigen.«

Während sie durch die engen Straßen des Village gingen und die Charles Street suchten, erklärte Kate Scott, was Ricks Ausdrücke bedeuteten; Scott kannte sie nicht.

»Die Farben kommen von den Kapseln, die die Droge enthalten. Gelbe Kapseln sind Pentobarbital. Blaue Kapseln enthalten Amobarbital.«

»Und Regenbogen?« wollte Scott wissen.

»Eine Kombination von Amobarbital und Secobarbital«, erklärte Kate.

»Lauter rezeptpflichtige Drogen«, stellte Scott fest.

»Oder vom Schwarzmarkt. Wenn Nachfrage besteht, wird man immer jemanden finden, der absahnt, indem er das Zeug daherbringt.«

Sie erreichten die Charles Street, fanden die Nummer 97, stiegen das halbe Dutzend Stufen hinauf und traten in den dunklen Korridor. Scott musterte die Namen auf der Tafel mit den Türnummern. Der Name LENGEL M. war vorhanden.

»Jetzt bin ich erleichtert«, erklärte er. »Ich mußte mich vergewissern, daß eine solche Adresse sowie die dazugehörige Person existiert. Denn jetzt kann ich Ihnen gegenüber zugeben, daß wir kaum eine Chance hätten, wenn es keinen Zeugen dafür gibt, daß Claudia drogensüchtig war.«

25

An demselben Tag, an dem Hoskins, der Anklagevertreter, Scott die Vorladung und die Liste der Beschuldigungen übergeben hatte, war auch der zweite bei dem Verfahren vorgeschriebene Schritt eingeleitet worden: die Auswahl der drei Mitglieder des Staatlichen Ausschusses für Professionelles Ärztliches Verhalten, die über Dr. Katherine Forrester richten würden.

Laut Gesetz mußten zwei der Mitglieder Ärzte oder Chirurgen sein und zu den einhunderteinunddreißig professionellen Mitgliedern des Ausschusses gehören. Als drittes Mitglied mußte einer der siebenunddreißig Laien des Ausschusses bestimmt werden. Alle professionellen Mitglieder waren auf die Empfehlungen medizinischer und chirurgischer Gesellschaften ausgewählt worden. Die Laienmitglieder waren mit Zustimmung des Gouverneurs ernannt worden. Auf diese Weise belohnte er politische Freunde und Anhänger mit einem Ehrentitel, der wenig Zeit und keine besonderen Fähigkeiten erforderte.

Eines der drei Mitglieder des Anhörungskomitees würde zum Vorsitzenden gewählt werden.

Das erste professionelle Mitglied, das ernannt wurde, war Dr. Maurice Truscott, ein praktischer Arzt aus White Plains. Truscott hatte bereits das Alter erreicht, in dem er keine neuen Patienten mehr annahm. Dadurch verfügte er über mehr Freizeit als die meisten seiner Kollegen.

Infolge der Art und der Ursache von Claudia Stuyvesants Tod war das zweite gewählte professionelle Mitglied eine Fachärztin für Geburtshilfe und Gynäkologie, Dr. Gladys Ward. Dr. Ward war Anfang Vierzig und zählte bereits zu den führenden Krebschirurgen von New York.

Aus der Liste der siebenunddreißig nichtprofessionellen Mitglieder des Ausschusses hatte der Vorsitzende als drittes und letztes Mitglied Mr. Clarence Mott gewählt. Dieser hatte seine Immobilien an Claude Stuyvesant verkauft und war in Pension gegangen. Für den Ausschußvorsitzenden war es eine günstige Gelegenheit, sich bei dem Immobilienmagnaten lieb Kind zu machen. Der Präsident des Ausschusses hatte Mott auch zum Vorsitzenden des Anhörungskomitees ernannt.

Nun fehlte nur noch die Ernennung eines Verwaltungsbeamten in das Komitee, um die erforderliche Mitgliederzahl für eine ordentliche, korrekte Anhörung zu erreichen. Da man nicht erwartete, daß die professionellen oder nichtprofessionellen Mitglieder des Komitees über das gesetzliche Wissen in Verfahrensfragen oder bei der Zulassung von Beweisen und Zeugen verfügten, fiel diese Aufgabe dem Verwaltungsbeamten zu. Dadurch besaß er die Machtposition eines Richters, obwohl er weder Vorsitzender war noch abstimmen durfte. Doch in einer Hinsicht war seine Macht noch größer als die eines Richters. Da das Verfahren bei einer Anhörung flexibler war, konnte der Verwaltungsbeamte erfinderischer und daher parteiischer sein.

Als die staatliche Gesundheitsbehörde in Albany erfuhr, daß eine solche Ernennung bevorstand, rief man sofort im Büro des Gouverneurs an, um eine diskrete Frage zu stellen. Die Antwort erfolgte genauso diskret: »Die Tatsache, daß Mr. Stuyvesant ein wichtiger Geldgeber des Gouverneurs bei der letzten Wahlkampagne gewesen ist, sollte bei dieser Auswahl keine Rolle spielen.«

So schützte man sich geschickt gegen jeglichen Vorwurf von Bestechlichkeit und ließ gleichzeitig die Absicht des Gouverneurs, politische Loyalität zu belohnen, deutlich durchblicken.

Den Verfahrensregeln zufolge mußte der Verwaltungsbeamte aus den juristischen Mitgliedern der staatlichen Gesundheitsbehörde gewählt werden, also nicht aus dem Ausschuß für Professionelles Ärztliches Verhalten, so daß ostentativ jeder Anschein von Voreingenommenheit vermieden wurde.

Sobald sich herumgesprochen hatte, daß jemand für eine Anhörung ernannt werden sollte, an der Claude Stuyvesant brennend interessiert war, beschloß Senator Francis Cahill zu intervenieren. Er benützte seinen legislativen Einfluß, um seinen Neffen Kevin ernennen zu lassen.

Kevin Cahill, ein Anwalt Anfang Dreißig, hatte ursprünglich seine Ernennung zum Mitglied der staatlichen Gesundheitsbehörde durch die Fürsprache seines Onkels erhalten. Kevin hatte getreulich gedient, war aber nie aufgefallen.

Gelegentlich hatte Onkel Francis das Gefühl, daß er wertvollen politischen Einfluß vergeudet hatte, als er den Posten seinem farblosen Neffen zuschanzte. Denn der Senator hatte sich vorgestellt, daß Kevin so wie viele junge Anwälte, die für Regierungsstellen arbeiteten, genügend Erfahrung, Kontakte und Wohlwollen sammeln würde, um später eine Privatpraxis zu eröffnen und aus diesen Aktiva Nutzen zu ziehen. Der Verkauf solcher Regierungserfahrung war in New York und Washington gang und gäbe.

Zu Onkel Francis' Enttäuschung hatte der junge Kevin keinen derartigen Ehrgeiz entwickelt. Sobald es dem Senator geglückt war, Kevins Ernennung zum Verwaltungsbeamten für die Forrester-Anhörung – die in politischen Kreisen nur noch Stuyvesant-Anhörung genannt wurde – sicherzustellen, lud daher der Onkel den Neffen zum Lunch ein.

»Ich habe zu deiner seligen Mutter, Kevin, nie ein Wort darüber gesagt. Aber es ist Zeit für ein offenes Gespräch unter Männern. Ich bin von dir sehr enttäuscht.«

»Sir?« erwiderte der überraschte Kevin.

»Ich hatte angenommen, daß du zu diesem Zeitpunkt den Staatsposten längst aufgegeben hättest und in der Privatwirtschaft tätig sein würdest. Ich habe sogar mit Charlie Hagen von Hagen, Small und Levy wegen eines Jobs in ihrer Verwaltungsdienststelle gesprochen, bei dem du vor den staatlichen und später bundesstaatlichen Ausschüssen Fälle vertreten würdest. Du besitzt jedoch nicht den Unternehmungsgeist, auf den ich gehofft hatte.«

»Ich mag meine Arbeit im Ausschuß, Onkel Francis«, versuchte Kevin seinen Standpunkt zu erklären. »Ich trage dazu bei, daß die Gesundheit der Bewohner des Staates New York geschützt wird.«

»Verdammt, Kevin«, explodierte der Senator. »Kein Regierungsposten ist an sich ein Ziel. Er ist nur ein Sprungbrett, aus dem man Nutzen zieht, sobald man eine Privatpraxis eröffnet hat.«

»Ich will kein Privatbüro aufmachen«, widersprach Kevin. »Ich möchte dort bleiben, wo ich bin, tun, was ich tue, und mich langsam zum Leiter der Rechtsabteilung des Ausschusses hinaufarbeiten.«

»Lächerlich!« rief sein empörter Onkel. »Ich habe eine große politische Dankesschuld aufgebraucht, um dir die Ernennung zur Stuyvesant-Anhörung zu verschaffen. Verpatz es also nicht. Ich habe nämlich erfahren, daß Stuyvesant entschlossen ist, bei der Anhörung anwesend zu sein. Ich habe sogar erfahren, daß es keine Anhörung geben würde, wenn der alte Schuft nicht wäre.«

»Ich habe bereits den Bericht des ursprünglichen Untersuchungskomitees gelesen«, antwortete Kevin. »Die Anhörung kann sowohl für Stuyvesant als auch für Forrester ausgehen.«

»Du darfst nicht zulassen, daß sie für Forrester ausgeht!« erklärte der Senator. »Hör mir zu, Kevin. Du willst eines Tages Leiter der Rechtsabteilung werden? Du willst dich deinem Onkel für alles, was er für dich getan hat, erkenntlich zeigen? Dann befolge meinen Rat. Es ist ein sehr vernünftiger Rat. Während dieser Anhörung muß jede deiner Entscheidungen klingen, als käme sie vom Obersten Gerichtshof. Klinge juristisch. Klinge gelehrt. Aber entscheide niemals gegen die Interessen von Claude Stuyvesant. Ich will, daß du ihm auffällst. Positiv auffällst. Denn wenn der Posten des Leiters der Rechtsabteilung frei wird, will ich eine Dankesschuld eintreiben, die Claude Stuyvesant dir gegenüber hat. Mit einem Wort, wenn du diesen Posten willst, dann verdien ihn dir. Während der Anhörung. Klar?«

»Klar, Onkel Francis.«

»Wenn du nach New York fährst, um den Vorsitz bei der Anhörung zu übernehmen, denke daran, daß nicht nur Frau Dr. Forrester auf dem Prüfstand steht, sondern auch du!«

Sobald die drei Mitglieder des Komitees gewählt waren und der Verwaltungsbeamte ernannt war, konnte Albert Hoskins endlich den Fall verhandeln, der offiziell den Titel ›In Sachen Katherine Forrester, M.D.‹ trug.

Scott vertrat eine Klientin, die nie zuvor in ein juristisches Verfahren verwickelt gewesen war, und hielt es daher für unabdingbar, sie über die gesetzlichen Aspekte des Falls aufzuklären, so wie sie ihn über seine medizinischen Komplikationen unterrichtet hatte.

Sie hatten jetzt ihren entscheidenden Zeugen gefunden und dadurch an den Abenden Zeit. Das benützte Scott, um Kate auf das Verfahren, die verschiedenen zum Einsatz gelangenden Strategien, die eventuell entstehenden persönlichen Konflikte vorzubereiten.

Damit Kate nicht abends in das menschenleere Wall-Street-Viertel kommen mußte und um Rosie Chung, die einen sehr unregelmäßigen Dienstplan hatte, nicht zu stören, trafen sie sich in Scotts Wohnung. Er bewohnte den gesamten vierten Stock eines Privathauses in den East Sixties. Diese Tatsache hatte Kate sehr beeindruckt, doch es stellte sich heraus, daß das Gebäude nur sieben Meter breit war. Das gesamte Stockwerk bestand aus einem Wohnzimmer, das auf einen Garten an der Rückseite des Hauses hinausging, einer engen Küche, einem kleinen Schlafzimmer und einem Badezimmer.

Es war eine bescheidene Junggesellenwohnung, der zwar das Styling durch einen anmaßenden Innenarchitekten erspart geblieben war, der aber ein wenig weibliche Zuwendung sicherlich gutgetan hätte.

Um keine kostbare Zeit zu vergeuden, indem sie zum Dinner ausgingen, hatte Scott Sandwiches mitgebracht und brühte den Kaffee beinahe zeremoniell in einer komplizierten ausländischen Kaffeemaschine auf.

Dann machten sie sich an die Arbeit. Scott hörte bald auf zu essen und zu trinken, ging hin und her und hielt einen Vortrag, während Kate zuhörte.

»Vergessen Sie alles, was Sie je in Filmen oder im Fernsehen an Gerichtsverhandlungen gesehen haben. Eine Anhörung ist kein Prozeß. Anwälte? Ja. Zeugen? Ja. Aber anstelle eines Richters der Vorsitzende eines Komitees und ein Verwaltungsbeamter, der die Fäden in der Hand hält. Und statt einer Jury ein Drei-Personen-Komitee, das letztlich entscheidet.«

»Ich bin froh, daß es kein Prozeß ist. Das ist gut«, stellte Kate fest.

»Nein, das ist schlecht«, stellte Scott richtig. »Das Beweisverfahren ist lockerer. Das bedeutet, daß ungünstige Aussagen, die ich bei einem Prozeß ausschließen kann, hier zugelassen werden können. Statt von einer Jury von Durchschnittsbürgern werden Sie von Ihresgleichen beurteilt. Dabei ist gerade jetzt Ihr Beruf unter Beschuß geraten. Ich höre es überall. ›Die geldgierigen Ärzte verlangen zu hohe Honorare.‹ ›Statt an die Gesundheit ihrer Patienten denken sie nur an teure, ausländische Autos und an steuerfreie Kongresse, die in Wirklichkeit Ferien sind.‹ ›Die Ärzte nehmen die Krankenversicherung aus.‹«

»Das trifft auf die wenigsten Ärzte zu«, protestierte Kate.

»Die Öffentlichkeit hält es für wahr. Und das bedeutet, daß die Ärzte sich angegriffen fühlen. Deshalb haben sie wie früher die Pioniere ihre Wagen zu einem engen Kreis zusammengeschlossen und verteidigen ihren Berufsstand. Gegen die Öffentlichkeit. Gegen die Medien. Und gegen jene Kollegen, die das Feuer auf sich ziehen. Zu denen unglücklicherweise...«

»Ich gehöre«, schloß Kate.

»Genau.«

Kate nickte beinahe unmerklich und dachte: Bereitet er mich darauf vor, daß ich verliere?

»Sie werden mir während unserer Zusammenkünfte noch einmal die wichtigsten Punkte von Claudia Stuyvesants Fall detailliert erklären. Doch zunächst: Haben Sie und Rosie etwas über den Hintergrund der beiden medizinischen Komiteemitglieder herausgefunden?«

»Ich habe im ›Medizinischen Adreßbuch des Staates New York‹ nachgeschlagen und...«

»Medizinisches Adreßbuch?« fragte Scott.

»Es führt jeden Arzt und Chirurgen des Staates mitsamt seinem Lebenslauf an – welche Schulen er besucht hat, was sein Spezialgebiet ist, an welchen Krankenhäusern er tätig ist, welche Behörde ihm ein Diplom ausgestellt, welche Lehrbücher er verfaßt hat.«

»Also sein gesamtes Berufsleben. Was weiß man über Truscott?«

»City College. Medizinische Fakultät Cornell. Praktikum am Bellevue-Krankenhaus. Assistenzarzt am Lenox-Hill-Krankenhaus. Seit 1953 Privatpraxis. Kein Diplom einer Behörde«, berichtete Kate. »Als ich in seiner Praxis anrief, sagte die Sprechstundenhilfe, daß er keine neuen Patienten annimmt. Er ist halb in Pension.«

»Das gefällt mir nicht«, meinte Scott. »Sie wissen, wie alte Fachleute sind. Sie kommen immer auf ihre Jugendzeit zurück. Sie machen junge Kollegen als Emporkömmlinge schlecht. Erzählen ihnen, wie hart es für sie seinerzeit war und wie leicht es für euch jetzt ist.«

»Wenn wir bedenken, daß er das City College besuchte, kommt er andererseits aus bescheidenen Verhältnissen. Er könnte jungen Ärzten gegenüber, die sich hinaufkämpfen, sehr mitfühlend sein.«

»Nehmen wir an, daß er neutral ist«, sagte Scott. »Und jetzt zu dieser Frau Dr. Ward. Was haben Sie über sie herausgefunden?«

»Harvard College. Medizinische Fakultät Yale. Von Behörde Diplom für Geburtshilfe und Gynäkologie und für onkologische (Geschwulst-)Chirurgie. Arbeitet am Frauenkrankenhaus Saint Luke. Und am North-Shore-Krankenhaus auf Long Island. Sie hat außerdem zwei Lehrbücher sowie etliche Arbeiten veröffentlicht. Nach allem, was ich gehört habe, in der Frauenrechtsbewegung sehr aktiv.«

»Gut, gut«, sagte Scott begeistert.

»Da wäre ich nicht so sicher«, warnte ihn Kate.

»Mit ihrem Hintergrund, ihrer Erfahrung und ihrem Kampf für die Frauenrechtsbewegung wird sie sicherlich nicht ruhig zusehen, wenn eine Ärztin wegen etwas gekreuzigt wird, das sie nicht begangen hat«, ließ Scott nicht locker.

Kate schüttelte unbeeindruckt den Kopf.

»Kate?«

»Da Rosie sich auf Geburtshilfe und Gynäkologie spezialisieren will, ging sie einmal zu einer Vorlesung von Frau Dr. Ward. Diese richtete sich an eine Zuhörerschaft von Studentinnen und Praktikantinnen; sie machte keinen Hehl aus ihrer Loyalität für die Sache der Frauen. Aber auch aus ihren Anforderungen an Frauen. Sie verlangt von ihnen mehr als von einem Mann in einer ähnlichen Situation. Sie sagte wörtlich: ›Wenn ein Schwarzer oder ein Jude einen Fehler begeht, versagt er für seine gesamte Gruppe. Das gleiche trifft meines Erachtens auf eine Frau zu, die versagt hat!‹«

»Harte Sprache«, stellte Scott fest.

»Harte Frau«, ergänzte Kate.

Scott malte ein großes Fragezeichen neben ihren Namen.

Nachdem er Kate weitere Anweisungen darüber erteilt hatte, wie sie sich verhalten solle, was sie sagen solle, was sie nicht sagen solle, setzte er sie in ein Taxi und kehrte in sein Apartment zurück; jetzt hatte er endlich Zeit, zu einer eigenen Beurteilung des Falls zu kommen.

Zunächst kochte er frischen Kaffee und begann dann mit der Tasse in der Hand, alle für die Anhörung relevanten Papiere und Dokumente zurechtzulegen, und zwar in der Reihenfolge, in der Hoskins sie vermutlich anführen würde.

Fotokopien von Kates Notizen in Claudia Stuyvesants Akte, Kopien ihrer Eintragungen in das Verordnungsbuch, in dem jeder Schritt und jede Medikation, die sie verschrieben hatte, vermerkt waren. Laborberichte über die verschiedenen Bluttests, die sie angefordert hatte. Notizen von Schwester Cronin, als sie die letzten Lebenszeichen der Patientin aufnahm. Die Maßnahmen und Medikamente, die bei dem Versuch, Claudia zu retten, verwendet worden waren, als die innere Blutung ihren Tod herbeiführte.

Und schließlich der Autopsiebericht des Leichenbeschauers, der die Ursache für Claudias Tod enthielt.

Es gab auch einen allgemein gehaltenen Unterstützungsbrief von Dr. Troy. Er war zwar schmeichelhaft, aber nicht mehr als ein Handschlag auf Kates Schulter, ein paar zuversichtliche Worte und gute Wünsche.

Es war ein Jammer, daß kein Berufskollege von Kate sie unterstützte. Es ging nicht um die Praktikanten und Assistenzärzte, die eindeutig auf ihrer Seite standen, oder um die Schwestern Cronin und Beathard, die Kates Aktionen bestätigen konnten, sondern um die älteren, angesehenen Ärzte, deren Unterstützung beim Komitee Gewicht hätte. Aber keiner hatte sich bereit erklärt, vor das Komitee zu treten.

Scott erinnerte sich an einen Ausspruch John F. Kennedys nach der schiefgegangenen Invasion in Kuba: »Der Erfolg hat tausend Väter, doch das Versagen ist eine Waise.« Scott hatte die Richtigkeit dieser Worte noch nie so erkannt wie heute.

Als er die Dokumente überblickte, wurde ihm klar, daß sein stärkstes Beweisstück gleichzeitig sein verletzlichstes war – die Akte des Falls Claudia Stuyvesant.

Den Vorschriften für Beweismaterial durfte Kate die Akte nicht einfach dem Komitee vorlesen. Man würde ihr wahrscheinlich gestatten, etwas nachzuschlagen, um ihr Gedächtnis aufzufrischen, aber sie mußte bei ihrer Aussage frei sprechen. Dagegen hatte Hoskins beim Kreuzverhör das Recht, Abschnitte aus der Akte vorzulesen, um nicht nur Kates Aussage, sondern auch ihre medizinischen Entscheidungen und die verschiedenen Heilmittel, die sie in dieser Nacht verwendet hatte, in Frage zu stellen. Dem gewieften Anwalt würde es nicht schwerfallen, einen unerfahrenen Zeugen stolpern zu lassen. Und Hoskins war bei solchen Fällen ein gerissener, erfahrener Ankläger, denn das war die einzige Tätigkeit, die er während der letzten elf Jahre ausgeübt hatte. Da sich Claude Stuyvesant mit Sicherheit erkenntlich zeigen würde, wenn die Anhörung nach seinen Vorstellungen verliefe, würde Hoskins doppelt darauf aus sein, Kate zu vernichten.

Der Autopsiebericht war das einzige für Kate äußerst schädliche Beweisstück. Selbst wenn es Scott gelungen wäre, einige Ärzte zu einer Aussage zu Kates Gunsten zu überreden, hätten sie diese Ergebnisse nicht vom Tisch fegen können. Genauso wenig wie die Tatsache, daß man Claudias Leben beinahe sicher hätte retten können, wenn die ektopische Schwangerschaft früher diagnostiziert worden wäre.

In seinem Arsenal befand sich nur eine entscheidende Waffe: Ricks Aussage über Claudias Drogenabhängigkeit. Rick stellte für Hoskins sogar eine doppelte Bedrohung dar: Zum einen konnte er zu den Drogen aussagen, zum anderen würde sein Erscheinen nicht nur den Ankläger und das Komitee entsetzen, sondern vor allem auch Claude Stuyvesant.

Scott notierte sich, daß er Rick am nächsten Morgen wieder anrufen mußte, wie er es jeden Morgen seit ihrer Zusammenkunft getan hatte, um ihn an das Datum für die Anhörung zu erinnern. Aber vor allem mußte er sich vergewissern, daß Rick sich immer noch dort befand, wo er sein sollte, und daß er nach wie vor bereit war auszusagen.

Trotz allem konnte sich Scott nicht damit abfinden, daß er offenbar keinen bedeutenden Arzt fand, der bestätigte, daß sich Kate in dieser Nacht richtig verhalten hatte.

Der einzige mögliche Kandidat, der ihm einfiel, war der Professor emeritus Sol Freund. Kate hatte erfahren, daß Freund sie bei dem vor einigen Wochen abgehaltenen Treffen der Abteilungsleiter verteidigt hatte. Sol Freund war erst kürzlich in den Ruhestand getreten und mußte weder auf das City-Krankenhaus noch auf Verwalter Cummins Rücksicht nehmen. Es war auch kaum wahrscheinlich, daß er auf Claude Stuyvesants Seite stand.

Als Scott Sol Freund am nächsten Tag in seinem Büro im Krankenhaus aufsuchte, nahm der alte Mann gerade die Diplome und Urkunden von der Wand und ließ sechsundzwanzig unterschiedlich verblaßte Rechtecke an den Stellen zurück, an denen diese eingerahmten Dokumente jahrelang gehangen hatten.

Bevor Scott etwas sagen konnte, brummte Freund: »Emeritus, emeritus ... ein klingender Titel, aber er bedeutet nur, alter Mann, mach dich bereit auszusteigen. Mir mußte man es nicht sagen. Ich wußte, wann es Zeit dazu war.«

Erst jetzt drehte er sich um und nahm Scott zur Kenntnis. »Also, junger Mann, was kann ich für Sie tun?«

»Ich bin Anwalt«, begann Scott.

»Aha! Der Engel des Todes. Was habe ich angeblich falsch gemacht? Ein Patient, den ich vor vierzig Jahren behandelt habe, hat jetzt Kopfschmerzen, und ich werde wegen eines Kunstfehlers verklagt?« Während Freund sprach, legte er das letzte Diplom zu den übrigen.

»Ich möchte Sie um Hilfe im Fall Kate Forrester bitten.«

»Meine Hilfe? Hören Sie, ich stehe auf seiten der jungen Dame. Aber was kann ich tun?« fragte Freund.

»Ich habe bis jetzt erfolglos in diesem Krankenhaus einen Arzt gesucht, der bereit wäre, für Dr. Forrester auszusagen.«

»Natürlich. Cummins. Er hat durchsickern lassen, daß jeder, der Ihre Klientin verteidigt, nicht mehr lange hier sein wird. Aber wer kann ihn deshalb verurteilen? Er muß sein Krankenhaus schützen. Das ist einer der Gründe, warum ich in den Ruhestand trete. Heutzutage ist die Medizin nicht mehr, was sie war. Zu meiner Zeit kümmerte man sich zuerst um die Patienten und dann um das Geschäft. Damals konnte man in den Ruhestand gehen und den Rest seines Lebens von dem Geld leben, das ein Neurochirurg heute in einem Jahr für seine Kunstfehler-Versicherung ausgibt.

Durch Versicherungen, Gesundheitsfürsorge, die durch die Regierung festgesetzten Honorare ist die Medizin zum Geschäft geworden. Es reicht, sage ich! Es reicht!«

Scott hatte der Tirade des alten Mannes respektvoll zugehört.

»Ich brauche einige Zeugen, Doktor, die bestätigen können, daß Kate Forrester im Fall Stuyvesant weder nachlässig gewesen noch von der üblichen medizinischen Behandlung abgewichen ist.«

»Aber ich bin Neurologe und hatte nie mit einem Fall wie dem des Stuyvesant-Mädchens zu tun.«

»Ich habe es bei einigen Spezialisten für Geburtshilfe und Gynäkologie versucht, aber nirgends Hilfe gefunden«, gestand Scott.

»Das überrascht mich nicht. Wenn ein Arzt für Ihre Klientin aussagen soll, dann müßte er zugeben: ›Wenn ich dort gewesen wäre, hätte ich genau das gleiche getan.‹ Das bedeutet, daß das Stuyvesant-Mädchen auch ihm unter den Händen gestorben wäre. Kein Arzt wird so etwas zugeben.«

»Trotzdem würde es ihr ungeheuer helfen, wenn ein angesehener Arzt für sie aussagt.«

Freund überhörte Scotts Bitte. Er begann, medizinische Bücher von den Regalen zu nehmen, warf einen Blick auf die Titel auf den Buchrücken und teilte sie in zwei Stöße – der eine sollte nach Florida geschickt werden, den Rest wollte er der Krankenhausbibliothek spenden. Scott begriff, daß er wieder keinen Erfolg gehabt hatte, und ging zur Tür.

»He, Junge«, rief Freund. »Wann findet diese – diese Anhörung statt?«

»Sie beginnt Montag.« Scott schöpfte wieder Hoffnung.

»Montag…« überlegte Freund. »Ah, zu schade.«

»Sir?«

»Montag bin ich unterwegs zum Herumtollen – das ist doch der Ausdruck, den Zeitungen und Magazine verwenden, wenn sie Leute am Strand in Florida zeigen? – sie ›tollen in der Sonne herum‹. Am Montag werden Nettie und ich ebenfalls zwei Herumtoller. Wir fliegen Montag früh hinunter. Flugtickets und so weiter ist alles erledigt.«

Er griff nach dem nächsten Band, warf einen Blick auf den Titel und legte ihn auf den kleineren Stoß.

»Es ist nicht lustig, Arztfrau zu sein«, erklärte er.

Scott war durch die abrupte Bemerkung verwirrt, hörte aber trotzdem zu. Der alte Mann kämpfte offensichtlich mit seinem beruflichen Gewissen. Scott war es ihm aus Höflichkeit schuldig, seine Rechtfertigung anzuhören.

»In den Anfangsjahren«, begann Freund, »war es für die Frau – natürlich war sie damals nur die Verlobte oder die Freundin – nicht leicht. Zu meiner Zeit nannten wir sie ›Freundinnen‹. Und heutzutage? Wer weiß. Jedenfalls mußte meine Nettie sich zu der Zeit, als ich Praktikant und dann Assistent war, daran gewöhnen, zu warten, enttäuscht zu werden. Meine Arbeitszeit war exotisch. Die Notfälle hörten nie auf. Ich versprach immer wieder: ›Sobald ich eine Privatpraxis habe, Nettie, mein Liebling, wird alles anders.‹ Das stimmte. Es wurde schlimmer. Um sich eine Praxis aufzubauen, mußte ein junger Arzt Tag und Nacht zur Verfügung stehen. Wieder gebrochene Versprechen, weitere Enttäuschungen.

Wenn man endlich etabliert und Professor ist, wird es dann besser? Nein. Man wird von anderen Ärzten angerufen, die mit ihrer Weisheit am Ende sind; das Leben ihrer Patienten steht auf dem Spiel. Man muß für Konsultationen zur Verfügung stehen. Also mußte ich Nettie versprechen: ›Glaub mir, mein Liebling, sobald ich in Pension gehe...‹ Sie lachte und sagte: ›Ich werde es erst glauben, Sol, wenn wir im Flugzeug sitzen und die Stewardess uns fragt, was wir trinken wollen, aber keinen Augenblick früher.‹ Nettie hat die Tickets gekauft. Hat das Taxi bestellt. Für Montag morgen. Außerdem ist schon ein Lastwagen mit unseren Möbeln und solchen Dingen unterwegs. Wir müssen dort sein und sie in Empfang nehmen.«

»Ich verstehe«, sagte Scott mitfühlend.

»Sie verstehen überhaupt nichts!« explodierte Freund, beruhigte sich aber sofort wieder. »Nicht einmal ich verstehe es, wie wollen Sie es denn dann können? Glauben Sie, daß ich Ihnen oder Frau Dr. Forrester gern nein sage? Aber ich habe keine Wahl. Ich habe mir selbst versprochen, daß Nettie dieses eine Mal nicht enttäuscht sein wird. Außerdem kennen Sie diese juristischen Verfahren. Ich war mehr als einmal Zeuge bei einem Verfahren wegen eines Kunstfehlers. Man kommt hin, es wird vertagt. Man kommt wieder hin, es wird wieder vertagt. Man kann sein ganzes Leben damit verbringen. Ich bedaure, junger Mann.«

Scott begriff, daß das Gespräch zu Ende war. Obwohl er Freund seine Telefonnummer gab, strich er vor der Tür den letzten Namen von seiner Liste der eventuellen medizinischen Zeugen.

Jetzt gab es nur noch drei Dinge, auf die sich Scott verlassen konnte: Kate und wie sie sich im Kreuzverhör halten würde. Seine Fähigkeit, die von Hoskins geladenen Zeugen zu zermürben. Und Rick Thomas.

Er mußte sofort beginnen, Kate auf den Beschuß vorzubereiten, dem sie in den nächsten Tagen ausgesetzt sein würde.

Sobald Kate sich in Scotts Wohnung bequem zurechtgesetzt hatte, begann er: »Ihre Aufgabe als Zeugin besteht darin, über Fakten auszusagen. Was geschehen ist. Was Sie beobachtet haben. Was Sie getan haben. Das ist alles, sonst nichts. Erzählen Sie nichts von sich aus.«

»Ich verstehe. Ich beantworte nur die Frage und füge nichts hinzu.«

»Das genügt nicht«, erklärte Scott. »Ganz gleich, wie sehr Hoskins Ihre Antworten bewußt entstellt, streiten Sie nicht. Sonst werden Sie schließlich wie eine hysterische junge Frau und nicht wie eine intelligente, professionelle, beherrschte Ärztin klingen.«

Kate nickte.

»Jetzt machen wir einen Probelauf. Den Teil des Falls, bei dem Sie Briscoe zugezogen haben. ›Was hat Sie veranlaßt, das zu tun, Frau Doktor?‹«

Kate antwortete gemäß ihrer Rolle als Zeugin: »Da die Anzeichen und Symptome der Patientin so unpräzise waren und da die Schmerzen im Unterleib auf eine innere Infektion hinweisen konnten, wollte ich die Meinung eines Chirurgen einholen, um zu entscheiden, ob eine Probesondierung erforderlich war.«

»Was erwarteten Sie von Dr. Briscoe?«

»Sobald ich ihn über den Fall orientiert hatte, erwartete ich, daß er selbst eine Untersuchung vornehmen würde.«

»Warum?«

»Warum?« wiederholte Kate erstaunt, weil für sie der Grund klar war. »Um eine zweite Meinung zu hören.«

»Das heißt, daß Sie nicht sicher waren, ob Ihre Beurteilung stimmte, Frau Doktor, ist das richtig?« Scott simulierte die aggressive Fragestellung des Anklägers.

»Es ging nicht darum, ob meine Beurteilung stimmte. Die Anzeichen, die Laborberichte reichten nicht für eine endgültige Diagnose. Ich wollte sicher sein, daß ich nichts übersehen hatte.«

Scott stürzte sich auf ihre unglückliche Formulierung. »Sie geben also zu, daß Sie vielleicht etwas übersehen hatten.«

»Ich gebe nichts Derartiges zu.« Kates Stimme wurde lauter. »Ich stand vor einem verwirrenden Fall und wollte die Meinung eines zweiten Arztes hören. Das ist in solchen Situationen üblich.«

Scott antwortete nicht. Kate schwieg einen Augenblick und sagte dann ruhiger: »Ich habe zuviel gesagt, nicht wahr?«

»Ja. Die richtige Antwort auf ›Warum haben Sie Briscoe zugezogen?‹ ist einfach: ›Um eine zweite Meinung zu hören.‹ Das ist alles. In der Medizin ist das eine übliche, allgemein akzeptierte Vorgehensweise. Bringen Sie niemanden auf die Idee, Sie hätten etwas übersehen können.«

Kate nickte und beschloß, nicht mehr in diese Falle zu gehen.

»Fahren wir fort«, sagte Scott. »Was geschah, als Dr. Briscoe eintraf?«

»Ich informierte ihn über die lebenswichtigen Funktionen (Puls, Atmung, Temperatur) der Patientin. Ich zeigte ihm die Laborergebnisse. Dann untersuchte er die Patientin und gelangte zum gleichen Schluß wie ich.«

»Und der war?«

»Solange der Zustand der Patientin nicht eindeutiger wurde, konnte man nur mit den Infusionen weitermachen, die Labortests wiederholen und ihre lebenswichtigen Funktionen kontrollieren.«

»Und danach?«

»Nachdem ich eine weitere Blutprobe zur Untersuchung ins Labor geschickt hatte, mußte ich andere Fälle behandeln. Außerdem…« Sie unterbrach sich abrupt. »Ich wollte schon wieder zuviel sagen, nicht wahr.«

»Ja. Eine natürliche Tendenz. Sie entspringt der naiven Vorstellung der meisten Zeugen, daß man ihnen um so eher glauben wird, je mehr sie erzählen. Sie müssen lernen, diese Tendenz zu unterdrücken.

Jetzt machen wir wieder weiter. Briscoe. Eine weitere Blutprobe ins Labor. Sie haben andere Fälle. Dann könnte Hoskins fragen: ›Sie schickten die zweite Blutprobe ins Labor, Frau Doktor; wieviel Zeit verging, bis das Ergebnis kam?‹«

»Zwei Stunden oder etwas mehr.«

»Sie taten also zwei Stunden lang nichts für die Patientin?«

»Ich hatte andere Fälle«, protestierte Kate. Dann entschuldigte sie sich. »Ich streite schon wieder?«

»Sie streiten«, bestätigte Scott. »Die Frage lautete, ›Sie haben also zwei Stunden lang nichts für die Patientin getan?‹«

»Schwester Cronin kontrollierte ihre lebenswichtigen Funktionen. Und ohne einen neuen Laborbericht oder eine deutliche Änderung der lebenswichtigen Funktionen wäre jede zusätzliche Form der Behandlung gefährlich gewesen.«

Scott unterbrach sie, indem er den Kopf schüttelte.

»Ich weiß«, gab Kate zu. »Die Antwort muß lauten: ›Wir taten, was bei einem Patienten in diesem Zustand angezeigt ist. Setzten die Infusionen fort. Kontrollierten weiterhin die lebenswichtigen Funktionen.«

»So ist es richtig. Präzis. Korrekt. Sie bieten Hoskins keine Ziele, auf die er sich stürzen kann.«

Kate nickte lächelnd. »Ich lerne wenigstens.«

»Stimmt. Und verzeihen Sie mir, daß ich Sie so hart anpacke. Sie werden mir später dafür dankbar sein.« In diesem Augenblick läutete das Telefon. Scott hob gereizt ab und sagte ungeduldig: »Van Cleve.«

»He, Junge«, sagte Dr. Freunds sanfte Stimme vorwurfsvoll, »Sie müssen nicht brüllen. Sagen Sie freundlich wie ein Gentleman hallo.«

»Hallo, Doktor«, antwortete Scott deutlich sanfter.

»Hören Sie, ich habe mit Nettie gesprochen. Sie hat den Fall Stuyvesant offenbar im Fernsehen verfolgt. Und sie meinte: ›Nach einundfünfzig Jahren können wir für eine so nette junge Frau ein paar Tage opfern.‹«

»Was ist mit Ihrem Lastwagen voll Möbeln?«

»Netties Bruder ist schlauer als ich. Er hat sich vor Jahren in Florida zur Ruhe gesetzt. Er wird unser Zeug in Empfang nehmen. Wenn Sie mir garantieren können, daß ich am Montag mit meiner Aussage fertig werde, sind wir uns einig.«

»Großartig, Doktor! Ich kann Ihnen nicht genug danken!«

»Danken Sie nicht mir, sondern Nettie. Und wenn Sie es tun, wird sie sagen: ›Schicken Sie dem Fonds für Gehirnlähmung

eine Spende.‹ Das ist ihre bevorzugte wohltätige Einrichtung.
Sagen Sie mir einfach, wann Sie mich brauchen. Aber zuerst
möchte ich mir die Stuyvesant-Akte ansehen.«

»Wird gemacht. Und nochmals danke, Doktor.« Er legte auf.
»Freund. Er wird aussagen.«

Kate war erleichtert und schöpfte wieder Mut. »Es ist nett von
ihm, so etwas für eine Fremde zu tun.«

»Er hält wahrscheinlich keinen jungen Arzt für einen Fremden. Aber machen wir weiter. Bis Montag ist es nicht mehr
lange.«

26

Scott und Kate fuhren mit dem alten, ruckenden Fahrstuhl,
den Scott bereits kannte, zum Büro der New Yorker Abteilung
des Ausschusses für Professionelles Ärztliches Verhalten hinauf. Als die Fahrstuhltür aufging, kam Albert Hoskins auf dem
Weg zum Anhörungsraum vorbei.

»Ah, Van Cleve!« begrüßte er den Anwalt etwas zu über-
schwenglich. »Und das ist wohl Frau Dr. Forrester?« Er lächelte
Kate an, während er sie als Zeugin abschätzte. Sie war sehr
hübsch, was aber keine bessere Zeugin aus ihr machte, denn er
hielt sie auch für leicht verletzlich. So deutete er jedenfalls den
Ausdruck ihrer blauen Augen. »Da das Komitee vollzählig ist,
können wir ja beginnen.«

Er ließ Kate galant den Vortritt.

Der Anhörungsraum sah ganz anders aus, als Kate erwartet
hatte. Sie war auf einen kleineren Gerichtssaal gefaßt gewesen,
doch dieser Raum war nicht nur wesentlich kleiner, sondern
wirkte infolge der Anordnung von Tischen und Stühlen bedrückend und klaustrophobisch. Drei lange Tische waren zu
einem U zusammengeschoben. An dem als Basis dienenden
Tisch standen vier Stühle, davon drei in einer Gruppe und einer
an seinem rechten Ende. Die anderen beiden Tische standen
einander gegenüber, und in der Mitte des freien Raums zwi-

schen den Tischen befand sich ein Stuhl für die Zeugen. In der Nähe der Wand saß ein Stenotypist, der das Protokoll führen sollte.

Sobald Kate Platz genommen hatte, wurde ihr klar, daß sie während der gesamten Anhörung nur drei Meter von dem Komitee entfernt sein würde, das über sie zu urteilen hatte. Die Entfernung zu Hoskins, der sie anklagen würde, betrug nur vier Meter.

Scott bemerkte ihre Besorgnis und berührte unter dem Tisch ihre Hand. Kalt. Eiskalt. Er faßte sie bei der Hand, um sie zu beruhigen.

Sobald Kate saß, hatte sie Gelegenheit, ihre Richter zu mustern. Clarence Mott, der Laie, der den Vorsitz führte, saß in der Mitte, zwischen Dr. Maurice Truscott zu seiner Linken und Dr. Gladys Ward zu seiner Rechten. Kate stellte überrascht fest, daß Frau Dr. Ward jünger als zweiundvierzig aussah. Sie hatte dunkles Haar, wirkte gepflegt und war gut gekleidet. Ihr schwarzes, eher strenges Kostüm wurde durch den roten Kragen der Seidenbluse ein wenig aufgehellt. Das Gesicht war klein und klar geschnitten, und sie trug nur ganz wenig Make-up. Doch ihre schwarzen Augen waren scharf, forschend und durchdringend. Kate konnte sich vorstellen, wie diese Augen über einer Operationsmaske blickten, während sie die Mitarbeiter im Operationssaal ohne jedes überflüssige Wort unter Kontrolle hatte. Erst als Vorsitzender Mott ihr etwas zuflüsterte, lächelte sie und verriet damit eine weichere Seite. Doch sofort danach war sie wieder die beherrschte, ernste Ärztin.

Kate überging den Vorsitzenden Mott und musterte Dr. Maurice Truscott. Er war Anfang Sechzig, hatte dichtes Silberhaar, einen ungewöhnlich großen Kopf und einen kurzen, dicken Körper. Wäre er ein Patient, so würde ihn jeder Arzt sofort auf Diät setzen. Er trug eine randlose Brille, die er immer wieder zurechtrückte, weil sie über die breite Nase hinunterrutschte. Obwohl die Anhörung noch nicht begonnen hatte, machte er sich bereits eifrig Notizen. Kate konnte sich nicht vorstellen, worüber. Er war offensichtlich ein gewissenhafter Typ, der vielleicht vorwegnehmende Bemerkungen über das bevorstehende Verfahren machte.

Das Laienmitglied Clarence Mott lehnte sich zurück und erwartete ungeduldig das Eintreffen des Verwaltungsbeamten Kevin Cahill. Er blickte immer wieder auf die goldene Uhr, die er vor sich auf den Tisch gelegt hatte, als wolle er seine beiden Nachbarn daran erinnern, daß Zeit eine zu wichtige Ware war, um vergeudet zu werden.

Kurz darauf stürzte Kevin Cahill mit einer überquellenden Aktentasche in den Raum und entschuldigte sich bereits an der Türschwelle: »Tut mir leid. Aber das Flugzeug von Albany hatte Verspätung. Und um diese Zeit ist der Verkehr vom La Guardia in die Stadt unmöglich.«

Der Vorsitzende Mott stellte trocken und vorwurfsvoll fest: »Von Albany nehme ich immer den Zug.«

Sobald Cahill an seinem Platz am Ende des Tisches saß, begann der Vorsitzende. »Ich nehme an, daß wir alle wissen, weshalb wir hier sind, deshalb bedarf es keiner Einleitung durch mich. Sind Sie bereits, Mr. Hoskins?«

Hoskins erwiderte ernst und gewichtig: »Bevor ich meine einleitende Erklärung abgebe, Herr Vorsitzender, möchte ich einige Dokumente, die für meine Argumentation unerläßlich sind, in das Protokoll aufnehmen lassen.«

Er identifizierte die Dokumente, während er sie ausbreitete. »Eine vollständige Kopie der Akte und der Auszüge aus dem Auftragsbuch der Notaufnahme, die sich auf die Patientin, die verstorbene Claudia Stuyvesant, beziehen. Der Bericht des Leichenbeschauers über die Todesursache. Und der von Dr. Katherine Forrester ausgestellte und unterschriebene Totenschein.« Er wandte sich Scott und Kate halb zu und bemerkte freundlich: »Ich nehme nicht an, daß Mr. Van Cleve etwas dagegen einzuwenden hat.«

»Mr. Van Cleve?« fragte Mott.

»Kein Einwand, Sir.«

»Und jetzt, Mr. Hoskins, Ihre einleitende Erklärung?«

»Herr Vorsitzender, Frau Dr. Ward, Herr Dr. Truscott, Herr

Verwaltungsbeamter, der uns vorliegende Fall ist für das Leben der Beklagten von großer Bedeutung. Während dieser schwierigen Zeit bringe ich ihr sehr viel Mitgefühl entgegen. Doch die Mitglieder dieses Komitees werden sicherlich nicht vergessen, daß wir nicht dazu da sind, um Ärzte, sondern um die Bevölkerung dieses Staates zu schützen. Sie vor Ärzten zu schützen, die infolge einer ungenügenden Ausbildung, nicht vorhandener Fähigkeiten oder infolge von Persönlichkeitsschwächen nicht dafür qualifiziert sind, sichere Gesundheitsfürsorge zu leisten und dadurch für die Öffentlichkeit im allgemeinen eine Gefahr darstellen.«

Persönlichkeitsschwäche, überlegte Kate. Was um alles in der Welt will er andeuten? Wird er meinen Charakter, meinen geistigen Gesundheitszustand angreifen? Gehört das zu den Taktiken, vor denen Scott mich gewarnt hat?

Hoskins fuhr fort: »Wir werden Beweise vorlegen, aus denen klar hervorgeht, daß es sich bei Dr. Katherine Forrester leider um eine solche Persönlichkeit handelt und daß dieses Komitee daher dem staatlichen Ausschuß empfehlen sollte, ihre Lizenz zu widerrufen.«

Kate hatte nicht vorgehabt, ihre Besorgnis zu verraten, indem sie Scott ansah, konnte aber nicht widerstehen. Er mied allerdings bewußt den Augenkontakt mit ihr und wendete sich an den Vorsitzenden.

»Die Beklagte hat zu diesem Zeitpunkt nicht das Bedürfnis, eine einleitende Erklärung abzugeben.«

Kate protestierte lauter, als sie vorgehabt hatte: »Ich bin weder unqualifiziert noch für die Öffentlichkeit gefährlich.«

Mott lächelte väterlich nachsichtig und schüttelte den Kopf. »Mr. Van Cleve, würden Sie so freundlich sein und Ihre Klientin über das richtige Verhalten bei einem gesetzlichen Verfahren aufklären?«

»Ja, natürlich, Sir. Entschuldigen Sie.«

Scott nahm Kate bei der Hand und ging mit ihr zur Tür, wo er streng flüsterte: »Ich habe Sie gewarnt. Beherrschen Sie Ihre Gefühle. Während Sie aussagen und vor allem, wenn Sie es nicht tun. Hoskins hat Ihnen eine Falle gestellt, und Sie sind prompt hineingegangen. Jetzt haben die Komiteemitglieder den falschen Eindruck von Ihnen.«

»Was für einen Sinn hat es, daß ich dasitze, wenn Sie Hoskins solche empörende Beschuldigungen durchgehen lassen? Erklären Sie mich einfach für schuldig, damit wir es hinter uns bringen.«

»Ich habe nicht vor, ihm irgend etwas durchgehen zu lassen. Aber ich muß es auf meine Art tun.« Er hatte Mühe, nur zu flüstern. »Wenn Sie Vertrauen zu mir haben, dann beweisen Sie es. Ich habe mir noch nie sehnlicher gewünscht, einen Fall zu gewinnen, als diesen. Weil ich es für Sie tue.«

Kate begriff, daß es mehr als eine verpflichtende Erklärung von Anwalt an Klientin war. Sie blickte in seine grauen Augen und fand dort die Beruhigung, die sie suchte.

»Es tut mir leid«, flüsterte sie. »Wir werden es auf Ihre Art machen.«

Sie kehrten zu ihren Plätzen zurück. Scott wandte sich an den Vorsitzenden. »Mr. Mott, ich kann Ihnen versichern, daß diese Anhörung von nun an auf die angemessene Art verlaufen wird.«

»Gut.« Mott wandte sich an Hoskins. »Ihr erster Zeuge, Sir?«

Statt den Namen seines Zeugen zu nennen, ging Hoskins zur Tür und sprach dort kurz mit einem Wächter. Dieser verschwand und kehrte einige Augenblicke später zurück. Er flüsterte Hoskins etwas zu, und dieser verließ den Raum, kehrte jedoch sofort mit seiner ersten Zeugin, Mrs. Claude Stuyvesant, zurück. Hinter ihr betrat Claude Stuyvesant den Raum.

Scott drückte Kates Hand. »Mrs. Stuyvesant?« flüsterte er. Sie nickte, und Scott erhob sich.

»Darf ich fragen, Herr Vorsitzender, ob Mr. Hoskins vorhat, diese Frau als seine erste Zeugin zu nennen?«

»Das habe ich tatsächlich vor«, erklärte Hoskins und geleitete Mrs. Stuyvesant zu dem Zeugenstuhl.

»In diesem Fall«, fuhr Scott fort, »erhebe ich aus dem Grund gegen ihr Erscheinen Einspruch, daß sie dem Komitee nichts Wesentliches oder Wichtiges zu sagen hat.«

»Im Gegenteil«, begann Hoskins zu protestieren.

Aber Scott ließ sich nicht zum Schweigen bringen. »Diese Frau ist keine Ärztin und daher nicht imstande, auch nur eines der Ereignisse zu beurteilen, die während der fraglichen Behandlung eintraten. Offensichtlich kann ihre Aussage nur dem Zweck dienen, ein emotionelles Element in ein Verfahren zu bringen, dem mit rein medizinischen Zeugenaussagen besser gedient wäre.«

Hoskins schüttelte traurig den Kopf. »Mein werter junger Kollege hat keine Erfahrung in Verfahren vor Verwaltungsausschüssen und -komitees. Während die Aussage dieser Frau von einem Gericht für nicht wesentlich gehalten werden kann, werden die Mitglieder dieses Komitees sicherlich ihre Aussage hören wollen, sei es auch nur, um die Umstände zu verstehen, die den verfrühten, tragischen Tod ihrer jungen Tochter begleiteten. Ich wende mich an Verwaltungsbeamten Cahill um eine Entscheidung.«

Alle Blicke wandten sich Kevin Cahill zu. Diesem waren die Anweisungen seines Onkels genau bewußt, und er räusperte sich, bevor er sich päpstlicher als der Papst verhielt. »Herr Vorsitzender, durch das Auftreten dieser Frau als Zeugin wird ein stark emotionelles Element in dieses Verfahren gelangen.«

Kate und Scott hatten den Eindruck, daß sie bereits zu Beginn des Verfahrens einen wichtigen Punkt gemacht hatten, aber ihr Optimismus war verfrüht, denn Cahill fuhr fort: »Wir müssen jedoch andererseits folgendes bedenken: Wenn jeder Zeuge, der starke Emotionen in ein gerichtliches Verfahren bringt, ausgeschlossen würde, müßte die Hälfte aller Zeugen abgelehnt werden. Wir stehen hier einer Augenzeugin der zu erörternden Ereignisse gegenüber. Sie verfügt vermutlich nicht über das Fachwissen um abzuschätzen, was sich abspielte, aber sie ist einer der wenigen Augenzeugen, die uns sagen können, was geschehen ist. Über die Korrektheit dieser Vorgänge werden dann die professionellen Mitglieder des Komitees entscheiden. Wenn von Anfang an festgelegt wird, daß Mr. Hoskins Mrs. Stuyvesant keine Fragen medizinischer Natur stellen wird, dann ist sie in diesem Verfahren eine absolut qualifizierte Zeugin.«

»Das hätte er auch mit bedeutend weniger Worten sagen können«, flüsterte Scott Kate zu.

Mr. Mott bedeutete Mrs. Stuyvesant, auf dem Zeugenstuhl Platz zu nehmen. Sobald sie saß, nahm ihr der Stenotypist den Eid ab und bat um Name und Adresse.

»Mrs. Nora Stuyvesant, 987 Park Avenue, New York City«, antwortete sie.

Mr. Mott benützte die Gelegenheit, um zu bemerken: »Mrs. Stuyvesant, den Mitgliedern dieses Komitees ist bewußt, wie schwierig diese Situation für Sie sein muß. Falls Sie also eine Unterbrechung brauchen, dann zögern Sie nicht, es zu sagen.«

»Danke, Mr. Mott«, erwiderte sie förmlich, als wäre Clarence Mott kein häufiger Gast in ihrem Haus.

Mott bedeutete Hoskins, mit seiner Befragung zu beginnen.

»Ich versichere Ihnen, meine liebe Mrs. Stuyvesant, daß niemand stärker mit Ihnen fühlt als ich. Es muß tatsächlich der schlimmste Alptraum im Leben einer Mutter sein, wenn sie eine junge Tochter, die an geringfügigen Symptomen leidet, in ein angeblich ausgezeichnetes Krankenhaus bringt und zusieht, wie sie innerhalb von nicht einmal zwölf Stunden stirbt.«

Scott griff ein. Er erhob sich halb und sagte: »Das ist genau der gefühlvolle Ton, gegen den ich Einwände erhebe. Können wir auf diese rührseligen Äußerungen von Mr. Hoskins verzichten und zu den sogenannten Beweisen kommen, die er durch seine Zeugin vorlegen will?«

Mott wandte sich scharf an Scott. »Ich finde in Mr. Hoskins' Ausdruck seines Mitgefühls nichts Ungehöriges oder Nachteiliges. Wenn Mr. Cahill mich nicht überstimmt, lasse ich die Feststellung stehen. Mr. Cahill?«

»Angesichts der Umstände ist Mr. Hoskins' Erklärung vollkommen natürlich und angemessen«, erklärte der junge Cahill.

Sobald er gesprochen hatte, warf er Mr. Stuyvesant, der mit steinernem Gesicht am Fußende von Hoskins' Tisch saß, einen Blick zu. Stuyvesant war tatsächlich eine beeindruckende Erscheinung und beherrschte jetzt das Verfahren, ohne ein Wort gesprochen zu haben.

Hoskins hatte freie Bahn für seine erste Frage.

»Bitte erzählen Sie uns so einfach, wie es Ihnen möglich ist, was in jener unglückseligen Nacht vor Ihrem Eintreffen im City-Krankenhaus geschehen ist.«

»An jenem Samstagabend rief mich meine Tochter Claudia gegen zwanzig Uhr an. Sie war vor ungefähr einem Jahr aus unserer Wohnung ausgezogen und lebte jetzt allein. Sie bat mich, zu ihr zu kommen. Sie fühlte sich nicht wohl. Übelkeit, Erbrechen, leichter Durchfall. Da sie die üblichen Gegenmittel genommen hatte und diese nicht halfen, rief ich unseren Arzt an. Aber Dr. Eaves befand sich nicht in der Stadt. Daher beschloß ich, sie in das ausgezeichnete – wie ich damals annahm – City-Krankenhaus zu bringen. Zu meinem großen Kummer entdeckte ich später, daß dies nicht stimmte.«

»Was geschah, als Sie eintrafen?«

»Wir begaben uns in die Notaufnahme, beantworteten alle Fragen, die man uns stellte, und wurden aufgenommen. Wahrscheinlich muß das alles festgehalten werden. Dann schickte man uns in einen Untersuchungsraum.«

»Und dann?«

»Natürlich wollte ich mit einem Arzt sprechen, aber es kam nur eine Schwester. Soweit ich mich erinnere, hieß sie Cronin. Als ich wieder nach einem Arzt fragte, sagte sie mir, daß bald einer kommen würde. Sie kontrollierte weiterhin bei meiner Tochter Puls, Temperatur und so, und ich protestierte. ›Vergeuden Sie keine Zeit. Holen Sie meiner Tochter einen Arzt!‹ Doch die Schwester arbeitete ruhig weiter und versprach neuerlich, daß ein Arzt kommen würde. Aber es kam keiner.«

»Überhaupt kein Arzt?« fragte Hoskins.

»Erst als ich sehr heftig protestierte.«

»Und als der Arzt dann eintraf…« drängte Hoskins.

»Es war« – Mrs. Stuyvesant sah zum Tisch der Beklagten hinüber – »es war diese Frau.«

»Was tat sie?«

»Nicht viel mehr als die Schwester. Sie fühlte Claudia den Puls und stellte einige Fragen. Dann verließ sie meine Tochter und ging zu einem anderen Patienten.«

»Sie meinen damit, daß sie nur einige Fragen stellte und dann fortging?« fragte Hoskins gespielt ungläubig.

»Und als ich sie bat, nicht fortzugehen, wurde sie tätlich.«

»Sie wurde tätlich?« Hoskins' ungläubiger Tonfall bat geradezu um weitere Einzelheiten.

»Sie stieß mich grob zur Seite und ging zu einem anderen Patienten.«

»Sie wollen damit sagen, daß sie Sie packte?«

»Sie stieß mich zur Seite und ging einfach fort«, wiederholte Nora Stuyvesant.

Kate zupfte Scott am Ärmel, damit er Mrs. Stuyvesants Anschuldigungen zurückwies, doch er machte sich ungerührt weiterhin Notizen.

»Ich hoffe, daß sich dieses Verhalten nicht wiederholte«, bemerkte Hoskins.

»Es wiederholte sich einige Stunden später.« Mrs. Stuyvesant sah Kate empört an.

»Was geschah, nachdem Frau Dr. Forrester zum ersten Mal tätlich geworden war?«

Scott erhob sich. »Bitte weisen Sie Mr. Hoskins an, Mr. Mott, das Verhalten meiner Klientin nicht zu bewerten.«

»Wenn man es nicht für eine Tätlichkeit hält, daß jemand Hand an eine Person legt und sie heftig zur Seite stößt, was ist dann eine Tätlichkeit? Muß man dazu einen Baseballschläger oder eine Pistole verwenden?« erwiderte Mott.

»Ich möchte, daß im Protokoll erwähnt wird, es gäbe keinen Hinweis auf Gewalttätigkeit, und ich erhebe Einspruch gegen eine solche Bewertung«, gab Scott nicht nach.

Mott wandte sich ungeduldig, aber gespielt nachsichtig, an den Stenotypisten. »Vermerken Sie das im Protokoll.« Dann wandte er sich an Hoskins. »Entschuldigen Sie die Unterbrechung. Fahren Sie fort.«

»Was ist dann geschehen, Mrs. Stuyvesant?«

»Die Ärztin kam endlich zurück, stellte weitere Fragen, nahm meiner Tochter Blut ab, schickte es ins Labor und sagte, sie müsse auf die Ergebnisse warten.«

»War das alles?« fragte Hoskins.

»Sie sagte der Schwester, sie solle weiterhin Infusionen geben und Claudias Puls und Blutdruck überwachen. Ich bat sie, Claudia wenigstens ein Antibiotikum zu geben, aber sie lehnte es ab.«

»Sie baten ausdrücklich um ein Antibiotikum, und diese Ärztin lehnte es ab?« fragte Hoskins verwirrt.

»Ja.«

»War das alles, was Frau Dr. Forrester tat?«

»Nein. Nachdem sie einige Male wiedergekommen war und sich nicht entscheiden konnte, was sie jetzt tun solle, ließ sie schließlich einen anderen Arzt kommen. Das hätte sie sofort tun sollen.«

Bevor Scott protestieren konnte, stellte Hoskins schon die nächste Frage. »Wann tat einer der Ärzte – Dr. Forrester oder Dr. Briscoe – abgesehen von den Infusionen zum ersten Mal etwas für Ihre Tochter?«

»Sie haben nie etwas für sie getan«, erklärte Mrs. Stuyvesant. »Das einzige Mal, als sie etwas tun wollten, verlangte Dr. Briscoe eine Nadel und wollte sie einführen, um zu sehen, ob es irgendwo eine Blutung gab. Und da... da hörte Claudia auf zu atmen.«

»Und dann?«

»Sie liefen mit ihr durch den Korridor in einen anderen Raum. Ich versuchte, ihnen zu folgen, aber diese Frau sperrte mich aus.«

»Wann sahen Sie Dr. Forrester oder Dr. Briscoe das nächste Mal?«

»Sie« – Mrs. Stuyvesant zeigte auf Kate –, »Sie kam aus dem Zimmer heraus. Mir genügte der Ausdruck auf ihrem Gesicht. ›Sie haben sie getötet‹, sagte ich. ›Ihr alle habt sie getötet.‹ Und sie antwortete – ich werde ihre Worte nie vergessen – ›Wir haben alles getan, was wir konnten, Mrs. Stuyvesant.‹ Daß ich nicht lache. Sie hatten überhaupt nichts getan. Wie sich später herausstellte, hätten sie sie retten können, *wenn* sie es versucht hätten. Sie hätten zumindest mich in das Zimmer lassen sollen. Ich hätte etwas getan ... irgend etwas.« Sie unterbrach sich weinend.

»Bitte, Mrs. Stuyvesant.« Hoskins versuchte, sie dazu zu bringen, daß sie weitermachte. »Nur noch einige wenige Fragen. Sind Sie imstande auszusagen, oder möchten Sie eine Unterbrechung?«

Scott sagte nichts zu Kate, obwohl er innerlich kochte. Er hatte schon erlebt, daß Anwälte diese schäbige Taktik anwendeten und eine Zeugin ausschließlich wegen der emotionalen Wirkung einsetzten. Aber er hatte selten erlebt, daß ein Anwalt so schamlos vorging. Hoskins versuchte nicht nur, das Mitgefühl der drei Komiteemitglieder zu wecken, sondern warf von Zeit zu Zeit Stuyvesant einen Blick zu, um sicher zu sein, daß der Industriemagnat ihn nicht vergessen würde, wenn die Anhörung vorbei war. Scott zweifelte nicht mehr daran, daß Hoskins einen lukrativen Posten in Stuyvesants Immobilienfirmen oder bei einer der Anwaltsfirmen anstrebte, die dieser betrieb. Deshalb verhielt er sich Mrs. Stuyvesant gegenüber übertrieben großzügig, freundlich und rücksichtsvoll, um Kate und ihre Karriere skrupellos zu vernichten.

Als Mrs. Stuyvesant sich so weit erholt hatte, daß sie das tränennasse Gesicht vom feuchten Taschentuch hob, fragte Hoskins sanft: »Fühlen Sie sich imstande weiterzumachen, Madam?« Sie nickte, und Hoskins fuhr fort: »Man schloß Sie also aus, während Ihre Tochter im Sterben lag. Dann kam diese Frau heraus, erzählte es Ihnen – und dann, Mrs. Stuyvesant?«

»Jemand ... ich weiß nicht mehr, wer ... brachte mich zu meiner Limousine, in der ich mit einer leicht erkrankten Tochter eingetroffen war. Jetzt war sie tot, und ich war allein.« Sie brach wieder zusammen und wiederholte nur: »Allein ... allein.«

Hoskins war sicher, daß er aus der Zeugin das Äußerste an emotioneller Wirkung herausgeholt hatte, und sagte jetzt den Kommentar auf, den er für eben diesen Moment vorbereitet hatte.

»Ich bin sicher, Madam, daß die Mitglieder dieses Komitees in diesem schrecklichen Augenblick mit Ihnen fühlen und Sie verstehen. Ich habe keine weiteren Fragen.«

Nora Stuyvesant brach vor Erleichterung darüber, daß sie nicht mehr aussagen mußte, in Tränen aus, während die Spannung in ihr allmählich nachließ.

»Mr. Van Cleve?« wandte sich Mott an Scott. »Möchten Sie diese Zeugin ins Kreuzverhör nehmen?« Motts ganze Haltung besagte: *Wagen Sie tatsächlich, sie ins Kreuzverhör zu nehmen?*

Während Scott überlegte, musterte Kate die Gesichter ihrer Richter.

Dr. Maurice Truscott machte sich eifrig Notizen; dabei zuckten seine Lippen, als versuche er, ein schlecht sitzendes Gebiß zurechtzurücken. Insgesamt wirkte er wie ein Mann, den das Gehörte durcheinandergebracht hat und der seine Gefühle aufzeichnet, bevor sie vergehen.

Dr. Gladys Ward hingegen wirkte ungerührt und unbeteiligt und schirmte ihre Gedanken und Handlungen vollkommen ab. Sie versuchte, ihre schwarzen Augen von Kate abzuwenden, starrte sie aber schließlich mit einem Ausdruck an, den Kate für Mißbilligung hielt.

Mott ordnete die Papiere vor ihm und beugte sich dann zu Cahill, der seinen Platz verließ und leise mit Mott sprach. Sobald Cahill seinen Platz wieder eingenommen hatte, wandte sich Mott an Scott.

»Mr. Van Cleve? Wir warten auf Ihre Entscheidung.«

Scott war durchaus bewußt, wie gefährlich es für einen Anwalt war, eine seelisch tief erschütterte Frau, die noch dazu um ihr Kind trauerte, ins Kreuzverhör zu nehmen. Deshalb sagte er: »Ich bin gern bereit, Mrs. Stuyvesant eine kurze Unterbrechung zuzugestehen, Mr. Mott, bevor ich ihr die wenigen Fragen stelle, die ich habe.«

Nora Stuyvesant betupfte ihre Augen und schniefte. »Ich bin bereit weiterzumachen. Ich werde mein Bestes tun.«

Hoskins kehrte zu seinem Stuhl zurück; er war sichtlich davon überzeugt, daß das Komitee Nora Stuyvesant um so mehr

Mitgefühl entgegenbringen würde, je schärfer Van Cleve sie angriff.

Scott war diese Gefahr ebenfalls bewußt, als er sich ihr zuwandte. »Es steht Ihnen frei, Mrs. Stuyvesant, sich mit der Beantwortung meiner Fragen so viel Zeit zu lassen, wie Sie dazu brauchen.«

»Danke«, antwortete sie eher verärgert als dankbar. Sie tupfte sich noch einmal ihre feuchten Augen.

»Als Sie Ihre Tochter in das City-Krankenhaus brachten, waren ihre Beschwerden da leicht, mäßig oder schwer?«

»Ich würde sagen ... irgendwie mäßig.« Sie hielt diese Schätzung für am sichersten.

»Nicht beunruhigend?«

»Mäßig«, wiederholte sie.

»Kein Hinweis auf einen kritischen Zustand?«

»Mäßig.«

»Lebensbedrohend?« Scott ließ nicht locker.

Hoskins erhob sich schwerfällig. »Herr Vorsitzender, Herr Verwaltungsbeamter, ich frage Sie beide im Namen der Vernunft, wie kann eine Mutter wie Mrs. Stuyvesant, die keineswegs eine medizinische Sachverständige ist, auf eine Frage antworten, die von ihr eine Einschätzung des Zustandes der Patientin verlangt?«

»Genau darum geht es, Mr. Hoskins. Noch vor wenigen Minuten sagte sie« – Scott überflog seine Notizen – »›Ich war mit einer leicht erkrankten Tochter eingetroffen.‹ Wenn ihre Meinung vor fünf Minuten gültig war, dann sollte sie auch jetzt gültig sein.«

»Und wenn dem so wäre?« warf Mott ein.

»Mrs. Stuyvesant hat versucht, bei dem Komitee den Eindruck zu erwecken, daß ihre Tochter nur leicht erkrankt war, aber infolge der Maßnahmen von Dr. Forrester starb. Wobei in Wahrheit die Patientin schwerkrank war, als sie in das Krankenhaus gebracht wurde, ihr Zustand jedoch aus Gründen, auf die ich später zu sprechen komme, vor Dr. Forrester verborgen wurde.«

Hoskins lächelte herablassend. »Ich nehme immer an, Mr. Van Cleve, daß ein Arzt über mehr Kenntnisse verfügt als ein Laie, wenn es um eine Diagnose geht. Deshalb könnte ein sachkundiger Arzt Symptome, die Mrs. Stuyvesant für mäßig oder leicht hält, ohne weiteres als ›schwer‹, ›beunruhigend‹ oder ›lebensbedrohlich‹ bezeichnen.«

Diesen Augenblick benützte Cahill, um einzugreifen. »Da die Zeugin keine Sachverständige ist, entscheidet der Verwaltungsbeamte, daß ihre Meinung nicht einzuholen ist. Sie darf nur in bezug auf Fakten aussagen.«

»Stattgegeben«, erklärte Mott und versetzte mit seinem Hammer dem Tisch einen scharfen, abschließenden Schlag. »Fahren Sie fort, Mr. Van Cleve, doch stellen Sie Ihre Fragen anders.«

Scott blieb nichts anderes übrig, als sich zu fügen.

»Verstehe ich aufgrund Ihrer Aussage richtig, Mrs. Stuyvesant, daß Ihre Tochter nicht mehr unter einem Dach mit Ihnen wohnte?«

»Die heutigen jungen Leute! Sie sprechen nur von Freiheit. Wollen ›ihren eigenen Freiraum‹ haben. Ziehen aus. Machen sich selbständig. Was in Ordnung ist, solange Daddy hohe Zuschüsse schickt.« Mrs. Stuyvesant war deutlich bewußt, daß ihr Mann am Tisch des Anklägers saß.

»Und wie lange hatte Claudia nicht mehr zu Hause gelebt?« fragte Scott.

»Acht Monate. Vielleicht länger«, erwiderte Mrs. Stuyvesant, dann fügte sie hinzu: »Länger. Claude erwähnte einmal, daß Claudia seit beinahe einem Jahr fort war und uns nie in ihre Wohnung im Village eingeladen hatte.«

»Hat es während dieser Zeit irgendwelche Kontakte zwischen Ihrer Tochter und Ihnen gegeben?«

Hoskins wandte sich an den Verwalter. »Mr. Cahill, wir entscheiden hier über die Fähigkeit einer Ärztin, weiterhin diesen Beruf auszuüben. Wie können Fragen über das Familienleben ihres Opfers relevant sein?«

»Mr. Van Cleve?« fragte Cahill so richterlich, wie es ihm möglich war.

»Ich protestiere gegen den Ausdruck *Opfer,* den Mr. Hoskins verwendet hat. Ich werde jedoch binnen kurzem den Zusammenhang darlegen. Mrs. Stuyvesant?«

»Claudia rief uns von Zeit zu Zeit an.«

»Häufig?« fragte Scott.

»Ich sagte, von Zeit zu Zeit.«

»Erwähnte sie jemals bei einem dieser Telefonate eine Person namens Rick Thomas?«

»Rick Thomas?« wiederholte Mrs. Stuyvesant überrascht, tat jedoch, als wäre sie verwirrt.

»Sagt Ihnen der Name etwas?«

Mrs. Stuyvesant machte eine kurze Pause, bevor sie sprach. »Nein. Nein, er sagt mir nichts.«

»Würde es Sie überraschen zu erfahren, daß Ihre Tochter und Rick Thomas zusammenlebten, während sie...«

Bevor Scott die Frage beenden konnte, war Claude Stuyvesant aufgesprungen, zeigte mit dem Finger auf ihn und rief dem Vorsitzenden zu: »Das erlaube ich nicht! Ich erlaube nicht, daß der Name meiner toten Tochter durch so billige Gaunertricks beschmutzt wird. Ich verlange, daß Sie diesen Mann zwingen, seine empörende Behauptung zurückzunehmen.«

»Mr. Stuyvesant, Mr. Stuyvesant...« Mott versuchte einzugreifen und den Ausbruch zu beenden. »Glauben Sie mir, wir wissen alle, unter welcher Belastung Sie als Vater des Opfers stehen. Aber im Interesse der Menschen in diesem Staat und auch in Ihrem Interesse müssen wir dieses Verfahren ordentlich durchführen.«

Stuyvesants Gesicht war noch gerötet, und seine Augen blitzten zornig, als er langsam in seinen Stuhl sank.

Mott bedeutete Scott fortzufahren.

»Ich habe Sie nach einem Mann namens Rick Thomas gefragt, Mrs. Stuyvesant.«

Hoskins erhob sich. »Da Mrs. Stuyvesant bereits gesagt hat, daß sie nichts von einer Person namens Rick Thomas weiß, kann man kaum von ihr erwarten, Fragen über ihn zu beantworten, und Mr. Cahill wird sicherlich meiner Ansicht sein.

Bitte ersuchen Sie Mr. Van Cleve, von diesen Fragen Abstand zu nehmen. Und wenn er keine Fragen mehr hat, die uns helfen oder diesen Prozeß in neuem Licht zeigen können, verlange ich, daß er diese für die Zeugin und ihren Mann offensichtlich schmerzliche Vorgehensweise beendet.«

Hoskins erwartete sichtlich, daß Scott nachgeben würde, denn er blieb stehen, um seinen nächsten Zeugen aufzurufen.

»Ich habe noch einige Fragen, Mr. Mott«, erwiderte Scott.

»Fahren Sie fort«, sagte Mott, ließ aber deutlich merken, daß er es wider seine bessere Einsicht tat.

»Hatten Sie Kenntnis von der Tatsache, Mrs. Stuyvesant, daß Ihre Tochter gewohnheitsmäßig legale und illegale Drogen nahm?«

Stuyvesant sprang wieder auf. »Verdammt! Ich bestehe darauf, daß Sie ihn zwingen, mit der Verleumdung meiner Tochter aufzuhören.«

»Bitte, Mr. Stuyvesant, überlassen Sie es mir, damit fertigzuwerden«, mischte sich Mott ein. »Haben Sie die Absicht, Mr. Van Cleve, den Bericht des Leichenbeschauers oder eines Krankenhaus-Labors vorzulegen, um Ihre Anschuldigung zu beweisen?«

»Ich habe sehr gewichtige Gründe anzunehmen, daß meine Behauptung tatsächlich wahr ist, Herr Vorsitzender.«

»Dann hätte der Bericht des Leichenbeschauers diese Tatsache sicherlich erwähnt«, sagte Hoskins. »Doch er enthält kein einziges Wort zu diesem Thema. Wie erklären Sie das, Mr. Van Cleve?«

»Mir wurde erklärt, daß der Leichenbeschauer es nicht für notwendig hielt, eine solche Untersuchung vorzunehmen, sobald er die Todesursache festgestellt hatte.«

»Was ist mit einem Laborbericht des Krankenhauses?« fragte Hoskins. »Wenn es ihn gäbe, hätten Sie ihn sicherlich längst in das Protokoll aufnehmen lassen.«

»Meine Mandantin verlangte eine toxikologische Untersuchung des Blutes der Patientin. Sie wurde vorgenommen. Aber aus irgendeinem Grund taucht sie in der Akte nicht auf«, erwiderte Scott.

»›Taucht in der Akte nicht auf‹«, spottete Hoskins. »Zuerst bietet uns Mr. Van Cleve das Schauspiel einer geheimnisvollen, nicht existierenden Person namens Rick Thomas. Jetzt bezieht er sich auf einen Laborbericht, der in der Akte ›nicht auftaucht‹. Und all das zielt darauf ab, den Ruf einer Toten, die sich nicht mehr verteidigen kann, anzugreifen und zu beschmutzen. Ich verlange, daß Mr. Van Cleve diesen Rick Thomas hierherbringt. Und uns einen Beweis für den ›in der Akte nicht auftauchenden‹ Laborbericht bringt.«

»Mr. Van Cleve?« Mott unterstützte Hoskins' Forderung.

»Ich werde mein Bestes tun, um Mr. Hoskins' Wunsch zu erfüllen«, sagte Scott. Er hatte jetzt die Situation ausgezeichnet für den Auftritt von Rick Thomas vorbereitet und nahm die Befragung der Zeugin wieder auf.

»Sie haben vorhin geschildert, Mrs. Stuyvesant, wie Dr. Forrester Ihnen gegenüber ›tätlich‹ wurde.«

»Ja, das hat sie getan.«

»Wissen Sie, wohin die Ärztin ging, als es zu diesem Zwischenfall kam?«

»Ich habe keine Ahnung.«

»Hörten Sie nicht, daß eine Schwester sie zu einem Notfall rief?«

»Ja, es war etwas mit einem anderen Patienten«, gab Nora Stuyvesant zu.

»Dann kann ich wohl feststellen, daß sie Ihre Tochter nicht ›verließ‹, sondern sie kurz allein ließ, um einem anderen Patienten zu helfen.«

»Ich interessierte mich nur für die Gesundheit und Sicherheit meiner Tochter.«

»Stellten Sie sich deshalb an die Tür, um Frau Dr. Forrester körperlich daran zu hindern, das Zimmer zu verlassen?«

»Ich konnte nicht zulassen, daß sie meine Tochter verließ, die noch kranker war, als ich annahm.«

»Wären Sie noch immer dieser Ansicht, Mrs. Stuyvesant, wenn Sie wüßten, daß Frau Dr. Forrester zu einem Mann unterwegs war, der offenbar einen schweren Herzanfall erlitten hatte und sterben konnte, wenn ihn nicht sofort ein Arzt behandelte?«

»Der einzige Patient, der mich interessierte, war meine Tochter«, erklärte Mrs. Stuyvesant standhaft.

Daß die Zeugin nicht mehr weinte, sondern sich zur Wehr setzte, machte Scott Mut. »Ich stimme Ihnen zu, Mrs. Stuyvesant. Eine Mutter sollte sich als erstes um die Sicherheit ihres Kindes kümmern. Aber in dieser Nacht war Frau Dr. Forrester für viele Leben verantwortlich. Sie mußte jeden seinen Bedürfnissen entsprechend behandeln. Da Sie ihr im Weg standen, drängte sie sich an Ihnen vorbei, um ihren Pflichten nachzukommen. Würden Sie das noch immer als ›Tätlichkeit‹ gegen Sie bezeichnen?«

»Sie stieß mich weg! Wenn ich Widerstand geleistet hätte, wäre sie wahrscheinlich noch gewalttätiger geworden.«

»Wenn Sie es als ›Tätlichkeit‹ bezeichnen, daß Frau Dr. Forrester sich an Ihnen vorbeigedrängt hat, und wenn Sie annehmen können, daß sie ›gewalttätiger‹ geworden wäre, wenn Sie ›sich gewehrt‹ hätten, dann muß ich annehmen, daß in diesem Augenblick etwas anderes ihren Geist beschäftigte. Stimmt das?«

Die Zeugin starrte ihn an, ohne zu antworten.

Scotts Andeutung veranlaßte Hoskins, sich etwas steifer aufzurichten. Claude Stuyvesants Augen zogen sich zusammen. Dr. Truscott blickte von einer Notiz auf. Dr. Gladys Ward, die bis jetzt überhaupt keine Notizen gemacht hatte, sah mit erneutem Interesse zu.

Mott wollte sichtlich eingreifen. Er warf Cahill einen Blick zu, aber von dem kam kein ermutigendes Zeichen. Scott durfte fortfahren.

»Mrs. Stuyvesant?« drängte Scott. Als sie nicht reagierte, fuhr er fort: »Als Dr. Briscoe Sie zu Ihrer Limousine begleitete, Mrs. Stuyvesant, wissen Sie da noch, was Sie sagten?«

»Ich kann mich überhaupt nicht erinnern, etwas gesagt zu haben.«

»Seltsam. Weil mehrere Leute, darunter Dr. Briscoe und Dr.

258

Forrester, hörten, wie Sie sagten: ›Er wird mir die Schuld geben... er wird mir die Schuld geben...‹ Erinnern Sie sich daran?«

»Ich habe schon gesagt, daß ich mich nicht daran erinnere, etwas gesagt zu haben«, erwiderte sie scharf.

Hoskins und Cahill hatten Stuyvesants wachsenden Zorn beobachtet und standen rasch auf, um einzugreifen. Als erster äußerte sich der Verwaltungsbeamte.

»Diese ungerechtfertigte Taktik von Mr. Van Cleve hat eher den Zweck, die Zeugin zu beunruhigen als das Komitee bei der Wahrheitsfindung zu unterstützen. Seine vollkommen realitätsfremde Befragung strebt anscheinend an, das echte Problem, nämlich die Frage, ob Dr. Katherine Forrester geeignet ist, weiterhin die ärztliche Praxis auszuüben, zu verschleiern.«

»Wie ich in meiner abschließenden Erklärung deutlich machen werde, bezieht sich meine Frage auf das Problem, was während der entscheidenden neun Stunden geschehen ist«, erwiderte Scott.

Cahill war bewußt, daß seine Worte aufgezeichnet wurden und im Fall einer Berufung überprüft werden konnten, deshalb erklärte er: »Unter der Voraussetzung, daß Sie den Zusammenhang herstellen werden, gestatte ich Ihnen für den Augenblick, fortzufahren.«

Scott wandte sich wieder der Zeugin zu. »Haben Sie gesagt ›Er wird mir die Schuld geben... er wird mir die Schuld geben...‹, Mrs. Stuyvesant?«

»Das habe ich nie gesagt«, wiederholte sie entschiedener.

»Soll ich dann glauben, daß Dr. Briscoe, Dr. Forrester und andere, die sagen, daß sie es gehört haben, lügen?«

»Warum nicht?« Mrs. Stuyvesant richtete sich auf. »Sie alle waren an der Ermordung meiner Tochter beteiligt. Jetzt lügen sie alle, um sich zu schützen. Um Dr. Forrester zu schützen. Ärzte verschwören sich immer, um ihr kleines Monopol zu schützen!«

Sie erhob sich ganz und schrie Kate an: »Sie haben sie getötet! Und jetzt erzählt Ihr Anwalt einen Haufen Lügen, um Sie zu schützen! Sie werden damit nicht durchkommen! Auf keinen Fall! Sie haben es mit Claude Stuyvesant zu tun!«

Nach diesem Ausbruch war sie so erschöpft, daß sie wieder in den Zeugenstuhl sank.

Doch Scott ließ nicht locker und fragte leise: »Erinnern Sie sich daran, Mrs. Stuyvesant, daß Frau Dr. Forrester Ihre Tochter fragte, ob sie sexuell aktiv gewesen sei?« Nora Stuyvesant antwortete nicht, deshalb wiederholte Scott: »Erinnern Sie sich daran, Mrs. Stuyvesant?« Sie nickte kaum merklich. Scott wandte sich an den Vorsitzenden: »Können Sie den Stenotypisten veranlassen, Mr. Mott, in das Protokoll aufzunehmen, daß die Zeugin als Antwort auf meine Frage nickte?«

»Ja, natürlich. Machen Sie weiter, Mr. Van Cleve.«

»Erinnern Sie sich an die Antwort Ihrer Tochter auf diese Frage, Mrs. Stuyvesant?« fuhr Scott fort. Die Befragte antwortete wieder nicht sofort. »Falls Ihr Gedächtnis Sie im Stich läßt, dann werde ich es auffrischen. Ihre Tochter leugnete, daß sie sexuell aktiv gewesen war. Richtig?«

Mrs. Stuyvesant nickte wieder kaum merklich.

»Fragte die Ärztin sie auch, ob ihre Regel ausgeblieben war?« Mrs. Stuyvesant nickte wieder. »Und erwiderte Ihre Tochter, daß dies nicht der Fall war?« Wieder das Nicken.

Scott machte eine Pause, bevor er fragte: »Da wir jetzt aus dem Bericht des Leichenbeschauers wissen, daß beide Antworten falsch waren, können Sie uns einen Grund nennen, warum Ihre Tochter die Ärztin anlog, die sie behandelte?«

»Nein... nein. Ich weiß keinen Grund.« Mrs. Stuyvesant sprach so leise, daß der Stenotypist sie kaum verstand.

»Danke, Mrs. Stuyvesant. Das war alles.« Scott wandte sich ab und tat dann, als wäre ihm eine Frage eingefallen, die er nicht gestellt hatte. »Nur noch eine Frage, Mrs. Stuyvesant. Als die Leute hörten, wie Sie ›Er wird mir die Schuld geben... er wird mir die Schuld geben...‹ sagten, an wen dachten Sie da?«

»Ich habe Ihnen schon erklärt, daß ich mich nicht erinnere, etwas Derartiges gesagt zu haben«, fuhr sie ihn an.

»Könnte ein Zusammenhang zwischen Ihrer Angst vor dieser

Person und dem Bedürfnis Ihrer Tochter, auf die Fragen der Ärztin falsche, irreführende Antworten zu geben, bestehen?«

Mrs. Stuyvesant sah ihn zornig an, antwortete aber nicht.

Hoskins kam ihr zu Hilfe. »Es ist nicht erforderlich, Herr Vorsitzender, daß die Zeugin eine Frage beantwortet, die eine reine Vermutung ist.«

»Natürlich nicht«, gab Scott zu. »Entschuldigen Sie. Ich habe keine Fragen mehr.«

»Ich ebenfalls nicht«, sagte Hoskins.

Er trat zu Mrs. Stuyvesant, half ihr beim Aufstehen und begleitete sie zu ihrem Mann. »Ich weiß, daß es eine Tortur für Sie war. Ich danke Ihnen im Namen der Justiz und der Wahrheit, daß Sie sich so tapfer gehalten haben. Und die Bewohner dieses Staates, die ich vertrete, danken Ihnen ebenfalls.«

Er übergab sie ihrem Mann. »Sie können jetzt beide gehen, Sir.«

Stuyvesant nickte grimmig und küßte seine Frau. Die Geste besagte, daß sie gehen konnte, daß er jedoch noch bleiben wollte.

»Ich möchte bei dir bleiben«, protestierte sie schwach.

»Für einen Tag hast du genug mitgemacht, meine Liebe«, widersprach Stuyvesant.

»Wir müssen Claudias Namen, ihr Gedächtnis schützen...« ließ seine Frau nicht locker.

»Dafür werde ich sorgen, meine Liebe. Du fährst einfach nach Hause und erholst dich von dieser scheußlichen Affäre.«

Sie zögerte noch, bis er sagte: »Geh, Nora!«, und sie gehorsam ging.

Sobald Mrs. Stuyvesant fort war, trat Hoskins zum Komiteetisch und bedeutete Cahill, zu ihnen zu kommen. Um heimliche Absprachen zu verhindern, kam Scott ebenfalls schnell an den Tisch.

»Mr. Mott«, sagte der Ankläger, »ich möchte den Ablauf dieses Verfahrens ändern.«

Scott griff ein. »Wir hatten uns darauf geeinigt, daß ich nach Mrs. Stuyvesants Aussage Dr. Freund aufrufen darf, der seine

Übersiedlung nach Florida aufgeschoben hat, um heute hiersein zu können.« Er sah Hoskins herausfordernd an. »Waren Sie damit einverstanden oder nicht?«

»Natürlich. Und ich halte mich daran. Ich möchte nur zuerst einen anderen Zeugen aufrufen. Ich versichere Ihnen, daß es nicht viel Zeit in Anspruch nehmen wird. Es liegt sogar in Ihren Händen, wie lange es dauern wird, Van Cleve.«

»In meinen Händen?« fragte Scott skeptisch und mißtrauisch. »Wer ist Ihr neuer Zeuge?«

»Sie!«

»Sind Sie verrückt?« fuhr ihn Scott an.

Hoskins kümmerte sich nicht um Scott, sondern wandte sich an den Verwaltungsbeamten. »Aus Mr. Van Cleves letzten Fragen kann man entnehmen, daß er verschiedenes weiß, das er uns verheimlicht hat. Deshalb schlage ich im Interesse einer vollständigen, fairen Anhörung vor, daß Mr. Van Cleve dazu gebracht wird zu enthüllen, was er weiß.«

Cahill überdachte den Vorschlag kurz, dann entschied er: »Ich verstehe, was Sie meinen, Mr. Hoskins. Die Konzentration dieses Komitees sollte von dem von uns zu behandelnden Fall nicht durch ein Fantasieprodukt Mr. Van Cleves abgelenkt werden.« Er sah zum Stenotypisten hinüber. »Vereidigen Sie bitte Mr. Van Cleve.«

Sobald Scott im Zeugenstuhl saß, begann Hoskins. »Sie sind ein angesehenes Mitglied der Anwaltskammer dieses Staates?«

»Ja.«

»Dann ist Ihnen bewußt, daß ein Anwalt die Pflicht hat, sich für jeden Zeugen zu verbürgen, den er in einem Gerichtssaal oder bei einem gesetzlichen Verfahren vorführt?«

»Ja.«

»Und ist ein Mitglied der Anwaltskammer auch für die Erklärungen verantwortlich, die es im Gerichtssaal oder bei einem legalen Verfahren abgibt?«

»Selbstverständlich.«

»Als Mrs. Stuyvesant aussagte, haben Sie sie da nach einer Person gefragt, die Sie Rick Thomas nannten?«

»Ja.«

»Und erklärten Sie auch, daß dieser Thomas bis zu den Ereignissen, mit denen wir uns hier befassen, mit Mrs. Stuyvesants Tochter zusammengelebt hat?«

»Ja.«

»Wer war die Quelle für diese Behauptungen, Sir?«

»Rick Thomas.«

»Wissen Sie nicht, daß diese Körperschaft das Recht hat, Zeugen unter Strafandrohung vorzuladen? Und daß Mr. Thomas, falls es ihn tatsächlich gibt, gezwungen werden kann, hier zu erscheinen und auszusagen?«

»Natürlich weiß ich das.«

»Haben Sie ihn unter Strafandrohung vorgeladen?«

»Nein, das habe ich nicht getan«, gab Scott zu.

»Aha. Also kann Ihre Behauptung, daß das Opfer in diesem Fall mit dem erfundenen Mr. Thomas zusammenlebte, tatsächlich ein übler Scherz sein.«

»Sie ist kein übler Scherz«, erwiderte Scott, ohne lauter zu sprechen. »Und ich verwahre mich noch immer dagegen, daß Sie das Wort *Opfer* verwenden.«

»Ist dieser Rick Thomas auch die Quelle Ihrer Behauptung, daß Miß Stuyvesant drogenabhängig war?« fragte Hoskins.

»Wer könnte es besser wissen als der Mann, der mit ihr zusammengelebt hat?«

»Ich ziehe jedenfalls vor, Mr. Van Cleve, meine Schlüsse selbst zu ziehen. So wie die Mitglieder dieses Komitees. Rick Thomas ist tatsächlich ein Gebilde Ihrer Fantasie. Sie haben ihn erfunden, um das zu erreichen, dessen Sie Mr. Stuyvesant beschuldigt, nämlich seine tote, wehrlose Tochter zu besudeln, um Ihre Mandantin zu entlasten! Das ist alles!«

Er wandte sich unvermittelt von Scott ab und warf dabei Stuyvesant einen Blick zu, um zu sehen, ob dieser zufrieden war. Seine Erwartung wurde nicht enttäuscht.

Scott verließ den Zeugenstuhl und kehrte zu Kate zurück. Diese Auseinandersetzung hatte sie offensichtlich erschüttert.

»Warum haben Sie es ihm nicht gesagt? Wir haben Rick gesehen. Wir haben mit ihm gesprochen. Ich könnte es bezeugen«, flüsterte sie drängend.

»O nein, es funktioniert großartig. Ich habe die Falle gestellt und er ist hineingegangen. Je mehr er es hochspielt, desto wirkungsvoller wird der Augenblick, in dem ich Rick Thomas hereinführe und sage: ›Gentlemen, das ist der ›schwer faßbare‹ Mr. Thomas. Bereit auszusagen.«

Mr. Mott verfügte eine kurze Unterbrechung, bevor Dr. Freund in den Zeugenstand gerufen wurde.

Scott benützte die Gelegenheit, lief zu dem Münzfernsprecher im Korridor und gab die Nummer ein. Es läutete zweimal, bevor sich jemand meldete.

»Rick? Scott Van Cleve. Geht es Ihnen gut?«

»Großartig, Mann, großartig.«

»Halten Sie sich bereit. Ich verständige Sie. Und tragen Sie das neue Hemd und die Krawatte, die ich Ihnen geschickt habe.«

»Alles klar, Mann«, versicherte Rick.

Scott kehrte selbstsicher und kampfbereit zur Anhörung zurück.

28

Wie mit dem Vorsitzenden Mott und dem Ankläger Hoskins besprochen, und aus Achtung vor einem, der so viele Jahre im City-Krankenhaus gedient hatte, wurde das Anhörungsverfahren unterbrochen, so daß Dr. Sol Freund für die Beklagte aussagen konnte, bevor er sich in den Ruhestand begab.

Bis auf einen schmalen Kranz weißer Haare, der seine glänzende rosa Kopfhaut einschloß, war er kahl, und seine Wangen waren eingesunken, aber glatt rasiert. Das Knochengerüst seines Gesichts war beinahe genausogut erkennbar wie auf einem Röntgenbild. Er trug eine einfache Brille mit Goldfassung. Über die Weste seines dunkelblauen Anzugs spannte sich eine Goldkette, an der der Phi-Beta-Kappa-Schlüssel hing, der ihm über ein halbes Jahrhundert zuvor verliehen worden war.

Nachdem Freund vereidigt worden war, bedeutete Mott durch ein Kopfnicken, daß Scott mit der Befragung beginnen konnte.

»Ihr Name, Sir?«

»Solomon Freund.«

»Ihr Beruf?«

»Arzt.«

»Wie viele Jahre wurden Sie für diesen Beruf ausgebildet und haben ihn dann ausgeübt?«

»Zweiundfünfzig Jahre.«

»Sind Sie mit den allgemeinen Verfahren und Praktiken in großen städtischen Krankenhäusern und insbesondere im City-Krankenhaus von New York vertraut?«

»Ich habe in dieser Stadt als Praktikant, als Assistent und später als Mitglied des Arztpersonals viele Jahre in den großen Krankenhäusern gearbeitet und war die letzten vierunddreißig Jahre im City-Krankenhaus tätig.«

»Sind Sie mit der Vorgehensweise in der Notaufnahme dieser Anstalt vertraut, Sir?«

»Und ob. Bis zu dem Tag, an dem ich vor einigen Wochen in den Ruhestand trat, wurde ich jedes Mal hinuntergerufen, wenn extrem ungewöhnliche Fälle eventuell einen Eingriff durch einen Neurochirurgen erforderten.«

Scott wandte sich an Cahill. »Darf ich auf der einvernehmlich festgelegten Basis fortfahren, daß Dr. Freund als Fachmann aussagt und daher seine Meinung äußern darf?«

Cahill nickte nach einigem Zögern unnötig ernst.

Scott fuhr fort. »Ich habe Ihnen vor einigen Tagen eine Kopie der Akte einer Patientin namens Claudia Stuyvesant zugeschickt, Dr. Freund. Hatten Sie inzwischen Zeit, sich mit ihr vertraut zu machen?«

»Ich habe sie mit großem Interesse gelesen.«

»Finden Sie, daß die Akte ein fachkundiger Bericht über einen Notfall ist?«

»Nicht nur fachkundig, sondern auch detailliert geschrieben.«

»Wenn Sie das bedenken und die Anzeichen, Symptome, Laborberichte und die übrigen Erkenntnisse berücksichtigen – hätten Sie dann etwas anders gemacht, wenn Sie in dieser Nacht der Arzt gewesen wären, der das Stuyvesant-Mädchen behandelte?«

»Nein. Es gab einfach nicht genügend Erkenntnisse, aufgrund derer eine andere Diagnose möglich gewesen wäre. Fieber, Übelkeit, Erbrechen, Durchfall – wer von uns hatte nicht schon diese Symptome und wurde sie los, sobald sein Körper das Nahrungsmittel, das ihn reizte, wieder ausgestoßen hatte?«

»Wie würden Sie dieses Symptome einstufen?«

»Daß man sie beobachten muß, um deutliche Veränderungen zu bemerken. Aber das wäre schon alles.«

»Beunruhigend?«

»Bestimmt nicht.«

»Hinweise auf eine innere Blutung?«

»Diese Symptome könnten zwar zu einem solchen Zustand passen, aber ich würde erwarten, daß sie in diesem Fall viel ausgeprägter wären. Die Laborberichte wären sicherlich erschreckender.«

»Da wir jetzt wissen, daß tatsächlich eine schwere innere Blutung vorhanden war, wie würden Sie die Tatsache erklären, daß die Anzeichen und die Laborberichte diesen Zustand nicht widerspiegelten?« fragte Scott.

»Wie meine hervorragenden medizinischen Kollegen in diesem Komitee wissen, können viele Faktoren Symptome und Anzeichen verzerren. Zum Beispiel Dehydrierung. Auch die Möglichkeit, daß der Zustand der Patientin von irgendwelchen Drogen beeinflußt war.«

Claude Stuyvesant sprang auf. »Verdammt, Clarence!« Dann riß er sich zusammen und fuhr ein wenig ruhiger fort. »Herr Vorsitzender, werden Sie zulassen, daß dieser Zeuge tut, was Van Cleve nicht tun durfte? Ich dulde diese Angriffe auf den Ruf meiner Tochter nicht. Ich verlange, daß Sie dies Mr. Van Cleve und seinem Zeugen klarmachen.«

Freund, der bei Stuyvesants vorhergehenden Ausbrüchen

nicht zugegen gewesen war, wandte sich ihm zu. »Mr. Stuyvesant… ich nehme an, daß Sie es sind… ich greife Ihre Tochter nicht an. Ich hatte es auch nicht vor.«

»Sie haben behauptet, daß sie Drogen nahm«, brüllte Stuyvesant.

»Mein lieber Mann, sind Sie nie mitten in der Nacht mit Bauchschmerzen, Sodbrennen oder Übelkeit aufgewacht, haben etwas geschluckt, um Ihr Innenleben zu beruhigen, und haben weitergeschlafen?«

»Natürlich. Aber Sie sagten *Drogen!*« meinte Stuyvesant vorwurfsvoll.

»Ich verstehe, was Sie meinen. Illegale Drogen. Ich habe mich auf etwas so Einfaches wie die Drogen bezogen, die wir alle in unseren Medizinschränkchen stehen haben. Manche von ihnen sprudeln, manche nicht. Aber alle sind Drogen. Sogar die einfachste könnte die Wirkung auslösen, von der ich gesprochen habe. Nehmen Sie etwas Alltägliches, Alka-Seltzer. Wir verwenden es manchmal, um die normalen Elektrolyten des Magens zu ersetzen, die bei schwerem Durchfall und Dehydrierung verlorengegangen sind.

Deshalb ist es durchaus möglich, Mr. Stuyvesant, daß Ihre Tochter während der Stunden, in denen sie sich unwohl fühlte, mehrere Male solche Drogen nahm, bevor sie in der Notaufnahme erschien. Wenn sie es getan hat, dann können diese einfachen Heilmittel die Laborergebnisse beeinflußt haben.«

Stuyvesant wirkte noch immer herausfordernd, setzte sich aber trotzdem langsam hin; dennoch war er jederzeit sprungbereit, um den Ruf seiner Tochter und – ohne es zu merken – den seinen zu verteidigen.

Freund wandte sich wieder dem Komitee zu.

»Ich kann Mr. Stuyvesants Sorge mitfühlen. Auf meinem Spezialgebiet habe ich zu vielen Eltern mit Kindern gegenübergestanden, die durch illegale Drogen einen bleibenden neurologischen Schaden davongetragen hatten. Aber der Grund, warum ich hier bin, ist einfach: Ohne alle Förmlichkeit, den legalen Fragen, den Antworten, läuft es auf eines hinaus, und nur eines. Aufgrund der Erkenntnisse in Claudia Stuyvesants Akte bin ich der Meinung, daß Dr. Forrester sich effizient, professionell und beispielhaft verhalten hat. Wenn Sie über die von ihr ergriffenen Maßnahmen hinaus weitere gesetzt hätte, so hätte man ihr vorwerfen können, sie habe übereilt gehandelt.«

Während Freund fortfuhr, glitten seine Finger unbewußt zum goldenen Phi-Beta-Kappa-Schlüssel und spielten mit ihm. »Ich schlage vor, daß sich jedes medizinische Mitglied dieses Komitees fragt: Was hätte ich getan, wenn ich an Stelle von Dr. Forrester gestanden und ihre Erkenntnisse vorgefunden hätte? Sie hätten genauso reagiert wie Dr. Forrester. Beenden Sie also diese Anhörung, und schicken Sie die junge Frau zu der Arbeit zurück, für die sie ausgebildet ist; sie sehnt sich aus tiefstem Herzen danach, sie fortzusetzen.«

Um Freunds Worte möglichst eindringlich wirken zu lassen, machte Scott eine lange Pause, bevor er sagte: »Ich habe keine weiteren Fragen.«

Mott sah Hoskins an, der anzeigte, daß er ein Kreuzverhör vornehmen wolle. Er begann mit einer entwaffnenden Einleitung. »Aus Rücksicht auf Ihren Wunsch, Ihren wohlverdienten Ruhestand anzutreten, Dr. Freund, werde ich mich auf einige wenige Fragen beschränken.«

Dr. Freund nickte leicht. Hoskins trat jetzt vor und stand zwischen Freund und Scotts Tisch, so daß er Kate den Blick auf den alten Arzt verstellte.

»Darf ich Sie fragen, Doktor, welcher Art Ihre persönliche Beziehung zu der Beklagten ist?«

»Beklagte? Meinen Sie damit Dr. Forrester? Ich habe keine persönliche Beziehung zu ihr. Bei zwei, möglicherweise drei Gelegenheiten hat sie von anderen Abteilungen, in denen sie als Assistenzärztin arbeitete, Fälle an mich überwiesen. Ich habe also vielleicht einige Male mit ihr gesprochen.« Dann begriff er. »Ach, ich sehe, was Sie meinen. Sie nehmen an, daß ich hierhergekommen bin, um für eine persönliche Freundin einzutreten? Oder vielleicht für einen Schützling? Nein, nein, nein, mein lieber Mann, Sie irren sich. Hier gibt es keine persönliche Beziehung. Ich hasse es einfach, wenn junge Karrieren durch unbegründete Anschuldigungen zerstört werden. Unglücklicherweise ist ein neunzehnjähriges Mädchen gestorben. Aber daß ein Patient stirbt, heißt noch lange nicht, daß der Arzt schuld ist. Wenn dem so wäre, würden wir alle schuldig sein. Wie all diese Ärzte genau wissen.«

Seine mageren, gelblichen, eingefallenen Wangen färbten sich jetzt rot, als er begann, emotionell auf die Situation zu reagieren.

»Was möchten Sie sonst noch wissen, Sir?« fragte Freund leicht irritiert.

Hoskins bemühte sich, eine respektvollere Haltung einzunehmen. »Wann haben Sie das letzte Mal auf der Notfallstation Dienst gemacht?«

»Das letzte Mal, als ich…« begann Freund. »Meinen Sie das ernst?«

»Vollkommen ernst.«

»Das letzte Mal – das letzte Mal – vor fünfundvierzig Jahren etwa«, erwiderte Freund.

»Und wann haben Sie zum letzten Mal die Geschichte eines neuen Patienten in der Notaufnahme oder sonstwo aufnehmen müssen?«

»Nicht kürzlich.«

»Seit Jahren nicht mehr?«

»Seit Jahren nicht mehr«, gab der Arzt zu.

»Wie viele Jahre?«

Freund wandte sich an Mott. »Sir, falls Sie für diese Vorgehensweise zuständig sind, dann erklären Sie bitte diesem Mann, daß er mit solch idiotischen Fragen meine Zeit, seine Zeit und die Zeit der anwesenden Mediziner vergeudet. In den letzten einunddreißig Jahren, in denen ich als Neurochirurg tätig war, erreichte ein Fall erst meine Abteilung, wenn mehrere Ärzte, Neurologen, möglicherweise auch Psychiater, den Patienten untersucht und getestet hatten. Der Patient kommt also mit einer vollständigen Geschichte und einer Akte daher, die so dick ist wie ein Band der ›Encyclopaedia Britannica‹. Laborberichte,

EEGs, jede Menge Tests, die so viele sind, daß man sie nicht aufzählen kann. Wenn er das wissen wollte, warum fragte er mich dann nicht?«

Hoskins wartete unbeeindruckt den Protest des alten Arztes ab, dann fuhr er fort: »Ist es fair, wenn ich aufgrund Ihrer letzten Antwort annehme, daß es viele Jahre her ist, seit Sie sich in einer ähnlichen Situation befanden, wie sie in dieser Nacht in der Notaufnahme herrschte?«

»Natürlich! Nehmen Sie es an!« erklärte Freund sichtlich gereizt.

»Ihre Meinung über die Vorgänge dieser Nacht beruht also weder auf Ihrer Kenntnis von Dr. Forresters professionellen Fähigkeiten noch von der Situation an sich, da Sie seit vielen Jahren nicht mehr mit solchen Praktiken zu tun hatten.«

»Meine Ansicht beruht auf dem, was in der Akte steht. Was der Arzt fand. Was das Labor fand. Was für Heilmittel angewendet wurden.«

»Sie vertrauen dieser Akte uneingeschränkt?«

»Es ist eine Akte, die der guten medizinischen Praxis gemäß geschrieben wurde. Ich habe keinen Grund, ihr nicht zu trauen.«

»Und nichts in diesen Aufzeichnungen veranlaßte Sie, Dr. Forresters Schlüsse und Handlungen in Frage zu stellen?«

Freund ließ sich noch einmal alles durch den Kopf gehen, was er in der Akte gefunden hatte, dann erwiderte er: »Nein, Sir, nichts veranlaßte mich, ihre Fähigkeit oder ihre Handlungen in Frage zu stellen.«

Hoskins lächelte nachsichtig. »Haben Sie, Doktor, als Neurochirurg und erfahrener Diagnostiker festgestellt, daß das *Fehlen* von gewissen Faktoren eine wichtige Rolle bei der Erstellung einer Diagnose spielt?«

»Das ist auf jedem medizinischen Gebiet eine gegebene Tatsache. Das Fehlen von gewissen Zuständen, Reaktionen, Erkenntnissen ist manchmal genauso wichtig, sogar wichtiger als das, was man hat.«

»Könnte dies auch für die Akte eines Patienten gelten?«

»Sie müßten Ihre Frage genauer formulieren, Sir«, erwiderte Freund.

»Ich möchte Ihnen diese eingekreiste Notiz in der Akte der Patientin zeigen«, sagte Hoskins und reichte dem Arzt ein Exemplar.

Freund las einige Zeilen, die rot eingekreist waren. »Ach ja, der Schwangerschaftstest. Was ist damit?«

»Was steht hier?«

»Dr. Forrester verschaffte sich durch Katheterisierung etwas Harn. Dann nahm sie einen der vielen Sofort-Ergebnis-Schwangerschaftstests vor, die es überall gibt.«

»Und?«

»Das Ergebnis war negativ. Das steht deutlich hier.«

»Haben Sie auch eine Kopie des Berichts des Leichenbeschauers erhalten?«

»Ja. Ruptur einer ektopischen Schwangerschaft, die zu massiven inneren Blutungen führte.«

»Ich frage Sie noch einmal, Doktor, trauen Sie dieser Akte uneingeschränkt?«

»Ja«, wiederholte Freund. »Sie hält klar fest, was geschehen ist, was die Ärztin tat, was sie fand. Mehr erwartet man nicht von ihr.«

»Wenn dem so ist, Doktor, müßten wir uns doch fragen, was Dr. Forrester getan hat, das, wie sie selbst in der Akte zugibt, zu dem falschen Bericht führte?«

»Nichts in der Akte weist darauf hin, daß sie etwas falsch gemacht hat!«

»Natürlich nicht.« Hoskins lächelte jetzt breit. »Sie hatte ja die Akte geschrieben. Aber die Erkenntnisse des ärztlichen Leichenbeschauers beweisen etwas anderes, nicht wahr?«

»Schreiben Sie dieses Versagen nicht so rasch der Ärztin zu«, brummte Freund. »Da liegt heutzutage die Schwierigkeit – der Arzt ist schuld, der Arzt ist schuld. Woher wissen wir, daß nicht der Arzt, sondern der Test versagt hat? Kein Test ist vollkommen.«

Der alte Mann verlor offensichtlich die Geduld – entweder

mit dem Verfahren oder mit sich, weil er mit den Fragen des Anklägers nicht besser fertig wurde.

»Nur noch einige Fragen, Doktor. Würden Sie aufgrund der Akte sagen, daß Ihrer professionellen Ansicht nach die Symptome und Anzeichen der Patientin mit einer ektopischen Schwangerschaft übereinstimmten?«

»Und mit weiteren fünfzig Diagnosen.«

»Das habe ich nicht gefragt. Stimmten diese Anzeichen, Symptome, Laborberichte mit einer ektopischen Schwangerschaft überein?« ließ Hoskins nicht locker.

»Ja«, gab Freund zu. »Aber wie ich sagte…«

»Bitte, Doktor«, griff Mott ein. »Schmücken wir unsere Antworten nicht aus.« Er bedeutete Hoskins weiterzumachen.

»Nur noch eine Frage, Doktor. Wenn Dr. Forrester die richtige Diagnose gefunden hätte, wäre sie oder ein anderer Arzt fähig gewesen, Claudia Stuyvesant das Leben zu retten?«

»Die Antwort darauf wird man nie erfahren«, dozierte Freund.

»Würden Sie wenigstens zugeben, daß man die Patientin vielleicht gerettet hätte, wenn ihr Zustand Stunden zuvor richtig diagnostiziert und sie in die Chirurgie verlegt worden wäre?«

»Das kann ich nicht beantworten«, erklärte Freund.

»Können Sie die Möglichkeit leugnen?«

Freund explodierte ungeduldig. »Ich kann nicht zugeben, ich kann nicht leugnen. Das kann niemand. Ich weiß nur, daß Kate Forrester wie ein gut ausgebildeter, intelligenter Arzt handelte, und ausschließlich darum geht es hier.«

Hoskins hatte das Gefühl, daß er die günstige Zeugenaussage von Freund widerlegt hatte, und deshalb schloß er freundlich: »Danke, Doktor. Das war alles.«

»Tatsächlich?« fragte der alte Arzt herausfordernd. »Soweit es mich betrifft, ist es noch nicht ›alles‹.«

Hoskins versuchte, ihn zu unterbrechen. »Bitte, Doktor, Ihre Zeugenaussage ist zu Ende.«

Freund erhob sich und sah die beiden Ärzte im Komitee an. »Wir müssen sorgsamer mit unseren jungen Ärzten umgehen.«

Hoskins versuchte wieder, ihn zu unterbrechen. »Mr. Mott! Mr. Mott! Bitte bringen Sie ihn zum Schweigen.«

Freund wandte sich Hoskins zu und zeigte mit dem Finger auf ihn. »Sie!« sagte er anklagend. »Sie sind Anwalt! Sie haben nicht die leiseste Ahnung, wovon ich spreche. Also halten Sie sich raus. Das ist ein Problem für Ärzte!«

Er wandte sich wieder Dr. Ward und Dr. Truscott zu.

»Kollegen, in den letzten Jahren habe ich als Mitglied des Aufnahmekomitees in unserer medizinischen Fakultät die Aufnahmeanträge, die auf meinem Schreibtisch landeten, mit großer Sorge beobachtet. Bis vor kurzem wurden die Aufnahmeanträge immer weniger. Beunruhigend weniger. In den letzten zwei Jahren begann die Zahl wieder zuzunehmen. Das scheint zwar ermutigend zu sein, aber wir dürfen uns nicht täuschen lassen. Denn wenn ich diese Ansuchen genau durchgehe, entdecke ich, daß die Qualität der ansuchenden Studenten nicht die gleiche ist. Die Besten und Klügsten unserer Jugend wollen nicht mehr Ärzte und Chirurgen werden. Warum? Weil andere Gebiete attraktiver sind. Die Lawine an Kunstfehlerprozessen. Die harten Anforderungen unseres Berufs. Die alten Zeiten, in denen wir unsere jungen Ärzte lehrten, indem wir sie entweder tyrannisierten oder überanstrengten, um zu sehen, wieviel körperlichen und wörtlichen Mißbrauch sie wegstecken konnten, sind vorbei. Unsere besten jungen Männer und Frauen wollen sich all das nicht bieten lassen.

Bis auf die wenigen, die die Hingabe, die Berufung fühlen, wenn ich so sagen darf, eine beinahe religiöse Berufung, der Menschheit zu dienen. Und wenn sie so sind? Nehmen Sie diese junge Frau. Diese hingebungsvolle, gut ausgebildete, gewissenhafte Frau. Wie wird sie in dem gesetzlichen Dokument genannt? Die Beklagte. Worauf soll sie reagieren? Wogegen soll sie sich verteidigen? Dafür, daß sie sich in jeder Hinsicht so verhalten hat, wie es ein guter Arzt soll. Doch jetzt wird sie wie ein Verbrecher auf die Anklagebank gesetzt, angegriffen und schlechtgemacht. Wird Mörderin genannt, wie es jemand im Fernsehen tat.«

Er fuhr herum. »Ja, das waren Sie, Mr. Stuyvesant.«

Er wandte sich wieder seinen Kollegen zu und fuhr fort: »Diese Verfolgung, diese Verunglimpfung, diese Inquisition müssen aufhören. Sonst werden alle hochintelligenten, hochmotivierten jungen Menschen wie Dr. Forrester ihre Fähigkeiten woanders einsetzen. Die Medizin wird Verluste erleiden, die sie sich kaum leisten kann. Ich warne Sie, machen Sie diesen Vorgängen ein Ende!«

Er sah Hoskins verächtlich an. »Wenn es keine Fragen mehr gibt, ist meine Aussage jetzt zu Ende.«

Da niemand einen Einwand erhob, ging Freund hinaus, blieb aber unterwegs stehen und sagte zu Kate: »Ich habe versucht, Ihnen etwas Gutes zu tun, meine Liebe. Aber ich habe für die juristischen Spiele, die diese Leute treiben, keine Geduld mehr. Ich glaube an Sie. Und ich hoffe, daß sich alles zum Guten wenden wird. Ich schicke Ihnen meine neue Adresse. Bitte lassen Sie mich wissen, wie das hier ausgegangen ist.«

Kate sah dem alten Mann nach, als er zur Tür ging. Er ging langsam, versuchte, sich gerader aufzurichten, dann sank er wieder in sich zusammen, und letzteres verriet ihr, daß er den Ruhestand nicht mehr lange genießen würde.

Sobald Freund den Anhörungsraum verlassen hatte, fragte Mott: »Meine Damen und Herren, wenn es keine Einwände gibt, unterbrechen wir für den Lunch?«

Alle stimmten zu bis auf Frau Dr. Ward, die fragte: »Könnte ich eine Klarstellung zu einem Punkt haben?«

»Selbstverständlich«, erwiderte Mott bereitwillig.

»Mr. Hoskins, bitte.«

»Nein«, wehrte sie ab, »ich möchte eine Klarstellung von dem anderen Gentleman« – sie sah in ihren Notizen nach – »Mr. Van Cleve.«

Scott erhob sich. »Ja, Frau Doktor?«

»Ich habe mich gewundert, daß Dr. Freund als Zeuge genannt wurde. Das ist nicht sein Fachgebiet. Er ist weit von der gynäkologischen Praxis entfernt und überhaupt von dem normalen Verlauf der Dinge in der Notaufnahme. Ich muß fragen, Mr. Van Cleve, warum?«

Ihm fielen mehrere plausible Antworten ein, aber die Wahrheit schien ihm die passendste zu sein. »Weil wir keinen anderen Arzt dazu bringen konnten, an die Öffentlichkeit zu treten und auszusagen. Im City-Krankenhaus gibt es einen plötzlichen Ausfall des Erinnerungsvermögens; man nimmt dem ärztlichen Personal den Mut, Dr. Forrester zu verteidigen.«

»Und es gab keine anderen Ärzte, die bereit waren, für sie auszusagen?«

»Angesichts der Feindseligkeit und des Mißtrauens, mit denen die Ärzte zur Zeit dem gesetzlichen System gegenüberstehen, konnte ich keinen Spezialisten auf diesem Gebiet finden, der sich freiwillig hineinziehen ließ. Und ich nahm nicht an, daß die Ärzte dieses Komitees sich durch die üblichen bezahlten ›Sachverständigen‹ beeindrucken lassen würden, deren Ansichten man mieten kann.«

Kate glaubte, daß Dr. Truscott mitfühlend und verständnisvoll genickt hatte. Aber Dr. Gladys Ward reagierte äußerlich überhaupt nicht auf Scotts Geständnis.

29

Nach der Unterbrechung durch den alten Dr. Freund nahm die Anhörung den vorschriftsmäßigen Verlauf. Hoskins baute seine Anklage gegen Kate Forrester weiter aus. Sein nächster Zeuge war der Leichenbeschauer der Stadt. Obwohl dessen schriftlicher Bericht wahrscheinlich genügt hätte, wollte Hoskins Schwartzmans Erkenntnisse dramatisch betonen, indem er die Mitglieder des Komitees mit seiner persönlichen Aussage beeindruckte und ihnen Gelegenheit bot, selbst Fragen zu stellen.

Schwartzman verhielt sich wie üblich schroff, und seine Antworten auf Hoskins Fragen waren kurz und präzis.

Dank seiner langen Erfahrung als Zeuge rasselte er seinen Ausbildungs- und Berufshintergrund herunter, um sich als Fachmann auszuweisen. Dann schilderte er detailliert die Ereignisse im Fall Stuyvesant. Die Leiche wurde mit der ausdrücklichen Bitte in das Leichenschauhaus gebracht, daß er die Autopsie persönlich durchführen solle. Da Polizei und Staatsanwalt bei ihm Vorrang hatten, verzögerte sich die Obduktion um einige Tage. Aber das Ergebnis war definitiv. Claudia Stuyvesant war an einer inneren Blutung gestorben, zu der es durch die Ruptur einer ektopischen Schwangerschaft gekommen war.

»Haben Sie bei Ihrer Autopsie noch andere Beobachtungen machen können?« fragte Hoskins.

»Ja, also«, begann der Leichenbeschauer, der sich sichtlich entspannte und gesprächiger wurde, »ich war darüber erstaunt, daß man bei einer so klaren Erkenntnis ihren Zustand nicht diagnostiziert hatte.«

»Wenn ich Sie richtig verstehe, hätte ein qualifizierter Arzt imstande sein müssen, noch zu Lebzeiten der Patientin die richtige Diagnose zu stellen?«

»Genau das will ich sagen«, bestätigte Schwartzman. »Die Blutung war ausgedehnt. Ausgedehnt.«

»Sagen Sie uns, was Sie von einem Arzt halten würden, der angeblich gut ausgebildet ist, aber diese Anzeichen während eines neunstündigen Beobachtungszeitraums nicht bemerkt...« legte ihm Hoskins nahe.

»Ich hätte bezweifelt, daß dieser Arzt dafür qualifiziert ist, den Beruf eines Mediziners auszuüben«, erwiderte Schwartzman.

»Möchten Sie noch eine Erklärung abgeben, bevor Sie Ihre Aussage abschließen?«

»Nur eine. Abgesehen von diesem Zustand war Claudia Stuyvesant offensichtlich bei guter Gesundheit.« Schwartzman warf Kate einen vorwurfsvollen Blick zu.

Wenn dies ein Prozeß gewesen wäre, der durch die Beweisvorschriften eingeschränkt war, hätte Scott gegen die letzte Feststellung eingewendet, daß sie irrelevant sei. Aber wenn er zu viele technische Einwände erhob, rief er beim Komitee vielleicht den Eindruck hervor, daß er die Schuld seiner Klien-

276

tin durch juristische Manöver bagatellisieren wollte. Trotzdem konnte er nicht zulassen, daß der Leichenbeschauer ohne Befragung davonkam.

Scott trat vor den Tisch, und zwar so, daß er sowohl den Zeugen als auch Claude Stuyvesant im Auge behalten konnte; letzterer saß am Tisch des Anklägers.

»Sie sind mit einem umfangreichen, ausgezeichneten Hintergrund hierhergekommen, Dr. Schwartzman. Ich habe sogar gehört, daß Sie als der am besten ausgebildete, erfahrenste Leichenbeschauer gelten, der in den letzten Jahren in dieser Stadt tätig war.«

Schwartzman lächelte schwach und spielte den Bescheidenen.

»Und ich akzeptiere Ihre Feststellungen uneingeschränkt«, fuhr Scott fort. »Bis auf zwei Dinge, die mir Schwierigkeiten bereiten.«

»Was ich tun kann, um Sie zu erleuchten, werde ich tun«, erklärte Schwartzman. »Ich bin hier, um zu helfen.«

»Während Sie aussagten – vor allem während der letzten Phase –, fragte ich mich plötzlich, Doktor, wann Sie zum letzten Mal einen Patienten behandelt haben? Genauer: eine junge, neunzehn Jahre alte Frau?«

Schwartzman sah ihn empört an: »Es sollte doch selbstverständlich sein, daß ich ab dem Augenblick, da ich das Feld der Gerichtsmedizin betrat, keine Patienten mehr behandelte.«

»Und wann war das, Doktor?«

»Ungefähr… ungefähr vor zweiundzwanzig oder dreiundzwanzig Jahren.« Schwartzman warf Hoskins einen flehenden Blick zu, damit ihn dieser herausholte.

Hoskins spielte den nachsichtig amüsierten Zuhörer, als er von seinem Platz am Tisch aus rief: »Mr. Mott, wenn ein Leichenbeschauer mit einem ausgezeichneten professionellen Ruf hier auftritt, klingt Mr. Van Cleves Frage lächerlich.«

Scott wandte sich ihm zu. »Nicht lächerlicher, Mr. Hoskins, als ihn zu fragen, ob ein Arzt, der mit dem lebenden Patienten zu tun gehabt hatte, einen Zustand entdecken mußte, der zu diesem Zeitpunkt keineswegs offensichtlich war. Sein beschränktes professionelles Fachwissen berechtigt ihn nicht, eine solche Meinung zu äußern.«

»Mr. Van Cleve, Mr. Van Cleve«, griff Cahill ein. »Wir führen hier eine Anhörung, keinen Prozeß durch.«

»Meiner Klientin wird der Prozeß gemacht!« widersprach Scott.

»Ich entscheide, daß es sich hier um eine Anhörung handelt, Mr. Van Cleve. Der Anklagevertreter und die Zeugen genießen einen gewissen Freiraum bei ihren Fragen und Antworten. Mr. Hoskins stellte eine Frage, die er für das Komitee für aufklärend hielt. Und Dr. Schwartzman antwortete. Wenn Sie seine Antwort nicht widerlegen können, entscheide ich, daß sie gültig ist. Ich ersuche Sie übrigens, ihn zu entlassen. Infolge der rekordverdächtigen Zahl von Morden in dieser Stadt ist er sehr beschäftigt.«

»Ich bin genauso daran interessiert wie Sie, Mr. Cahill, das Komitee aufzuklären. Deshalb soll es von Dr. Schwartzman persönlich hören, daß er nicht befähigt ist zu beurteilen, was ein Arzt während einer hektischen Nacht in der Notaufnahme bei einer Patientin finden kann, vor allem bei einer Patientin, die eine falsche Geschichte erzählte und sehr wahrscheinlich unter Drogen stand.«

Stuyvesant war sofort auf den Füßen. »Mr. Mott! Ich hatte geglaubt, daß wir uns darauf geeinigt haben…«

Er unterbrach sich abrupt. Scott drehte sich um und starrte zuerst ihn und dann Mott an. Es war vollkommen klar, daß Stuyvesant unter vier Augen darauf bestanden und Mott sich unter vier Augen verpflichtet hatte, keine Erwähnung von Drogen zuzulassen.

Mott errötete leicht und wandte sich an Scott. »Solange Sie keine Beweise dafür vorlegen können, daß legale oder illegale Drogen in diesem Fall eine Rolle gespielt haben, betrachten wir jede Erwähnung dieses Themas als unzulässig. Habe ich mich klar ausgedrückt?«

»Ja, Sir«, erwiderte Scott.

»Gut!« bemerkte Hoskins. »Einen Augenblick lang befürchtete ich, daß er seinen imaginären Spielgefährten Rick Thomas wieder auferstehen lassen würde. Zum Glück ist uns eine Wiederholung dieses Themas erspart geblieben.«

Scott wandte sich an Mott. »Darf ich mit meinem Kreuzverhör fortfahren?«

»Ich habe geglaubt, daß Sie alle belangvollen Fragen erschöpft hatten«, bemerkte Mott bissig.

»Ich habe noch eine Frage«, sagte Scott. »Wie erklären Sie die Tatsache, Dr. Schwartzman, daß in Ihrem Bericht keine Erkenntnisse in bezug auf Drogen erwähnt werden?«

Mott schlug hart mit dem Hammer auf den Tisch. »Sie kennen die Einschränkungen, die ich für dieses Thema erlassen habe, Mr. Van Cleve.«

»Sie haben gesagt, Mr. Mott, daß das ›Vorhandensein‹ von Drogen nicht erwähnt werden darf. Ich erkundige mich jetzt nach ihrem ›Nichtvorhandensein‹. Vor allem deshalb, weil sie in diesem Bericht nicht vorkommen. Ich möchte wissen, ob auch Dr. Schwartzman mit Mr. Stuyvesant ein kleines, ›privates‹ Übereinkommen darüber getroffen hat, was in seinem Bericht stehen wird.«

»Das ist unerhört!« schrie Schwartzman. »Während all meiner Jahre in der Gerichtsmedizin wurde mein Ruf nie angetastet. Ich verlange eine Entschuldigung.«

»Sobald Sie meine Frage beantwortet haben, Doktor«, erwiderte Scott.

Auf einen Wink von Mott hin wandte sich Schwartzman an den Stenotypisten: »Ich möchte ins Protokoll aufnehmen lassen, daß weitere Untersuchungen unnötig waren, sobald ich die Todesursache festgestellt hatte.«

»Können Sie sich daran erinnern, Dr. Schwartzman, daß ich Sie in Ihrem Büro besucht habe?« fragte Scott.

»Ja, und damals sagte ich Ihnen das gleiche wie heute. Sobald die Todesursache feststand, waren keine weiteren Untersuchungen erforderlich.«

»Sagten Sie damals nicht auch, daß normalerweise ein toxikologischer Test zur Routine gehört?«

»Vielleicht habe ich das gesagt«, gab Schwartzman zu. »Ich spreche im Lauf eines Tages mit so vielen Anwälten, daß ich mich nicht an die Einzelheiten jedes Gesprächs erinnern kann.«

»Wir sprechen nicht über Einzelheiten, sondern über Routineverfahren, Doktor«, stellte Scott fest.

Hoskins griff ein. »Er streitet mit dem Zeugen, Mr. Cahill. Veranlassen Sie ihn, sich auf das Kreuzverhör zu beschränken.«

Der Verwaltungsbeamte räusperte sich, bevor er mahnend sagte: »Mr. Van Cleve, Mr. Hoskins hat mit seiner Feststellung recht. Beschränken Sie sich auf das Kreuzverhör an sich und unterlassen Sie Argumente und Streitgespräche.«

»Ja, Sir. Entschuldigen Sie.« Scott wandte sich wieder Schwartzman zu. »Hatte diese besondere Autopsie noch etwas an sich, das nicht der Routine entsprach?«

»Nicht daß ich wüßte.«

»Welchen Prozentsatz der an Ihrem Institut durchgeführten Autopsien nehmen Sie persönlich vor?«

»Welchen Prozentsatz ...« wiederholte Schwartzman vorsichtig, weil ihm klar war, in welche Richtung Scotts Frage führte. »Das hängt davon ab.«

»Hängt wovon ab?« fragte Scott scharf.

»Hängt von meinen übrigen Pflichten ab, junger Mann. Wie gerade jetzt. Statt eine Autopsie vorzunehmen, sitze ich hier und sage bei dieser Anhörung aus. Während in meinem Büro drei Morde, ein vermutlicher Selbstmord und eine gestern aus dem Fluß gefischte Leiche obduziert werden. Meine Assistenten übernehmen die meisten Obduktionen. Aber wir denken nicht in Prozentsätzen oder wer was tut. Wir packen alle an und tun, was notwendig ist, damit wir das Tempo halten.«

»Soll das heißen, daß Sie meine Frage entweder nicht beantworten können oder nicht beantworten wollen?«

»Das soll heißen, daß ich Ihre Frage beantwortet *habe*, junger Mann. Ich kenne nicht den genauen Prozentsatz an Autopsien, die ich selbst durchführe. Punkt!«

»Gibt es besondere Fälle, die Sie für sich reservieren, Doktor?« erkundigte Scott.

»Ich verstehe nicht«, wich Schwartzman aus.

»Wenn ein Fall daherkommt, der sexistisch, skandalös, berüchtigt ist, so daß das Medieninteresse sicherlich groß sein wird, was wiederum bedeutet, daß man ausgiebig vom Fernsehen und von der Presse interviewt wird, würden Sie sich dann einen solchen Fall für Ihre persönliche Obduktion reservieren?«

Schwartzman sah Scott an, schüttelte langsam den Kopf und lächelte nachsichtig. »Hören Sie, Junge, wenn Sie glauben, daß ich das leugnen werde, dann sind Sie ein noch größerer Idiot, als ich angenommen habe. Natürlich gehören solche Fälle mir! Aus genau den Gründen, die Sie angeführt haben. *Weil* die Medien sich darauf stürzen werden. Ich will den gierigen Medienhabichten keinen jungen Assistenten ausliefern, weil er einen Fehler begehen könnte, der den späteren Prozeß und den Fall beeinflussen würde. Deshalb befasse ich mich damit. Ich weiß, was ich sagen muß und, was wichtiger ist, was ich nicht sagen darf. Daher gibt es keine fehlerhaft geführten Prozesse und keine Aufhebungen der Urteile.«

»Und gleichzeitig sammeln Sie ein wenig Publicity, Doktor, nicht wahr?«

»Verdammt richtig. Die Arbeit, die meine Abteilung verrichtet, wird kaum geschätzt. Wenn wir also Gelegenheit bekommen, in der Öffentlichkeit ein wenig zu glänzen, warum nicht? Ist für die Arbeitslust meiner Mitarbeiter gut.«

Als Schwartzman fand, daß er das Verhör von dem Punkt weggelenkt hatte, auf den Scott hinauswollte, sah er betont vielsagend auf seine Uhr, als wäre die Zeit abgelaufen, die er dieser Unterbrechung seines dichten Zeitplanes gewidmet hatte.

»Nur noch einige Fragen, Doktor«, fuhr Scott fort. »War der Fall Claudia Stuyvesant einer jener Fälle, die Sie selbst übernahmen, weil das Interesse der Medien groß war?«

»Das Medieninteresse war tatsächlich sehr groß.«

»Danach habe ich nicht gefragt, Doktor«, ließ Scott nicht locker. »Ist das der Grund, warum Sie diesen besonderen Fall persönlich übernahmen?«

»Ja.«

»Der einzige Grund?«

»Ja.«

»Sie haben doch in Ihrem Büro mir gegenüber zugegeben, Sir, daß der Bürgermeister Sie persönlich bat, Ihre Erkenntnisse erst zu veröffentlichen, wenn Claudia Stuyvesants Begräbnis vorbei war?«

»Ein Akt der Höflichkeit, der Rücksichtnahme auf eine durch den Tod beraubte Familie. Er änderte nichts an meinen Erkenntnissen!«

»Und daß Sie keinen toxikologischen Test gemacht haben, war ebenfalls ein ›Akt der Höflichkeit‹? Ein Akt der Rücksichtnahme?«

»Ich habe Ihnen gesagt, daß ausschließlich die Frage nach der Todesursache gestellt wurde. Sobald diese geklärt war, waren keine weiteren Untersuchungen erforderlich.«

»Dr. Schwartzman, können Sie nach all den Jahren in der Gerichtsmedizin diesem Komitee erklären, ob es im Verlauf einer Obduktion möglich ist, Schäden festzustellen, die durch erheblichen Gebrauch von Drogen verursacht wurden, auch wenn man keinen toxikologischen Test vornimmt? Sagen wir Hinweise auf Herz-, Nieren-, Leberschäden?«

»Wenn man diese Hinweise sucht, dann ja«, gab Schwartzman zu.

»Könnte man es ohne weiteres feststellen, oder müßte man ›die Hinweise suchen‹?«

»Das würde von jedem einzelnen Fall abhängen.« Mit dieser Antwort legte Schwartzman seine Reaktion auf Scotts nächste Frage fest.

»Und im Fall Claudia Stuyvesant?« fragte Scott.

»Das war einer jener Fälle«, erwiderte Schwartzman schlagfertig, »in denen es nicht sofort auffiel.«

»Könnte man jetzt die Beweise finden, indem man ihre Leiche exhumiert?«

»Ich habe Ihnen an jenem Tag gesagt, junger Mann, daß der Körper sofort nach Beendigung der Autopsie eingeäschert wurde.«

»Das taten Sie«, gab Scott zu. Dann fügte er hinzu: »Noch ein ›Entgegenkommen‹, Doktor? Indem Sie die Leiche so schnell freigaben? Zwischen Ihrem Büro und dem Büro des Bürgermeisters muß es einen wirklich heißen Draht geben.«

»Das verbitte ich mir«, rief Schwartzman und erhob sich halb.

»Sie verbitten es sich, daß der Bürgermeister Sie anruft? Oder daß ich die Aufmerksamkeit darauf lenke, daß der Bürgermeister Sie anruft? Zuerst nehmen Sie die Obduktion selbst vor. Dann halten Sie Ihre Erkenntnisse zurück. Dann geben Sie die Leiche zur Einäscherung frei, so daß niemand... niemand... jemals die Verwendung von Drogen nachweisen kann?«

Schwartzman, der vor Zorn und Verlegenheit krebsrot war, wandte sich an den Vorsitzenden. »Muß ich auf eine so offensichtliche Spekulation antworten, Mr. Mott?«

Hoskins war aufgesprungen. »Nein, Doktor, das müssen Sie nicht. Weil Van Cleve daraufhin wieder einmal auf die Ausgeburt seiner Fantasie Rick Thomas zurückgreifen würde.«

Scott gab sich scheinbar geschlagen. »Das ist alles.«

Kate musterte inzwischen die Gesichter der beiden medizinischen Komiteemitglieder und fragte sich, ob es Scott gelungen war, sie darauf aufmerksam zu machen, welche Ausmaße die Verschwörung zur Kaschierung von Claudia Stuyvesants Drogensucht angenommen hatte. Während des gesamten Wortwechsels hatte sich Truscott Notizen gemacht. Dr. Ward, die dem Kreuzverhör scheinbar gleichgültig zugehört hatte, war die einzige, die sich zu Wort meldete, als sich Schwartzman aus dem Zeugenstuhl erhob.

»Doktor...«, sagte Gladys Ward so scharf, daß Schwartzman in den Stuhl zurücksank. »Wenn Claudia Stuyvesant gelegentlich oder sogar gewohnheitsmäßig Drogen genommen hätte, wie hätte dies Ihrer Ansicht nach die Entwicklung in diesem Fall verändert oder beeinflußt?«

»Ich habe mir diese Frage ebenfalls gestellt, Frau Doktor Ward«, erwiderte Schwartzman. »Drogen konnten nicht an der ektopischen Schwangerschaft schuld sein; ich habe nie von einem solchen Fall gehört.«

»Ich auch nicht«, pflichtete die Ärztin ihm bei.

»Und eine ektopische Schwangerschaft, die nicht entdeckt wird, führt sicherlich zu einer Ruptur und zu Blutungen, ob die Patientin Drogen nimmt oder nicht. Ich verstehe deshalb nicht, was der Wirbel soll, der um die Drogen gemacht wird«, erklärte Schwartzman abschließend. »Jetzt muß ich aber gehen.«

Bevor er sich in Bewegung setzen konnte, erhob sich Kate, die damit die Anweisungen ihres Anwalts eklatant mißachtete, und fragte: »Ist es möglich, Doktor, daß eine unter dem Einfluß von Drogen stehende Patientin dazu neigt, auf die Fragen des Arztes ungenau und irreführend zu antworten?«

»Was haben Sie erwartet, junge Frau? Daß die Patientin auf Ihre Fragen antworten würde: ›Ich bin hier, Frau Doktor, weil ich eine ektopische Schwangerschaft habe‹? Es war Ihre Aufgabe, diese Tatsache zu entdecken.«

»Behaupten Sie auch, daß Drogen die Symptome und Anzeichen nicht verschleiern, daß sie die Laborergebnisse nicht beeinflussen und dadurch den Arzt irreführen können?« Kate sprach lauter.

»Frau Dr. Forrester, Frau Dr. Forrester.« Mott versuchte einzugreifen, aber Kate ließ sich nicht zum Schweigen bringen.

»Können Drogen Schmerzen und andere Symptome und Anzeichen verdecken, Doktor?« fragte Kate noch einmal. »Ich verlange, daß Sie antworten!«

Schwartzman geriet durcheinander, sein Gesicht wurde sehr rot, und er sah sie wütend an, als er endlich antwortete. »Wollen Sie wirklich wissen, was ich glaube? Da es keine definitiven Beweise in bezug auf die Drogen gibt, wollen Sie und Ihr Anwalt sie als Rauchschleier benutzen, um die Aufmerksamkeit von Ihrem medizinischen Schnitzer abzulenken.«

Damit verließ der Leichenbeschauer den Raum, wechselte aber zuvor noch Blicke mit Claude Stuyvesant.

Sobald er das Zimmer verlassen hatte, wandte sich Mott an Kate.

»Wir werden während dieser Anhörung nie wieder eine Wiederholung dieses unorthodoxen Benehmens dulden. Und jetzt Ihr nächster Zeuge, Mr. Hoskins?«

»Mich hat diese seltsame Auseinandersetzung so aus der Fassung gebracht, daß ich vor meinem nächsten Zeugen um eine Unterbrechung ersuche.«

»Wir können jetzt alle eine Pause gebrauchen, Mr. Hoskins. Fünfzehn Minuten!« Mott schlug mit seinem Hammer auf den Tisch.

Scott nahm Kate rasch bei der Hand und führte sie hinaus. Bevor er sprechen konnte, kam ihm Kate zuvor.

»Okay, werden Sie es los. Ich habe mich nicht an Ihre Anweisungen gehalten. Ich habe eingegriffen, als ich den Mund halten sollte. Und wenn ich so weitermache, bin ich daran schuld, daß ich den Fall verliere. Also! Ich habe es gesagt, um Ihnen die Mühe abzunehmen.«

»Danke«, erwiderte Scott einfach.

»Sie sind nicht zornig? Sie brüllen, schreien, rasen und toben nicht? Drohen mir nicht damit, daß Sie meinen Fall niederlegen?«

»Ich würde es tun, wenn Sie Schwartzman nicht so aus der Fassung gebracht hätten, daß er beinahe seiner eigenen Aussage widersprach. Außerdem sind Sie bei beiden Ärzten im Komitee gut angekommen. Vielleicht besser, als ich es geschafft hätte.«

»Oh? Wirklich?« Kate begann, auf sich stolz zu sein.

»Nur eines«, fügte Scott hinzu.

»Was?«

»Tun Sie es nie wieder. Es könnte gefährlich sein.«

Von dem Augenblick an, als Albert Hoskins mit den Vorbereitungen zu dem Fall gegen Kate begann, hatte er nie vorgehabt, sich ausschließlich auf die Aussage des Leichenbeschauers zu verlassen, um ihre Schuld zu beweisen. Unter den Spezialisten für Geburtshilfe und Gynäkologie hatte er sorgfältig drei Ärzte ausgesucht, die keine Beziehung zum City-Krankenhaus hatten, die weder mit Gladys Ward noch mit Maurice Truscott in

Verbindung standen. Er wollte die ungefärbten medizinischen Aussagen von Experten haben, damit es später zu keiner Berufung kommen konnte.

Sobald die Pause zu Ende war, rief Hoskins seinen nächsten Zeugen auf – Dr. John Vinmont, der im Columbia Presbytarian Hospital arbeitete. Angesichts von Vinmonts ausgezeichnetem Bildungs- und Berufshintergrund fiel es Hoskins nicht schwer, ihn als Sachverständigen vorzustellen, der das Recht hatte, bei seiner Zeugenaussage seine Meinung zu vertreten. Hoskins ließ ihn berichten, was er über den Fall Claudia Stuyvesant wußte.

Ja, er hatte die Akte studiert, die Dr. Forrester angelegt hatte, hatte die Fotokopien der Aufträge gelesen, die sie in das im Schwesternzimmer aufbewahrte Auftragsbuch eingetragen hatte, hatte den Bericht des Leichenbeschauers genau gelesen.

Jetzt kam Hoskins zu der hypothetischen Frage, für die alles bis jetzt Gesagte als Vorspiel gedient hatte.

»Nehmen wir an, Dr. Vinmont, daß ein Arzt all die in dieser Akte eingetragenen Erkenntnisse entdeckt hat, und nehmen wir an, daß dieser Arzt alle hier angeführten Heilmittel eingesetzt hat, und nehmen wir an, daß die Patientin an der vom Leichenbeschauer gefundenen Ursache gestorben ist, würden Sie dann sagen, daß der Tod einer solchen Patientin zu verhindern gewesen wäre und daher auf die Nachlässigkeit und das berufliche Versagen des Arztes, der diese Patientin betreute, zurückzuführen ist?«

Die Frage wirkte unnötig lang und detailliert, entsprach aber der gesetzlich erforderlichen Form für die Aussage eines Sachverständigen.

Vinmonts Antwort war genauso kurz wie die Frage lang gewesen war. »Ja, Sir.«

»Der Tod hätte verhindert werden können?« wiederholte Hoskins.

»Ja, Sir.«

»Und war auf das Versagen des Arztes zurückzuführen?«

»Ja, Sir.«

»Noch etwas, Dr. Vinmont: Können Sie angesichts der Fakten in diesem Fall erklären, was geschehen wäre, wenn in den ersten Stunden der Aufnahme und der Behandlung durch Dr. Kate Forrester die richtige Diagnose gestellt worden wäre?«

»Ein routinemäßiger chirurgischer Eingriff hätte beinahe sicher zu einem günstigen Ergebnis geführt.«

»Meinen Sie damit, daß die Patientin hätte überleben können?« legte ihn Hoskins fest.

»Meiner Meinung nach wäre dieser chirurgische Eingriff eine Routinesache und erfolgreich gewesen«, erklärte Vinmont.

»Danke, Doktor.«

Vinmont war selbst durch Scotts scharfes Kreuzverhör nicht zu erschüttern. Er schob Fragen über Claudia Stuyvesants unwahre Antworten, über sexuelle Aktivitäten und ausgebliebene Regeln beiseite. Als Scott versuchte, auf die Wirkung von Drogen einzugehen, erhob Hoskins Einspruch, weil keine derartigen Beweise vorgelegt worden waren.

»Dann will ich es in Form einer hypothetischen Frage tun, Doktor«, fuhr Scott fort. »Wenn die Patientin große Mengen Drogen konsumiert hätte...«

Aber Hoskins war aufgesprungen und erhob Einspruch, noch bevor Scott ausgesprochen hatte. Wieder unterstütze ihn Cahill, diesmal mit einem noch längeren Vortrag.

Scott kehrte frustriert an seinen Platz zurück.

Mit Hoskins nächsten beiden Zeugen, Dr. Florence Neary und Dr. Harold Bruno, erging es Scott nicht besser. Ihre Ansichten als Experten stimmten mit jenen Vinmonts überein. Als Scott sie unter den Einschränkungen ins Kreuzverhör nahm, die Cahill eingeführt hatte, gaben sie die gleichen Antworten.

Hoskins hatte einen unangreifbaren Fall mit sehr einfachem Tatbestand sorgfältig vorbereitet und sehr geschickt präsentiert: Die Ärztin hatte medizinisch versagt, was zu dem vorzeitigen Tod einer Neunzehnjährigen führte, den man hätte verhindern können, wenn die richtige Diagnose erstellt worden wäre.

»Kann ich annehmen, Mr. Hoskins, daß damit die Anklageführung des Ausschusses gegen Dr. Forrester abgeschlossen ist?« fragte Scott.

»Nein, Sir«, erwiderte Hoskins. »Ich habe noch einen Zeugen. Aber da es spät geworden ist und wir einen anstrengenden Tag hinter uns haben, schlage ich vor, diese Anhörung auf morgen früh zu vertagen.«

»Mr. Van Cleve?« fragte Mott.

»Ich habe nichts dagegen«, erklärte dieser, da der Tag für ihn anstrengender gewesen war als für Hoskins.

»Dann dauert die Unterbrechung bis morgen zehn Uhr«, erklärte Mott und schlug mit seinem Hammer zu.

30

Kate hatte kaum den Schlüssel in das zweite Schloß ihrer Wohnungstür gesteckt, als die Tür aufflog und Rosie Chung ängstlich fragte: »Also? Wie ist es gegangen?«

»Leider nicht sehr gut«, gab Kate zu.

Scott widersprach ihr sofort. »Das würde ich nicht sagen.«

Rosie ging mit ihnen ins Wohnzimmer und sagte: »Erzählt es mir, erzählt mir alles.«

»Mrs. Stuyvesants Aussage war schon schlimm genug«, begann Kate. »Aber die drei Ärzte...«

»Drei Ärzte?« wiederholte Rosie, die diese unerwartete Entwicklung verblüffte.

Scott erklärte es kurz. Daß Hoskins Sachverständige aussagen ließ, sollte dem Ausschuß beweisen, daß Kate ihre Aufgaben nicht so erfüllt hatte, wie es von einem qualifizierten Arzt erwartet wurde.

»Und das habt ihr ihm durchgehen lassen?« fragte Rosie.

»Schluß jetzt! Ihr beruhigt euch beide!« befahl Scott. »Betrachten wir die Dinge vom rein gesetzlichen Standpunkt aus.«

»Ich versuche es ja«, meinte Rosie.

»Hoskins vertritt bei der Anhörung den Ausschuß. Natürlich ist jeder seiner Zeugen gegen uns. Aber wir kommen auch noch an die Reihe.«

»Dennoch waren Sie nicht imstande, diese drei Ärzte zu erschüttern. Und gegen Schwartzman haben wir uns auch nicht durchgesetzt.«

»Der Leichenbeschauer?« fragte Rosie.

»Ja«, antwortete Kate. »Als Frau Dr. Ward sich dann einmischte, wurde alles noch schlimmer.«

»Sie soll im Operationssaal der reine Terror sein«, sagte Rosie.

»Im Anhörungsraum ist sie auch kein Engel, das kann ich dir verraten«, erwiderte Kate.

»Kate!« griff Scott streng wie ein tadelnder Lehrer ein. »Sehen wir die Dinge in der richtigen Perspektive. In dieser Situation sind Sie die Patientin und ich bin der Arzt. Sie sind persönlich beteiligt, deshalb ist es natürlich, daß Sie auf alles, was Sie sahen und hörten, emotionell reagierten. Ich als Arzt muß cool bleiben. Alle Ereignisse leidenschaftslos beurteilen. Feststellen, was heute geschehen ist und was morgen und übermorgen geschehen kann.

Hat Hoskins heute durchschlagende Erfolge erzielt? Ja. Mrs. Stuyvesant war eine sehr ansprechende Zeugin. Sie hatte eine junge Tochter verloren. Doch dem Komitee ist bestimmt bewußt, daß dies ihre Version der Ereignisse jener Nacht färbte.«

»Das gilt ganz sicher nicht für Mr. Clarence Mott«, warf Kate ein.

»Okay. Den hat Stuyvesant in der Tasche. Aber es gibt noch zwei Mitglieder des Komitees. Was Schwartzman betrifft...«

»Er fand für jede Frage, die sie ihm stellten, eine sehr überzeugende Antwort«, rief ihm Kate ins Gedächtnis. »Je mehr Fragen Sie ihm stellten, desto stärker wurde er.«

»Ist das wahr?« fragte Rosie noch besorgter, als sie zu Beginn gewesen war.

»Ja.«

»Das war der Grund, warum ich ihn verhörte«, sagte Kate.

»Du?« fragte Rosie verblüfft. »Du hast einen Zeugen befragt? Ist das zulässig?«

»Sie ist diesmal damit durchgekommen«, sagte Scott. »Aber sie begriff nicht, daß ich Schwartzman bewußt hereinlegte. Ich gab ihm so oft wie möglich Gelegenheit, darauf zu bestehen, daß es keine Beweise für Claudias Drogensucht gibt. Ich betete darum, daß Hoskins eingreifen und diesen Punkt betonen würde. Als er Rick Thomas als Produkt meiner Fantasie bezeichnete, hätte ich ihn am liebsten geküßt. Denn wenn ich mit dem Fantasieprodukt im entscheidenden Augenblick in den Anhörungsraum trete, wird das Komitee nicht nur wissen, daß wir die Wahrheit sagten, sondern ihm wird auch klar werden, daß hier eine Verschwörung arbeitet, um den Namen Stuyvesant vor jedem weiteren Skandal zu retten, indem man Kate als die Person hinstellt, die für den Tod des Mädchens verantwortlich ist. Dann werde ich verlangen, daß Hoskins' drei Sachverständige noch einmal erscheinen und ihnen die Fragen stellen, die ich heute nicht stellen konnte.«

»Und wenn Sie das tun, ist das Spiel gelaufen«, schloß Rosie.

»Hoffentlich«, sagte Scott. »Ich könnte jetzt einen guten, starken Drink vertragen, um mich zu entspannen. Ich brauche ihn.«

Sobald Kate das Zimmer verlassen hatte, fragte Rosie leise und vertraulich: »Hören Sie, Van Cleve, ich anerkenne, daß Sie versuchen, sich nichts anmerken zu lassen, um Kates Stimmung hochzuhalten. Aber mir gegenüber können Sie ehrlich sein.«

»Wie kommen Sie auf die Idee, daß ich Kate gegenüber nicht ehrlich war?« fragte Scott.

»Sie wissen, was ich meine«, beharrte Rosie. »Seien Sie mir gegenüber ehrlich. Wie sieht es aus? Ich muß es wissen, damit ich entsprechend reagieren kann. Wenn es schiefgeht, wird Kate jemanden brauchen, auf den sie sich stützen kann. Dieser jemand bin ich. Ich brauche Zeit, um mich vorzubereiten, also raus mit der Sprache, Van Cleve.«

»Okay. So wie es jetzt steht, weiß ich, was ich beweisen kann, und mit Rick Thomas als Reserve haben wir eine recht gute Chance, sie vollkommen reinzuwaschen.«

»Eine ›recht gute Chance?‹ Ist das alles?« fragte Rosie offensichtlich beunruhigt.

»Wenn Kate das Kreuzverhör durchsteht, ja, dann haben wir eine recht gute Chance. Vergessen Sie nicht, im Komitee sitzen zwei Ärzte. Manchmal sind die Leute ihren Berufskollegen gegenüber härter, als es Außenseiter wären. Anwälte sind strenge Richter, wenn es darum geht, andere Anwälte aus der Vereinigung auszuschließen. Sie verurteilen rasch und sind noch schneller, wenn sie besser dastehen wollen als die anderen. Wenn Truscott oder Ward zu der Kategorie gehören, stecken wir in großen Schwierigkeiten.«

»Diese Ward sieht ganz danach aus«, bemerkte Rosie grimmig.

»Vergessen Sie Ramón Gallantes Fernsehserie nicht. Die hat eine Menge Ärzte in der Stadt beunruhigt.«

»Ich habe Kate davon abhalten wollen, zu dieser Show zu gehen.«

»Ich denke nicht an das, was Kate gesagt hat, sondern an Stuyvesants bösartige Beschuldigungen. Er hat die gesamte Ärzteschaft vor Gericht gebracht. Deshalb könnten Truscott und Ward sehr wohl der Ansicht sein, daß sie ihren Beruf verteidigen, indem sie Kate verurteilen. Das gilt auch für Mott. Ich wäre ein Narr, ein Lügner, wenn ich Ihnen oder Kate zu viel verspreche.«

»Sie können einfach nicht verlieren. Van Cleve! Sie dürfen nicht verlieren!« ließ Rosie nicht locker. »Ich kenne Kate. Wenn Sie diesen Fall verlieren, wird es sie zutiefst erschüttern. Menschen pflegen. Kranke heilen ist ihre Religion.«

»Ich weiß. Ich fühlte es, als ich zum ersten Mal mit ihr sprach. Ich verspreche Ihnen, daß ich mein Bestes tun werde.«

»Haben Sie je daran gedacht…« begann Rosie, dann unterbrach sie sich unvermittelt.

»Woran gedacht?«

»Ich weiß, wie stark Kate ist und wie unabhängig sie sein will. Sie will ihrer Familie nicht zur Last fallen, deshalb hat sie Ihnen nicht erzählt, wie sehr alles auf Messers Schneide steht. Deshalb habe ich… Also, vor zwei Nächten habe ich *meine* Leute angerufen. Mit meinem Vater gesprochen. Ihm Kates Lage geschildert. Er ist bereit, mir Geld zu leihen, genug Geld, damit Sie einen zusätzlichen Rechtsberater engagieren.«

»Das würde Tausende Dollar kosten«, warnte Scott.

»Ich weiß«, gab Rosie zu. »Aber Dad ist einverstanden.«

»In Wirklichkeit wollen Sie, daß ein älterer, erfahrener Anwalt den Fall übernimmt«, stellte Scott fest.

Rosie zögerte, dann nickte sie. Sie war verlegen, sah aber dennoch Scott in die Augen. »Für Kate würde ich alles tun.«

»Das anerkenne ich, Rosie. Aber Sie tun mir das gleiche an, was Nora Stuyvesant in jener Nacht Kate angetan hat. Ihre Fähigkeiten angezweifelt, weil sie zu jung ist. Sie hat verlangt, daß ein anderer Arzt, ein älterer Arzt den Fall übernimmt.«

»Es tut mir leid, Van Cleve, ich denke nur an Kate. Ich möchte das Beste für sie.«

»Glauben Sie mir, daß kein Anwalt härter für sie arbeiten wird. Oder aufopfernder. Das Ganze ist für mich mehr geworden als ein Fall. Sogar mehr als eine Aufgabe. Ich sehe die Frau in Kate und fühle für sie.«

Scott war noch nie so nahe an eine Liebeserklärung für Kate herangekommen, nicht einmal sich selbst gegenüber.

Rosie wußte, daß er die Wahrheit sagte, las es in seinen Augen. »Es tut mir leid, daß ich das vorgeschlagen habe. Bitte vergessen Sie es, wenn Sie können.«

»Vorausgesetzt, Sie vergessen dieses Gespräch. Wenn wir verlieren, möchte ich nicht, daß sie erfährt, was ich empfinde.«

»Okay«, sagte Rosie, dann meinte sie: »Ich habe mir überlegt, ob ich mit Briscoe sprechen soll. Wir vertragen uns gut. Ich weiß, daß er mich mag. Oder ich könnte Mel dazu bringen, mit ihm zu sprechen. Sie verstehen sich noch besser. Vielleicht würde Briscoe es sich noch einmal überlegen, ob er nicht doch für Kate aussagen soll.«

Scott schüttelte langsam den Kopf.

»Wie können Sie sicher sein?« fragte Rosie.

»Weil ich ihn noch einmal aufgesucht habe, Rosie. Ich setzte mich voll für Kate ein. Er will das Risiko nicht eingehen. In Colorado wartet eine Mitbeteiligung auf ihn. Visionen von einem großen Haus oben in den Bergen. Einem eleganten Mercedes 500 SL. Mittwoch frei, um Golf zu spielen. Lange Skiwochenenden. Weder Sie noch ich noch sonstwer wird ihn überreden können.«

»Das hat er gesagt?« fragte Rosie zweifelnd.

»Er mußte es nicht aussprechen. Ich sah es in seinen Augen. Es gibt Ärzte, und es gibt andere Ärzte. Er gehört zu der einen Sorte. Sie und Kate gehören zu der anderen.«

»Zu schade«, meinte Rosie traurig. »Er ist ein so guter Chirurg. Mit einer so ausgezeichneten Technik.«

Sie hatten Rosie, die Nachtdienst hatte, vor dem Krankenhaus abgesetzt. Irgendwo kauften sie Sandwiches, kehrten dann in Scotts Wohnung zurück und arbeiteten weiter. Diesmal wurde Kate auf ihren Auftritt als Zeugin vorbereitet.

Bevor Scott beginnen konnte, sagte Kate: »Es tut mir leid.«

Er blickte erstaunt von der Liste der Fragen auf, die er zusammengestellt hatte. »Was tut Ihnen leid?«

»Was ich vor Rosie gesagt habe. Darüber, wie Sie Schwartzman befragten.«

»Verschwenden Sie keinen Gedanken daran.«

»Aber Ihre Bemerkung darüber, daß er in den letzten Jahren keine Erfahrung mit lebenden Patienten hatte, war sehr wirkungsvoll.«

»Nur ein kleines Manöver. Um seiner feindseligen Aussage den Stachel zu nehmen. Um die Aufmerksamkeit des Komitees abzulenken. Leider nicht sehr erfolgreich. Morgen wird Hoskins noch einen Zeugen aufrufen. Es spielt beinahe keine Rolle, wer es ist. Dann sind wir an der Reihe. Ich werde mit Cronin und Beathard anfangen. Sie können zwar kaum mehr tun als verschiedenes, das Sie gesagt haben, bestätigen. Aber ich rufe sie zuerst auf, damit ich einen Hinweis darauf bekomme, wie Hoskins sein Kreuzverhör führen will. Wenn ich Sie dann aufrufe, weiß ich, was ich zu erwarten habe.

Letzten Endes läuft diese Anhörung nur auf eines hinaus: auf Sie. Im Zeugenstand, wo Sie Ihre Geschichte erzählen. Und dann müssen Sie fähig sein, Hoskins' Kreuzverhör durchzustehen.«

»Und Sie glauben, daß ich es nicht schaffen werde.«

»Ehrlich gesagt, ich weiß es nicht.«

»Aber ich weiß es«, beharrte Kate.

Er starrte in ihr Gesicht, das trotz der Spannung und der Belastung der letzten Tage, besonders des heutigen, noch immer reizend war. Wenn wir uns doch nur auf andere Weise kennengelernt hätten, dachte er. Doch das Ganze wird bald nicht mehr in meinen Händen liegen. Wenn sie versagt, versagen wir beide. Dann habe ich sie im Stich gelassen. Und sie wird es mir nie verzeihen.

»Wir haben daran gearbeitet, wie notwendig es ist, direkte, sachliche Antworten zu geben. Nicht mehr Informationen zu geben, als die Frage erfordert.«

»Ich weiß, ich darf Hoskins keine Gelegenheit und kein Ziel geben.« Kate hatte ihre Lektion gründlich gelernt.

»Noch zwei Dinge. Aussagen ist beinahe eine hypnotische Erfahrung. Ich habe bedeutende Männer, leitende Geschäftsleute, hohe Regierungsfunktionäre gesehen, die unter der Anspannung zusammenbrachen, als sie von einem geschickten Anwalt ins Kreuzverhör genommen wurden. Zeugen wissen plötzlich überhaupt nichts mehr. Sie vergessen die einfachsten Tatsachen. Oder sie bieten plötzlich Versionen an, die nichts mit dem zu tun haben, woran sie sich kurz zuvor erinnert hatten.«

Er begann auf und ab zu gehen. »Aber die schlimmste Falle ist, wenn der Zeuge versucht, es mit dem Anwalt aufzunehmen, ihm geistig überlegen zu sein. Hoskins stellt Ihnen zum Beispiel eine Frage, die nach einer sachlichen Antwort verlangt. Statt diese einfache Antwort zu geben, beginnen Sie zu überlegen: ›Was will er wirklich herausfinden? Wie antworte ich am besten, damit er keinen Erfolg hat?‹ Sie sind plötzlich keine Zeugin mehr, sondern Ihr eigener Anwalt. Ein Spieler in einem Spiel, für das Sie nicht ausgebildet wurden. Sie können nicht gewinnen. Weil er die Kontrolle hat. Er stellt die Fragen, also leitet er den Verlauf des Verhörs. Versuchen Sie nicht, ihm zuvorzukommen.«

»Ich weiß. Ich muß nur die Fragen wahrheitsgemäß beantworten.«

»Und Vertrauen zu mir haben.« Scott blickte auf sie hinunter. »Verlassen Sie sich darauf, daß ich jeden Schaden repariere, den Hoskins vielleicht verursacht.«

»Das kann ich«, nickte Kate.

»Hier, in meinem Wohnzimmer, können Sie es. Aber sobald Sie im Zeugenstand sitzen, ändert sich alles.«

»Versuchen Sie es mit mir«, forderte ihn Kate heraus. »Stellen Sie mir die Art Fragen, die Hoskins stellen wird. Beobachten Sie, wie ich mich ihnen stelle.«

Er winkte sie von der Couch zum Lehnstuhl, der im Lauf ihrer Sitzungen zu ihrem Zeugenstand geworden war. Sobald sie saß, war sie für seinen Angriff bereit.

»Sie haben die Aussage von Mrs. Stuyvesant, der Mutter der Verstorbenen gehört. Daß sie nicht nur einmal, sondern mehrere Male darauf bestehen mußte, daß Sie ihre Tochter betreuten.«

»Ja. Aber ich hatte andere, dringendere Fälle, die ich versorgen mußte!«

»Kate!« fuhr Scott sie an. »Warten Sie, bis Sie die Frage hören.«

»Das habe ich doch getan«, protestierte sie, bis ihr klar wurde: »Sie hatten keine Frage gestellt, nicht wahr?«

»Ich schuf gerade die Grundlage für meine Frage. Sie hielten es für eine Beschuldigung und begannen, sich zu verteidigen. Seien Sie kein Anwalt! Seien Sie nur die Zeugin. Hören Sie sich die Frage an, bevor Sie antworten. Dann antworten Sie, ohne etwas zu rechtfertigen oder zu erklären. Fangen wir wieder an.«

»Okay. Tut mir leid.«

»Stimmt es, Frau Doktor, daß Mrs. Stuyvesant Sie einmal suchen mußte, damit Sie in das Zimmer kamen und sich ihre Tochter ansahen?«

Kate überlegte, dann antwortete sie so entschieden, wie es ihr möglich war: »Ja. Ja, Sir, das stimmt. Und es stimmt auch, daß…« Diesmal unterbrach sie sich selbst. »Ich habe die Frage beantwortet. Jetzt sollte ich den Mund halten.«

»Ich hätte es nicht genauso ausgedrückt, aber die Antwort ist, ja, halten Sie den Mund. Versuchen Sie nicht zu erraten, wohin Hoskins sie führt.«

»Kapiert.«

»Dann machen wir weiter.«

Drei Stunden lang überschüttete er sie mit Fragen nach Mrs. Stuyvesants Aussage, nach der Aussage des Leichenbeschauers, nach seinem Obduktionsbericht. Manchmal schlossen Scotts Fragen aneinander an, manchmal wechselte er bewußt das Thema, sprang von einem Zeitpunkt in den Ereignissen zu einem anderen, der nichts mit dem Vorhergehenden zu tun hatte.

Er ging zurück, kam immer wieder auf das gleiche zu sprechen, bis sie protestierte: »Das habe ich schon beantwortet.« Sie war lauter, als sie vorgehabt hatte. Die Müdigkeit machte sich bemerkbar.

Scott erklärte geduldig: »Anwälte verwenden die Wiederholung bewußt als Waffe. Entweder, um den Zeugen stolpern zu lassen, indem er sich selbst widerspricht. Oder um zu sehen, ob er jedes Mal mit den genau gleichen Worten antwortet. Was ein Beweis dafür wäre, daß er die Antworten auswendig gelernt hatte. Seien Sie also darauf gefaßt, daß Hoskins dieselbe Frage mehr als einmal stellt. Wenn er dieses Privileg mißbraucht, greife ich ein.«

Es war nach Mitternacht. Kate war beinahe erschöpft. Aber er war entschlossen, weiterzumachen, dabeizubleiben, um zu sehen, ob sie die ganze Distanz durchhielt. Sobald sie auf dem Zeugenstuhl Platz nahm, würde sie den ganzen Tag dort bleiben. Wenn Hoskins sich als so hartnäckig erwies, wie Scott befürchtete, würde er ihre Befragung vielleicht einen zweiten Tag lang fortsetzen, womöglich einen dritten.

Um sie darauf vorzubereiten, beschloß er, sie jetzt bis zum Äußersten zu treiben.

»Wir haben während dieser Anhörung sehr viel über den Schwangerschaftstest gehört, Frau Doktor, den Sie angeblich durchgeführt haben...«

»Ich habe ihn durchgeführt«, unterbrach sie ihn zornig.

Scott hielt es für einen Hinweis auf ihre Erschöpfung. »Sie streiten schon wieder. Warten Sie auf die Frage. Beginnen wir wieder von vorn. Wir haben sehr viel über den Schwangerschaftstest gehört, den Sie angeblich durchgeführt haben. Sie haben ihn in der Akte der Patientin festgehalten. Zusammen mit dem Ergebnis. Negativ. Können Sie dem Komitee erklären, warum Sie ein falsches Ergebnis erhielten?«

»Nein«, antwortete sie. »Ich denke oft –« Sie brach ab. »Nein. Abgesehen davon, daß solche Tests eine anerkannte Rate an Versagern haben, kann ich es nicht erklären.«

»Sie sagten, ›Ich denke oft‹, Frau Doktor. Was denken Sie oft?« Scott wollte ihr die Falle zeigen, in die unaufgefordert gegebene Antworten führen können.

»Ich möchte es lieber nicht sagen«, antwortete sie.

»Ich fürchte, Frau Doktor, daß ein Zeuge während des Kreuzverhörs nicht das Privileg genießt, nur jene Fragen zu beantworten, die er ›lieber‹ beantworten möchte. Ich frage Sie deshalb noch einmal, was ›denken Sie oft‹?« Scott stand jetzt direkt neben ihr und sprach lauter. »Mr. Cahill, ich bestehe darauf, daß Sie die Zeugin anweisen, meine Frage zu beantworten.« Scott machte den Verwaltungsbeamten nach und sagte ermahnend: »Wenn Sie Mr. Hoskins' Frage nicht beantworten, Frau Dr. Forrester, muß ich Ihre gesamte Aussage streichen lassen.«

»Ich denke oft... ich frage mich manchmal... ob ich die drei einfachen Schritte bei dem Test richtig durchgeführt habe.«

»Was meinen Sie damit?« Scott übte Druck aus.

»Nach so vielen Stunden, in denen ich ununterbrochen Dienst machte, war ich so erschöpft, daß ich vielleicht einen Fehler gemacht habe.«

»Was für einen Fehler?« fragte Scott rasch.

»Die drei Reagentien. Habe ich sie vielleicht nicht richtig angewendet?«

»Wie?«

»Möglicherweise in der falschen Reihenfolge. Ich war so müde, weil ich die Arbeit von zwei Ärzten machte, daß alles möglich war.«

»Alles?« fragte Scott. »Alles? Dennoch haben Sie die Eintragung in die Akte der Patientin vorgenommen, laut der Sie den Test richtig durchführten.«

»Das war später«, wehrte sie sich.

»Soll das heißen, Frau Doktor, daß Sie, sobald Sie sich beruhigt hatten, Dinge in die Akte schrieben, die nicht stimmten? Meinen Sie das?«

»Sie verdrehen meine Worte. Ich meinte nur, daß ich davon überzeugt war, daß ich den Test richtig machte, als ich ihn machte. Erst Tage später, als ich erfuhr, daß das negative Ergebnis falsch war, begann ich zurückzudenken um herauszubekommen, warum.« Sie umklammerte die Armlehnen des Stuhls, um nicht zu zittern.

Scott ließ nicht locker. »Es ist also möglich, daß die Anmerkung, die Sie in Claudia Stuyvesants Akte schrieben, falsch war. Vielleicht *absichtlich* falsch.«

»Ich habe nie in meinem Leben eine Eintragung in die Akte eines Patienten gefälscht«, setzte sich Kate zur Wehr. »Nie, hören Sie? Nie!« Da weinte sie schon.

Scott nahm sie in die Arme und hielt sie fest, während ihr Körper von krampfhaftem Weinen erschüttert wurde. Es dauerte einige Zeit, bis sie sich beruhigte. Er führte sie zur Couch und ließ sie sich hinlegen. Dann deckte er sie mit einer Wolldecke zu und sagte leise: »Sie haben eine harte Nacht hinter sich. Entspannen Sie sich.«

Als sich ihr Atemrhythmus Minuten später änderte, merkte er, daß sie eingeschlafen war. Warum nicht? Sie stand seit Wochen unter extremem Druck, und während der letzten neunzehn Stunden war es praktisch um ihr Leben gegangen. Sie hatte sich den Schlaf verdient.

31

Am nächsten Morgen erwachte Kate zeitig. Ihre ersten bewußten Augenblicke unterschieden sich nicht von den Morgen oder Nächten, wenn sie nach einem besonders erschöpfenden Dienst aus tiefem Schlaf erwachte. Bis sie plötzlich merkte, daß sie sich an einem ungewohnten Ort befand. Sie tastete um sich. Das war nicht ihr Bett, sondern eine Couch. Und nicht einmal ihre, sondern eine fremde Couch. In einem anderen Raum machte sich jemand zu schaffen. Sie roch starken Kaffee, der gerade gebrüht wurde. Speck briet bruzzelnd. Sie öffnete die Augen und erkannte Scotts Wohnzimmer. Als sie die Decke zurückschlug, stellte sie fest, daß jemand ihr das Kleid ausgezogen hatte. Sie setzte sich auf und sah sich um. Ihr Kleid hing ordentlich über dem Stuhl, der zum Zeugenstand geworden war.

Sie erhob sich rasch, griff nach dem Kleid und schlüpfte hinein. Dann kämmte sie die blonden Haare zur Andeutung einer Frisur. Scott hatte sie offenbar gehört, denn er rief: »Kate? Sind Sie wach?«

»Wach.«

»Im Badezimmer finden Sie eine frische Zahnbürste und Zahnpasta«, sagte er.

Sie versuchte, auf dem Weg ins Badezimmer ungesehen an der engen Küche vorbeizukommen. Aber er erblickte sie und lächelte. »Der Kaffee ist fertig. Auch die Pfannkuchen und der Speck.«

Sie machte sich frisch, kämmte sich, sehnte sich nach ihrem Make-up, doch das war in ihrer Handtasche im Wohnzimmer. Sie beschloß, darauf zu verzichten. Dann musterte sie ihr Gesicht im Badezimmerspiegel. Die Nervenprobe der letzten Wochen war nicht spurlos vorübergegangen.

Als sie die Küche betrat, war der kleine, an der Wand befestigte Tisch bereits heruntergeklappt und gedeckt. Aus ihrer Kaffeetasse stieg duftender Dampf. Daneben stand ein Glas mit frisch gepreßtem Orangensaft. Kaum hatte sie den Saft ausgetrunken, ließ Scott das Glas verschwinden und stellte an seine

Stelle einen Teller mit Pfannkuchen, am Rand hell, in der Mitte braun, die mit knusprigen Speckstreifen garniert waren.

Er nahm ihr gegenüber Platz.

»Guten Morgen«, sagte er fröhlich. Sie lächelte und begann zu essen. »Sie waren gestern abend so erledigt, daß ich es nicht über das Herz brachte, Sie aufzuwecken«, erklärte er.

»Ich muß erschöpft gewesen sein. Ich habe noch nie so tief geschlafen.«

»Wie sind die Pfannkuchen?«

»Ausgezeichnet.« Sie machte sich an den Speck. »Sie sind ein guter Koch.«

»Junggesellen bekommen viel Übung.«

»Sind Sie beim Mittag- oder Abendessen genausogut, oder beschränken Sie sich auf das Frühstück?« neckte sie ihn.

Er begriff nur langsam die Tragweite der Frage.

»Als nächstes werden Sie fragen, wieso ich Frauen so gut entkleiden kann«, sagte er lächelnd.

»Das hatte ich tatsächlich vor.«

»Meine Mutter hat es mich gelehrt.«

Sie sah ihn über den Tisch hinweg skeptisch an und wartete auf eine Erklärung.

»Ich habe Ihnen erzählt, daß mein Vater starb, als ich noch sehr klein war. Meine Mutter war eine stolze Frau, so wie Sie, und war entschlossen, unabhängig zu bleiben. Da sie sehr geschickt war, übernahm sie Arbeiten, die sie zu Hause ausführte.

Zuerst reparierte und änderte sie nur. Dann begann sie, Kleider zu nähen. Später entwickelte sich daraus ein kleiner Laden. Klein? Mit Ausnahme des Supermarkts wurde er zum größten Kleidergeschäft von Shenandoah. Ich half ihr oft. Ich machte die Schaufenster. Streifte den Schaufensterpuppen die Kleider über und nahm sie wieder ab. Sehr vorsichtig. Sie lehrte mich, die Ware zu achten. Sie sagte immer: ›Van, irgendeine Frau wird schwer verdientes Geld für dieses Kleid bezahlen, also beschädige es so wenig wie möglich.‹«

»Galt das auch für die Schaufensterpuppe?« fragte Kate.

Er lächelte wieder. »Noch Kaffee?«

»Bitte.«

Sie beendeten das Frühstück schweigend.

»Ich werde jetzt nach Hause fahren, duschen, mich umziehen und mich für die Anhörung fertig machen«, sagte Kate.

»Ich fahre Sie nach Hause.«

»Danke. Aber das ist nicht notwendig. Draußen ist es schon hell. Und sicher. Na ja, halbwegs sicher«, schränkte sie ein.

»Wir müssen als Vorbereitung auf heute über verschiedenes sprechen. Durch die Fahrt bekommen wir Zeit dafür. Lassen Sie mich abdecken, und wir sind unterwegs.«

»Ich kann Ihnen helfen«, bot sie sich an.

»Ich bin im Tischabräumen großartig«, sagte er. »Vor allem beim Frühstücksgeschirr.«

»Sie sprechen offensichtlich auf die falsche Art von Frauen an«, bemerkte Kate. Dann sagte sie neckend: »Ich würde annehmen, daß sie es Ihnen als reine Anerkennung anbieten sollten. Aber in unserem Zeitalter der befreiten Frau tun sie das gleiche wie die Männer seinerzeit. Sie haben Sex, und dann laufen sie davon.«

»Wenn ich die Gelegenheit bekäme, würde ich nicht davonlaufen«, sagte er, ohne zu lächeln oder zu necken.

»Wir müssen gehen«, sagte Kate leise.

In Kates Wohnung fanden sie kleine Kleber auf dem Telefon, auf dem Küchenschrank, auf der Badezimmertür. Alle von Rosie. Kates Mutter hatte dreimal angerufen. Ihr Vater machte sich Sorgen.

Kate stürzte unter die Dusche, kämmte sich eilig, schlüpfte in ein Kleid und kehrte ins Wohnzimmer zurück.

»Sie sehen noch besser aus«, bemerkte Scott.

»Vielleicht sauberer, aber nicht besser. Ich habe einen Spiegel«, erklärte Kate.

Sie rief zu Hause an.

»Mutter?«

»Kate!« Ihre Mutter klang deutlich erleichtert. »Vater macht sich solche Sorgen. Ich auch. Wie ist es gestern gegangen, Liebes?«

»Ach … ganz gut. Natürlich war das nur der erste Tag. Aber es ging recht gut – recht gut.« Sie bemühte sich, sicherer zu klingen, als sie sich fühlte.

Ihre Mutter bemerkte es anscheinend, denn sie sagte: »Vater spricht davon, daß er nach New York kommen will. Und vielleicht George Keepworth mitnimmt. George ist dazu bereit.«

»Das ist nicht notwendig, Mutter. Ich habe einen guten Anwalt. Einen sehr guten Anwalt. Er kommt aus einer kleinen Stadt in Pennsylvanien. Er erinnert mich an die Leute zu Hause.«

»Das ist nett«, erwiderte ihre Mutter hörbar erleichtert. »Vor den New Yorker Anwälten mußt du dich in acht nehmen.«

»Sag Dad, daß alles so gut verläuft, wie zu erwarten war. Kein Grund, sich Sorgen zu machen. Aber jetzt muß ich laufen. Ich liebe dich, Mutter.«

Sie legte auf, hatte jedoch das Gefühl, es Scott erklären zu müssen. »Ich will ihnen keine Sorgen machen, bevor es sein muß.«

»Ändern Sie es auf ›außer, es muß sein‹. Wir haben noch immer gute Chancen.«

»Sogar nach meinem schändlichen Verhalten gestern abend?«

»Es war nicht schändlich, Sie sind nur unerfahren.« Scott versuchte, ihr Mut zu machen. »Von nun an werden Sie es besser machen.«

Als Scott und Kate im Anhörungsraum erschienen, waren bereits alle übrigen Teilnehmer, einschließlich Claude Stuyvesant, anwesend. Mott begrüßte sie zwar förmlich, blickte aber deutlich auf die goldene Uhr vor ihm, um zu betonen, daß sie sechs Minuten zu spät gekommen waren. Er klopfte leicht mit dem Hammer.

»Können wir anfangen?« Er blickte zu Hoskins hinüber.

Der gewichtige Ankläger erhob sich aus dem engen Stuhl, als löse er sich aus einem Schraubstock.

Er begann sehr ernst. »Ich möchte meinen nächsten Zeugen nur mit Ihrer ausdrücklichen Befürwortung aufrufen.«

Genauso ernst fragte Mott: »Und was ist die Ursache für Ihr Dilemma, Mr. Hoskins?«

»Da es sich hier mehr um ein informelles Verfahren als einen Prozeß handelt und man größere Freiheit beim Vorlegen von Beweisstücken und beim Nennen von Zeugen hat, würde ich eine Entscheidung vorziehen, laut der eine Person, die nicht an den Ereignissen beteiligt war, in den Zeugenstand gerufen werden darf.«

Mott wandte sich Cahill zu und wartete auf seine Entscheidung. Cahill schwieg einen Augenblick, als überdenke er das Problem reiflich, und erklärte schließlich: »Da wir es hier mit Problemen zu tun haben, die nicht nur für die Beklagte, sondern auch für die gesamte Ärzteschaft und auch für die Sicherheit der Öffentlichkeit im allgemeinen wichtig sind, würde ich sagen, daß jeder, der Licht auf diese Ereignisse werfen kann, so daß dieses Komitee in der Lage ist, die Situation besser zu erfassen, zugelassen werden sollte. Rufen Sie Ihren Zeugen, Sir.«

Scott warf Kate einen Blick zu, den sie erwiderte; beide waren sich einig. Das ernste kleine Drama, das hier für das Protokoll gespielt worden war, gehörte zu einer abgesprochenen Strategie. Ihr Verdacht bestätigte sich, als Hoskins sich zum Tisch des Anklägers umdrehte.

»Mr. Stuyvesant? Bitte nehmen Sie im Zeugenstand Platz.«

Kate zupfte an Scotts Ärmel. Er tätschelte ihr beruhigend die Hand, um zu sagen ›Warten wir's ab‹.

Nachdem Stuyvesant vereidigt war, stellte Hoskins flüchtig einige Fragen, um seine Beziehung zu der Toten festzustellen und seinen Wunsch, der Gerechtigkeit möge Genüge geschehen, zu äußern.

Dann konzentrierte sich Hoskins auf die beiden Gründe, aus denen er Stuyvesant in den Zeugenstand gerufen hatte.

»Kam einmal der Augenblick in Ihrem Leben, Mr. Stuyvesant, als Ihre Tochter Claudia aus Ihrem Haus aus- und in eine eigene Wohnung einzog?«

»Ja«, gab Stuyvesant zu. »Wahrscheinlich geht es allen jungen Leuten irgendwann so. Sich selbständig machen. Das Nest verlassen. Ihre Flügel ausprobieren. Claudia war mit achtzehn soweit.« Er lächelte wehmütig und gezwungen. »Wahrscheinlich heißt es jetzt, wenn du alt genug bist, um zu wählen, bist du auch alt genug, um dich selbständig zu machen. Zu meiner Zeit konnten wir erst wählen, wenn wir einundzwanzig und wesentlich vernünftiger waren. Aber Claudia wollte fort. Also tat ich das gleiche wie jeder Vater, der sein Kind liebt. Ich sorgte dafür, daß sie genügend Geld hatte, und ließ sie gehen. Die schlechteste Entscheidung meines Lebens.«

»Wurde sie zu der Zeit, in der sie nicht zu Hause lebte, weiterhin von Ihrem Arzt behandelt, der sie von ihrer Geburt an betreut hatte?«

»Natürlich. Dr. Eaves. Wilfred Eaves. Ich wollte sicher sein, daß sie gesund bleibt«, erklärte Stuyvesant.

»Suchte sie Ihres Wissens Eaves weiterhin regelmäßig auf, nachdem sie Ihr Haus verlassen hatte?«

»Allerdings. Ich merkte es an den Rechnungen. Eaves ist gut, aber teuer.«

»Haben Sie jemals mit Dr. Eaves über den Zustand Ihrer Tochter gesprochen?«

»Mehrere Male.«

»Und?«

»Er berichtete immer, daß sie bei guter, sogar ausgezeichneter Gesundheit sei.«

»Bis zu dem Augenblick ihres plötzlichen Todes gab es also keinen Hinweis darauf, daß sie Probleme mit ihrer Gesundheit hatte?«

»Keine!« erwiderte Stuyvesant entschieden und warf Kate einen Blick zu.

»In der fraglichen Nacht rief Ihre Tochter Ihre Frau an und sagte, sie sei krank. Ihre Frau rief Dr. Eaves an, erfuhr, daß er sich nicht in der Stadt befand, und brachte sie in die Notaufnahme im City-Krankenhaus.«

»Das wurde mir gesagt.«

Um Scotts unvermeidliche Frage beim Kreuzverhör vorwegzunehmen, fragte Hoskins: »Warum hat Ihre Tochter nicht Sie angerufen, Mr. Stuyvesant?«

»Sie rief mich an. Aber ich war ausgegangen, hatte eine Gruppe japanischer Geschäftsleute zum Dinner im Union Club eingeladen. Als ich nach Hause kam, fand ich einen Zettel von Nora, Mrs. Stuyvesant, vor, auf dem sie mir mitteilte, daß sie Claudia besuchen wolle. Ich hielt es für eine gute Idee und ging zu Bett.«

»Sie erfuhren also erst vom tragischen Tod Ihrer Tochter, als Ihre Frau nach Hause kam?«

»Ja.«

»Jetzt möchte ich Ihre Aufmerksamkeit auf ein anderes Thema lenken, Mr. Stuyvesant«, fuhr Hoskins fort. »Sie haben gestern den ganzen Tag hier gesessen und gehört, wie der Anwalt der Beklagten mehrmals versuchte, Ihrer toten Tochter Laster wie eine wilde Ehe mit einem jungen Mann und Drogenmißbrauch vorzuwerfen; er versuchte, den Eindruck zu erwecken, daß sie drogenabhängig war.«

Stuyvesant unterbrach Hoskins, bevor dieser eine Frage stellen konnte. »Ja, ja, ich habe diese Lügen gehört.«

»So etwas muß für jeden Vater schmerzlich sein, vor allem aber für einen Mann, der in dieser Stadt so bekannt ist wie Sie.«

»*Schmerzlich* ist ein zu schwacher Ausdruck für alles, was meine Frau und ich nicht nur während dieser Anhörung, sondern seit Beginn dieser Ungeheuerlichkeit ertragen mußten.«

»Darf ich dann fragen, Sir, warum Sie darauf beharren, diese Angelegenheit bis zum endgültigen Abschluß durchzustehen?«

»Aus dem gleichen Grund, aus dem wir für das City-Krankenhaus einen neuen Flügel gestiftet haben. Die Pflicht der Allgemeinheit gegenüber, Sir. Wenn der Kummer, den wir ertragen, dazu führt, daß unfähige, gefährliche Ärzte wie Kate Forrester aus den Reihen der Mediziner entfernt werden, dann ist dies unseren zusätzlichen Schmerz und Kummer wert. Mit einem Wort, ich bin hier, um anderen Vätern und Müttern die Tragödie zu ersparen, die uns getroffen hat. Wir leiden, damit andere verschont bleiben.«

Scott und Kate lauschten Claude Stuyvesant. Sie sahen einander an, und beide dachten dasselbe: Wer hat diese hübsche Rede für Stuyvesant geschrieben, sein Berater für Public Relations?

Scott fiel noch eine ironische Folge ein: Meine Idee, er verwendet meine Idee mit dem neuen Notfallflügel, um seine Inquisition gegen Kate zu rechtfertigen. Das läßt mir nicht viel Spielraum für ein Kreuzverhör.

»Danke, Sir«, sagte Hoskins. »Das ist alles, soweit es mich betrifft.«

Scott klopfte Kate unter dem Tisch auf das Knie, um sie zu beruhigen. Dann stand er auf und ging zu Stuyvesant, der sich geradehielt und bereit war, sich ihm zu stellen.

»Sie wissen vermutlich, Sir, daß ich versucht habe, mit Dr. Eaves zu sprechen und seine Fallgeschichte über Ihre Tochter einzusehen, daß er es aber ablehnte.«

»Natürlich lehnte er es ab«, sagte Stuyvesant. »Die Aufzeichnungen eines Arztes sind privat und vertraulich.«

»Hat er sich geweigert, bevor oder nachdem er mit Ihnen gesprochen hatte?« fragte Scott.

»Ich mache kein Geheimnis daraus. Ja, er hat mich angerufen. Ich sagte, er solle auf keinen Fall diese Unterlagen herzeigen. Es war schlimm genug, daß die Leiche meiner Tochter nackt im Leichenschauhaus der Stadt lag, daß jeder perverse Angestellte, der sie sehen wollte, es tun konnte. Diese widerliche Verletzung ihrer Intimsphäre konnte ich nicht verhindern. Aber ich will verdammt sein, wenn ich zulasse, daß ein Ghul wie Sie in ihrer Lebensgeschichte wühlt, um ein Stückchen Information für weitere haltlose Verleumdungen zu verwenden!« Jetzt schrie Stuyvesant.

Um sich nicht die Mißbilligung des Komitees zuzuziehen, unterbrach Scott den Wütenden nicht. Aber als Stuyvesant schwieg, fragte Scott im Gegensatz zu ihm sehr ruhig: »Hat Dr. Eaves Ihnen jemals mitgeteilt, Sir, daß Ihre Tochter schwanger war?«

»Sie greifen schon wieder den Ruf meiner Tochter an!«

»Das habe nicht ich entdeckt, sondern der Leichenbeschauer«, erwiderte Scott höflich.

Stuyvesant war einen Augenblick sprachlos, dann brachte er es fertig zu brummen: »Jedes junge, unerfahrene Mädchen kann einen Fehler begehen; dadurch wird sie weder zu einer Landstreicherin noch zu einer Hure, zu der Sie sie stempeln wollen.«

»Stritten Sie jemals mit Ihrer Tochter, bevor sie auszog, weil sie einen Freund hatte, mit dem Sie nicht einverstanden waren?«

»Ich mochte die jungen Leute, die sie mitbrachte, nicht immer, das leugne ich nicht.«

»Warum, Sir?«

»Die jungen Leute von heute – laute Musik, unmögliche Kleidung...« erwiderte Stuyvesant.

»Drogen?« fragte Scott. Als Stuyvesant nicht antwortete, fuhr Scott fort: »Wahlloser Sex?« Stuyvesant sah ihn verächtlich an, als wäre es unter seiner Würde, auf eine solche Frage einzugehen.

Scott wechselte das Thema. »Sie haben den Namen Rick Thomas während...«

Stuyvesant unterbrach ihn. »Meine Frau hat diese Frage bereits beantwortet, junger Mann. Wir kennen keinen Rick Thomas.«

»Würde ich mich irren, wenn ich annehme, daß Ihre Tochter das Haus verließ, weil Sie mit Rick Thomas nicht einverstanden waren?« Scott wollte das Komitee auf diese Idee bringen.

»Sie würden sich irren!« erklärte Stuyvesant heftig und wandte sich dem Vorsitzenden zu. »Wie lange soll diese falsche, grundlose Befragung fortgesetzt werden, Mr. Mott?«

»Wenn Sie eine Pause, eine kurze Unterbrechung möchten, Mr. Stuyvesant...« schlug Mott vor.

»Ich brauche keine Unterbrechung!« brüllte Stuyvesant. »Aber ich sehe auch keinen Sinn darin, immer und immer wieder dieselben Lügen durchzugehen. Ich kenne keinen Rick Thomas. Meine Frau kennt keinen Rick Thomas. Entweder gehen wir jetzt zu etwas Neuem weiter, oder machen wir Schluß damit!«

»Mr. Van Cleve?« Mott gab den Schwarzen Peter weiter.

»Es gibt ein Thema, zu dem Mr. Stuyvesant noch nicht ausgesagt hat.«

»In diesem Fall dürfen Sie weitermachen«, mußte Mott gestatten.

»Während der Aussage Ihrer Frau, Mr. Stuyvesant, wurde sie an Worte erinnert, die sie sagte, als sie das Krankenhaus verließ, nämlich, ›Er wird mir die Schuld geben... er wird mir die Schuld geben...«

»Sie hat geleugnet, daß sie das je gesagt hat.«

»Da es mindestens zwei Leute gibt, die behaupten, sie gehört zu haben, können wir annehmen, daß sie es sagte?«

»Sie können annehmen, was immer Sie wollen, junger Mann!«

»Wenn Ihre Frau das gesagt hat, wer war dann der geheimnisvolle ›er‹, vor dem sie solche Angst hatte?« fuhr Scott fort.

»Da sie es nie gesagt hat, kann ich es nicht wissen«, fuhr ihn Stuyvesant an.

»Könnte dieser unidentifizierte ›er‹ Sie sein? Fürchtete sie sich so sehr vor Ihren berüchtigten Zornausbrüchen, daß sie vollkommen verängstigt war?« wollte Scott wissen.

»Wie lange wollen Sie dem jungen Mann noch diese lächerlichen Einmischungen in mein Familienleben gestatten, Mr. Mott?« donnerte Stuyvesant.

Cahill benützte die Gelegenheit, um Stuyvesant zu Hilfe zu kommen. »Sogar bei solchen informellen Verfahren gibt es einen Punkt, Herr Anwalt, an dem solche Fragen nicht nur irrelevant und unnötig, sondern schikanös werden. Wenn Sie nicht beweisen können, daß zwischen Ihren Fragen und dem hier verhandelten Fall ein direkter Zusammenhang besteht, befehle ich Ihnen aufzuhören.«

»Es gibt einen deutlichen Zusammenhang zwischen diesen Fragen und einer Zeugenaussage, die ich später in Anspruch nehmen werde.«

»Was für ein ›deutlicher Zusammenhang‹?« wollte Hoskins wissen.

»Ich werde einen Zeugen aufrufen, der aussagen wird, daß Claudia Stuyvesant solche Angst vor Ihrem Vater hatte, daß sie auf Dr. Forresters Fragen falsche Antworten gab, damit die Ärztin in die Irre führte und es ihr unmöglich machte, eine genaue Diagnose zu erstellen«, antwortete Scott.

»Wird uns ein weiterer Phantomzeuge wie der erfundene Rick Thomas vorgesetzt, den wir noch immer nicht gesehen haben?« fragte Hoskins. »Herr Vorsitzender, ich fordere Sie dringend auf, diese gesamte Aussage zu streichen, da sie nur die Erfindung eines sehr verzweifelten jungen Anwalts ist.«

»Ich neige zu Ihrer Ansicht, Mr. Hoskins«, sagte Mott. »Haben Sie noch weitere Fragen an den Zeugen, Mr. Van Cleve?«

»Im Augenblick nicht«, mußte Scott zugeben.

»Und Sie, Mr. Hoskins?«

»Keine weiteren Fragen an diesen Zeugen«, erwiderte Hoskins und fuhr dann fort. »Nachdem der Ausschuß für Professionelles Ärztliches Verhalten die Tatsachen in dieser Sache festgestellt und wesentliche Beweise für die nachlässige, katastrophale Behandlung des Falls Claudia Stuyvesant durch Dr. Forrester, die zu dem Tod der Patientin führte, erbracht hat, machen wir jetzt eine Pause. Wir hoffen, daß Mr. Van Cleve mit Tatsachen statt mit Behauptungen reagieren wird. Mit glaubwürdigen Zeugen statt mit Andeutungen. Ich kann meine Neugierde auf den geheimnisvollen Zeugen, auf den er anspielt, kaum noch bezähmen.«

»Mr. Van Cleve?« fragte Mott.

»Ich brauche Zeit, um meine Zeugen bereitzustellen. Können wir übermorgen weitermachen?«

»Wir vertagen bis dahin.« Mott schwang den Hammer.

Scott ging direkt vom Anhörungsraum zur Telefonzelle am Ende des Korridors, warf eine Münze ein und wählte. Er hatte Ricks Nummer auf dem Blatt notiert, auf dem er die Fragen vorbereitet hatte, die er ihm stellen wollte. Das Telefon läutete, aber als beim fünften Mal niemand abhob, wurde Scott mulmig zumute. Doch beim sechsten Mal meldete sich die Stimme, bei der er sich entspannte.

»Ja?« fragte Rick Thomas.

»Rick? Scott Van Cleve.«

»O ja. Hi.«

Scott versuchte, Ricks Zustand abzuschätzen. Er klang nicht high. Eigentlich klang er munterer als an dem Tag, an dem sie einander kennengelernt hatten.

»Übermorgen ist wahrscheinlich der große Tag. Deshalb sollten wir beide morgen zusammenkommen. Durchgehen, was ich Sie fragen werde und was Sie antworten werden. Und auch die Fragen, die der andere Anwalt vermutlich stellen wird. Es schadet nie, wenn man weiß, worauf man gefaßt sein muß.«

»Richtig, das schadet nie«, stimmte Rick bereitwillig zu.

»Ich hole Sie morgen um zehn Uhr ab. Okay?«

»Ich kann's nicht erwarten«, erklärte Rick begeistert.

»Ach ja, ich möchte, daß Sie sich etwas überlegen. Hat Ihnen Claudia jemals gesagt, sie habe solche Angst vor ihrem Vater, daß sie lieber lügen würde als riskieren, daß er die Wahrheit herausfindet?«

»Jemals? Jedesmal. Sie lebte in ständiger Angst vor dem alten Schuft.«

»Das habe ich mir gedacht. Aber wenn Sie im Zeugenstand sitzen, verwenden Sie lieber nicht solche Ausdrücke.«

»Ich merk's mir.«

»Dann bis morgen. Um zehn.«

»Morgen um zehn«, wiederholte Rick, dann sagte er: »Übrigens, ich fang nicht gern davon an, aber ich bin wieder blank.«

»Ich verstehe. Ich werde nicht mit leeren Händen kommen«, versprach Scott.

32

Es war nachts um 1.20 Uhr. Scott war erschöpft; zuerst hatte er Kate auf ihre Aussage vorbereitet, dann hatte er sie in ein Taxi gesetzt und nach Hause geschickt und die nächsten Stunden damit verbracht, die Reihenfolge seiner beiden entscheidenden Zeugen festzulegen, seine Fragen zu formulieren und seine Strategie so auszuarbeiten, daß sie den maximalen Eindruck auf das Komitee machte. Die Darlegung eines Falls durch den Anwalt war nicht nur eine gesetzliche Angelegenheit; ebensoviel hing von der gekonnten Inszenierung ab.

Was würde dramatischer und wirkungsvoller sein? überlegte er. Zuerst Kates Aussage, gefolgt von dem überraschenden Auftreten von Rick Thomas? Oder Rick zuerst, um Hoskins, Stuyvesant und Mott zu erschrecken und das Komitee davon zu überzeugen, daß er die Wahrheit gesagt hatte, um sie so für Kates Aussage günstiger zu stimmen?

Man konnte nicht vorhersehen, wie Claude Stuyvesant reagieren würde, wenn er dem jungen Mann gegenüberstand, der mit seiner Tochter zusammengelebt hatte, ihr Geliebter gewesen war, sie geschwängert und in gewissem Sinn ihren Tod verursacht hatte. Es war nicht unmöglich, daß es zwischen den beiden Männern zu Tätlichkeiten kam. Er mußte auf alle Eventualitäten vorbereitet sein.

Als er die Charles Street entlangging, dachte er noch immer über die wirkungsvollste Darstellung seines Falls nach. Dann beschloß er, seine Strategie auf Ricks Zustand abzustellen.

Er erreichte die Nummer 97, betrat den kleinen dunklen Vorraum, suchte das Klingelbrett ab und fand endlich den Namen LENGEL M. Wie mit Rick ausgemacht, läutete er dreimal kurz, wartete und läutete dann einmal lang. Dann wartete er darauf, daß der Summer die Tür freigab und er hineinkonnte. Doch es kam keine Reaktion.

Wahrscheinlich schlief Rick. Scott wiederholte das Signal. Dreimal kurz, Pause, einmal lang. Wieder keine Reaktion. Scott begann, sich Sorgen zu machen. Er wiederholte das Signal noch einmal. Noch immer keine Reaktion. Auf seiner Stirn standen Schweißperlen.

Er läutete wieder, diesmal hektisch. Und immer noch keine Reaktion. Er schwitzte jetzt heftig. Wieder läutete er und ließ beim langen Ton den Finger auf dem Klingelknopf, bis der Summer plötzlich ertönte. Doch das Summen war so kurz, daß er die Gelegenheit nur deshalb nicht verpaßte, weil er so reaktionsschnell war. Er rannte das Treppenhaus hinauf, das so dunkel war, daß ihm sogar bei Tag künstliches Licht nicht geschadet hätte.

Er bemerkte, wie sich jemand im vierten Stock über das Geländer beugte. Es war eine junge Frau, die gerade in einen schäbigen Kimono schlüpfte. Offenbar war sie plötzlich aus tiefem Schlaf aufgeschreckt. Ihre Haare waren ungekämmt, ihre Augen blinzelten, sie wirkte neugierig und mißtrauisch.

»Ja?« fragte sie.

»Ich suche Wohnung Vier-C, Lengel«, sagte Scott.

»Weshalb?« wollte die Frau wissen.

Scott war ihr jetzt nahe genug, um sie auf Anfang Zwanzig zu schätzen. Ihr Gesicht war entweder von Alkohol oder von Drogen leicht aufgedunsen. Sonst wäre sie eine hübsche Frau gewesen. Dann stand er ihr auf dem Treppenabsatz Auge in Auge gegenüber. Sie lehnte an der halboffenen Tür und bewachte sie.

»Ich suche Marty Lengel«, sagte Scott.

»Weshalb?«

»Rick Thomas wohnt seit einigen Tagen bei ihm.«

»Es gibt keinen ›ihm‹«, erklärte die junge Frau. »Ich bin Marty Lengel.«

Scott war verblüfft; er hatte Marty für einen Männernamen gehalten.

»Rick schläft also bei Ihnen«, stellte Scott fest. »Ich bin mit ihm für zehn Uhr verabredet. Ich bin ein bißchen früh dran, weil ich mit meiner Sache vorankommen möchte.«

»Sie haben also eine Verabredung mit ihm«, wiederholte Marty. »›Hatten‹ wäre der bessere Ausdruck.«

»Ich habe erst gestern nachmittag mit ihm gesprochen. Wir machten aus, daß wir heute zusammenkommen. Er soll morgen aussagen«, ließ Scott nicht locker.

»Er ist nicht hier.«

»Er muß hier sein«, widersprach Scott. »Es geht um etwas sehr Wichtiges. Die Laufbahn einer Ärztin hängt davon ab.«

»Tut mir leid, er ist nicht hier.« Sie schob sich so vor die Tür, daß Scott nicht hineinkonnte.

»Hören Sie, Miß Lengel, ich weiß, wie manche Zeugen sind. Wenn es so weit ist, daß man zum Prozeß geht, bekommen sie Lampenfieber. Es gibt hier nichts, wovor er Angst haben muß, das möchte ich ihm erklären.«

Sie gab nicht nach. Scott tat, als wolle er nach rechts, worauf sie sich ebenfalls nach rechts bewegte; dann machte er rasch einen Schritt nach links und schaffte es beinahe durch die Tür; er stieß nur leicht mit ihr zusammen, während sie wiederholte: »Ich habe Ihnen ja gesagt, daß er nicht hier ist.«

Er war an ihr vorbei und gelangte in das kleine Zimmer. Es war dunkel, die Jalousien waren hinuntergelassen. In einer Ecke stand ein zerwühltes Bett. In der Spüle in der winzigen Kochnische türmte sich schmutziges Geschirr. Ein kleiner ungedeckter Holztisch war von drei einfachen gerade Stühlen umgeben, von denen keine zwei zusammenpaßten. Ihm fiel der Geruch auf, der darauf hinwies, daß hier vor kurzem Marihuana geraucht worden war.

Er sah sich um. Keine Spur von Rick. Sie war verärgert, weil er mit Gewalt eingedrungen war, und freute sich hämisch. »Ich habe Ihnen ja gesagt, daß er nicht hier ist.«

»Ist Ihnen klar, was das für meinen Fall bedeutet? Für eine Ärztin, ihre Laufbahn, ihr Leben?«

»Hören Sie, Mister, Sie gehen mir auf den Wecker. Ich kann nichts dafür. Er verschwand, ohne mir die fünfundfünfzig Dollar zu geben, die er mir schuldig war. Ich bin ein Idiot«, jammerte sie. »Ich hätte ihn nie aufnehmen sollen. Aber er tat mir leid. Vor allem nach Claudia und allem.«

»Haben Sie eine Ahnung, wohin er verschwunden ist?« fragte Scott.

Sie schüttelte den Kopf und versuchte gleichzeitig, ihr schwarzes Haar ein wenig in Ordnung zu bringen.

»Er sagte nichts, erklärte nichts?«

»Ich war nicht einmal zu Hause. Hören Sie, ich kann meine Zeit nicht damit vergeuden, daß ich mit Ihnen streite. Ich muß noch eine Weile schlafen.«

»Geben Sie mir nur ein paar Minuten, es ist wichtig.«

Sie ergab sich mit resigniertem Achselzucken. »Okay, setzen Sie sich.«

Er zog vor stehenzubleiben.

»Hatte Ihnen Rick irgendwas gesagt, als Sie das letzte Mal zusammen waren?«

»Nichts von fortgehen.«

»Hinterließ er eine Nachricht? Deutete er an, daß er fortgehen würde?«

»Nicht die Bohne. Alles, was ich weiß ...« begann sie, überlegte es sich aber wieder und verstummte.

»Alles, was Sie wissen, ist alles, was ich wissen will.«

»Sie sind derjenige, der gestern nachmittag angerufen hat. Das waren Sie, nicht wahr?«

»Ja.«

»Ich hörte, wie er sagte, er würde sich mit Ihnen treffen.«

»Richtig.«

»Dann ruft später, kurz vor sieben, wieder jemand an. Anscheinend kannte er diesen Mann ... Hören Sie, ich kann doch keine Schwierigkeiten bekommen, wenn ich es Ihnen erzähle? Mit dem Gesetz, meine ich.«

»Ich bin Anwalt. Was immer Sie mir erzählen, bleibt streng vertraulich. Darauf gebe ich Ihnen mein Wort.«

Sie wog seine Versicherung ab, dann beschloß sie, mit ihm zu kooperieren. »Er sagte, daß dieser Kerl ihm telefonisch sehr guten Stoff versprochen hatte.«

»Stoff?«

»Kokain. Aber wirklich rein. Ich habe nichts mit Kokain zu

tun. Meine Richtung ist mehr Mexikanisches Gold (sehr reines Marihuana). Aber auf Rick wirkt Kokain wie der Ring in der Nase des Bullen. Damit kann man ihn überallhin bringen. Der Kerl ruft also an und verspricht ihm großartiges Kokain.«

»Und er holte es sich«, schloß Scott.

»Klar. Holte es sich. Und kam nie zurück. Ich habe ihn zum letzten Mal gesehen, als ich zur Arbeit ging. Ich bediene die ganze Nacht in dem kleinen italienischen Lokal in der Fourth Street.«

»Sagte er überhaupt nichts, das ein Hinweis darauf sein könnte, wohin er ging?«

»Nein, er ging einfach fort, das war alles.«

»Haben Sie eine Ahnung, wer der Mann war, der ihn anrief?«

»Er erwähnte einen Namen, aber ich achtete nicht darauf. Ich habe meine eigenen Schwierigkeiten.«

Scott nickte grimmig. Die Hälfte seiner Verteidigung, die entscheidende Hälfte, war ihm unter dem Sitzfleisch weggeschossen worden. Es ging nicht nur darum, daß er nur noch einen Zeugen hatte, sondern seine berufliche Glaubwürdigkeit stand auf dem Spiel. Wenn Hoskins ihn aufforderte, Rick Thomas aufzurufen, würde es bestimmt so aussehen, als hätte er einen Zeugen erfunden. Er bedauerte, daß er den Namen Rick Thomas überhaupt erwähnt oder auf Claudias Drogensucht angespielt hatte.

»Und sonst sagte er nichts?« Scott schloß die katastrophale Unterhaltung ab.

»Nichts«, bestätigte Marty, die es offensichtlich nicht mehr erwarten konnte, wieder ins Bett zu gehen.

Er hatte die Wohnung bereits verlassen und wollte die Treppe hinuntergehen, als ihre Tür wieder aufging.

»O ja, er hat noch etwas gesagt«, begann sie.

»Ja? Was?«

»Etwas darüber, daß er seine Sachen zurückhaben wollte. Ich gab nicht besonders acht.«

»Seine Sachen zurückbekommen«, überlegte Scott. »Die Sachen, die er verlor, als Claudias Vater die Wohnung ausräumen ließ?«

»Ich wüßte nicht, daß er sonst noch was hatte.«

»Kannten Sie Claudia?«

»Sozusagen.«

»Nur sozusagen?« ließ Scott nicht locker.

»Vielleicht mehr als sozusagen. Warum? Worauf wollen Sie hinaus?«

Sie war wieder in der Defensive und hütete sich.

»Nahm sie Drogen?«

»Wie man's nimmt?«

»Was soll das heißen?«

»Es gibt welche, die nehmen Drogen, und welche, die *wirklich* Drogen nehmen. Ich meine wie Rick, der immer high war.«

»Und Claudia?«

»Sie müssen neu in der Szene sein«, bemerkte Marty. »Sonst würden Sie wissen, daß, wenn der erste tief in Drogen drinsteckt, der zweite es genauso macht. So geht das hier.«

»Sagen Sie, Miß Lengel, wenn sie etwas Wichtiges tun könnten, einer jungen Ärztin helfen, sich gegen Claude Stuyvesant zu verteidigen, ihre Karriere retten, wären Sie bereit, das auszusagen, was Sie mir gerade erzählt haben?«

Sie schüttelte entschieden den Kopf. »Ich lasse mich nicht mit dem Gesetz ein, ich nicht.«

»Das hat nichts mit dem Gesetz zu tun. Es ist vor einem Komitee, und es ist eine nichtöffentliche Anhörung.«

»Tut mir leid«, sagte sie. »Hören Sie, ich muß schlafen.«

»Ja, natürlich. Aber falls Sie es sich überlegen – hier ist meine Karte. Ich muß es in vierundzwanzig Stunden wissen.«

»Ich kann es Ihnen jetzt schon sagen. Die Antwort ist nein. Ich bedaure schon, daß ich mich mit einem von Ihnen eingelassen habe. Wer braucht es, daß ein Mann wie Claude Stuyvesant ihm im Nacken sitzt?«

»Wenn Rick zurückkommt…« begann Scott.

»Er kommt nicht zurück«, unterbrach sie ihn.

»Wie können Sie so sicher sein?«

»Ich mochte es von Anfang an nicht, wie dieser Anruf klang. Wenn jemand Rick loswerden will, wäre der einfachste Weg…«

»Ihm so viel reines Kokain zu versprechen, wie er wollte«, schloß Scott.

»Schlimmer«, erklärte Marty, »ihm so viel reines Kokain zu *geben,* wie er wollte. Dafür würde er überall hingehen, alles tun. Und bald damit enden, daß man ihn vor den Notfalleingang eines Krankenhauses legt. Im Koma. Oder schlimmer, an einer Überdosis gestorben.«

»Halten Sie es für möglich, daß Claude Stuyvesant etwas mit seinem Verschwinden zu tun hat?«

»Warum fragen Sie?«

»Es war Stuyvesants Mann, der mit einem offiziellen Dokument in Claudias Wohnung erschien. Sie ausräumte. Auch Ricks Sachen mitnahm.«

»Warum sollte Stuyvesant so etwas tun?«

»Um alle persönlichen Besitztümer, die sie in Verlegenheit bringen konnten, vor den Medien zu verstecken. Wenn der Mann, der anrief, Rick versprach, ihm seine Sachen zurückzubringen, gibt es eine Verbindung.«

Obwohl Scott klar war, was geschehen war, hatte er nur noch eine wichtige Zeugin: Kate.

Aber wie sollte er es ihr beibringen?

Als sie einander wiedersahen, war ihre erste Frage: »Wie ging es mit Rick?«

Er erzählte es ihr mit wenigen Worten, sehr einfach, so undramatisch wie möglich, damit sie sich nicht übermäßig beunruhigte oder gar merkte, wie sehr ihn selbst diese Neuigkeit erschüttert hatte.

Sie sah ihn verblüfft, atemlos an. »Was… was bedeutet das für – ich meine, wie wirkt es sich… O Scott!«

Sie begann zu zittern. Er schloß sie in die Arme, um ihr die Unterstützung zu geben, die sie angesichts dieses schreckliche Schlags brauchte, und um ihr wieder Mut zu machen.

»Und er war so darauf aus, sich an Stuyvesant zu rächen«, sagte Scott.

»Wenn Sie so viele Süchtige gesehen hätten wie ich, würden

Sie wissen, daß die Sucht sie Rache, Posten, Familie, alles vergessen läßt.«

»Anscheinend weiß Stuyvesant das.«

»Rick war der stärkste Teil unserer Verteidigung«, meinte Kate.

»Nicht mehr, nicht mehr«, antwortete Scott, der verzweifelt versuchte, seine verminderten Chancen abzuschätzen.

33

Als die Anhörung am nächsten Morgen eröffnet wurde, rief Scott wie geplant Schwester Adelaide Cronin als Zeugin auf. Sobald sie vereidigt war, stellte Scott die üblichen Fragen nach ihrer beruflichen Ausbildung, ihrem Hintergrund und ihren Aufgaben im City-Krankenhaus. Sie war seit elf Jahren auf der Notfallstation tätig und besaß entsprechend viel Erfahrung. An diesem Samstagabend hatte sie Dienst gehabt. Scott führte sie dann durch die Ereignisse der Nacht und formulierte die Fragen so, daß aus Cronins Antworten klar hervorging, daß Mrs. Stuyvesant tatsächlich eine Behinderung im Untersuchungsraum dargestellt hatte. Aufgrund ihrer Erfahrung war Schwester Cronin der Ansicht, daß Kates Maßnahmen mit der üblichen Praxis im Notfalldienst übereinstimmten. Als Claudia kollabierte, führten Dr. Forrester und Dr. Briscoe alle erforderlichen Maßnahmen durch und verabreichten ihr die entsprechenden Medikamente, so wie die Schwester es in ähnlichen Situationen bei anderen Ärzten gesehen hatte.

Als Scott fertig war und Schwester Cronin Hoskins für das Kreuzverhör überließ, sagte dieser nur: »Keine Fragen.«

Er hob sich seinen Angriff offensichtlich für Kate auf und hatte nicht vor, sich in die Karten schauen zu lassen.

So ähnlich verlief auch die Vernehmung von Schwester Beathard, die Hoskins ebenfalls nicht befragen wollte. Daraufhin rief Scott seinen entscheidenden Zeugen auf: »Ich rufe Dr. Katherine Forrester.«

318

»Was?« bemerkte Hoskins. »Noch immer kein Überra-
schungszeuge? Ich habe geglaubt, daß unsere Neugierde endlich gestillt wird.« Er sprach gerade so laut, daß alle ihn verstanden.

Sobald Kate vereidigt war, betrafen Scotts erste Fragen ihr
Leben auf der Familienfarm, ihre Ausbildung, ihre Leistungen
an der medizinischen Fakultät, ihre Erfahrungen als Praktikantin und dann als Assistenzärztin. Er zielte darauf ab, sie als
intelligente, gefestigte, wohlerzogene, gut ausgebildete Ärztin
darzustellen, die das Vertrauen und die Unterstützung des
Komitees verdiente. Dann kam er auf einige Fälle zu sprechen,
die sie in der fraglichen Nacht behandelt hatte.

Schließlich kam er zu dem Fall Claudia Stuyvesant. Scott
führte Kate langsam durch ihr erstes Zusammentreffen mit der
Patientin und deckte mit jeder Frage neue Einzelheiten auf.
Schwester Cronin hatte Puls, Blutdruck und Temperatur gemessen, und Kate bestätigte ihre Ergebnisse. Sie ließ sich von
Claudia die Krankengeschichte erzählen. Stellte fest, daß die
Anzeichen und Symptome nicht genügten, um zu einer eindeu-
tigen Diagnose zu gelangen, da Claudia Stuyvesants Symptome
für Dutzende Krankheiten typisch waren.

Dann kam Scott zu den Fragen, die im Zusammenhang mit
Claudias Tod standen.

»Haben Sie der Patientin Fragen über ihr Privatleben gestellt,
Frau Dr. Forrester, und wenn ja, warum?«

»Bei einer jungen Frau ihres Alters war es wichtig zu wissen,
ob sie sexuell aktiv gewesen ist und, wenn ja, ob die Regel ausgeblieben war. Die Antworten, die wahrheitsgemäßen Antworten auf diese Fragen hätten wesentlich zu einer endgültigen
Diagnose beitragen können«, erklärte Kate.

»Und was antwortete die Patientin?«

»Wie ich in ihrer Akte vermerkte, war die Antwort in allen
Fällen negativ«, erwiderte Kate. »Falls das Komitee über Kopien der Akte verfügt, werden Sie meine Notizen finden.«

Dr. Ward und Dr. Truscott nickten, um zu zeigen, daß sie die
Akte kannten.

»Gibt es Tatsachen über die Patientin und ihre Beobachtungen, die nicht in der Akte enthalten sind, Frau Doktor?« wollte Scott wissen.

Hoskins hob die Hand und wandte ein: »Mr. Cahill, der Anwalt beeinflußt seine Zeugin.«

»Die Zeugin soll antworten«, entschied Cahill.

»Ich fand, daß mein Verdacht nicht in die Krankengeschichte gehörte«, sagte Kate.

»Verdacht? In welchem Zusammenhang, Frau Doktor?«

»Ich vermutete, daß die Patientin Angst vor ihrer Mutter hatte, die ziemlich verkrampft und reizbar war. Vielleicht erzählte mir die Tochter deshalb nicht die Wahrheit.«

»Wenn ihre Mutter nicht dagewesen wäre oder wenn sie weniger einschüchternd gewesen wäre, so daß Sie wahrheitsgemäße Antworten erhalten hätten, wären Sie dann fähig gewesen, die richtige Diagnose so rechtzeitig zu stellen, daß Sie hätten eingreifen können?«

Hoskins war so schnell auf den Füßen, wie man es von einem Mann seines Umfangs nie erwartet hätte. »Jetzt beeinflußt er nicht nur die Zeugin, sondern sagt auch für sie aus.«

»Beschränken Sie sich auf Fragen, Mr. Van Cleve. Lassen Sie Ihre Zeugin aussagen«, entschied Cahill.

Scott nickte zu der Zurechtweisung. »Entschuldigen Sie, Sir.« Dann wandte er sich wieder Kate zu. »Frau Doktor?«

»Sexuelle Aktivität, ausgebliebene Regel – all das waren wesentliche Fakten für eine Diagnose. Deshalb fand ich, daß sich die Anwesenheit der Mutter negativ auf…«

Claude Stuyvesant erhob sich zu seiner vollen Größe und griff ein. »Herr Vorsitzender, ich erhebe Einspruch dagegen, daß sie dieser Frau, die den Fall meiner Tochter vollkommen falsch behandelte, die an ihrem Tod schuld ist, gestatten, jetzt die Schuld meiner Frau zuzuschieben. Das werde ich nicht zulassen.«

Angesichts ihrer Beziehung erwiderte Mott so formell, wie es ihm möglich war: »Frau Dr. Forrester hat das Recht, sich zu verteidigen, Mr. Stuyvesant. Danach wird es Sache des Komitees sein, ihre Aussage zu wägen und zu entscheiden, ob sie glaubwürdig ist.«

Da Mott damit dem Komitee nahegelegt hatte, Kates Version abzulehnen, wirkte Stuyvesant ruhiger, obwohl er Kate nach wie vor wütend anstarrte.

Scott ging mit Kate rasch die Ereignisse dieser Nacht durch. Sie hatte Claudia eine Blutprobe entnommen und in das Labor geschickt, dann andere Patienten behandelt, bis die Ergebnisse zurückkamen. Als die Berichte des Labors nicht überzeugend waren, hatte Kate den Vorgang wiederholt.

Jetzt kam Scott zu der Aussage, die er für wesentlich hielt. »Haben Sie irgendwann beschlossen, einen zweiten Arzt zuzuziehen, Frau Dr. Forrester?«

»Weil ich den Verdacht hegte, daß die Zeugin schwanger war, hatte ich bereits eine Beckenuntersuchung durchgeführt. Aber da eine ektopische Schwangerschaft nicht die gleichen Anzeichen aufweist wie eine normale Schwangerschaft, waren meine Feststellungen nicht schlüssig. Deshalb ließ ich Dr. Briscoe kommen. Dr. Eric Briscoe.«

»Und was tat er?«

»Er wiederholte die Untersuchung. Mit dem gleichen Ergebnis.«

»Was schlug er vor?«

»Die Laboruntersuchungen wiederholen und auf die Ergebnisse warten. Diese zusätzlichen Untersuchungen unterschieden sich von den ersten, waren aber genauso nichtssagend.«

»Kam dann der Zeitpunkt, zu dem Sie trotz der Behauptung der Patientin, nicht sexuell aktiv gewesen zu sein, beschlossen, einen Schwangerschaftstest vorzunehmen?«

»Ja. Da ich den Antworten mißtraute, beschloß ich, mich selbst zu überzeugen. Um Zeit zu sparen, katheterisierte ich sie, um eine Harnprobe zu erhalten.«

»Hatte jemand etwas dagegen einzuwenden?«

»Ihre Mutter. Als sie begriff, was ich tat, war sie empört.«

»Was genau haben Sie getan, Frau Doktor?«

»Ich führte den im Krankenhaus üblichen Drei-Stufen-Harn-Schwangerschaftstest durch.«

»Und das Ergebnis?«

»Negativ«, mußte Kate zugeben.

»Wie erklären Sie sich das angesichts der späteren Feststellungen des Leichenbeschauers?«

»Kein Test ist hundertprozentig vollkommen.«

»Wann merkten Sie oder Dr. Briscoe zum ersten Mal, wie ernst der Zustand der Patientin geworden war?«

»Briscoe wollte eine Sonde in die Bauchhöhle einführen, um zu sehen, ob eine verborgene innere Blutung vorhanden war, als Schwester Cronin plötzlich meldete, die Patientin habe keinen Puls mehr. Wir begannen sofort mit kardiopulmonalen Wiederbelebungsversuchen, liefen mit ihr in den Erstversorgungsraum und behandelten sie mit allen zur Verfügung stehenden Mitteln. Medikation, Blutinfusionen, chirurgischer Eingriff. Sie starb an elektromechanischer Dissoziation. Wie die ärztlichen Komiteemitglieder wissen, handelt es sich um einen Zustand, bei dem das Herz reflexiv weiterarbeitet, während schwere innere Blutungen das Blut aus dem kardiovaskulären System in den Bauch leiten, so daß das Herz kein Blut mehr bekommt, das es pumpen kann. Und der Patient stirbt.«

»In Anwesenheit von zwei Berufskollegen frage ich Sie jetzt, Frau Doktor, ob Sie beim nochmaligen Lesen der Akte in den Tagen und Wochen, in denen sie den tragischen Fall wieder erlebten, nach reiflicher Überlegung zu der Erkenntnis gelangten, daß Sie jetzt anders vorgehen würden?« Scott hatte Kate gesagt, daß er eine solche Frage stellen würde.

Bei ihrer Antwort erschrak er. »Etwas anders machen? Nein. Aber Schuldgefühle? Ja.«

Nicht nur Stuyvesant, sondern Hoskins und alle drei Komiteemitglieder reagierten überrascht. Truscott hörte auf, seine peinlich genauen Notizen zu machen. Frau Dr. Ward starrte Kate lange an, bevor auch sie sich eine Notiz machte.

Angesichts dieses erschreckenden Geständnisses zwang sich Scott zu fragen: »Was für eine Schuld, Frau Doktor?«

»Ich hoffe, daß ich in meiner medizinischen Praxis nie so weit kommen werde, eine neunzehnjährige Patientin zu verlieren und keinen Anflug von Schuldbewußtsein zu spüren, und zwar sowohl in meinem Namen als auch im Namen meines Berufsstandes. Weil es trotz aller Fortschritte, die wir machen, zu solchen vorzeitigen Todesfällen kommt.«

Scott atmete nur unwesentlich leichter, als er Kate dem Ankläger Hoskins zum Kreuzverhör überließ.

Hoskins griff nach seinem Bündel mit Notizen und trat väterlich lächelnd zur »Sie müssen wissen, Frau Doktor, daß ich alle jungen Ärzte sehr schätze. Die Ausbildung, die Sie ertragen. Die Stunden, die Sie Dienst machen. Die Opfer, die Sie bringen.«

Der Kerl versucht, sie weichzuklopfen, dachte Scott. Hoffentlich fällt sie nicht darauf rein.

»Jetzt wollen wir einmal sehen, ob wir Ihnen bei der Lösung des Rätsels helfen können, was eigentlich im Notfallraum C geschehen ist.« Als hätte ihn ein Blick auf seine Notizen daran erinnert, fragte er: »Verstehe ich richtig – Sie machten in dieser Nacht allein Dienst in der Notaufnahme?«

»Ja, Sir. Dr. Diaz, der außer mir kommen sollte, bekam Grippe. Es gab keinen sofortigen Ersatz.«

»Und Sie trugen die ganze Verantwortung?«

»Ja.«

»Interessant«, bemerkte Hoskins. Das stimmte zwar nicht, aber er versuchte, Kates Konzentration auf die mögliche Bedeutung dieser Bemerkung zu lenken, so daß sie bei weiteren Antworten nicht mehr so beherrscht sein würde. »Sie haben die verschiedenartigen Fälle beschrieben, die Sie in dieser Nacht behandelten, und die allgemein turbulente Atmosphäre. Würden Sie sagen, daß diese Nacht hektischer als eine durchschnittliche Nacht in der Notaufnahme war?«

»Für eine Institution, in der jede Nacht unruhig ist, war die Nacht normal.«

Hoskins lächelte. »Hübsch ausgedrückt, Frau Doktor. Darf ich annehmen, daß dies erklärte, warum Sie die Untersuchung der Patientin Claudia Stuyvesant so lange aufschoben?«

»Sie nehmen falsch an. Ich habe es nicht ›hinausgeschoben‹.«

Scott sah sie vielsagend an. Bleiben Sie cool. Lassen Sie sich nicht von ihm reizen, und geben Sie nichts zu.

»Entschuldigung«, murmelte Hoskins. »Warum hat es dann so lange gedauert, bis Sie sich um sie gekümmert haben?«

»Andere, dringendere Fälle«, erklärte Kate.

»Stimmt es, Frau Doktor, daß Sie, als Sie endlich Zeit fanden, Claudia Stuyvesant zu untersuchen, es nicht taten?«

»Ich habe eine komplette physische Untersuchung durchgeführt«, protestierte Kate.

»Darf ich Ihre Erinnerung auffrischen, Frau Doktor? Laut der Aussage eines früheren Zeugen verließen Sie Claudia beinahe sofort, nachdem Sie gekommen waren, um einen anderen Patienten zu versorgen. Stimmt das?«

»Ein frischer Fall mit alarmierenden Symptomen war eingeliefert worden, und ich mußte mich um ihn kümmern.«

»Alarmierende Symptome?« wiederholte Hoskins.

»Er hatte dicht unterhalb des Brustbeins starke Schmerzen, schwitzte heftig und stand Todesangst aus. Diese Symptome sind bei Herzanfällen klassisch. Die Schwester nahm an, daß er in Lebensgefahr schwebte. Solche Fälle müssen vorgezogen werden.«

»Sie verließen also Claudia Stuyvesant, um sich dem ›dringenderen‹ Fall zu widmen. Was stellten Sie fest?«

»Es stellte sich heraus, daß ein Gallenstein abging, einer der schmerzhaftesten Vorgänge im menschlichen Körper.«

»Und wie verfuhren Sie mit diesem Fall, Frau Doktor?«

»Ich schickte ihn in die Chirurgie hinauf und überließ ihnen die Entscheidung, ob ein chirurgischer Eingriff anzeigt war.«

»Wissen Sie, wie dieser Fall ausging, Frau Doktor?« fragte Hoskins.

»Sobald der Fall in die Chirurgie ging, hatte ich keinen Kontakt mehr mit dem Patienten. Das ist einer der unglücklichen Aspekte der Notfallstation. Man lernt Patienten kennen, behandelt sie, schickt sie weiter oder nach Hause und sieht sie nie mehr wieder. Man erfährt nur selten, was dabei herausgekommen ist.«

»Dann möchte ich Sie darüber informieren, was mit diesem Patienten geschah. Er wurde in der Chirurgie untersucht. Man beschloß, ihn erst zu operieren, wenn sich die Situation geklärt hatte. Und sobald er die hundert Milligram Demerol verschlafen hatte, die Sie ihm verschrieben hatten, wurde er am nächsten Morgen nach Hause geschickt.« Hoskins schwenkte ein Bündel Papiere.

So bedrückend diese Geste auf Kate gewirkt haben mochte, war Scott doch wesentlich beunruhigter über Hoskins letzte verbale Feststellung, denn sie zeigte, wie genau und wie weitgehend der Ankläger jede Einzelheit nicht nur des Falles Stuyvesant, sondern aller anderen Fälle recherchiert hatte, mit denen Kate in dieser Nacht zu tun hatte.

»Um es also zusammenzufassen, Frau Doktor«, fuhr Hoskins fort, »wurde ein Fall, den Sie für wichtiger hielten als den Claudia Stuyvesants, am nächsten Morgen entlassen, während Claudia, die warten mußte, bis es Ihnen paßte, am nächsten Morgen tot war.«

»Einspruch, Mr. Mott«, rief Scott. »Ich erhebe entschieden Einspruch gegen einen so ungerechtfertigten Schluß. Und ich ersuche Sie, beide Ärzte im Komitee zu fragen, was sie unter diesen Umständen getan hätten.«

Mott, der nicht wußte, wie die Komiteemitglieder reagieren würden, zögerte, doch Cahill rettete ihn.

»Es ist nicht notwendig, Herr Vorsitzender, dem Komitee eine solche Frage zu unterbreiten. Ihre Antwort wird aus ihrer endgültigen Meinungsäußerung zu erkennen sein. Mr. Van Cleves Antrag muß abgelehnt werden.«

»Abgelehnt«, stimmte Mott erleichtert zu. »Fahren Sie fort, Mr. Hoskins.«

»Ich zeige Ihnen jetzt eine Fotokopie der Akte des Gallenblasenpatienten und ersuche Sie, die Schrift der ersten Eintragungen zu identifizieren.« Er hielt ihr ein dünnes Bündel Papiere hin.

Kate musterte die Eintragungen und stellte fest: »Das ist meine Schrift.«

»Wir können also daraus schließen, daß Sie, bevor Sie zu Claudia Stuyvesant zurückkehrten, sich die Zeit nahmen, alle diese Eintragungen durchzuführen?«

»Falsch, Sir. Dafür hatte ich keine Zeit. Wir hatten genügend Hinweise über Anzeichen, Symptome usw. auf den Formularen für die Krankheitsgeschichte, um diese Eintragungen vorzunehmen, sobald ich Zeit dazu hatte.«

»Aha«, sagte Hoskins, als hätte er etwas entdeckt. »Also vergeht oft einige Zeit zwischen der Behandlung eines Patienten und dem Ausfüllen der Akte?«

»Manchmal ja, manchmal nein. Das hängt von der Zahl und dem Eintreffen der Fälle ab.«

»Kommt es jemals vor, Frau Doktor, daß Sie vollkommen vergessen, eine Akte anzulegen?«

»Nein.«

»Dann gibt es eine Diskrepanz zwischen Ihrer Aussage und dem, was in jener Nacht wirklich geschah«, bemerkte Hoskins.

Scott hatte sich schon halb erhoben, zwang sich dann aber, sich wieder zu setzen. Er beobachtete Kates Gesicht, um zu sehen, wie sie auf diese seltsame Feststellung reagierte.

Kate dachte über Hoskins' Beschuldigung nach und versuchte, sich daran zu erinnern, ob sie in dieser Nacht einen Fall behandelt und vergessen hatte, eine Akte anzulegen. Unmöglich, schloß sie. Ich schreibe alles auf. Alles.

»Ich habe keine Ahnung, worauf Sie sich beziehen«, antwortete sie.

»Vielleicht klärt sich das etwas später auf.« Hoskins hoffte, daß er sowohl der Zeugin als auch dem Anwalt genügend Ursache gegeben hatte, sich Sorgen zu machen. »Als es Ihnen dann endlich paßte, zu Claudia Stuyvesant zurückzukehren – was fanden Sie da?«

Kate nahm Hoskins das Wort ›paßte‹ übel, beschloß jedoch, den Köder nicht zu schlucken, sondern antwortete freimütig: »Wie ich bereits aussagte, hatte Schwester Cronin ihre Symptome festgehalten – Übelkeit, Erbrechen, Durchfall –, Puls, Blutdruck und Temperatur gemessen und festgestellt, daß sie dehydriert war. Deshalb hatte sie die Patientin an eine Infusion angehängt.«

»Waren Sie damit einverstanden, Frau Doktor?«

»Natürlich.«

»Was taten Sie dann?«

»Um ein Gesamtbild der Patientin zu bekommen, wiederholte ich Puls, Temperatur, Blutdruck. Dann begann ich, mir ihre Krankengeschichte erzählen zu lassen. Die verrät uns oft mehr als das Herunterleiern vom Symptomen.«

»Und hat die Patientin auf Ihre Fragen geantwortet?«

»Ja, aber leider nicht wahrheitsgemäß. Sie leugnete sexuelle Aktivitäten, ausgebliebene Regeln, von denen es aufgrund des Berichtes des Leichenbeschauers mindestens eine hatte geben müssen.«

Während Kate antwortete, begann Hoskins zu nicken, als reagiere sie genauso, wie er es gehofft hatte.

»Ja, ja, Frau Doktor, ich weiß. Wir werden sofort das Spektakel erleben, wie man die Verantwortung für den Tod eines Menschen vom Arzt auf die Mutter abwälzt.«

Scott sprang auf. »Einspruch, Herr Vorsitzender.«

Bevor jemand entscheiden konnte, erwiderte Hoskins: »Ich ziehe die Bemerkung zurück, Herr Vorsitzender. Aber bevor wir das Thema wechseln, würde ich Frau Dr. Forrester eine andere Frage stellen. Gab es eine Zeit, in der Mrs. Stuyvesant das Zimmer verlassen hat?«

»Sie ging einmal zu ihrer Limousine, um zu telefonieren«, erwiderte Kate.

»Da Sie jetzt die Patientin allein und ohne den Einfluß ihrer Mutter hatten, benützten Sie die Gelegenheit, um ihr die sehr persönlichen Fragen zu stellen?«

»Ja, das tat ich.«

»Und was antwortete sie?«

»Sie... sie behauptete weiterhin, daß sie nicht sexuell aktiv gewesen sei und daß keine Regel ausgeblieben war«, mußte

Kate zugeben, fügte jedoch hinzu: »Ich fürchte aber, daß ihr nicht klar war, daß sie sich in Gefahr befand.«

»Die Anwesenheit von Mrs. Stuyvesant war also nicht der entscheidende Faktor, wie Sie behaupten?«

»Claudia hatte schreckliche Angst, daß ihre Mutter alles herausfinden würde, wenn sie die Wahrheit sagte. Ich fand damals, daß sie als Neunzehnjährige, die versuchte, frei und der elterlichen Kontrolle entkommen zu sein, noch immer sehr unreif und verängstigt war.«

»Haben Sie jetzt Ihr Fachgebiet auch auf die Psychiatrie ausgedehnt?« neckte sie Hoskins.

»Es war eine Beobachtung, die ich als Arzt machte«, erwiderte Kate.

»Frau Doktor, ein Mann wie ich läßt sich nicht auf so schwerwiegende Verfahren ein und ersucht um die Streichung einer ärztlichen Lizenz, ohne sich zu vergewissern, daß seine Haltung gerechtfertigt ist. Deshalb habe ich lange über die Auswirkung von Claudia Stuyvesants unwahren Antworten auf den Ausgang dieses Falls nachgedacht. Schließlich mußte ich mich fragen, so wie ich Sie alle jetzt frage: Nehmen wir an, daß Claudia sagte: ›Ja, Frau Doktor, ich bin sexuell aktiv. Ja, meine Regel ist ausgeblieben.‹ Was hätten Sie dann getan?«

»Ich hätte den Schwangerschaftstest früher gemacht.«

»Und dann?« ließ Hoskins nicht locker.

Kate begriff, daß Hoskins sie in eine Falle gelockt hatte, aus der sie nicht entkommen konnte.

»Was läßt Sie annehmen, Frau Doktor, daß Sie ein anderes Ergebnis erhalten hätten, wenn Ihnen der Test früher eingefallen wäre?« beharrte Hoskins.

»Ich ... ich weiß es nicht ...«, mußte Kate zugeben.

»Oder wollen Sie dem Komitee einreden, daß sie weniger gestreßt gewesen wären, wenn Sie den Test eine oder zwei Stunden früher gemacht hätten und daher besser imstande gewesen wären, ihn richtig zu machen?«

»Ich war absolut fähig, den Test durchzuführen«, protestierte Kate.

328

»Wie hätte dann das Ergebnis anders sein können?« wollte Hoskins wissen.

»Ich habe Ihnen schon gesagt, daß ich es nicht weiß«, mußte Kate zugeben.

Er reizte sie und sie schluckt den Köder, dachte Scott. Er mußte eingreifen.

»Mr. Mott, meine Mandantin befindet sich seit einigen Stunden im Zeugenstand. Ich ersuche um eine kurze Unterbrechung.«

Hoskins reagierte mit einem leichten Lächeln auf Scotts Bitte; es war für ihn befriedigend, daß sein Gegner gemerkt hatte, wie effizient sein Kreuzverhör war. Er konnte es sich leisten, großzügig zu sein. »Ich habe keinen Einwand, Herr Vorsitzender. Die Zeugin braucht offensichtlich eine Pause. Ich meine, eine Unterbrechung.« Als er sich abwandte, belohnte ihn ein zufriedenes Nicken von Claude Stuyvesant.

Mott hatte seinen Hammer gehoben, um eine Unterbrechung zu verkünden, als Frau Dr. Ward die Hand hob.

»Ja, Frau Doktor?« fragte Mott.

»Dürfte ich vor der Unterbrechung die Zeugin einem Kreuzverhör unterziehen?«

Scott sprang sofort auf. »Einspruch, Herr Vorsitzender. Ein Mitglied des Komitees, das später über die Beklagte urteilen soll, darf nicht als Ankläger fungieren.«

Cahill tat, als würde er nachdenken, bevor er entschied. »Mr. Van Cleve stellt etwas zur Diskussion, das auf den ersten Blick wie eine interessante Verfahrensfrage aussieht. Das ergibt sich unglücklicherweise aus der falschen Verwendung eines einzelnen Worts durch Frau Dr. Ward. Ich bin davon überzeugt, daß sie ›Kreuzverhör‹ nicht im Sinn der Anklage versteht. Sie wollte sicherlich ›fragen‹ oder ›vernehmen‹ sagen, und sie meinte es ausschließlich als Suche nach der Wahrheit – das ist letztendlich der Grund, warum wir alle hier sind. Habe ich recht, Frau Dr. Ward?«

Gladys Ward nickte knapp.

»Mr. Mott, Sie können Frau Dr. Ward gestatten fortzufahren«, entschied Cahill.

»Nehmen wir an, Frau Dr. Forrester«, begann Gladys Ward, »daß Sie zunächst von der Patientin ehrliche Antworten erhalten hätten. Daß Sie den Harn-Schwangerschaftstest früher gemacht hätten. Und daß das Ergebnis negativ gewesen wäre. Da Sie wissen, wie viele solche Tests prozentual schiefgehen, warum haben Sie dann das Ergebnis als endgültig akzeptiert?«

»Das habe ich nicht getan. Ich habe ein Sonogramm angeordnet«, erwiderte Kate.

»Warum ist in der Akte der Patientin nichts über das Ergebnis erwähnt?«

»Weil das Sonogramm nie gemacht wurde.«

»Warum nicht, um Himmels willen?«

»Die Radiologie teilte mir mit, daß Sonogramme für ektopische Schwangerschaften ebenfalls eine hohe Fehlerquote aufweisen und daß sie deshalb von einem Fachmann gemacht werden müssen. Daß nur Frau Dr. Gladwin berechtigt ist, sie durchzuführen. Diese Ärztin hatte jedoch erst am nächsten Morgen Dienst. Da das Sonogramm nicht gemacht wurde, nahm ich auch keine Eintragung in die Akte vor.«

Obwohl Frau Dr. Ward Kates Erklärung sichtlich akzeptierte, war sie noch nicht am Ende. »Da Sie den Aussagen der Patientin von Anfang an mißtrauten, Frau Dr. Forrester, und daher den Schwangerschaftstest vornahmen, ist mir klar, daß Mrs. Stuyvesants Anwesenheit die Art, wie Sie den Fall behandelten, weder beeinflußte noch veränderte.«

Kate versuchte zu antworten, doch ihre Worte kamen zögernd. »Wenn ich nicht gezwungen gewesen wäre, mich mit ihr auseinanderzusetzen, wäre manches vielleicht anders gekommen.«

»Sagen Sie, Frau Doktor, haben Sie während Ihrer Tätigkeit als Praktikantin oder als Assistentin jemals eine ektopische Schwangerschaft behandelt oder bei einem solchen Fall assistiert?«

»Ektopische Schwangerschaften sind ungewöhnlich, obwohl das heutzutage nicht mehr stimmt...« begann Kate, doch Frau Dr. Ward unterbrach sie.

»Haben Sie jemals einen solchen Fall behandelt oder nicht, Frau Doktor?«

»Ich habe keine ektopische Schwangerschaft behandelt.«

»Dann hielten Sie sich ausschließlich an die Lehrbücher oder an die Behandlung dieses Themas beim Unterricht«, schloß Frau Dr. Ward.

»Ja. Aber in der gleichen Nacht diagnostizierte und behandelte ich einen Fall von Addison-Krankheit, ohne daß ich damit Erfahrung gehabt hatte.«

Gladys Ward antwortete nicht, sondern notierte sich nur etwas auf ihrem Block. Infolge ihrer forschen Haltung und der gerunzelten Stirn nahmen Kate und Scott an, daß diese Notiz für sie nicht günstig war und bei Wards endgültiger Entscheidung eine wichtige Rolle spielen würde.

Mott schlug mit dem Hammer auf den Tisch. »Fünf Minuten Unterbrechung.«

Als Kate den Zeugenstand verließ, war auch Claude Stuyvesant aufgestanden und musterte sie; seine stahlgrauen Augen glitzerten siegesbewußt.

34

Außerhalb des Anhörungsraums steckten Scott und Kate die Köpfe zusammen, und der Anwalt erteilte seiner Mandantin rasch einige Ratschläge.

»Denken Sie an das, was ich gesagt habe…« begann er.

Aber Kate unterbrach ihn. »Ich weiß! ›Schlagen Sie nicht zurück‹! Aber ich kann Hoskins' oder Frau Dr. Wards höhnische Bemerkungen und Andeutungen nicht unwidersprochen lassen! Daran wird mich niemand hindern!«

»Moment, Kate, ich stehe auf Ihrer Seite. Ich bin Ihr Anwalt«, erwiderte Scott, um sie zu beruhigen. Er ergriff ihre Hand. Sie zog sie zurück. »Kate?« fragte er leise. »Fürchten Sie sich?«

»Ich habe eine Heidenangst«, gab sie flüsternd zu; an ihren

Augenlidern zitterten Tränen. »Vor allem nach Frau Dr. Wards Angriff.«

»Es wird nicht leichter werden. Hoskins hat Blut geleckt. Er sonnt sich in Stuyvesants Anerkennung. Jetzt wird er erst richtig loslegen. Halten Sie sich einfach an die Wahrheit. Es ist unsere einzige Chance.«

Sie nickte. Er legte ihr den Finger unter das Kinn und hob ihr Gesicht empor. Er wischte ihr die Tränen von den Augen, bevor sie zu fließen begannen. Dann küßte er sie auf die Lippen. Sie zog sich zurück und sah ihm in die Augen, als wolle sie fragen: Bedeutet es das, was ich annehme? Seine Augen antworteten: Ja, ich meine es ernst.

»Jetzt gehen Sie hinein und stellen sich ihnen«, sagte er.

Hoskins ging mit Kate die Schritte von Claudias Behandlung durch, wobei er sich ständig auf die Akte der Patientin bezog. So sehr er sich bemühte, es gelang ihm nicht, sie bei Erinnerungslücken zu ertappen, durch die sich ihre Aussage von ihren Eintragungen unterschied.

Daraufhin griff Hoskins an einer anderen Front an. »Wieviel Zeit verstrich zwischen den einzelnen Ereignissen und dem Augenblick, in dem Sie die Eintragungen in Claudia Stuyvesants Akte vornahmen?«

»Die Aufträge für ihre Behandlung trug ich sofort in das Auftragsbuch ein. Und alle Beobachtungen ihres Zustands, den Behandlungsplan und so weiter trug ich in die Akte ein, sobald ich konnte.«

»Verlangen die Krankenhausbestimmungen nicht vom Arzt, daß er die Eintragungen in die Akte jedes Mal vornimmt, wenn er den Patienten behandelt?«

»Ja.«

»Doch jetzt erzählen Sie dem Komitee, daß Sie es taten, ›sobald Sie konnten‹«, hielt ihr Hoskins höhnisch vor.

»In der Notaufnahme tut man alles, ›sobald man kann‹. Man scheint nie Zeit zu haben, aber irgendwie schafft man es.«

»Es ist also möglich, daß ein Arzt im Lauf der Zeit Gelegenheit hat, das, was er getan hat, zu überdenken und dann die Eintragungen in die Akte – sagen wir – so zu machen, daß sie mit dem übereinstimmen, was schließlich geschah?«

»Wenn das ein Kommentar ist, weise ich ihn zurück. Falls es eine Frage ist, werde ich sie beantworten.«

Hoskins lächelte. »Es ist ein bißchen beides.«

»Ihre Andeutung, daß ich die Akte benützt habe, um zu rechtfertigen, was ich tat, ist eine Lüge!«

Alle drei Mitglieder des Komitees starrten sie vorwurfsvoll an. Mott wollte sie zurechtweisen, aber sie fuhr fort: »Alles, was ich in die Akte schrieb, stimmt mit dem überein, was ich beobachtete, was ich tat und warum ich es tat.«

»Was ich in der Hand halte, ist also ein Exemplar der vollständigen, genauen Aufzeichnungen im Fall Claudia Stuyvesant von dem Augenblick an, als Sie sie zum ersten Mal sahen bis zum katastrophalen, frühzeitigen Ende?«

»Ja.«

»Ich finde hier eine Notiz, laut der die Patientin einmal so unruhig wurde, daß sie sich die Infusionsnadel aus dem Arm zog«, bemerkte Hoskins. »Geschah das tatsächlich, Frau Doktor?«

»Ja«, gab Kate zu. »Das kommt manchmal bei unruhigen Patienten vor. Vor allem bei Patienten, die Drogen nehmen und zeitweise dazu neigen, überaktiv zu werden.«

Bevor Stuyvesant das Kreuzverhör unterbrechen konnte, sprach der Ankläger schnell weiter, denn er hatte seine Vorgehensweise sorgfältig geplant, und sie funktionierte. »Wir sind wieder bei den unbewiesenen Anschuldigungen gegen die Patientin, oder? Wenn wir jetzt weitermachen können, was geschah, als die Patientin die Nadel herauszog?«

»Ich ging sofort zu ihr, führte die Nadel wieder ein und befestigte sie sicher mit dem Klebeband.«

»Und das war es? Die ganze Episode?«

»Ja«, bestätigte Kate.

Hoskins tat, als studiere er wieder die Akte. Ohne aufzublicken, sagte er: »Sagen Sie, Frau Doktor, wissen Sie noch, wie

Sie erfuhren, daß die Patientin sich die Nadel herausgezogen hatte?«

»Soweit ich mich erinnere, sagte es mir ihre Mutter.«

»Und wo waren Sie zu dem Zeitpunkt?«

»Wo ich war?« Sie versuchte, sich zu erinnern. Als er ihr einfiel, wurde ihr klar, daß eine ehrliche Antwort äußerst belastend klingen würde. Trotzdem antwortete sie: »Ich befand mich im Schwesternzimmer.«

»Und was taten Sie dort, wenn ich fragen darf?«

»Ich war ans Telefon gerufen worden.«

»Von dem Labor? Von der Röntgenstation? Von der internen Station wegen des Herzpatienten, den Sie erwähnt haben?«

»Es stellte sich heraus, daß es ein persönlicher Anruf war.«

»In dem ganzen Durcheinander, in dem Sie die Arbeit von zwei Ärzten taten und so beschäftigt waren, daß sie der sehr kranken Claudia Stuyvesant gerade nur einige Augenblicke Ihres kostbaren Zeit widmen konnten, fanden Sie noch Zeit für ein persönliches Gespräch?« Hoskins' Hängebacken zitterten vor gespielter Empörung.

Kate bemühte sich, nicht die Beherrschung zu verlieren. »Mich rief eine Schwester an das Telefon, die mir sagte, daß es sich um einen Notfall handle. Sobald ich aber feststellte, daß es ein persönlicher Anruf war, beendete ich das Gespräch sofort.«

»Darf ich fragen, mit wem Sie gesprochen haben?« fuhr Hoskins fort.

»Mit einem Bekannten.«

»Sie müssen in einer sehr engen Beziehung zu diesem Mann stehen, wenn er sich berechtigt fühlt, Sie um ein Uhr früh im Krankenhaus anzurufen.«

Scott war sofort auf den Füßen. »Höhnische Andeutungen haben in einem ordentlichen Kreuzverhör nichts verloren, Herr Vorsitzender. Vor allem, wenn sie nichts mit dem hier verhandelten Fall zu tun haben.«

»Entschuldigen Sie, Herr Anwalt, aber in dem Zusammenhang kam es mir wie eine passende Bemerkung vor. Doch ich nehme sie zurück. Können Sie sich erinnern, Frau Doktor, daß

Sie diesem Mann ungefähr gesagt haben: ›Ich hoffe nur, daß ich es bis sechs Uhr schaffe, ohne zusammenzubrechen.‹?«

Kate erinnerte sich erschrocken an die Worte. Sie brachte es nicht fertig, sofort zu antworten, gab aber schließlich zu:

»Ja, ich erinnere mich, etwas Ähnliches gesagt zu haben.«

Bevor Hoskins nachstoßen konnte, hob Frau Dr. Ward den Zeigefinger, um zu unterbrechen. Der Ankläger ließ ihr den Vortritt.

»Hatten Sie tatsächlich das Gefühl, Frau Dr. Forrester, daß Sie einem Zusammenbruch nahe waren?«

»Es war nur eine Redewendung«, versuchte Kate zu erklären. »Ich war müde. Zu diesem Zeitpunkt hatte ich schon viele Stunden ununterbrochen Dienst gemacht.«

»Alle Ärzte haben als Praktikanten und Assistenten diese langen, harten Dienstzeiten durchgemacht. Aber wenn Sie wirklich annahmen, daß Sie im Begriff waren zusammenzubrechen, wie konnten Sie dann rechtfertigen, daß Sie die Patienten weiterhin behandelten?«

»Ich habe schon gesagt, daß es nur eine Redewendung war, wie sich herausstellt, eine unglücklich gewählte. Aber um auf Ihre Frage zu antworten, wenn ich das Gefühl gehabt hätte, keine gute medizinische Betreuung mehr durchführen zu können, hätte ich um Ablösung ersucht.«

Während Frau Dr. Ward sich wieder eine Notiz machte, ergriff Hoskins die Gelegenheit, die ihm die Frage bot.

»Würden Sie sagen, Frau Dr. Forrester, daß eine Ärztin, die einen schweren Schlag auf den Kopf erhält, unter Umständen nicht mehr arbeitsfähig ist?«

»Es hängt davon ab, wie heftig der Schlag war, aber es ist möglich.« Kate verstand den Zweck dieser Frage nicht.

»Angenommen, es war ein heftiger Schlag, könnte dadurch ein Arzt ›unfähig werden, gute medizinische Betreuung zu bieten‹?«

Scott mischte sich ein. »Herr Vorsitzender, eine solche hypothetische Frage hat keinen Bezug zu dieser Anhörung.«

»Mr. Hoskins?« fragte Mott.

»Ich bin sicher, daß Frau Dr. Forrester mir bald den Bezug liefern wird.« Er wandte sich wieder Kate zu. »Es stimmt doch, Frau, Doktor, daß Sie in eine körperliche Auseinandersetzung mit dem empörten Vater eines Patienten gerieten? Und diese Auseinandersetzung führte dazu, daß Sie einen schweren Schlag auf den Kopf erhielten.«

»Ach, das – das läßt sich leicht erklären.«

»Dann erklären Sie es bitte, Frau Doktor«, sagte Hoskins sarkastisch.

»Eine Mutter hatte ein beinahe komatöses Kind zu uns gebracht. Ich vermutete Kindesmißhandlung und beschloß, die Kleine im Krankenhaus zu behalten. Dann erschien der Vater; er war entschlossen, das Kind mitzunehmen, offensichtlich um die Mißhandlung zu verbergen. Ich weigerte mich, ihm das Mädchen zu übergeben. Er griff mich an, ich wehrte mich, und er schleuderte mich gegen die Wand. Ja, ich erhielt einen Schlag gegen den Kopf.«

»Einen ›schweren‹ Schlag, Frau Doktor?«

»Ich würde mich darauf beschränken, daß er schmerzte.«

»Schwer genug, um eine Gehirnerschütterung zu verursachen?«

»Nein.«

»Schwer genug, um Schwindel zu verursachen?«

»Vielleicht einen Augenblick lang.«

»Aber Sie fanden nicht, daß das Grund genug war, Sie ablösen zu lassen?«

»Ich dachte nur daran, das Kind zu schützen. Und das tat ich.«

»Und sie behandelten die Patienten weiter, als wäre das nie geschehen.«

»Ja.«

»Patienten wie Claudia Stuyvesant?«

»Wenn Sie damit andeuten wollen, daß ich nicht voll einsatzfähig war, während ich sie behandelte, dann irren Sie sich, Sir!«

Hoskins wechselte unbeeindruckt Thema und Inhalt seiner Fragen.

»Ist Ihnen der juristische Ausdruck ›selbstnützende Erklärung‹ geläufig?«

»Ungefähr.«

»Würde ich diesen Begriff zu weitgehend auslegen, wenn ich behaupte, daß Claudia Stuyvesants Akte eine selbstnützende Erklärung ist?«

»Sie enthält einen wahren, genauen Bericht über ihren Fall. Alles, was ich fand, alles, was ich tat«, protestierte Kate.

»Laut dieser Akte machten Sie alles richtig, schenkten dem armen Mädchen alle Aufmerksamkeit, die sie brauchte, rechtzeitig, auf äußerst professionelle Weise.«

»Ja!« Kate gab nicht nach.

»Doch in dieser Akte steht nichts über die Tatsache, daß Sie die Behandlung von Claudia Stuyvesant unterbrachen, um sich um einen anderen Patienten zu kümmern«, stellte Hoskins fest.

»Ich habe schon zu dem Gallensteinfall ausgesagt.«

»Ich beziehe mich auf einen anderen Fall, zu dem es kam, nachdem Sie sich endlich entschlossen hatten, Claudia Stuyvesants Fall zu behandeln...«

»Ich hatte viele Fälle«, unterbrach ihn Kate.

»Der eine, auf den ich mich beziehe, betrifft einen älteren Mann, der keine – wie waren noch Ihre Worte? – ›alarmierenden Symptome‹ einer lebensbedrohenden Krankheit aufwies, die eine sofortige Behandlung erforderte. Eigentlich wies der Mann überhaupt keine echten Symptome auf. Dennoch widmeten Sie ihm relativ viel Zeit. Und dies, obwohl eine Schwester sie darauf aufmerksam machte, daß er ein Obdachloser war, der Schutz vor dem Regen suchte.«

»Er war ein in Not geratenes menschliches Wesen«, erwiderte Kate.

»Eine Ärztin, die so sehr mit Fällen überlastet war, daß sie laut ihren eigenen Worten fürchtete zusammenzubrechen, stahl kranken Patienten ihre Zeit, um sich mit einem Mann zu befassen, der nicht einmal krank war?«

»Draußen regnete es, nein, es schüttete. Er hatte kein Zuhause und war hungrig. Er wußte nicht, wohin er sich wenden sollte.

Sobald ich ihn sah, erkannte ich an seinen vorgetäuschten Symptomen, wie verzweifelt er war.«

»Und aus reiner Herzensgüte nahmen Sie sich nicht nur die Zeit, ihn zu untersuchen…«

»Ich mußte mich vergewissern, daß seine Symptome nicht gefährlich waren.«

»Und nicht nur das – Sie nahmen sich auch die Zeit, dafür zu sorgen, daß er etwas zu essen bekam.« Hoskins Anklage war nicht nur voller Sarkasmus, sondern auch voller Gift.

»Da ich aus einer kleinen Gemeinde komme, kann ich mich nicht daran gewöhnen, wie Menschen in dieser Stadt behandelt werden. Niemand kümmert sich um sie. Sie werden in ein hoffnungsloses, einsames Dasein gedrängt. Eremiten inmitten einer Millionenstadt. Zufällig bin ich der Ansicht, daß Arztsein mehr beinhaltet, als Medikamente zu verschreiben und Operationen durchzuführen.«

Hoskins nickte skeptisch. »Gewiß ein sehr edles Gefühl. Aber stimmt es vielleicht nicht, Frau Doktor, daß Sie mit Angelegenheiten, die nichts mit den Ihnen zugewiesenen Pflichten zu tun hatten, kranken Patienten die Pflege nahmen, auf die sie Anspruch hatten? Und in Claudia Stuyvesants Fall mit tödlichem Ausgang?«

»Das ist eine Lüge«, setzte Kate sich zur Wehr.

»Ist nicht der wahre Grund, aus dem Sie bestrebt waren, Mrs. Stuyvesant aus dem Zimmer zu schaffen, daß sie nicht Zeugin der unangemessenen und nachlässigen Behandlung werden sollte, die Sie ihrer Tochter angedeihen ließen?«

»Sie hätte zusammen mit den Familienmitgliedern aller übrigen Patienten im Warteraum sitzen sollen. Ihre Anwesenheit behinderte die Behandlung.«

»Ja, ja, das wissen wir«, machte sich Hoskins über ihre Antwort lustig. »Ich hatte angenommen, daß Frau Dr. Ward diese Behauptung zur Zufriedenheit des Komitees zerpflückt hat. Ich glaube sogar, daß wir alle genug gehört haben.«

»Ich jedenfalls nicht.« Kate erhob sich trotz Scotts verzweifelter Gesten, die sie beruhigen sollten, aus dem Zeugenstuhl.

Sie sah ihn herausfordernd an, bevor sie sich an das Komitee wandte.

»Das alles ist für Sie, Mr. Hoskins, und Sie, Frau Dr. Ward, gut und schön. Sie sitzen hier in der Ruhe eines Anhörungsraums und beurteilen, was ich in einer Nacht tat, in der die Fälle schneller hereinkamen, als sie versorgt werden konnten.

Aber es ist etwas ganz anderes, dort zu sein und die Lage zu meistern. Sehen Sie alle Fälle durch, die ich in dieser Nacht behandelt habe. Fälle, bei denen die Chirurgen und Kardiologen, die sie übernahmen, später meine Beurteilung bestätigten. Ich entschuldige mich nicht für meine Handlungen in dieser Nacht. Erhielt Claudia Stuyvesant all die Zeit und die Aufmerksamkeit, die ihre Mutter für sie forderte? Nein. Erhielt sie all die Zeit und Aufmerksamkeit, die ihr Gesundheitszustand anscheinend erforderte? Ja!«

Kate drehte sich um, um auch Claude Stuyvesant einzubeziehen. »In der Nacht, in der ich hörte, wie Mrs. Stuyvesant sagte ›Er wird mir die Schuld geben‹, hätte ich wissen müssen, daß sie vor ihm Angst hatte.«

Claude Stuyvesant wurde vor Zorn und Empörung krebsrot.

Mott schlug mit seinem Hammer auf den Tisch, um Kate zu unterbrechen. »Frau Doktor! Frau Dr. Forrester! Mr. Van Cleve, bitte rufen Sie Ihre Klientin zur Ordnung!«

Aber Scott traf keine Anstalten einzugreifen.

Kate fuhr fort: »Er war es, vor dem Claudia Stuyvesant in Wirklichkeit Angst hatte. Nicht vor ihrer Mutter, sondern vor der Tatsache, daß sie es ihm erzählen würde. Er ist der Grund, warum seine Tochter mich anlog. Wenn Sie jemandem die Schuld an ihrem Tod geben wollen, dann ihm!«

Mott versuchte noch immer, sie zu übertönen. »Frau Dr. Forrester! Ihre Bemerkungen sind unangebracht. Sie werden sofort aufhören! Sofort, hören Sie mich?«

Nachdem Kate alles gesagt hatte, was sie sagen wollte, und noch ein bißchen mehr, sank sie vor Zorn zitternd in den Zeugenstuhl.

Dr. Truscott schüttelte ernst mit dem Kopf.

»Da ich Sie im Fernsehen gesehen habe, bin ich nicht überrascht«, bemerkte Frau Dr. Ward. Sie wandte sich an den Verwaltungsbeamten. »Was ist bei diesem Punkt der Anhörung das übliche Verfahren, Mr. Cahill?«

»Da alle Aussagen gemacht wurden, ist es üblich, beiden Anwälten einige Tage Zeit zu geben, damit sie ihre endgültigen Argumente zurechtlegen. Sobald das Komitee sie gehört hat, muß es abstimmen.«

»Kann ich annehmen, daß ich am Montagmorgen meinen regelmäßigen Operationsstundenplan wieder aufnehmen kann?«

»Ganz bestimmt, Frau Doktor«, erwiderte Cahill.

»Offen gesagt, könnte ich jetzt abstimmen und uns allen sehr viel Zeit ersparen.«

Mott nickte und wandte sich an Scott. »Ist Ihre Mandantin bereit weiterzumachen, Herr Anwalt?«

»In einem Augenblick, Sir.«

»Mr. Hoskins?« fragte Mott. »Noch Fragen?«

»Ich finde, daß die Beklagte uns alles gesagt hat, was wir wissen müssen. Ich bedaure nur, daß sie es für notwendig hielt, solche Anschuldigungen zu erheben, um ihr Verhalten in jener Nacht zu rechtfertigen. Ich habe keine Fragen mehr an sie.«

Hoskins verließ seinen Platz, ging zu Claude Stuyvesant und flüsterte: »Ich bedaure diesen unglückseligen Angriff, Sir.«

»Mir ist nur eines wichtig: Ich will, daß dieser jungen Frau verboten wird, jemals wieder den Arztberuf auszuüben.«

»Nach Dr. Wards soeben erfolgter Erklärung zweifle ich nicht am Ergebnis«, versicherte ihm Hoskins.

Im Anhörungsraum und später im Fahrstuhl wechselten Kate und ihr Anwalt keine Worte. Erst als sie die Straße hinuntergingen, sprach Kate.

»Es tut mir leid«, war alles, was sie sagte.

»Es ist schon okay.« Er versuchte, den durch ihren Ausbruch entstandenen Schaden zu minimieren.

»Ich habe Ihre ganze schwere Arbeit zunichte gemacht. Aber ich mußte es aussprechen.«

340

»Sie hätten mir von dem Streit mit dem prügelnden Vater erzählen sollen. Ich war vollkommen überrascht.«

»Da es dem Kind jetzt besser geht und es sich in guten Händen befindet, spielt es keine Rolle.«

»Alles spielt jetzt eine Rolle. Sogar der Alte, der aus dem Regen hereinkam.«

»Was erwarten Sie von mir? Mich nicht um ihn zu kümmern? Einen nassen, hungrigen alten Mann?«

»Sie haben gesehen, wie Hoskins einen ehrenhaften Impuls zu einer Anklage verdrehte. Übrigens, Sie haben mir nie von dem Anruf erzählt«, sagte er vorwurfsvoll.

»Das war Walter. Und ich wurde ihn so rasch wie möglich los.«

»Es ist eine sehr intime Beziehung, nicht wahr?« fragte Scott.

»Walter hat zuviel in sie hineingelegt, viel zuviel«, wich Kate aus.

Statt auf ein Thema einzugehen, das Kate offensichtlich vermeiden wollte, sagte Scott: »So verhielt sich auch Hoskins. Jetzt müssen wir alle kleinen Ablenkungen vergessen und feststellen, was heute geschehen ist. Unsere Passiv- und unsere Aktivposten abschätzen.«

»Von letzteren haben wir anscheinend nur sehr wenige«, erwiderte Kate.

»Deshalb rät man jungen Anwälten, die Fakten zu zerschlagen, wenn das Gesetz gegen uns ist. Wenn die Fakten gegen uns sind, dann müssen wir auf das Gesetz einschlagen.«

»Und wenn Gesetz und Fakten gegen uns sind?«

»Dann schlagen wir auf den Tisch«, erwiderte Scott. »Aber dafür brauche ich Munition.«

35

Als Kate und Scott in die Wohnung zurückkehrten, hatte Rosie bereits den Kaffee gebrüht.

»Wie ist es gegangen?« rief sie von der Küche aus.

»Leider nicht gut«, erwiderte Kate.

»Aber auch nicht schlecht.« Scott versuchte, ihr Mut zu machen.

Kates blaue Augen widersprachen ihm so deutlich, daß er zugeben mußte: »Nein, nicht sehr gut. Auf dem Weg hierher habe ich die ganze Zeit versucht, aufgrund der Zeugenaussagen mein Schlußplädoyer zu entwerfen. Ich versuchte, mir gegenüber genauso hart zu sein wie das Komitee. Vor allem die beiden Ärzte. So wie ich es sehe, ist Mott eine Karte, die man beim Bridge abwerfen würde, weil man sie sicherlich verliert. Ich setzte also auf Truscott und Ward. Aber Ward hat heute ihre Karten aufgedeckt. Sie steht eindeutig nicht auf unserer Seite. Wodurch Truscott automatisch kompensiert ist. Denn wenn Mott und Ward gegen uns sind, zählt Truscott nicht mehr. Deshalb hängen unsere Chancen, Kates Chancen, davon ab, was ich sagen kann, um Ward umzustimmen. Ihr seid Frauen und Ärztinnen. Versetzt euch an Wards Stelle. Was würde Euch überzeugen?‹

Rosie sprach als erste. »Der Schwangerschaftstest.«

Scott unterbrach sie. »Frau Dr. Ward sagte, Kate hätte ihn nicht als endgültig akzeptieren sollen.«

»Sie hat ihn ja nicht akzeptiert«, wandte Rosie ein. »Sie ordnete ein Sonogramm an. Das konnte erst in zwei Tagen gemacht werden.«

»Gibt ein Arzt daraufhin auf?« Scott ging zwischen den beiden Frauen auf und ab.

»Ich gab nicht auf! Ich ordnete einen Blutserums-Schwangerschaftstest an. Aber es dauert zu lange, bis man die Resultate hat.«

»Gab es irgendeinen anderen Weg, auf dem Sie zu der Diagnose hätten gelangen können?«

»Ektopische Schwangerschaften sind schwer zu entdecken«, bemerkte Rosie. »Und wenn eine Patientin leugnet, sexuell aktiv zu sein, wenn ihre Regel ausgeblieben ist, wenn der Schwangerschaftstest negativ ausfällt – wie weit kann dann eine Ärztin gehen, wenn sie nur einen Verdacht hegt?«

»Wollen Sie damit sagen, daß die meisten Ärzte nicht imstande gewesen wären, diese Diagnose zu stellen?« fragte Scott.

»Die meisten, vielleicht sogar alle. Sehr oft kann man bei einer Beckenuntersuchung die Veränderungen nicht ertasten.«

Scott war frustriert und dachte laut. »Man kann sie nicht immer ertasten. Die Tests zeigen sie nicht immer an. Außerdem kann die Patientin den Arzt irreführen, indem sie ihn anlügt. Ich habe den Eindruck, daß nicht die Patientin das Opfer des Arztes ist, sondern der Arzt das Opfer der Patientin. Trotzdem...« Scott blieb stehen und wandte sich den beiden Frauen zu. »Von dem Augenblick an, als ich hörte, daß Drogen Claudias Schmerzen so sehr verschleiern konnten, daß sie verblutete, ohne daß die Schmerzen ein Warnsignal waren, ging mir diese Tatsache nicht aus dem Kopf.«

»Was stört Sie daran?« fragte Kate. »Es stimmt.«

»Sie war neun Stunden lang im Krankenhaus. Die Wirkung der Drogen hätte doch während der Zeit abklingen müssen?«

»Sie vermuten, daß sie sie nahm, bevor sie ins Krankenhaus fuhr«, meinte Kate.

»Falls sie sie nahm, konnte sie es zum letzten Mal tun, bevor sie ins Krankenhaus fuhr.«

»Nicht unbedingt«, bestritt Kate. »Manchmal bringen sie die Drogen mit.«

»In das Krankenhaus?«

»O ja«, bestätigte Rosie. »Ich habe sie erwischt. Kate auch. Sie verstecken sie in ihren Taschen, Handtaschen, BHs, Frisuren. Der Erfindungsreichtum eines verzweifelten Drogenabhängigen kennt keine Grenzen.«

»Versetzen Sie sich in Claudias Situation«, sagte Kate. »Sie ist so verängstigt, daß sie ihre Mutter anruft, die sie seit Monaten gemieden hat. Weil sie weiß, daß sie krank ist. Vielleicht spürt sie sogar, wie krank. Dadurch wird das Bedürfnis nach Drogen noch stärker. Außerdem fährt sie in ein Krankenhaus und weiß nicht, ob sie dort Medikamente bekommen wird. Um sich zu stärken, nimmt sie also eine besonders große Dosis, bevor sie ins Auto steigt. Zur Sicherheit versteckt sie weitere Drogen an sich. Und sie schluckt sie, wann immer sie Gelegenheit dazu hat. Ihr ist nie die Gefahr bewußt, in die sie sich bringt, indem sie die Ärztin belügt.«

»Mann o Mann, wenn es nur eine Möglichkeit für die Ärzte gäbe, ihre Patienten wegen Kunstfehlern zu verklagen«, bemerkte Scott. Dann dachte er nach. »Moment mal ...«

»Ich weiß, was Sie sagen wollen: Wie konnte sie die Mittel nehmen, wenn ihre Mutter dabei war?« unterbrach ihn Kate. »Ihre Mutter hätte nie ausgesagt, daß sie gesehen hat, wie ihre Tochter Drogen nahm. Außerdem gab es mindestens eine Gelegenheit, bei der Mrs. Cronin, ich und Mrs. Stuyvesant gleichzeitig nicht im Zimmer waren.«

»Als Mrs. Stuyvesant dazukam, wie Sie mit Walter telefonierten«, bemerkte Scott mit einem Anflug von Eifersucht. »Ja. Claudia hätte etwas nehmen können, ohne daß es jemand merkte.«

»Dann haben wir es«, erklärte Rosie sichtlich erleichtert.

»Leider nicht«, widersprach Scott. »Es ist eine vernünftige Annahme, über die man diskutieren kann. Bis auf eines: Wir können noch immer nicht beweisen, daß sie Drogen nahm. Wie wichtig ich Ricks Aussage vorher nahm – jetzt könnte sie entscheidend sein. Ohne ihn könnten wir Frau Dr. Ward nicht umstimmen – unmöglich.«

Kate zitierte, was Rick gesagt hatte: »›Sie hatte immer ein Dutzend Rezepte von verschiedenen Ärzten. Valium, Darvon, Robaxen, Barbs ... was immer man will ...«

»›... sie hatte es‹, beendete Scott das Zitat. »Das hat Rick gesagt.«

»Er sagte außerdem: ›Deshalb wollte sie auch nicht, daß ich sie ins Krankenhaus bringe‹«, fuhr Kate fort.

»Und als ich ihn fragte, warum, sagte er: ›Wenn sie entdeckten ...«

»›... daß sie etwas nahm, wollte sie nicht, daß ich in Schwierigkeiten geriet‹«, ergänzte Kate. »Das ist es. Der Beweis, daß sie nicht nur Drogen nahm, sondern daß sie auch welche ins Krankenhaus mitnahm.«

»Warum hätte sie sonst angenommen, daß Rick dort Schwierigkeiten bekommen konnte? Klingt perfekt«, stellte Rosie fest. »Ihr habt eure Beweise.«

»Nur stimmt etwas daran nicht«, wandte Scott ein. »Kate und ich können nicht aussagen.«

»Warum nicht? Wir haben beide gehört, wie Rick es sagte«, beharrte Kate.

»Dadurch wird es zu einer Zeugenaussage vom Hörensagen. Cahill würde es nie zulassen. Und selbst wenn er es täte, würde das Komitee annehmen, daß wir beide es erfunden haben. Genau wie sie jetzt davon überzeugt sind, daß es nie einen Rick Thomas gegeben hat.«

Scott begann wieder, auf und ab zu gehen.

In ihrer Verzweiflung fragte Rosie: »Verbringen eigentlich alle Anwälte ihre ganze Zeit damit, wichtige Zeugenaussagen aus dem Verfahren herauszuhalten?«

»Vielleicht… vielleicht müssen wir nicht aussagen«, meinte Kate.

Scott sah sie verständnislos an, aber Rosie platzte sofort heraus: »Rezepte.«

»Was ist mit Rezepten?« fragte Scott.

»Schmerzstillende Mittel, Beruhigungsmittel, Barbiturate, Drogen wie die, die Claudia nahm – die darf ein Arzt nur auf einem bestimmten Formular in dreifacher Ausfertigung verschreiben.«

»Ein Rezept in dreifacher Ausfertigung…« Scott überlegte. »Na und?«

»Eine Kopie geht an das staatliche Gesundheitsamt in Albany«, erklärte Kate. »Damit der Staat Ärzte überprüfen kann, die solche Rezepte zu häufig ausstellen. Oder Apotheken, die für einen entsprechenden Betrag zu viele Formulare ausfüllen. Und vor allem werden Patienten unter Kontrolle gehalten, die von einem Arzt zum anderen gehen, um zu Drogen zu gelangen, und von vielen Ärzten Rezepte bekommen, so daß keiner von ihnen einen Verdacht hegt.«

»Solche Drogenabhängigen wissen genau«, warf Rosie ein,

»wie man die Symptome vortäuscht, die jeden Arzt überzeugen, so daß er ein schmerzstillendes Mittel oder ein Beruhigungsmittel verschreibt.«

Scott begann, die einzelnen Teile des Puzzles zusammenzusetzen. »Wenn Claudia das getan hat, und Rick behauptet es, dann muß es in Albany eine Aufzeichnung darüber geben. Lassen Sie mich Ihr Telefon benützen.«

Während Kate und Rosie neben ihm standen, um ihm jede medizinische Information zu liefern, die er vielleicht brauchte, verbrachte Scott die nächsten eineinhalb Stunden am Telefon und sprach mit dem staatlichen Gesundheitsamt in Albany. Zuerst sprach er mit der Computerabteilung. Wurde mit der Rechtsabteilung verbunden, dann mit einem weiteren Büro. Und noch einem Büro. Jedes Mal erklärte er detailliert, daß er der Anwalt von Dr. Katherine Forrester sei, die in einer Anhörung des Staatlichen Ausschusses die Beklagte war. Jede dieser Erklärungen löste die gleiche Reaktion aus: »Tut mir leid, Herr Anwalt, aber ich bin nicht berechtigt, so streng geheime Aufzeichnungen freizugeben.«

Jedes Mal riet man ihm, sich an die nächsthöhere Dienststelle zu wenden. Was er tat, immer mit dem gleichen Resultat. Die Information war so vertraulich, daß man sie nicht an einen Außenstehenden weitergeben konnte. Auch nicht an einen Anwalt? Auch nicht an einen Anwalt.

Scott arbeitete sich so lange durch die Hierarchie hinauf, bis er endlich mit dem Büro des Gesundheitskommissars verbunden wurde. Zum ersten Mal fühlte er sich ermutigt, als der Kommissar seine Erklärung unterbrach, indem er bemerkte: »Ersparen Sie mir die Einzelheiten, Herr Anwalt, ich kenne den Fall Forrester.«

»Dann muß Ihnen bewußt sein, Kommissar, daß diese Information für meine Verteidigung lebenswichtig ist«, stellte Scott siegessicher fest.

»Ich zweifle nicht daran, daß sie nützlich wäre. Leider sind die Informationen, die Sie suchen, so streng geheim, daß sie nicht herausgegeben werden können.«

»Aber es muß doch einen Weg geben ...« begann Scott zu protestieren.

Doch der Kommissar beendete den Streit mit einem kurzen: »Es ist nach siebzehn Uhr, Herr Anwalt. Dieses Büro ist geschlossen!«

Bevor Scott antworten konnte, legte der Kommissar auf. Er mußte Kate und Rosie nicht erklären, daß es ein Fehlschlag gewesen war.

»Gibt es etwas, das Sie tun können?« fragte Rosie.

»Ja. Denken. Ich brauche Zeit, um zu denken!«

Damit verabschiedete er sich und ging.

Scott hatte sich seine Strategie erst um vier Uhr früh zurechtgelegt. Er wußte, daß er es vor dem für sein Schlußplädoyer festgesetzten Tag schaffen mußte, wenn er Kates Karriere retten wollte.

Als Vorsitzender Clarence Mott im New Yorker Büro des Staatlichen Ausschusses für Professionelles Ärztliches Verhalten eintraf, war er übelgelaunt und rebellisch. In dem Augenblick, in dem er Hoskins' Büro betrat, fragte er: »Wer zum Teufel hat diese Sitzung einberufen? Wir haben uns gestern ausdrücklich geeinigt: zwei Tage Pause vor den Schlußplädoyers. Ich habe Pläne gemacht und Tickets für einen Flug nach Florida.«

»Van Cleve«, antwortete Hoskins.

»Was ist mit ihm?«

»Er hat um eine Sitzung am heutigen Tag ersucht – nein, darauf bestanden.«

»Weiß Claude von dieser Entwicklung?« fragte Mott.

»Ich hielt es nicht für ratsam, solange wir nicht wissen, was zum Teufel Van Cleve vorhat.«

»Und Cahill?«

»Ist gerade jetzt von Albany hierher unterwegs. Er müßte jeden Augenblick eintreffen.«

»Was hat Van Cleve Ihrer Meinung nach vor?«

»Keine Ahnung. Aber er klang am Telefon sehr drohend.«

»Wir werden es bald genug erfahren«, tröstete sich Mott.

Kevin Cahill traf bald ein; er war atemlos und schwitzte, weil er von der Station ins Büro gelaufen war. Er ärgerte sich genauso wie Mott darüber, daß er an dieser nicht vorgesehenen Sitzung teilnehmen mußte. Die drei ließen sich nieder und warteten darauf, daß Van Cleve zu Mittag eintraf.

»Gentlemen«, begann Scott, »ich muß ein wichtiges Ansuchen stellen, ohne das ich die Interessen meiner Klientin nicht gebührend vertreten kann.«

»Ich kann es mir denken«, griff Mott ein. »Sie brauchen mehr Zeit, um Ihren imaginären Zeugen zu finden.«

»Ich brauche nicht mehr Zeit, sondern die Kooperation des Komitees.«

»Kooperation?« fragte Hoskins mißtrauisch. »Was für eine Kooperation?«

»Ich brauche Zugang zu bestimmten Aufzeichnungen«, verkündete Scott.

»O nein«, lehnte Hoskins sofort ab. »Wenn Sie glauben, daß ich die Akten unseres Untersuchungskomitees freigebe, irren Sie sich, Mister. Gründlich.«

»Ich will mehr«, erklärte Scott.

Mott sah Hoskins an, Hoskins warf Cahill einen Blick zu, der junge Cahill starrte einfach, ohne zu reagieren.

Schließlich fragte Hoskins. »Was heißt ›mehr‹, Van Cleve?«

»Ich möchte, daß das staatliche Gesundheitsamt mir alle Aufzeichnungen über alle von allen Ärzten dieses Staates für Claudia Stuyvesant ausgestellten Rezepte zur Verfügung stellt.«

»Aha!« war Motts Reaktion auf Scotts Ansuchen. »Ich wußte es. Es hat nie eine Person namens Rick Thomas gegeben. Das war nur ein Rauchvorhang, um diesen Anspruch geltend zu machen. Die Antwort lautet Nein!«

Hoskins, der genauso mißtrauisch war, sich genausogern hämisch gefreut hätte, konnte sich wesentlich besser beherrschen als Mott. Er fragte sehr ruhig: »Ist Ihnen bewußt, Van Cleve, daß diese Aufzeichnungen überaus vertraulich sind? Daß es dem staatlichen Gesundheitsamt verboten ist, sie zu enthüllen?«

»Das ist genau der Grund, warum ich Ihre Kooperation brauche«, sagte Scott.

»Meine bekommen Sie nicht«, antwortete Mott rasch.

»Meine auch nicht«, fügte Hoskins hinzu. »Nachdem Sie mit der Rick-Thomas-Masche keinen Erfolg hatten, wollen Sie, daß wir in das staatliche Gesundheitsamt gehen und die Aufzeichnungen verlangen? Halten Sie uns für verrückt?«

Scott war auf diese Weigerung gefaßt und griff jetzt nach einem gesetzlichen Argument. Er ignorierte Mott und Hoskins und wandte sich an Cahill, der bis jetzt nichts gesagt hatte.

»Als Verwaltungsbeamter bei dieser Anhörung ist es Ihre Pflicht, Cahill, bei allen gesetzlichen Fragen zu entscheiden.«

»Ja«, erwiderte Cahill vorsichtig und wartete auf Scotts nächsten Zug.

»Sagen Sie mir, ob die Staatsanwaltschaft bei einem Kriminalfall gezwungen ist, dem Verteidiger alle in ihrem Besitz befindlichen entlastenden Beweise vorzulegen?«

»Natürlich«, bestätigte Cahill, erklärte jedoch blasiert: »Aber was Sie anfordern, befindet sich nicht im Besitz des Komitees. Daher kann es Ihrem Ansuchen nicht stattgeben.«

Mott und Hoskins nickten grinsend, um Cahills Erklärung zu unterstützen.

»Es befindet sich sehr wohl in Ihrem Besitz«, widersprach Scott. »Dieses Komitee ist ein Arm des staatlichen Gesundheitsamtes. Und das Gesundheitsamt verwahrt die Aufzeichnungen, die ich haben möchte. Genaugenommen befinden sie sich also in Ihrem Besitz. Ich verlange, daß Sie und ich, Mr. Cahill, nach Albany fahren und einen Blick auf diese Aufzeichnungen werfen. Wenn sie enthüllen, was ich annehme, werde ich Kopien verlangen, um sie dem Komitee bei meinem Schlußplädoyer vorzulegen.«

»Also hören Sie, Van Cleve«, begann Mott, aber Cahill griff ein.

»Moment mal, alle, Moment mal!« erklärte er, nahm seine

juristische Haltung an und fuhr fort: »Wir stehen hier einer gesetzlichen Frage von beachtlichem Gewicht gegenüber. Es stimmt, daß der Ankläger in einem Kriminalfall verpflichtet ist, dem Verteidiger alle Beweise zur Verfügung zu stellen, die dieser im Lauf des Prozesses verwenden wird, darunter alle entlastenden Beweise.«

»Genau!« bestätigte Scott.

»Doch es handelt sich hier nicht um ein Kriminalverfahren«, fuhr Cahill fort.

»Wenn die berufliche Laufbahn eines Arztes in Frage gestellt wird, gilt dafür das gleiche Gesetz«, protestierte Scott. »Die Folgen dieser Anhörung sind für die Beklagte genauso schwerwiegend wie für einen Angeklagten.«

»Kein Kriminalprozeß, keine Enthüllung«, entschied Cahill. »Und ich bezweifle, daß Sie einen ähnlichen Fall finden werden, in dem ein Richter entschieden hat, daß wir verpflichtet sind, Ihnen solche vertraulichen Aufzeichnungen zur Verfügung zu stellen.«

»Es muß aber ...« begann Scott.

»Wenn Sie einen solchen Fall finden können, werde ich ihn gern in Betracht ziehen. Aber bis dahin halte ich an meiner ursprünglichen Entscheidung fest.« Um weniger voreingenommen zu wirken, schloß Cahill: »Wenn Sie solche Aufzeichnungen vorlegen können, werden wir sie in die Beweisaufnahme einbeziehen. Das ist das Beste, das wir tun können, Mr. Van Cleve.«

Scott verabschiedete sich rasch und ging.

Sobald er fort war, fragte Mott: »Ist das wahr?«

»Was?«

»Wenn er solche Aufzeichnungen entdeckt, sind wir dann verpflichtet, sie zuzulassen?«

Cahill beruhigte ihn. »Deshalb müssen wir uns keine Sorgen machen. Er wird sie nie bekommen. Es wäre aber nett, wenn wir Mr. Stuyvesant sehr elegant wissen lassen, wie wir seine Interessen heute und hier verteidigt haben.«

Scott kehrte in sein Büro zurück und begann mit den Notizen für sein Schlußplädoyer. Es war spät am Nachmittag. Da er das Schreibpersonal nicht einsetzen durfte, mußte er mit zwei Fingern selbst auf seinem kleinen Computer tippen, der noch nicht aus seinem Büro entfernt worden war. Er hatte sich vor dem elektrischen Wunder nie wohl gefühlt und hatte nicht gelernt, alle seine Funktionen auszunützen. Aber was er konnte, genügte, um seine Rohnotizen mit den unvermeidlichen Korrekturen auszudrucken.

Er begann, Sätze und Schlüsselworte, die er in seinem Schlußplädoyer verwenden wollte, einzugeben: eine Anhörung, die nie hätte stattfinden dürfen... unfair, den Arzt für die Fehler des Systems zu bestrafen... die Ärztin arbeitete so gut wie möglich unter unmöglichen Umständen... man wirft der Ärztin die natürliche Erschöpfung vor, die eine Folge unzulässig langer Anwesenheit und des Stresses ist... die Ärztin wird in diesem Fall für das Versagen eines Tests zur Verantwortung gezogen, von dem wir alle wissen, daß er nicht vollkommen ist...

Je öfter er das Wort Ärztin tippte, desto seltsamer erschien es ihm auf dem grünen Bildschirm. Ärztin. Ärztin.

Verdammt, nein, dachte er, nicht Ärztin, Katherine Forrester. Kate. Und er wußte, warum es ihm so schwerfiel, seine Gedanken zusammenzuhalten. Weil diese Gedanken und Sätze allein sie nicht von den gegen sie erhobenen Vorwürfen reinwaschen würden. Er tat nur so, als ob. Machte sich Notizen, die sogar für ihn hohl klangen. Notizen, die eine so anspruchsvolle Frau wie Dr. Gladys Ward bestimmt nicht überzeugen würden. Sie hatte die falschen Testergebnisse, auf die sich die Verteidigung berief, praktisch ausgelöscht. Die lange Zeit und die schwierigen Bedingungen, unter denen Kate Claudia Stuyvesant hatte behandeln müssen, hatten sie nicht beeindruckt. Nicht einmal der klare Beweis dafür, daß Claudia die Ärztin irregeführt hatte, indem sie log, spielte für Frau Dr. Ward eine Rolle.

Das Ganze lief auf folgendes hinaus: Eine ektopische Schwangerschaft, die vor der Ärztin durch Lügen verborgen und zusätzlich durch die Unterdrückung des einzigen Symptoms verschleiert wurde, das den gefährlichen Zustand der Patientin enthüllt hätte: Schmerzen.

Je sachlicher Scott sein Schlußplädoyer analysierte, desto klarer wurde ihm, daß es die genaue Prüfung durch die beiden Ärzte im Komitee nicht überstehen würde, solange er Claudias Drogenabhängigkeit nicht beweisen konnte.

Mit dieser Tatsache vor Augen löschte er den Text auf dem Bildschirm und begann von vorn.

36

Nachdem Scott die ganze Nacht mit einem Dokument gekämpft hatte, das jede Sekretärin in einem Zehntel der Zeit getippt hätte, war er mit seiner Arbeit zufrieden. Er sah zu, wie die Seiten aus dem Drucker flossen. Als er alle beisammen hatte, heftete er sie in die übliche blaue Mappe ein. Er sah auf die Uhr. Es war noch nicht acht. Kate würde jetzt aufstehen und ins Krankenhaus fahren. Sie bestand darauf, sich an den Tagen, an denen die Anhörung unterbrochen war, sich zu ihrem Dienst bei Dr. Troy zu melden.

Scott wählte ihre Nummer. Es läutete viermal. Er befürchtete schon, daß er sie verpaßt hatte. Aber während des fünften Läutens meldete sie sich atemlos.

»Kate?«

»Ich kam gerade aus der Dusche, als ich das Telefon hörte. Was ist los? Weitere schlechte Nachrichten?«

»Ich möchte mich mit Ihnen treffen.«

»Heute morgen? Wo?«

»Oberster Gerichtshof des Distrikts New York. Nehmen Sie die Independent-U-Bahn bis zur Station Chambers Street. Dann fragen Sie irgendwen, wo sich der Oberste Gerichtshof befindet. Man wird es Ihnen erklären. Und Sie werden es erkennen. Es ist das Gebäude, das man so oft im Fernsehen sieht. Mit der breiten Steintreppe, die zu der Reihe von hohen Säulen führt, und der Inschrift ›Die Wahrung des Rechts ist die stärkste Säule einer guten Regierung‹. Wir werden heute morgen herausfinden, ob diese Worte dort ernst genommen werden. Wir treffen uns dort. Vor 9.30 Uhr.«

Scott stand auf der obersten Stufe des Gerichtsgebäudes und beobachtete die Straße unter ihm. Als er Kate entdeckte, winkte er, um ihre Aufmerksamkeit auf sich zu lenken, aber sie sah ihn nicht. Er bewunderte die Art, wie sie die Treppe hinaufging, fest, entschlossen. Diese Eigenschaft liebte er an ihr. Sie wirkte zierlich und entwaffnend weiblich, aber sie war eine zielstrebige Frau, die die Prinzipien und Gewohnheiten ihrer Familie und ihres Hintergrunds übernommen hatte.

Als Kate zu den obersten Stufen und dem Portikus hinaufblickte, wo die Worte über die Gerechtigkeit in den verwitterten Stein gehauen waren, entdeckte sie Scott, der ihr winkte. Während sie hinaufstieg, bewunderte sie seine hohe schlanke Gestalt. Er sah ihrem Vater auf den alten Fotos ähnlich, die ihre Mutter sorgfältig in das Familienalbum geklebt hatte. Trotz aller Sorgfalt waren die Aufnahmen verblaßt. Doch Kate fand die Ähnlichkeit frappant. Natürlich war ihr Vater in den letzten Jahren etwas schwerer geworden. Nie fett oder nachlässig, nur reifer. Würde Scott einmal auch so aussehen? Doch bevor sie zu einer Entscheidung gelangte, befand sie sich auf der obersten Stufe und fragte: »Was tun wir hier?«

»Wir suchen einen Richter auf«, entgegnete Scott.

»Wozu?«

»Das werden Sie sehen.« Er ergriff ihre Hand und marschierte in das Gerichtsgebäude.

»Richter Wasserman befindet sich in einer Besprechung«, erklärte die dicke bebrillte Sekretärin entschieden.

»Wir werden warten«, sagte Scott.

»Er muß sehr bald in den Gerichtssaal«, verkündete die Frau, was hieß, daß der Richter an diesem Vormittag keinen jungen, nicht vorgemerkten Anwalt empfangen würde.

»Wir warten«, gab Scott nicht nach. »Es ist wichtig.«

Seine Hartnäckigkeit veranlaßte die Sekretärin, ihren Blick von Scott zu der sehr hübschen jungen Frau neben ihm und zurück wandern zu lassen. In ihren Augen lag Verblüffung, als sie rief: »Das ist die Spitze! Wenn Sie hierhergekommen sind, um sich von dem Richter trauen zu lassen, dann geben Sie die Hoffnung auf. Richter Wasserman traut nur Kinder guter Freunde. Oder Broadway-Berühmtheiten. Aber nie Fremde. Sie vergeuden also beide Ihre Zeit.«

»Meine liebe Dame, wir sind nicht hier, damit uns der Richter traut. Ich möchte eine einseitige Petition um eine Verfügung zur Einsichtnahme in gewisse staatliche Aufzeichnungen vorlegen.«

»Lassen Sie die Petition hier, und ich zeige sie dem Richter, nachdem er von der Sitzung kommt.«

»So lange können wir nicht warten«, erklärte Scott.

»Das werden Sie aber müssen.« Die Sekretärin schob die Brille mit der schweren Fassung und den dicken Gläsern zurecht, eine entschiedene, ungeduldige Geste, zu der sie oft griff, wenn ihr Verdruß das normale Niveau überschritt. Die Sekretärinnen von Richtern waren wegen ihres sehr niedrigen Toleranzpegels berüchtigt; er war meist niedriger als der des Richters.

In diesem Augenblick wurde die Tür zum Zimmer des Richters aufgestoßen. Zwei Männer und zwei Frauen, offensichtlich Mandanten und Anwälte, kamen zornig heraus. Sie gingen zur Eingangstür – die beiden Frauen, Anwältin und Mandantin zuerst, die beiden Männer, Anwalt und Mandant, dicht hinter ihnen. Bevor sich die äußere Tür schloß, kam aus dem Zimmer die zornige Stimme von Richter Emile Wasserman.

»Freda! Wie oft muß ich es Ihnen sagen? Keine ehelichen Güterstreitigkeiten als ersten Fall am Morgen. Verdirbt mir den ganzen Tag!«

Freda Baumgartner wandte sich Scott und Kate zu; ihr Gesichtsausdruck sagte deutlich: Seht ihr, ich meinte es ernst, er ist nicht in der Stimmung, um jemanden ohne Termin zu empfangen. Um sicher zu sein, daß Scott und Kate es hörten, verkündete Freda laut: »Richter, hier sind zwei Leute, die Sie wegen einer einseitigen Petition sprechen möchten. Aber sie haben keinen Termin.«

Bevor der Richter ihnen verbieten konnte einzutreten, war Scott aufgesprungen und an der offenen Tür.

»Euer Ehren, die Laufbahn einer Ärztin steht auf dem Spiel. Der Zeitfaktor ist wesentlich. Sie werden es selbst sehen, wenn Sie uns die Chance geben, es Ihnen zu erklären.«

»›Uns‹?« wiederholte der Richter. »Eine einseitige Petition, kein gegnerischer Anwalt, und Sie brauchen Hilfe, um es darzulegen – das muß ich sehen.«

Scott bedeutete Kate, zu ihm zu kommen. Sie gingen gemeinsam an der mißbilligenden Freda Baumgartner vorbei und betraten Richter Wassermans Zimmer.

Richter Emile Wasserman saß in Hemdsärmeln und aufgeknöpfter Weste am Schreibtisch – seine übliche Aufmachung, bevor er in den schwarzen Richtertalar schlüpfte. Doch das Fehlen seiner formellen Kleidungsstücke verringerte keineswegs seine richterliche Ungeduld. »Also gut, ich habe keine Zeit. Ich muß in den Gerichtssaal, um den Geschworenen Rechtsbelehrung zu erteilen.«

»Euer Ehren, ich vertrete eine Ärztin, die zur Zeit vom Ausschuß für Professionelles Ärztliches Verhalten einer Anhörung unterzogen wird.«

Wasserman unterbrach ihn. »Als sie ›uns‹ sagten, Herr Anwalt, nahm ich an, daß Sie Ihren Stellvertreter meinen. Aber mußten Sie zur moralischen Unterstützung Ihre Sekretärin mitbringen?«

»Nein, Euer Ehren, Sie ist die angeklagte Ärztin.«

»Sie…« begann der Richter, dann unterbrach er sich und starrte Kate an. »Wie kommt es, daß heutzutage jeder Polizist und jeder Arzt, den ich kennenlerne, wie ein Kind aussieht, das gerade die High School hinter sich hat? Offenbar werde ich alt. Sie ist also die Ärztin.«

»Und sehr gut ausgebildet, Euer Ehren«, unterbrach Kate das

Gespräch. »Universität von Illinois. Mit Auszeichnung! Medizinische Fakultät der Universität von Iowa. Zweite beim Abschluß meines Jahrgangs!«

»Oho!« rief Wasserman, »Temperament hat sie auch.«

Scott errötete verlegen. Es wäre ihm lieber gewesen, wenn Kate nicht so energisch mit dem Mann gesprochen hätte, von dessen Entgegenkommen alles abhing.

»Entschuldigen Sie, Euer Ehren.« Kate versuchte, den Schaden wiedergutzumachen.

Wasserman war anscheinend nicht besänftigt, denn er wandte seine gesamte Aufmerksamkeit Scott zu. »Sprechen Sie weiter, Herr Anwalt. Aber brauchen Sie nicht den ganzen Tag dazu.«

Scott schilderte so kurz wie möglich die Ereignisse, die zur Anhörung geführt hatten, einschließlich der Weigerung von Hoskins und Cahill, ihm bei der Beschaffung der vertraulichen Akten vom staatlichen Gesundheitsamt behilflich zu sein. Dann legte er dem Richter die Verfügung zur Unterschrift vor, die die Petition begleitete.

Während Wasserman die Papiere überflog, sah er über sie hinweg Kate und Scott an. »Etwas an der Geschichte kann ich nicht verstehen, Herr Anwalt. Wieso sind Sie unter allen Richtern im Haus ausgerechnet auf mich verfallen?«

Scott dachte über den schmeichelhaftesten Grund nach, den er erfinden konnte, dann beschloß er, den Rat zu befolgen, den er Kate immer gab -- sag die Wahrheit.

»Weil Sie ein Einzelgänger sind, Euer Ehren.«

Wasserman ließ das Dokument sinken; sein Blick forderte eine Erklärung.

»Da ich keinen Fall kannte, bei dem jemand Zugriff auf diese Aufzeichnungen beantragt hatte, brauchte ich einen Richter, der sich nicht darauf beschränkt, das Gesetz anzuwenden, sondern bereit ist, das Risiko einzugehen, daß er überstimmt wird, wenn er sich über die Präzedenzfälle hinauswagt und Gerechtigkeit höher stellt als das Gesetz.«

»Eine sehr hübsche Schmeichelei, junger Mann«, sagte Wasserman.

356

»Aber es ist wahr«, erwiderte Scott.

»Das nehme ich an«, gab Wasserman widerstrebend zu.

»Aber Sie sehen, was es mir einbringt. Solche Petitionen. Wir müssen also die Laufbahn dieser jungen Frau retten.« Er wandte sich Kate zu. »Sagen Sie mir ehrlich, Frau Dr. Forrester, fragen Sie Ihr Gewissen: Haben Sie Ihrer Meinung nach dem Stuyvesant-Mädchen die beste Behandlung zuteil werden lassen, die einem Arzt möglich war?«

»Unter diesen Umständen und aufgrund der mir zur Verfügung stehenden Informationen tat ich, was jeder gute Arzt getan hätte.«

»Möchten Sie noch etwas sagen, bevor ich entscheide?«

»Ja, Euer Ehren«, erwiderte Kate. »Es handelt sich nicht nur um eine gerichtliche Verfügung, die wir Sie bitten zu unterschreiben, sondern um mein Leben. Ich bin dazu geboren, als Ärztin Kranke zu heilen.«

Wasserman nickte nachdenklich und griff nach dem Füllfederhalter. Bevor er die Verfügung unterschrieb, sagte er: »Sie werden nie erraten, Herr Anwalt, was mich überzeugt hat. Ihre Schilderung der Rolle, die Claude Stuyvesant in der Geschichte spielt. Er ist genau diese Art von Hurensohn. Es ist an der Zeit, daß ihn jemand zwingt, sich den unangenehmen Wahrheiten in seinem Leben zu stellen.«

Nachdem Wasserman unterschrieben hatte, hielt er Scott die Dokumente hin. »Hier. Jetzt sehen Sie zu, daß Sie nach Albany kommen. Nehmen Sie sich die Aufzeichnungen. Und reiben Sie sie Stuyvesant unter die Nase.«

Sie rannten die Treppe des Gerichtsgebäudes hinunter, als Scott fragte: »Haben Sie gehört, was sie sagte?«

»Wer?«

»Freda, Wassermans Sekretärin. Sie nahm an, daß wir uns vom Richter trauen lassen wollten.«

Kate antwortete nicht, während sie auf ein freies Taxi zuliefen.

»Grand Central Station«, befahl Scott, während er einstieg.

Die hohen Zwillingstürme des Rockefeller Einkaufszentrums beherrschten die Stadt und das Land ringsum. Kate und Scott erblickten sie, als sie von der Station an der Oberfläche gelangten. Das Einkaufszentrum enthielt die meisten Dienststellen des Staates New York und auch diejenige, in der die Unterlagen, die sie suchten, aufbewahrt wurden.

Sie fanden die entsprechenden Büros des staatlichen Gesundheitsamtes. Scott reichte Richter Wassermans Verfügung der für die Drogenaufzeichnungen zuständigen Frau. Sie warf einen Blick darauf, sah die beiden an, las dann die Verfügung vorsichtig, sah die beiden mißtrauisch an und sagte: »Da muß ich mich erkundigen.« Damit verschwand sie.

Scott und Kate warteten ungeduldig.

»Sie können die Verfügung eines Richters nicht mißachten, oder?« fragte Kate.

»Man kann nie vorhersagen, was ein Bürokrat tun wird«, meinte Scott.

Die Frau kehrte in Begleitung eines Mannes zurück, der die Verfügung in der Hand hielt und sich ungeduldig und verärgert bewegte, als wäre seine gemütliche Kaffeepause plötzlich unterbrochen worden.

»Sie haben das vorgelegt?« fragte er Scott.

»Ja. Jetzt möchten wir die Aufzeichnungen durchsehen, auf die sich Richter Wassermans Verfügung bezieht.«

»Ich habe noch nie eine solche Verfügung gesehen«, stellte der Mann fest.

»Dann ist es eben das erste Mal«, meinte Scott.

»Ich werde es lieber mit der Rechtsabteilung besprechen.«

»Hören Sie, Sir, das ist eine von einem Richter des Obersten Gerichtshofs unterschriebene Verfügung. Es ist unbedingt notwendig, daß Sie sie sofort befolgen. Die Zeit ist wesentlich. Wir müssen morgen früh bei einer Anhörung in New York sein.«

»Ich glaube trotzdem, daß ich es überprüfen sollte ...« begann der Mann.

»Wie heißen Sie, Mister?« Scott zog Stift und Notizblock aus der Tasche.

»Was hat mein Name damit zu tun?« wollte der Mann wissen.

Scott beschloß, es mit der Wahrheit nicht ganz genau zu nehmen. »Richter Wasserman hat mich autorisiert, denjenigen, der diese Verfügung nicht befolgt, darauf aufmerksam zu machen, daß er eine Vorladung wegen Mißachtung des Gerichts gegen jeden Staatsbeamten erlassen wird, der sich weigert, diese Verfügung auszuführen. Und er ist ein harter Richter«, improvisierte Scott, um noch mehr Druck auszuüben.

Der Mann überdachte die Drohung kurz, dann gab er nach. »Kommen Sie mit.«

Innerhalb einer halben Stunde befand sich ein Ausdruck aller Drogen betreffenden Rezepte für ›Stuyvesant, Claudia‹ in Scotts und Kates Händen. Er verließ sich auf ihre medizinischen Kenntnisse.

»Hier steht Dr. Eaves. Mehr als nur einige Male. Und jede Menge Ärzte – Tompkins, Henderson, Goldenson, Fletcher, Davidoff, Crane, Grady, Fusco, Alberts…«

»Die arme Claudia ist offensichtlich viel herumgekommen, was?« bemerkte Scott.

»Das mußte sie, wenn man die Zahl und die Vielfalt von Drogen in Betracht zieht.« Kate begann zu zitieren: »Dalmane, Pentobarbital.«

»Die Gelben, auf die sich Rick bezogen hat«, fiel Scott ein.

»Amobarbital.«

»Sind das die Blauen?« fragte Scott.

»Ja. Und Amobarbital-Secobarbital, die Regenbogen. Es ist alles da. Alles, was er sie nehmen sah. Aber wichtiger sind die da.« Kate lenkte Scotts Aufmerksamkeit auf die letzten beiden Zeilen des Ausdrucks. Er sah sie an.

»Was ist an diesen so wesentlich oder so anders?« fragte Scott.

»Diese Rezepte wurden ausnahmslos während der letzten beiden Wochen ihres Lebens ausgestellt. Percodan. Kodein. Benzodiazepin. Das ist Valium. Sie muß schwer von ihnen beeinträchtigt gewesen sein, als man sie in das Krankenhaus brachte.«

»Und vermutlich nahm sie von diesen Mitteln auch welche in die Notaufnahme mit«, wurde Scott klar. »Genügen sie, um ihre Schmerzen zu verschleiern?«

»Wenn Sie die synergistische Wirkung dieser zugleich geschluckten Drogen bedenken, und dazu Kokain, hätten sie die intensivsten Schmerzen überdecken können«, erklärte Kate.

»Mann, sie zappelte tatsächlich an der Leine.« Scott hatte Mitleid mit der jungen Frau.

»Solche Fälle jagen mir eine Gänsehaut über den Rücken, wenn ich höre, daß die Leute Kokain als ›Entspannungsdroge‹ bezeichnen. Genausogut können sie Selbstmord als Entspannungsaktivität sehen«, antwortete Kate.

Während der zweistündigen Rückfahrt nach Manhattan studierte Scott Claudias Drogengeschichte, stellte seine Strategie zusammen und legte sich seine Argumente zurecht, damit die Aufzeichnung als Beweismittel zugelassen wurde. Dann mußte er sich über die wirksamste und dramatischste Verwendung der Aufzeichnung klarwerden, um die beiden Ärzte im Komitee davon zu überzeugen, daß im Fall Katherine Forrester nicht der Arzt, sondern die Patientin schuld war. Selbst mit diesem neuen Beweismaterial würde es schwierig sein, Dr. Gladys Ward umzustimmen.

Als der Zug an Harmon vorbeikam und das letzte Stück der Strecke nach Manhattan begann, blickte Scott auf und fragte: »Ist es medizinisch gesehen möglich, Kate, daß eine dieser Drogen oder eine Kombination aus mehreren Claudias Schmerzen so weit unterdrücken konnte, daß ihr Zustand viel harmloser wirkte, als er war?«

»Das steht fraglos fest«, erklärte diese. »Ich kann es bezeugen.«

»Das wird nicht gehen«, widersprach Scott. »Aussagen über Ansichten müssen von einem unabhängigen Fachmann kommen.«

»Dr. Troy wird uns bestimmt helfen«, schlug Kate vor.

»Ich brauche jemanden, dem man nicht vorwerfen kann, daß er Ihnen gegenüber voreingenommen ist. Troys Einführungsbrief und charakterliche Beurteilung zeigen, wie er Ihnen gegenübersteht. Nein, wir brauchen jemand anderes, vor allem jemanden, den ich nicht stundenlang vorbereiten muß.«

Er schwieg den Rest der Fahrt und war tief in Gedanken versunken. Obwohl Kate neugierig war, überließ sie ihn seinen Überlegungen. Als der Zug in den Tunnel einfuhr, durch den sie innerhalb weniger Minuten zum Grand Central gelangen würden, erkannte sie an seinem Gesichtsausdruck, daß er sich entschieden hatte.

Während sie aus der Station auf die Zweiundvierzigste Straße traten, sagte Scott: »Ich muß alles, was man über ektopische Schwangerschaften lernen kann, wissen, über die Bedeutung des Schmerzes bei einer solchen Diagnose, über die Wirkung von Drogen auf Schmerz, Symptome und Laborergebnisse. Und all das muß ich morgen sehr früh wissen!«

Während des restlichen Abends unterrichtete Kate mit Rosies Hilfe Scott bis in die Nacht hinein, als wäre er ein Student im ersten Semester. Sie nahmen sich keine Zeit für eine Pause.

Während Rosie Schwangerschaften und ektopische Schwangerschaften beschrieb, kochte Kate Kaffee. Als Kate Hinweisen in ihren verschiedenen Lehrbüchern nachging, machte Rosie die Sandwiches. Bei Kaffee und Sandwiches überhäuften sie Scott mit den Einzelheiten, an die sie sich von ihren Kursen in der Geburtshilfe und infolge ihres Dienstes in dieser Abteilung des Krankenhauses erinnerten. So ging es über sechs Stunden lang. Scott fragte, Kate und Rosie unterrichteten ihn. Dabei machte sich Scott ständig Notizen über die gelernten Fakten und gleichzeitig darüber, wie er sie juristisch verwerten könnte.

Schließlich lehnte er sich erschöpft zurück. »Ich habe, seit ich für die Aufnahmeprüfung in die Anwaltsvereinigung lernte, keine solche Nacht mehr erlebt. Jetzt muß ich nach Hause gehen und das alles in juristische Munition verwandeln.«

»Falls während der Arbeit noch Fragen auftauchen, rufen Sie mich an. Ganz gleich, wie spät es ist«, wies Kate ihn an.

»Machen Sie sich keine Sorgen. Ich tue es.«

Er nahm seine Notizen, die vier Lehrbücher von Rosie und Kate und ging.

Sobald er fort war, sagte Rosie: »Ich weiß nicht, wie du darüber denkst, Kate, aber ich mag diesen Mann. Ich habe großes Vertrauen zu ihm.«

»Ich auch.«

»Magst du ihn? Oder hast du Vertrauen zu ihm?« fragte Rosie.

»Von beidem sehr viel. Ich hoffe nur, daß das, was er im Geist vor sich sieht, funktioniert. Beinahe ebensosehr für ihn wie für mich. Denn er nimmt seinen Beruf als Anwalt genauso ernst wie ich meinen als Ärztin.«

37

Als Kate und Scott den Anhörungsraum betraten, sahen sie sich unmittelbar mit Claude Stuyvesant konfrontiert. Er stand neben seiner Frau, die am Ende von Hoskins' Beratertisch Platz genommen hatte. Offensichtlich hatte Nora Stuyvesant darauf bestanden, am letzten Tag dabeizusein.

Während Scott die Papiere und Bücher zurechtlegte, die er heute verwenden wollte, bemerkte er, daß zwar Dr. Truscott in seinem Stuhl saß und mit drei neuen Notizblocks sowie einem halben Dutzend gespitzter Bleistifte bewaffnet war und daß Mott und Hoskins in einer Ecke mit Cahill sprachen, daß aber Dr. Gladys Ward noch fehlte. Mott, der darüber offenbar sehr beunruhigt war, versuchte, gleichzeitig zu dem zu nicken, was Hoskins sagte, und auf seine Uhr zu sehen.

Da kam eine Sekretärin mit einem Zettel auf Mott zu. Er warf einen Blick darauf und verkündete dann erleichtert: »Ich habe gerade erfahren, daß Frau Dr. Ward unterwegs ist.«

Neun Minuten später betrat Gladys Ward den Raum mit

raschen Schritten und erklärte kurz: »Patientin mit postoperativen Komplikationen.« Sie nahm Platz, stellte ihre Handtasche ab, setzte die schön gefaßte Brille auf und war bereit.

Mott eröffnete das Verfahren. »Da alle Zeugenaussagen erfolgt sind, ist dieses Komitee bereit, die Plädoyers zu hören. Mr. Van Cleve für die Beklagte zuerst.«

Scott erhob sich langsam; ihm war klar, daß er mit dem, was er zu sagen hatte, einen Aufstand entfesseln würde.

»Statt mein Plädoyer zu halten, Herr Vorsitzender, ersuche ich, die Anhörung wieder aufzunehmen.«

»Wieder aufnehmen?« riefen Hoskins und Cahill gleichzeitig.

Hoskins fuhr fort: »Einspruch, Herr Vorsitzender. Der Verteidiger der Beklagten hatte ausreichend Gelegenheit, seinen Fall vorzutragen und alle Zeugen aufzurufen, die er wollte. Das jetzt wieder aufzunehmen wäre vorschriftswidrig. Äußerst vorschriftswidrig. Ich verlange eine Entscheidung, Mr. Cahill!«

Mott und Scott sahen zu dem Verwaltungsbeamten hinüber. Cahill sagte tadelnd: »Mr. Van Cleve, es gibt einen einzigen Grund, warum eine Anhörung in diesem Stadium wieder aufgenommen werden kann. Neue Beweise.«

»Ich besitze neue Beweise«, sagte Scott, ohne näher darauf einzugehen. »Außerdem möchte ich einen neuen Zeugen aufrufen.«

»Neue Beweise?« wiederholte Cahill, »und ein neuer Zeuge? Ich hoffe, daß wir es nicht wieder mit einem Unsichtbaren wie Rick Thomas zu tun haben.«

»Diesmal steht der Zeuge zur Verfügung«, antwortete Scott.

»Und woraus bestehen die neuen Beweise?« wollte Mott wissen.

»Das wird sich während der Aussage des Zeugen herausstellen.«

Der verwirrte Mott erklärte mürrisch: »Einen Augenblick, Mr. Van Cleve.« Er rief Cahill mit einer brüsken, zornigen Geste in eine Ecke und beriet sich dort eilig mit ihm.

»Verdammt, Cahill, was zum Teufel führt Van Cleve jetzt im Schild?«

»Das weiß ich nicht.«

»Es ist ein Trick. Einer der üblichen schleimigen Tricks, die Anwälte abziehen.« Dann erst fiel ihm ein, daß er mit einem Anwalt sprach, und fügte hinzu: »Das war nicht persönlich gemeint. Jetzt entscheiden Sie gegen ihn, damit wir es hinter uns haben.«

»Nicht so schnell«, widersprach Cahill. »Wenn dies ein Prozeß wäre und vor den Plädoyers neue Beweise vorgelegt werden, würde es kein Richter in diesem Staat verbieten.«

»Als er neulich von entlastenden Beweisen sprach, entschieden Sie gegen ihn, weil *es* sich um keinen Prozeß handelt«, erinnerte ihn Mott.

»Das war etwas anderes. Damals wollte er, daß wir ihm die Beweise liefern. Jetzt behauptet er, daß er neue Beweise besitzt. Wenn Sie nicht wollen, daß dieser Fall vor Gericht verhandelt wird, dann erteilen Sie ihm die Erlaubnis.«

Sobald Mott in seinem Stuhl saß, erklärte er: »Entsprechend unserer Politik der absoluten Fairneß der Beklagten gegenüber wird dieses Komitee die Anhörung wieder aufnehmen und erwartet die neuen Beweise oder die neuen Zeugen, die der Verteidiger präsentieren wird. Mr. Van Cleve?«

Scott erhob sich. »Die Beklagte möchte Dr. Gladys Ward in den Zeugenstand rufen, Mr. Mott.«

Gladys Ward sah Scott verblüfft und wütend an. Dr. Truscott legte seinen Bleistift weg, ohne sich eine einzige Notiz gemacht zu haben. Mott sah verängstigt zu Cahill und dann zu Hoskins hinüber, der verstohlen Blicke mit Claude Stuyvesant wechselte, bevor er sich erhob und protestierte.

»Herr Vorsitzender, in all den Jahren, in denen ich die Anklage bei Anhörungen vertreten habe, ist niemals ein Mitglied des Komitees als Zeuge aufgerufen worden. Nur ein junger, unerfahrener Anwalt, der verzweifelt eine Verteidigung sucht, kann auf einen so schäbigen Trick verfallen. Ich erhebe entschieden Einspruch dagegen, daß dieses ernste Verfahren in einen juristischen Zirkus verwandelt wird.«

Um Hoskins zu unterstützen, fügte Cahill hinzu: »Aber, aber,

Mr. Van Cleve, vor nur wenigen Tagen erhoben Sie dagegen Einspruch, daß Frau Dr. Ward Ihrer Zeugin einige Fragen stellte. Jetzt wollen Sie sie als Zeugin aufrufen. Konsequenz, Mr. Van Cleve, wir brauchen ein wenig juristische Konsequenz.«

»Genau, Mr. Cahill«, bemerkte Scott. »Vor einigen Tagen gewährten Sie Frau Dr. Ward die Vorrechte eines Anklägers. Und sie rechtfertigten dies, wenn ich mich richtig erinnere, mit der ›Suche nach Wahrheit, die schließlich der Grund ist, warum wir alle hier sind‹. Das ist alles, was ich jetzt verlange. Konsequenz.«

Scott wandte sich Hoskins zu und fragte: »Warum ist Frau Dr. Ward in dieses Komitee gewählt worden, Sir?«

»Es ist üblich, daß zumindest ein ärztliches Mitglied des Komitees ein Spezialist auf dem jeweils behandelten Gebiet ist. Wegen ihrer hervorragenden Leistungen auf dem Gebiet der Geburtshilfe und Gynäkologie, und da dieser Fall eine ektopische Schwangerschaft mit tödlichem Ausgang betrifft, wurde sie ernannt.«

»Danke, Mr. Hoskins, daß Sie sie als Expertin bezeichnen. Denn ich rufe sie in dieser Eigenschaft auf. Würden Sie ›auf der Suche nach der Wahrheit‹, wie es Mr. Cahill so gern ausdrückt, im Zeugenstand Platz nehmen, Frau Dr. Ward?«

Ward sah Mott an, damit er sie von dieser Funktion ausnahm. Mott wiederum sah zu Cahill, der kurz und verlegen nickte.

Mit deutlicher Zurückhaltung nahm Dr. Gladys Ward im Zeugenstuhl Platz und wurde vereidigt.

Scott trat zu ihr und begann mit dem Kreuzverhör, mit dem er gezwungenermaßen das berufliche Schicksal von Dr. Kate Forrester aufs Spiel setzte.

»Da dieses Komitee Sie bereits als Sachverständige anerkannt hat, Frau Dr. Ward, müssen wir nicht ihre ehrenvollen beruflichen Leistungen aufzählen. Kommen wir also direkt zu den Fakten, die die übrigen Mitglieder des Komitees hoffentlich über die Kompliziertheit dieses Falls aufklären werden. Würden Sie zunächst für diese Herren die klassischen Symptome einer ektopischen Schwangerschaft aufzählen?«

»Ich fürchte, man hat Sie schlecht informiert, Herr Anwalt.«

»Wieso?«

»Weil es keine klassischen Anzeichen und Symptome für eine ektopische Schwangerschaft gibt.«

»Andere Zustände und Krankheiten weisen aber klassische Anzeichen und Symptome auf«, widersprach Scott pro forma.

»Ektopische Schwangerschaften tun das leider nicht. Bei ihnen gibt es keine pathognomonischen Anzeichen oder Symptome.«

Scott versuchte, verwirrt auszusehen. »Tut mir leid, Frau Doktor, dieses Wort ist mir fremd.«

»Pathognomonisch bedeutet, daß es Anzeichen oder Symptome gibt, die für eine bestimmte Krankheit oder einen Zustand charakteristisch sind; aufgrund dieser Symptome kann eine Diagnose erstellt werden«, erklärte Dr. Ward.

»Ich verstehe. Aber wenn ektopische Schwangerschaften keine solchen Anzeichen oder Symptome aufweisen, wie gelangt dann der Arzt zu einer Diagnose?«

Gladys Ward war jetzt sichtlich verärgert. »Wenn Sie einen Einführungskurs in Schwangerschaften haben wollen, sollten Sie meine Vorträge an der medizinischen Fakultät hören.«

»Ich wiederhole, Frau Dr. Ward, wenn es keine pathognomonischen Anzeichen oder Symptome gibt, wie diagnostiziert dann ein Arzt eine ektopische Schwangerschaft?«

»Eine Kombination von Feststellungen und Beobachtungen ist manchmal aufschlußreich.«

»›Aufschlußreich‹« wiederholte Scott. »Ein interessantes Wort. Welche Kombination von Erkenntnissen und Beobachtungen könnte ›aufschlußreich‹ sein?«

»Es gibt etliche.«

»Können Sie sie nennen?« ließ Scott nicht locker.

Gladys Ward begriff, daß er nicht nachgeben würde, und begann, ungeduldig aufzuzählen: »Übelkeit, Erbrechen, Krämpfe, Empfindlichkeit, vor allem bei Bewegungen, ausgebliebene Regel. Obwohl ich in den Jahren, seit ich praktiziere, zwei ektopische Schwangerschaften gesehen habe, bei denen die Regel nicht ausgeblieben war.«

»Dann wäre die Schlußfolgerung, die ich daraus ziehe, richtig – daß sich nur sehr wenige ektopische Schwangerschaften genau auf die gleiche Art bemerkbar machen?«

»Ich würde sagen, daß nur zehn – vielleicht fünfzehn – Prozent dem üblichen Bild entsprechen.«

»Doch die große Mehrheit tut dies nicht.«

»Richtig.« Frau Dr. Ward war erleichtert, weil sie damit ihre Ansicht klargestellt hatte.

»Was ist mit Fieber als Symptom, Frau Doktor? Claudia Stuyvesant hatte Fieber.«

»Manche ektopische Schwangerschaften rufen Fieber hervor, manche nicht.«

»Fieber ist also auch kein verläßliches Symptom«, murmelte Scott. »Aber Sie erwähnten Übelkeit, Erbrechen, Krämpfe. Sind sie im allgemeinen ein Hinweis auf eine ektopische Schwangerschaft?«

»Ja.«

»Können Sie andere Zustände nennen, die die gleichen Symptome aufweisen, Frau Doktor?«

»Und ob.« Ward zählte rasch auf: »Geschwür, Gastritis, virale Mageninfektion, Blinddarm, Nierensteine, bevorstehende Fehlgeburt, entzündliche Prozesse in der Bauchhöhle, Erkrankung der Harnwege...«

Scott griff ein. »Dürfte ich Ihnen eine Feststellung aus einem anerkannten Werk über Geburtshilfe vorlesen, um dem Komitee Zeit zu ersparen? Ich zitiere: ›*Mindestens fünfzig pathologische Zustände können mit einer extrauterinen Schwangerschaft verwechselt werden.*‹ Würden Sie dem zustimmen?«

»Ganz sicher.«

»Wenn ein Arzt vor Anzeichen und Symptomen steht, die auf eine ektopische Schwangerschaft hinweisen, was sollte dieser Arzt tun?«

»Sofort eine zweihändige vaginale Untersuchung durchführen.«

367

»Und das würde das Vorhandensein einer ektopischen Schwangerschaft beweisen?«

»Nicht unbedingt«, mußte Dr. Ward zugeben.

»Warum nicht?«

»In erster Linie deshalb, weil sich der Gebärmutterhals bei einer normalen Schwangerschaft verfärbt; bei einer ektopischen muß das nicht der Fall sein.«

»Wäre der Arzt bei der zweihändigen Untersuchung imstande, das Vorhandensein einer ektopischen Schwangerschaft zu fühlen?«

»Manchmal, aber nicht immer.«

»›Manchmal‹, Frau Doktor? Ich möchte einen Absatz aus einem anderen anerkannten Werk über das Thema vorlesen. Ich zitiere: ›Die Feststellungen sind bei der körperlichen Untersuchung häufig unwesentlich oder zweifelhaft. Eine Bauchhöhlen- oder Unterleibsempfindlichkeit kann vorhanden sein oder nicht‹«, und hier las Scott betont langsam weiter… »*in fünfzig bis fünfundsiebzig Prozent der Fälle fühlt man keine eindeutige Vergrößerung der Gebärmutter und auch keine Schwellung der Eileiter.*‹ Stimmen Sie dem zu, Frau Doktor?«

»Ja.«

»Es ist also fair, Frau Doktor, wenn man sagt, daß es keine Nachlässigkeit von seiten Frau Dr. Forresters war, wenn sie bei der Unterleibsuntersuchung keine Vergrößerung bemerkte?«

»Ja, das ist eine faire Feststellung«, gab Gladys Ward zu.

»Gab es noch etwas, das Frau Dr. Forrester in einer Situation hätte tun können, die Sie als ›aufschlußreich‹ bezeichnen?« fuhr Scott fort.

»Einen Harnschwangerschaftstest.«

»Den machte sie, und er war negativ«, rief ihr Scott ins Gedächtnis.

Dr. Gladys Ward empfand diese Bemerkung als Verweis, nahm ihre steife pädagogische Haltung an und dozierte: »Da Frau Dr. Forrester die Fehlerrate dieser Tests bekannt war, hätte sie ihrem Verdacht weiterhin nachgehen und ein Sonogramm veranlassen müssen.« Sie wehrte Scotts Antwort ab, indem sie sofort weitersprach: »Wir wissen jetzt, daß dies zu jenem Zeitpunkt nicht gemacht werden konnte.«

»Genau, Frau Doktor.«

»Aber ein Blutserums-Schwangerschaftstest kann jederzeit gemacht werden«, bemerkte sie.

»Wissen Sie, daß Frau Dr. Forrester einen solchen Test anordnete?«

»Nein.« Frau Dr. Ward war überrascht. »Wie lautete das Ergebnis?«

»Wir werden es nie erfahren. Die Ergebnisse dieses Tests, die am nächsten Tag zur Verfügung stehen sollten, sind auf unerklärliche Weise verschwunden und tauchen in der Akte der Patientin nicht auf. Das war übrigens nicht das einzige fehlende Ergebnis. Aber fahren wir fort, Frau Doktor. Ich möchte Ihnen jetzt aus einem anderen äußerst angesehenen Lehrbuch für Geburtshilfe und Gynäkologie vorlesen. Ich zitiere: ›*Durch ihre häufig vagen Anzeichen und Symptome plus den verschiedensten anderen Erkrankungen, die sie nachahmt, wie Unterleibs- und Bauchhöhleninfektionen, wird die ektopische Schwangerschaft zu einer verwirrenden diagnostischen Herausforderung.*‹«

Einen Augenblick lang wirkte Gladys Ward sichtlich empört, beherrschte sich jedoch, als Scott fortfuhr:

»Das Zitat geht weiter. ›*Wir können die Eileiterschwangerschaft tatsächlich als* ›*die Krankheit der Überraschungen*‹ *bezeichnen. Sie ist auch von vielen Klinikärzten* ›*die große Maskerade*‹ *genannt worden.*‹ Stimmen Sie diesen Feststellungen zu, Frau Doktor?«

Diese starrte Scott an, reagierte jedoch nur mit einem leichten, überlegenen Lächeln, das langsam auf ihrem bis jetzt strengen Gesicht auftauchte.

»Frau Doktor?« drängte Scott.

»Wenn Sie versuchen, mir eine Falle zu stellen, Mr. Van Cleve, dann fürchte ich, daß das danebengegangen ist«, antwortete Dr. Ward schließlich. »Ich stimme diesen Feststellungen nicht nur zu, sondern ich habe sie geschrieben. Sie zitieren aus meinem Text über das Thema.«

»Das stimmt, Frau Doktor«, gab Scott zu. »Nachdem wir jetzt festgestellt haben, wie schwierig es ist, eine ektopische Schwangerschaft zu diagnostizieren, möchte ich Sie fragen, ob Sie sich an die Aussage der ersten Zeugin, Mrs. Stuyvesant, erinnern?«

»Ich glaube schon.«

»Dann erinnern Sie sich daran, daß sie sagte, sie hätte Frau Dr. Forrester gebeten, ihrer Tochter ein Antibiotikum zu geben?«

»Ja, daran erinnere ich mich.«

»Maßen Sie dieser Äußerung zu jenem Zeitpunkt eine besondere Bedeutung bei, Frau Doktor?«

»Eigentlich nicht.«

»Warum nicht?« bohrte Scott weiter.

»Weil das im Zweifelsfall immer das erste ist, woran Laien denken. Für sie sind Antibiotika magische Tränke, die alles heilen können. Was zu einem häufigen Mißbrauch führt.«

»Kehren wir noch einmal zu den vielen Schwierigkeiten bei der Diagnose ektopischer Schwangerschaften zurück, Frau Doktor; gibt es andere Faktoren, die eine solche Situation noch mehr komplizieren können?«

»Das ist möglich«, gab Dr. Ward zu.

»Können Sie einige davon nennen?«

Da der Ärztin die Richtung unangenehm wurde, in die Scott die Befragung lenkte, wich sie aus, indem sie sagte: »Eine präzisere Frage wäre mir lieber.«

»Ich will es versuchen. Gehe ich recht in der Annahme, daß Sie Ihre Praktikanten- und Assistentenzeit in einem Krankenhaus in einer Großstadt absolviert haben?«

»Ja.« Dr. Ward war jetzt noch verwirrter.

»Hatten Sie in Ihrer Anfangszeit als Assistenzärztin im Notdienst jemals Gelegenheit, drogensüchtige Patienten zu behandeln?«

Mott und Hoskins, Hoskins und Cahill, Hoskins und Stuyvesant wechselten besorgte Blicke. Letzterer veranlaßte den Ankläger, sich zu erheben und zu protestieren: »Eine solche Aussage ist für diese Anhörung nicht relevant, Mr. Scott. Sie ergeht sich in Spekulationen, die mit diesem Verfahren nichts zu tun haben.«

Scott fuhr zu ihm herum. »Bevor ich fertig bin, Mr. Hoskins, werde ich die Relevanz sogar zur Zufriedenheit dieses Komitees bewiesen haben.«

Hoskins forderte Cahill auf, eine Entscheidung zu treffen. Doch der junge Verwalter überdachte die Möglichkeiten, vor denen er stand. Entweder bluffte Van Cleve, und in diesem Fall würde er sich schließlich selbst vernichten. Oder er hatte irgendwie neue und sehr wichtige Beweise an sich gebracht. In diesem Fall konnte Cahill es nicht riskieren, in bezug auf seine Motive als zu willkürlich oder zu durchsichtig zu wirken.

»Wir werden Mr. Van Cleve gestatten fortzufahren, doch nur unter der Voraussetzung, daß er den Zusammenhang darlegt«, entschied Cahill.

Dem wütenden Hoskins blieb nichts anderes übrig, als auf seinen Stuhl zurückzugleiten; er war jedenfalls bereit, beim geringsten Vorwand wieder zu protestieren.

Scott fuhr fort: »Darf ich wiederholen, Frau Dr. Ward – haben Sie jemals während Ihres Notdienstes Drogensüchtige behandelt?«

»Das hat jeder Arzt getan«, erwiderte sie. »Ich habe sogar Babys von drogensüchtigen Müttern entbunden. Manche sind bei der Geburt gestorben. Und bei anderen bedauerte ich, daß sie nicht gestorben waren.«

»Dann kann die Tatsache, daß eine Patientin Drogen nimmt, ernste Folgen und Komplikationen nach sich ziehen?«

»Natürlich.«

»Haben Sie jemals Patienten entdeckt oder gekannt, die während ihres Krankenhausaufenthalts solche Drogen nahmen?«

»Ich habe auch solche Fälle gesehen«, gab die Ärztin zu.

»Wenn einem schwer drogensüchtigen Patienten alle Drogen für sieben, acht, neun Stunden entzogen werden, könnte er dann Entziehungserscheinungen aufweisen, Frau Doktor?« fragte Scott.

»Für einen echten Drogenabhängigen wäre ein so langer Zeitraum ohne Fix schwer zu ertragen«, antwortete sie.

»Wenn dazu eine Situation kommt, in der ein Patient schwere innere Blutungen hat, aber nur leichte Schmerzen und Unbehagen empfindet, was würden Sie daraus schließen?«

»Keine Entziehungssymptome, aber leichte Schmerzen, die nach etwa acht oder neun Stunden eigentlich schwer sein sollten?« rekapitulierte die Ärztin.

»Ja, Frau Doktor, was würden Sie daraus schließen?«

»Daß der Patient irgendwie während dieser neun Stunden Zugang zu Drogen hatte.«

»Jetzt komme ich auf eine frühere Frage zurück, Frau Doktor. Maßen Sie der Tatsache, daß Mrs. Stuyvesant Frau Dr. Forrester um ein Antibiotikum bat, besondere Bedeutung bei?«

»Nein, und das tue ich noch immer nicht...« begann Dr. Ward, unterbrach sich, überlegte kurz und begann dann von neuem. »Ja, Mr. Van Cleve. Wenn die Patientin auch nur mäßige Schmerzen empfand, würde eine besorgte Mutter für gewöhnlich bitten: ›Frau Doktor, geben Sie ihr etwas gegen die Schmerzen‹.«

»Also waren entweder die Schmerzen der Patientin so leicht, daß kein schmerzstillendes Mittel notwendig war, oder die Mutter der Patientin wußte, daß diese bereits etwas gegen die Schmerzen genommen hatte?«

Bevor Frau Dr. Ward antworten konnte, rief Hoskins: »Herr Vorsitzender! Herr Vorsitzender! Nichts in den Aufzeichnungen weist auf einen solchen Tatbestand hin. Es gibt überhaupt keinen Beweis dafür, daß das Opfer Drogen nahm.«

Mott wollte, daß Cahill eingriff. »Der Verteidiger ist anscheinend entschlossen, Material in das Protokoll einzuschleusen, für das er keine Beweise hat.«

»Die Frage klingt bekannt«, spottete Cahill. »Da alle bisherigen Versuche von Mr. Van Cleve fehlgeschlagen sind, obliegt es dem Komitee, ihn für seine Hartnäckigkeit nicht auch noch zu belohnen. Ohne einen wesentlichen Beweis als Grundlage können wir eine solche Frage auf keinen Fall gestatten.«

Cahill war davon überzeugt, daß Claude Stuyvesant diese Entscheidung voll beachtlicher Dankbarkeit im Gedächtnis behalten würde.

Bevor Mott mit dem Hammer auf den Tisch schlagen konnte, um jede weitere Diskussion über das Thema zu unterbinden, protestierte Scott: »Herr Vorsitzender, da Frau Dr. Ward als Sachverständige anerkannt ist, hat sie die Erlaubnis, hypothetische Fragen zu beantworten. Und ich habe das Recht, sie zu stellen.«

»Vorausgesetzt, daß die gesamte Aussage gestrichen wird, falls die Verteidigung keine sachliche Begründung für die Fragen vorbringen kann.«

»Natürlich«, stimmte Scott zu.

Hoskins nickte, und Mott entschied: »Sie können fortfahren, Mr. Van Cleve.«

»Angenommen, ein Patient hat hohe Dosen von Percodan, Codein, Benzodiazepin und vermutlich auch Kokain genommen...«

»Alle gleichzeitig innerhalb eines relativ kurzen Zeitraums?« fragte Gladys Ward sichtlich besorgt.

»Ja«, bestätigte Scott.

Hoskins konnte sich nicht mehr beherrschen und platzte heraus: »Jetzt türmt die Verteidigung eine Hypothese auf die andere.«

Aber Scott hörte nicht auf. »Könnten die zusammenwirkenden Bestandteile solcher Drogen, die gleichzeitig eingenommen wurden, und manche davon während der entscheidenden letzten neun Stunden im Leben der Patientin, ausgereicht haben, um die Schmerzen einer ektopischen Schwangerschaft zu kaschieren, ganz gleich, wie heftig sie sonst gewesen wären, Frau Dr. Ward?«

Die Ärztin zählte noch einmal auf: »Percodan, Codein, Benzodiazepin, dazu Kokain... sie wirkten gleichzeitig, jede verstärkte die Wirkung der anderen ... zweifellos konnten sie solche Schmerzen vor dem Arzt verbergen.«

»Danke, Frau Doktor«, sagte Scott.

Hoskins erhob sich müde und gelangweilt noch einmal. »Herr Vorsitzender, nachdem der hervorragende Verteidiger seine fantasievolle Version von dem, was hätte geschehen können, ohne einen Funken von Beweisen vorgetragen hat, verlange ich wie vereinbart, daß die gesamte Aussage hinausgeworfen wird!«

»Mr. Van Cleve?« fragte Mott.

Scott kehrte ohne zu antworten zu seinem Tisch zurück, wo Kate mit einem Stoß von Ausdrucken wartete. Er ging damit zu Frau Dr. Ward und bat sie: »Würden Sie bitte diese Ausdrucke prüfen, Frau Doktor? Vor allem die letzte Seite mit den neuesten Eintragungen?«

Als das Dokument weitergereicht wurde, wandte Hoskins ein: »Ich habe das Recht, das zu sehen.«

»Sobald Frau Dr. Ward damit fertig ist«, erwiderte Scott.

Die Ärztin brauchte nur einige Augenblicke, um die letzte Seite zu studieren. Danach sagte sie bedrückt: »Kein Wunder ...«, und gab Scott den Stoß zurück.

»Herr Vorsitzender, ich ersuche darum, daß dieser Bericht vom staatlichen Gesundheitsamt zu den Beweisen genommen wird.«

»Ich bestehe darauf, das Dokument zuerst zu sehen«, verlangte Hoskins.

»Selbstverständlich, Mr. Hoskins.« Scott reichte ihm die Papiere.

Hoskins schnappte sie und begann ungeduldig, sie zu überfliegen. Dann blickte er langsam auf und starrte Mott und dann Cahill an. Beide Männer kamen zu ihm, und sie studierten zu dritt den Bericht über Claudia Stuyvesants Drogenabhängigkeit.

Claude Stuyvesant wollte sich zu ihnen begeben, als seine Frau »Nicht, Claude!« rief.

Er tat den Aufschrei seiner Frau mit einem einzigen zornigen, vorwurfsvollen Blick ab. Als er bei Hoskins, Mott und Cahill stand, streckte er die Hand fordernd aus. Als Hoskins zögerte, sagte Stuyvesant: »Ich will das sehen.«

»Mrs. Stuyvesant hat recht«, sagte Hoskins so sanft, wie es ihm möglich war. »Sie wollen das nicht sehen.«

Stuyvesants Hand forderte noch immer das Dokument, und Hoskins blieb nichts anderes übrig, als es herzugeben. Stuyvesant prüfte es lange genug, um sich die widerlichen Tatsachen einzuprägen. Die Namen von über einem Dutzend Ärzten. Die Namen der Drogen, von denen er die meisten noch nie gehört hatte. Langsam, ungezielt reichte er das Dokument jemandem, der es entgegennahm. Er ging zu seiner Frau zurück, die aufstand, um ihn zu trösten.

Statt ihren Trost anzunehmen, sagte er vorwurfsvoll: »Auch in dieser Nacht? Du hast gesehen, wie sie es in dieser Nacht tat?«

»Ja, sogar in dieser Nacht. Du kannst jetzt aufhören zu heucheln.«

Normalerweise hätte sein zorniger Blick genügt, um sie zum Schweigen zu bringen. Aber Nora Stuyvesant fand zum ersten Mal seit vielen Jahren die Stärke und den Mut, sich ihm zu stellen.

»Ja, hör auf, es vor der Welt zu leugnen. Denn du wußtest es ebenfalls. Du hast es immer gewußt. Aber statt zu versuchen, ihr zu helfen, hast du sie fortgeschickt.«

»Sie hat uns verlassen.«

»Du möchtest, daß die Welt das glaubt. Sonst würde es heißen, daß du als Vater versagt hast. Und Claude Stuyvesant versagt nie. Die Wahrheit ist, daß du froh warst, sie loszusein. Weil sie nie das vollkommene Kind war, das du wolltest. Der vollkommene Sohn.«

»Sei still, Nora«, befahl er.

Dieses Mal brachte er sie jedoch nicht zum Schweigen.

»Du wolltest Claudia nie. Du wolltest Claude. Deshalb hast du sie ausgeschlossen, sie treiben lassen. Du machtest sie zu dem, was sie wurde. Sobald dir das klar war, mußtest du die häßliche Wahrheit verbergen. Deshalb gabst du mir die Schuld. Du gabst Frau Dr. Forrester die Schuld. Du sorgtest dafür, daß Aufzeichnungen vernichtet wurden, um Aussagen zu verhindern. Natürlich bis auf meine sorgfältig geprobte Aussage!«

»Verdammt, Nora! Sei still!«

»Damit die Welt nie erfährt, was Claude Stuyvesant seinem einzigen Kind angetan hat? Claudia war auch mein Kind. Meine Tochter. Ich liebte sie. Nachts weine ich jetzt, weil ich zu schwach war, sie vor dir zu schützen. Claudie... Claudie... Ich habe dich geliebt.«

Stuyvesants für gewöhnlich rötliches, energisches Gesicht wirkte aschgrau und gealtert. Alle Augen im Raum waren auf ihn gerichtet, als wäre er nackt, seine Tyrannei seiner Familie gegenüber war aufgedeckt worden, seine Feindseligkeit Kate gegenüber hatte sich als Abschirmung für seine eigene Schuld erwiesen.

Während Kate beobachtete, wie er stumm und kraftlos die Anschuldigungen seiner Frau über sich ergehen ließ, empfand sie nur Mitleid mit ihm. Doch vor allem fühlte sie den Kummer von Nora Stuyvesant mit, die bei dem Tod ihrer Tochter eine ahnungslose Komplizin gewesen war.

Stuyvesant ging ohne eine weiteres Wort zum Ausgang. Seine Frau lief ihm nach und rief: »Claude... Claude, warte.« Er dachte nicht daran stehenzubleiben. Als wolle sie sich für ihren plötzlichen Aufbruch entschuldigen, rief sie zurück: »Er braucht mich... Jetzt braucht er mich!«

Damit war sie draußen.

Die Tür fiel zu. Mott, der unfähig war, etwas zu sagen, bedeutete Scott mit einer Geste fortzufahren.

Van Cleve fragte leise: »Angesichts der großen Schwierigkeit, eine ektopische Schwangerschaft zu diagnostizieren, noch dazu, wenn dies durch die unwahren Antworten der Patientin, ein falsches Testergebnis und die durch den großen Drogenkonsum unterdrückten Schmerzen noch mehr erschwert wurde, würden Sie sagen, daß Frau Dr. Forresters Behandlung von

Claudia Stuyvesant absolut der üblichen ärztlichen Vorgehensweise entsprach?«

»Aufgrund der inzwischen vorliegenden Beweise muß ich
sagen, daß ihr Verhalten an jenem Abend untadelig war«,
pflichtete ihm Frau Dr. Ward bei.

»Und was die gegen sie vorgebrachten Beschuldigungen betrifft?« fragte Scott.

»Ich beantrage, sie von allen Beschuldigungen freizuspre-
chen«, verkündete die Ärztin.

Hoskins erhob Einspruch. »Ein Mitglied des Komitees kann
seinen Spruch erst nach den Schlußplädoyers verkünden.«

Dr. Truscott, der während des Verfahrens immer ruhig und
zurückhaltend gewesen war, meldete sich zu Wort. »Nach Frau
Dr. Wards Aussage, die eine Spitzenkraft auf ihrem Gebiet ist,
brauche ich keine Schlußplädoyers mehr. Es gab ohnehin bis
jetzt zu verdammt viele juristische Schachzüge und zu wenig
Medizin. Ich bin ebenfalls dafür, alle Beschuldigungen fallen-
zulassen.«

Auch Hoskins und Cahill, die endlich von der bedrückenden
Anwesenheit Claude Stuyvesants befreit waren, fanden, daß
die Schlußplädoyers jetzt sinnlos waren. Die Urteile von Frau
Dr. Ward und Dr. Truscott wurden so festgehalten, wie sie
im Protokoll standen. Auch Mott sollte sein Urteil zu Protokoll geben. Nach kurzem Zögern stimmte er verlegen dafür,
Kate zu entlasten. Dann schloß er die Anhörung in Sachen
Dr. med. Katherine Forrester mit einem endgültigen Hammer-
schlag.

Kate atmete tief aus. Bis zu diesem Augenblick hatte sie nicht
gemerkt, wie hartnäckig der Knoten in ihrem Magen endlose
Tage lang gewesen war. Der Schmerz ließ allmählich nach. Sie
legte den Kopf vollkommen erschöpft auf den Tisch und merkte
nicht, daß Frau Dr. Ward zu ihr trat.

»Sie halten mich wahrscheinlich für übertrieben despotisch
und streng«, begann Frau Dr. Ward knapp. »Aber wenn eine
Ärztin versagt, schadet sie meiner Meinung nach damit dem
ganzen Berufsstand. Damit uns die Männer schließlich als gut

genug akzeptieren, müssen wir besser sein als jeder einzelne von ihnen. Da Sie die Feuerprobe bestanden haben, sind Sie den Ansprüchen gewachsen. Falls Sie sich für weibliche Onkologie (Geschwulstlehre) entscheiden, suchen Sie mich auf.« Damit verließ sie den Saal rasch und energisch, wie es ihre Gewohnheit war.

Hoskins trat zu Kate und Van Cleve. »Das Urteil des Komitees wird dem staatlichen Gesundheitskommissar übermittelt. Von dort geht es zu dem Verwaltungsrat, der die endgültige Entscheidung trifft. Nach der Niederschrift der heutigen Anhörung haben sie sicherlich nichts mehr zu befürchten.«

»Wegen des City-Krankenhauses...« begann Kate.

»Ich werde mich unverzüglich mit Dr. Cummins in Verbindung setzen. Ihre Wiederaufnahme in den uneingeschränkten aktiven Dienst wird vermutlich automatisch erfolgen.«

Während Kate Scott half, seine Unterlagen einzusammeln, bemerkte sie: »Jetzt wissen wir wenigstens, was aus dem verschwundenen toxikologischen Bericht geworden ist.«

»Und warum der Leichenbeschauer nie diesen Test vorgenommen hat«, ergänzte er. »Der Stuyvesant-Faktor. Sie wissen, was ich meine. Mit allem, was wir jetzt wissen, können wir angesichts der öffentlichen Beschuldigungen gegen Sie einen stichhaltigen Verleumdungsprozeß gegen Stuyvesant führen.«

»Nein, danke, ich habe genug von Prozessen. Übergenug. Ich möchte einfach mein Leben und meine Karriere wieder aufnehmen«, erwiderte Kate.

Als Kate und Scott die klaustrophobischen Räume des staatlichen Ausschusses verließen, überfielen sie die Geräusche und Gerüche der Fortieth Street mit ihrem lauten, stinkenden Stoßstange-an-Stoßstange-Verkehr, der nach Westen zur Madison Avenue kroch.

Kate blickte zu den Fleckchen blauen Himmels hinauf, die sie zwischen den hohen Gebäuden sehen konnte.

»Trotz des Lärms und der Auspuffgase habe ich noch nie

einen helleren Tag erlebt. Er fühlt sich an wie Erntedanktag, Weihnachten und Schlußfeier an der medizinischen Fakultät in einem. Als würde ich das Leben neu beginnen. Ich weiß nicht, wie ich Ihnen danken soll, Scott.«

»Eine Möglichkeit ist, mich nicht Scott zu nennen.«

»Sie meinen, daß wir nach allem, was wir durchgemacht haben, wieder bei Frau Dr. Forrester und Mr. Van Cleve sind?« fragte Kate erstaunt.

»Ich meine, daß Leute, die eine wichtige Rolle in meinem Leben spielen, mich Van nennen.«

Kate probierte es vorsichtig aus. Van... Van... klingt nicht schlecht.«

»Je öfter Sie es verwenden, desto besser klingt es.«

Sie lächelte ihn an; ihr war vollkommen klar, was er meinte. »Ich muß meine große Neuigkeit herumerzählen! Ich muß jemanden anrufen.«

»Walter?« fragte er.

»Zu Hause. Mutter. Vater«, erklärte sie.

»Natürlich«, sagte Scott sehr erleichtert. Dann fragte er: »Wegen dieses Walter...«

»Ja, Van?«

»Ich möchte wissen... haben Sie irgendwelche Pläne? Ich meine...«

»Ich weiß, was Sie meinen. Vor der Nacht, in der Walter anrief, hatte ich wochenlang jedes Treffen mit ihm vermieden. Ich habe also keine Pläne«, sagte sie offen. Sie wußte, was er fragte. Er wußte, was sie antwortete. »Ich muß nach Hause und anrufen«, fügte sie hinzu und ging auf ein Taxi zu, das gerade die Fahrgäste aussteigen ließ.

Er rief ihr nach: »Abendessen?«

»Okay«, rief sie zurück.

»Heute abend?«

Als sie die Taxitür zuzog, fügte sie hinzu: »Heute abend.«

Kate stürzte »Rosie, Rosie« rufend in die Wohnung. Niemand antwortete. Dann fiel ihr ein, daß Rosie diese Woche Dienst im

Krankenhaus hatte. Sie ging zum Telefon und wählte. Ungeduldig wartete sie auf das Läuten.

»Hallo?« meldete sich ihre Mutter.

»Es ist okay, Mama, es ist okay.« Kate schrie beinahe ins Telefon. »Alles hat sich herrlich gelöst. Einfach herrlich.«

»Ach Kind, ich freue mich so sehr.« Ihre Mutter begann, vor Erleichterung und Glück zu weinen.

»Ist Dad da?« fragte Kate.

»Ich hole ihn«, sagte ihre Mutter durch Tränen. »Ben! Ben! Es ist Kate. Mit wunderbaren Neuigkeiten.«

Ihr Vater räusperte sich, bevor er fragte: »Stimmt das, was Mutter sagt, Katie?«

»Es stimmt, Dad. Rehabilitiert. Einstimmig!« erklärte sie stolz.

»Gut, Liebling, gut«, meinte ihr Vater. »Der junge Anwalt hat sich also bewährt?«

»Mehr als bewährt«, stellte Kate fest.

»Dann bedanke dich in unserem Namen bei ihm.«

»Ihr werdet das demnächst selbst tun können. Jetzt muß ich das Krankenhaus anrufen und meine neue Diensteinteilung erfahren.«

»Tu das nur, Liebling. Inzwischen werde ich eine Weile telefonieren müssen. Eine Menge Leute in der Gegend möchten es wissen.«

Sie legte auf und rief dann das Krankenhaus an. Bevor sie Cummins' Büro verlangte, ließ sie sich die Kinderabteilung geben. Zum Glück hatte Harve Golding Dienst.

»Harve?« fragte Kate.

»Kate!« begrüßte er sie begeistert. »Es hat sich schon herumgesprochen. Meinen Glückwunsch. Großartig. Die gesamte Belegschaft ist in Hochstimmung.«

»Wie geht es meiner kleinen Maria?« fragte Kate.

»Nach all den Tests – physikalischen, radiologischen, neurologischen – hielten wir gestern eine Gruppenberatung ab. Es wird ein langer, langsamer Prozeß werden, aber sie wird gesund werden.«

»Kein Restschaden?«

»Nein. Das heißt, vielleicht einer.«

»Und zwar?« fragte Kate sehr beunruhigt.

»Seit diese verdammte Anhörung begonnen hat, fragt sie nach Ihnen. Sie hat Angst, daß Sie sie verlassen haben.«

»Ich komme, Harve, ich komme!« versprach Kate. »Ich werde auf dem Weg zum Abendessen hineinschauen.«